2026年度版

東京消防庁

科目別・テーマ別 過去問題集

消防官Ⅰ類

TAC出版編集部 編著

TAC出版
TAC PUBLISHING Group

はじめに

近年就職環境が大きく変化している中で、まだまだ多くの若者が「やりがい」や「安定」を求めて公務員試験に挑戦しています。出題科目が非常に広範な公務員試験で効率的に学習を進めるためには、志望試験種の出題形式を的確に捉え、近年の出題傾向をつかむ必要があります。

このシリーズは、受験先ごとに公務員試験の過去問演習を十分に行うために作られた問題集です。

公務員試験対策は「過去問演習」なしに語ることはできません。試験ごとの出題傾向が劇的に変化することは稀であり、その試験の過去の出題を参考にすることで、試験本番に向けた対策をほぼカバーすることができるためです。

また、過去問を眺めると、試験ごとに過去の出題分布がだいぶ異なっていることに気づきます。公務員試験対策を始めたばかりのころは、なるべく多くの受験先に対応できるよう幅広い範囲の知識をインプットしていくことが多いですが、ある程度念頭においた受験先が見えてきたら、その受験先の出題傾向を意識した対策が有効になります。

本シリーズは、択一試験の出題を科目ごと、出題テーマごとに分類して配列した過去問題集です。このため、インプット学習と並行しながら少しずつ取り組むことができます。また、1冊取り組むことによって、受験先ごとの出題傾向を大まかにつかむことができるでしょう。

公務員試験はいうまでもなく就職試験です。就職試験に臨む者は皆、人生における大きな岐路に立ち、その目的地であるゴールを目指しています。公務員として輝かしい一歩を踏み出すためには、合格というスタートラインが必要です。本シリーズを十分に活用された方々が、合格という人生のスタートラインに立ち、公務員として各方面で活躍されることを願ってやみません。

2024年10月　TAC出版編集部

本書の特長と活用法

本書の特長 ～ 試験別学習の決定版書籍です！

科目別・テーマ別に演習できる！

本書は東京消防庁（消防官Ⅰ類）採用試験における択一試験の過去問（2018～2023年度）から精選し、学習しやすいよう科目別・テーマ別に収載しています。科目学習中の受験生が試験ごとの出題傾向をつかむのに最適な構成となっています。

TAC生の正答率つき！ 丁寧でわかりやすい解説！

TAC生が受験した際のデータをもとに正答率を掲載しました（各年度最初の回のみ）。また、解答に加えて、初学者の方でもわかりやすい、丁寧な解説を掲載しています。実際に問題を解き、間違ったときはもちろん、正解だったときでも、しっかりと解説を確認することで、知識を確固たるものにすることができます。

受験ガイド・合格者の体験記を掲載！

受験資格や受験手続の概要をまとめた「受験ガイド」を掲載しています。過去の受験申込者数、最終合格者数といった受験データもまとめています。また、合格者に取材して得た合格体験記も掲載していますので、直前期の学習の参考にしてください（合格者の氏名は仮名で掲載していることがあります）。

記述式試験の模範答案も閲覧可能！

2018～2023年度の記述式試験について、問題と答案例をWeb上でダウンロード利用できます。詳しくはご案内ページをご確認ください。

問題・解説ページの見方

問題

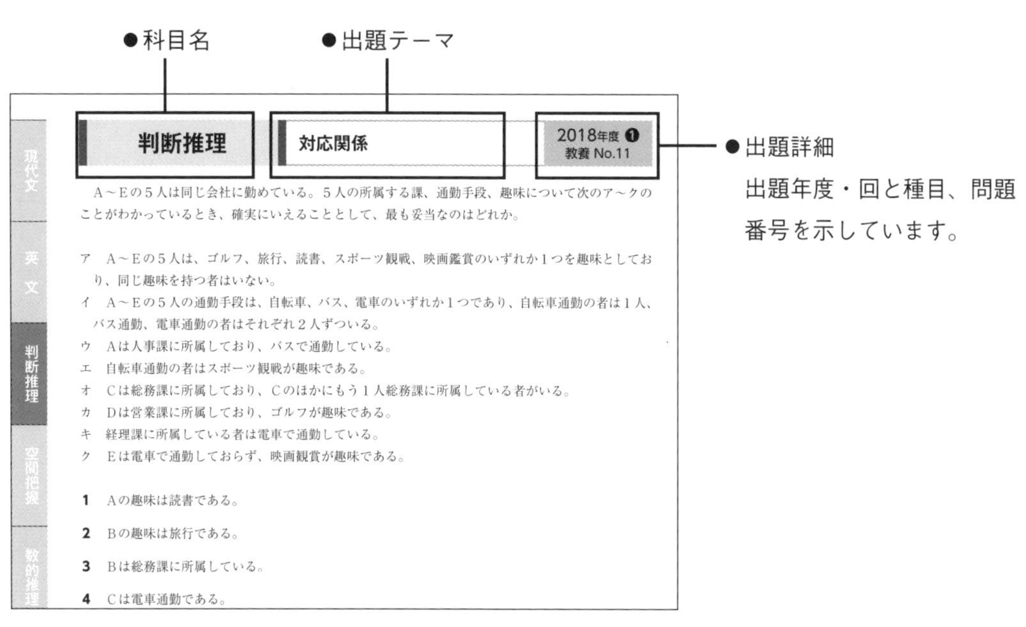

判断推理　**対応関係**　2018年度 ❶ 教養 No.11

A～Eの5人は同じ会社に勤めている。5人の所属する課、通勤手段、趣味について次のア～クのことがわかっているとき、確実にいえることとして、最も妥当なのはどれか。

ア　A～Eの5人は、ゴルフ、旅行、読書、スポーツ観戦、映画鑑賞のいずれか1つを趣味としており、同じ趣味を持つ者はいない。
イ　A～Eの5人の通勤手段は、自転車、バス、電車のいずれか1つであり、自転車通勤の者は1人、バス通勤、電車通勤の者はそれぞれ2人ずついる。
ウ　Aは人事課に所属しており、バスで通勤している。
エ　自転車通勤の者はスポーツ観戦が趣味である。
オ　Cは総務課に所属しており、Cのほかにもう1人総務課に所属している者がいる。
カ　Dは営業課に所属しており、ゴルフが趣味である。
キ　経理課に所属している者は電車で通勤している。
ク　Eは電車で通勤しておらず、映画観賞が趣味である。

1　Aの趣味は読書である。
2　Bの趣味は旅行である。
3　Bは総務課に所属している。
4　Cは電車通勤である。

解説

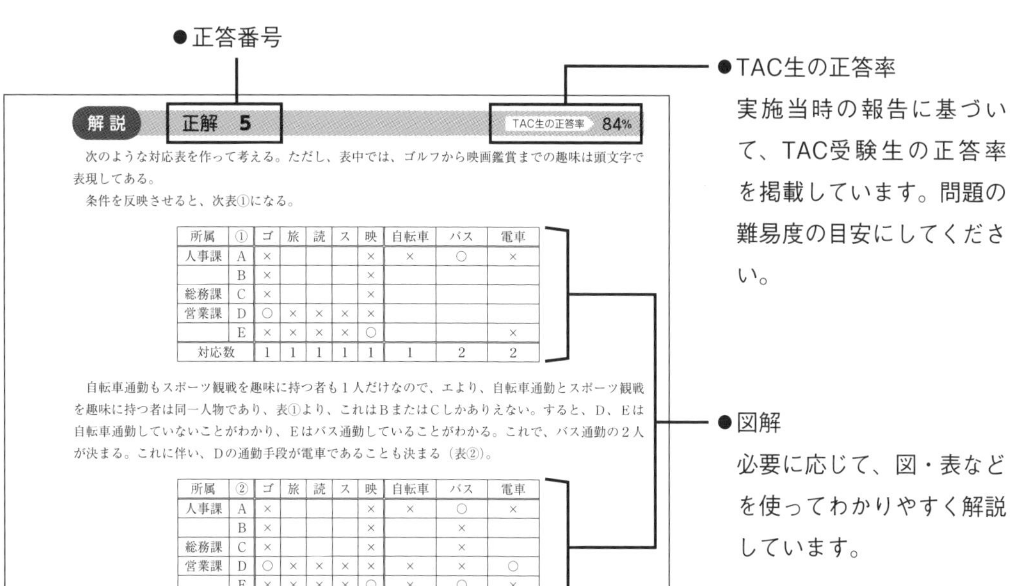

解説　**正解　5**　TAC生の正答率 84%

次のような対応表を作って考える。ただし、表中では、ゴルフから映画鑑賞までの趣味は頭文字で表現してある。
条件を反映させると、次表①になる。

所属	①	ゴ	旅	読	ス	映	自転車	バス	電車
人事課	A	×				×	×	○	×
	B	×				×			
総務課	C	×				×			
営業課	D	○	×	×	×	×			
	E	×	×	×	×	○			×
対応数		1	1	1	1	1	1	2	2

自転車通勤もスポーツ観戦を趣味に持つ者も1人だけなので、エより、自転車通勤とスポーツ観戦を趣味に持つ者は同一人物であり、表①より、これはBまたはCしかありえない。すると、D、Eは自転車通勤していないことがわかり、Eはバス通勤していることがわかる。これで、バス通勤の2人が決まる。これに伴い、Dの通勤手段が電車であることも決まる（表②）。

所属	②	ゴ	旅	読	ス	映	自転車	バス	電車
人事課	A	×				×	×	○	×
	B	×				×		×	
総務課	C	×				×		×	
営業課	D	○	×	×	×	×	×	×	○
	E	×	×	×	×	○	×	○	×
対応数		1	1	1	1	1	1	2	2

東京消防庁（消防官Ⅰ類）受験ガイド

(1) 東京消防庁（消防官Ⅰ類）試験とは

東京消防庁（消防官Ⅰ類）試験は大卒程度の学力を有する受験者から消防官を採用する目的で実施される試験です。

合格者は全寮制の消防学校での研修期間を経たのち、都内の各消防署に配属され、都民の生命、身体及び財産を災害から守るために種々の業務に従事します。

(2) 受験資格＆申込方法

東京消防庁（消防官Ⅰ類）試験は大卒程度の試験ではあるものの、大学を卒業している、または卒業見込みであることを絶対の条件としているわけではなく、試験に要する学力の目安としているにすぎません。2024年度の試験においては、1989年４月２日から2003年４月１日までに生まれた方が受験可能でした。

(3) 試験日程＆採用まで

2024年度の試験は以下の日程で実施されました。

申込みから最終合格までの流れ

	第１回試験	第２回試験
申込期間	3/15(金)～4/3(水)	7/22(月)～8/9(金)
第１次試験日	5/12(日)	9/15(日)
第１次合格発表日	6/7(金)	10/17(木)
第２次試験日	6/15(土)～6/23(日)	10/26(土)～11/10(日)
最終合格発表日	7/18(木)	12/5(木)

＊第２次試験は、上の期間のうち指定された日に受験します。

(4) 試験内容

試験種目		内容	時間
第1次試験	教養試験	五肢択一式、45題	2時間
	論文試験	課題式（800字以上1,200字程度）、1題	1時間30分
	資格・経歴評定	保有する資格やスポーツ・音楽の経歴に応じて評定	
	適性検査	消防官としての適性についての検査	
第2次試験	身体・体力検査	視力、色覚、聴力、1km走、反復横とび、上体起こし、立ち幅とび、長座体前屈、握力、腕立て伏せ、その他	
	口述試験	個別面接	

第1次試験では筆記試験が課されます。教養試験・論文試験とも全問必須解答であり、教養試験の出題内訳（2024年度）は以下のとおりとなります。

一般知能分野							一般知識分野										
文章理解			数的処理				社会科学			人文科学				自然科学			
現代文	語句	英文	判断推理	空間把握	数的推理	資料解釈	法律	経済	社会	世界史	日本史	地理	国語	数学	物理	化学	生物
5	2	4	6	2	6	2	3	1	3	1	1	1	3	2	1	1	1

第2次試験では個別面接が行われるほか、公安職に特有の検査として身体検査・体力検査なども実施されます。

以上の受験についての情報は、必ず試験案内または東京消防庁のホームページにより確認してください。

(5) 試験実施状況

年度	回	採用予定数	申込者数	受験者数	第1次試験合格者数	最終合格者数	受験倍率
2023年度	第1回	310	3,052	2,473	1,295	790	3.1
	第2回	140	1,817	1,254	328	163	7.7
2022年度	第1回	230	4,158	3,356	1,067	364	9.2
	第2回	50	2,326	1,252	379	187	6.7
2021年度	第1回	310	3,496	2,835	1,211	395	7.2
	第2回	–	–	–	–	–	–
2020年度	第1回	110	4,208	2,976	819	437	6.8
	第2回	110	1,268	747	449	118	6.3
2019年度	第1回	140	4,834	3,861	1,257	441	8.8
	第2回	60	2,525	1,287	252	76	16.9

合格体験記

大盛(おおもり) 純平(じゅんぺい) さん

2023年度　東京消防庁（消防官Ⅰ類）合格

人命救助を自分の仕事にするため、公務員試験一本で臨む

新型コロナウイルス感染症の感染拡大のため、大学生活の前半は自宅待機を余儀なくされていました。大学１年生の終わりぐらいのころ、テレビドラマを見た影響で人命救助にあたる職業に就きたいという気持ちが大きくなり、消防官の仕事を志すようになりました。

それからは民間企業の就職活動は考えず、公務員志望一本に絞ることにしました。民間企業の就職活動では一般的に公務員より早い時期に結果が出始めるため、こちらで内々定を得られると気持ちが楽になると思います。ただその安心が、逆に第一志望のための試験対策に向かう気持ちを中途半端なものにしてしまうと思ったためです。

教養試験は解き方を身につけて、とにかく演習！

大学２年生の夏ごろ、TACに入会して試験対策を始めました。この段階で試験は１年半くらい先のことだったのと、大学生活が通常に戻り始めた時期で忙しかったこともあり、週に１回講義映像を視聴する程度のことしかしていませんでした。ただ、いま振り返ってみると、心の準備や学習する習慣づけ、ノートの取り方など、早いうちからスタートして得られたものが多かったと感じます。

東京消防庁の試験では、数的処理のうち資料解釈が５問とかなり多い出題数となっています（編者注：現在は２問に変更）。はじめのうちは解き方がわからないまま、無理やり細かい計算をして答えを出していたのですが、講義を通じて効率的な解き方を学んでからはだんだん得意科目になり、平均して１問当たり２分程度で安定して得点できる科目になりました。

資料解釈に限らず数的処理は、はじめ全く解き方がわからないような問題に数多く出会います。まずは講義を受けて解き方を理解したら問題に丁寧に取り組み、そのあとはとにかく演習量をこなすことが大事です。TACから支給された問題集を20周くらいして答えを覚えてしまうほどになり、とにかく万全の状態で臨みたかったので、自分で別の問題集を入手してさらに取り組んでいました。

一方で日本史、世界史などの人文科学は、高校時代までおろそかにしていたこともあり、対策が捗りませんでした。高校時代に学習していた人から暗記のコツを聞いたり、YouTubeチャンネルで歴史の解説をしている動画を観たりしていたものの、思うように成果は上がらず、主要科目や論文対策に時間を割いたほうがいいなと思い、あきらめてしまいました。

自治体ごとの背景を踏まえて論述することが大事

大学受験のときにも小論文試験を受けたものの、あまりきちんと対策をしていなかったこともあり、まとまった分量の論述をすること自体にそもそも苦手意識がある状態でした。ただ、東京消防庁では論文対策が非常に重要といわれます。

年が明けて、試験を受ける年の１月から対策を始めたのですが、まずは情報収集を念入りに行いました。具体的には、高齢者、外国人がどのくらいいるのか、救急搬送の件数はどのくらいなのか、など、「東京都における消防の背景」を頭に入れておくことです。

論述で指定される内容は試験回ごとに異なりますが、「これから東京消防庁がどうあるべきか」ということが形を変えて問われています。このとき、東京都という具体的な自治体が抱えている背景を踏まえて論述されることが求められているはずなので、情報の把握は文章に説得力を与えると思います。

あとは、ここでも答案をたくさん書くことに尽きます。何度も答案を作り、添削してもらったり仲間と見せ合ったりすることを続けると、自分でも内容がよくなったことがわかってきます。本試験でも自信を持って論述することができました。

直前期の過ごし方

直前期にはTACの自習室に通い、午前中から夜21：30くらいまで、移動中も含めると12時間くらいを学習に充てていました。

もちろんここまで時間を費やさなくても合格できる人もいると思いますが、合格する可能性を１％でも上げたいという強い気持ちがあったので、妥協せず取り組みました。

■直前期の１日のスケジュール例

7:00	起床
8:00	移動（電車の中で学習）
9:00	予備校で学習開始
13:00	昼食
14:00	午後の学習開始
21:30	学習終了、移動（電車の中で学習）
22:30	帰宅、自由時間
24:30	就寝

面接練習で、たくさんの気づきを得ておくことが何よりの対策

面接試験のなかで一般的に交わされるやり取りについては、前もって回答内容を準備しておきます。あとは面接練習を繰り返すことが重要です。

面接練習のときにファストフード店でのアルバイトで苦労した点を聞かれ、「お客さまとのコミュニケーションに苦労した」と答えたところ「踏み込みが足りない」という指摘をされたことがあります。いま思えば、接客の仕事にお客さまとのコミュニケーションの難しさがあることは当たり前です。相手が高齢者だったのか小さいお子さんだったのか、どういう場面で苦労したのか、自分がどのように考えたかなど、具体的に話さないとアピールにならないことを学びました。

受験生へのメッセージ

公務員を受験する人は、周りが学生として楽しい時間を過ごしているのを横目に机に向かわなければなりません。誘惑の多い大学生活において、これは苦しいことだと思います。ただ、試験本番・面接本番を迎えたときにきちんと結果を出すためには、どこかの段階で覚悟を決めるしかありません。

学習初期でまだそれほど本腰を入れていなかったころ、数的処理のわからないところを友人に話したら簡単に答えが返ってきて、焦ったことがあります。ちょっと周りを見ただけで自分より先を行く受験生がいるのだから、もっともっとがんばらないと全受験生の中で合格を勝ち取ることはできない、と感じ、このとき自分の覚悟が決まったと思います。

うまくいかないときは、採用先のYouTubeを見たり友人に相談したりするとモチベーションを取り戻すことができました。辛いときもあると思いますが、自信はやればやるほどつくはずです。ぜひがんばってください。

合格体験記

宮川 弦（みやがわ げん）さん

2022年度　東京消防庁（消防官Ⅰ類）合格

消防団に参加したことをきっかけに気持ちが固まる

私の父が民間企業で消防業務に必要な機材を取り扱う仕事をしており、小さいころから「消防」という業務に携わっている人々がいることを意識していました。私自身は当初民間企業に勤めることを考えていたのですが、将来の就職先を考えるに当たっていま一つ決めきれず、大学２年生のときに地元の消防団に参加しました。

小さいころから何となくイメージしていた消防の仕事は、炎の中に飛び込んでいくといった“消火業務”を中心とするものでしたが、消防団に参加して、実際の消防には平時からの機器の点検、予防のための広報活動など火災・災害が起こる前にできるさまざまな仕事があることを知りました。これらの活動を通じて消防の仕事に就きたい気持ちに気づき、真剣に志望するようになりました。

教養は解答時間も含めて対策する

高校時代は野球一色だったのであまり熱心に勉強した記憶がなく、消防庁の筆記試験で必要なほぼすべての科目について一から学習するような気持ちで、大学２年生の10月に対策を始めました。

東京消防庁では自然科学の出題が多くありますが、このうち特に数学や物理が苦手だったので、かなり念入りに、最終的には問題集を10周してボロボロにするくらい取り組みました。同じ自然科学でも化学や生物は人文科学と同じように暗記科目に近い側面もあり、比較的取り組みやすかったです。

実際の試験では２時間で45問を解答します。私は数的処理⇒自然科学⇒文章理解⇒その他の順にこなしていましたが、このように解く順番も含めてシミュレーションをしたり、１問当たりにかけられる時間を把握しておくことも重要だと思います。

論文のテーマになるような知識の蓄積も大事

教養試験が不振だったとしても論文の完成度によっては十分挽回できるといわれるほど、東京消防庁では論文試験が重要だとされます。私はそもそもある程度まとまった量の文章で自分の考えを伝えることに慣れていなかったので、まずはそこから始めました。

私と同じように、文章を書くこと自体に苦手意識を持っている受験生の方もいるかもしれませんが、とにかく答案を人に見てもらうことが大事だと思います。私は添削を受けて「序論がしっかりしていないと、その先を読む気にならないよ」といったアドバイスをもらったことで答案構成の重要さに気づけたり、消防官にふさわしいきちんとした日本語の言い回しを学べたりといった収穫があり、自分の答案を改善することができました。

私が受験した2022年第１回のテーマは「都民から信頼される消防官となるためにあなたが実践することを具体的に述べよ」というものでした。「都民から」とあるのがポイントで、東京都という具体的なまちを背景に、消防という仕事に従事しようとしている受験生の意識を問うもので、きちんと東京都に関係する情報を入れる必要があります。このような情報がないと答案の質がどうしても下がってしまうので、定期的に消防に関するニュースを漁るなど情報収集して蓄積を増やしていきました。

直前期の過ごし方

朝起きると1時間ほどトレーニングをして体を目覚めさせ、朝食後にまず数的処理にみっちり3時間取り組みます。休憩をはさんで論文対策までが午前中で、午後は苦手意識のある自然科学、それから人文科学などの知識系に、文章理解をこなします。

夕食後も科目を変えて取り組み、1日の最後に自己分析やニュースからの情報収集などを行っていました。

このように、だいたい15時間程度を試験対策に充てていました。

■直前期の1日のスケジュール例

5:00	起床
5:30〜6:30	トレーニング
6:30〜7:00	朝食
7:00〜10:00	数的処理
10:00〜10:30	休憩
10:30〜12:00	論文対策
12:00〜12:30	昼食
12:30〜16:30	自然科学
16:30〜19:00	人文科学、文章理解
19:00〜19:30	夕食
19:30〜22:30	社会科学
22:30〜23:30	自己分析、ニュース調べ
24:00	就寝

面接練習を繰り返すことで、対応の幅が広がる

面接対策を本格的に始めたのは1次試験の2か月くらい前でした。最初は定番の質問に対する答えを考えてみるようなことから始めますが、私は特に面接練習、いわゆる模擬面接に力を入れました。繰り返し練習することで、自分の回答に対して次にどんな質問が投げかけられるかといったことが少しずつ予想できるようになったり、「面接」という特殊な場であってもある程度いろんな展開に余裕をもって対応できるようになったり、といった効果があったと思います。

本番で少し意表を突かれた質問として、「10年後、社会人としてどのような自分でありたいか」などがありました。「消防」という組織のなかで働き続けることができそうなのか、社会人として成長している自分をどうイメージしているのか、といったことを問われていたように思います。

私の会場では3人の面接官はL字型に座っており、うち1人がちょうど受験者の右側に位置します。横からも見られるような配置なので、座姿勢にも気を配る必要があると思いました。また、パーテーションで区切られているだけで、別の受験者の面接のやり取りも聞こえる環境だったので、周りの音声に気を取られずに自分の面接に集中する練習も必要だと思いました。

胸を張って消防官になるために、受験時代からの心がけも大事

公務員試験の結果は民間企業より遅く出るため、周りの就職先が決まっていく中取り残されるようなプレッシャーを感じるかもしれません。それに打ち勝つには、どのような結果に終わっても後悔しないように、日々できることを精一杯やることが大事だと思います。思い切り遊ぶことはこれから先もどこかでできますが、自分の将来を左右する大事な試験にチャレンジできるのは、受験生としてがんばっているそのときだけだと思います。

また、受験勉強が苦しいからといって中途半端にしてしまうと、「嫌なことから逃げ出した」という記憶を抱えることになります。消防官は市民の尊い人命を預かる大事な仕事であると思うため、胸を張って消防官でいられるように、とにかく机に向かうという気持ちで自分を鼓舞するといいと思います。ぜひがんばってください。

合格体験記

小寺力（こでら りき）さん

2021年度　東京消防庁（消防官Ⅰ類）、自衛隊一般曹候補生合格

民間志望から一転、体を資本に活躍する消防官志望へ

外国語学部に在籍していることもあり、もともとは語学のスキルを活かして旅行業界などへの就職をぼんやりと考えていたのですが、コロナ禍の影響もあり業界全体的に採用枠が狭まってしまい、自分の進路を決めかねていました。そんな中、アルバイト先で以前働いていた先輩の中に消防官として働いている方がいて、話を聞いているうちに消防官という仕事に魅力を感じるようになりました。そのような経緯なので、いまの新型コロナウイルス感染症の流行がなければ、消防官どころか公務員を受験することすら思い当たらなかったと思います。

“公務員”という職業はこのような状況の中、安定して働けるとてもありがたい仕事だと思うのですが、それに加えて消防官は自分の体を資本にして、それを使って危機に直面した人を助けることのできるところに魅力を感じ、志望するようになりました。

苦手な理科系科目もあきらめずに対策

東京消防庁では自然科学の出題が多いですが、私は文系出身だったので当初理科系の科目に全く歯が立たない状態でした。自然科学は出題が多いので苦手なままで試験に臨むわけにはいきません。最初は問題を1問解くのも大変で、テキストを同時に開いて、該当する記載を探し出すような形で取り組んでいました。ほとんど答えを見ながら問題を解くようなやり方なのですが、続けていくうちにだんだんと、繰り返し同じところが問われていることに気づけたり、使える公式や解き方がイメージできたりするようになります。

一方で、数学については文系ですが高校時代に学習していたのでそれほど苦はなく、数的処理についても数学の延長のようなものと捉えていたので、最初から得意だったわけではありませんが「得意科目にしてやろう」という気持ちで取り組んでいました。

論文試験対策

大学受験で小論文を経験しなかったので、自分の考えを「論文」という形式の文章にまとめて示す、ということ自体に苦手意識がありました。ただ東京消防庁の筆記試験では教養試験全体と論文試験が同じ配点を持っているほど、論文試験が大事といわれます。逆に教養試験で失敗しても論文がよければ巻き返すチャンスにもなると思ったので、きちんと対策しておきたいと思っていました。

講義を受けたり論文対策の教材などを見ると、「序論→本論→結論」といったようなオーソドックスな答案構成が示されていたりします。ですが、最初はそれがわかったとしても、それぞれのパートをどんなフレーズで始めるべきかもわからず頭を抱えてしまう状態でした。そこで最初は割り切って、模範答案をほぼ丸写しするという、写経のようなことから始めてみました。こうすることで、例えば「序論」、「本論」、「結論」の各部分にそれぞれどのくらいのボリュームを割くとバランスがいいのかを実感できたり、自分の発想では出てこない言い回しを真似できたりします。どうしていいかわからない方は、まずは模範答案を書き写すぐらいのところから始めてもいいと思います。

ところで東京消防庁の論文試験は最近課題の傾向が変わり、資料を伴った出題が見られなくなりました。さらに私が受験した回では「DX（デジタル・トランスフォーメーション）」という、公安職全体でもあまり問われないようなテーマが出題されました。もちろん私もこのテーマについて正面から対策を行ってはこなかったのですが、指導してくれた先生の「よくわからないテーマが出たら、周りの受験生も同じように書きづらいはずだから、とにかく書くこと」という言葉を思い出して何とか形にしました。

このようなときには、時事対策で得た知識やニュースで聞いたこと、などありとあらゆるものを手がかりにして何とか答案の形にするしかないと思います。

■直前期の１日のスケジュール例

6:00	起床
6:30〜8:30	数的処理
8:30〜9:00	朝食
9:00〜11:00	論文、文章理解
11:00〜12:00	休憩
12:00〜13:00	昼食
13:00〜17:00	自然科学
17:00〜18:00	社会科学
18:00〜19:00	夕食
19:00〜21:00	自由時間
21:00〜22:00	人文科学
22:00〜23:00	トレーニング
23:00〜24:00	入浴など
24:00	就寝

２次試験対策

面接試験対策は、例えば「公務員と民間の違い」、「警察と消防の違い」、「自分の長所・短所」など、面接で一般的に想定される質問について、回答内容を組み立てることから始めました。私は自分の考えを言語化して伝えるのがとにかく苦手だったのでTACの先生に相談して、アピール内容を整理するのを手伝ってもらいました。自分１人では見えないところもあると思うので、周りの大人などを頼ってみるのもいいと思います。

また、東京消防庁に関する話題と自分自身に関する話題とをバランスよく対策していくのがよいと思います。私は東京消防庁の組織や所属したい部門などについてたくさん聞かれると思っていたのでしっかり対策していたのですが、質問は自分の人間性に関することが多くありました。

体力試験については、それなりに対策して臨む方が多いと思うのでここで苦労することはあまりないですが、昨年度に続いて2021年度もマスクを着用したままの試験となりました。激しく動く種目もあり、季節も夏の暑い最中となるため呼吸はかなり苦しくなります。来年度の試験のときまでに、状況がどのように変わるかわかりませんが、一応想定しておきましょう。

おわりに

私は高校受験も大学受験も経験してはいるのですが、第１志望への合格を叶えたことがありませんでした。そのため合否によって人生が大きく変わってしまう“試験”というものに対する不安と常に戦っていました。

その不安は、自分の実力を高めることでしかなくなりません。自分にできることは、とにかく机に向かうこと。学習すること。自分の不安から逃げないこと。そう考えて取り組んでいました。

また、遠くにある「合格」というゴールだけを目標にするのではなく、月単位・週単位など短い単位で細かい目標を定め、小さな達成感を積み上げていくことも大事だと思います。

苦しいこともたくさんあると思いますが、がんばって合格を勝ち取ってください。

CONTENTS

教養科目

現代文　内容合致

2023年度 ❷
教養 No.1

次の文章を読んで、以下の問に答えなさい。

知覚は、脳が外界から受け取った情報と、過去の経験や仮説の検証による学習に基づいて得られた知識を統合する。私たちは、必ずしも脳の発達プログラムに組み込まれているわけではないこの知識を動員して、あらゆる視覚イメージに影響を及ぼす。かくして私たちは、抽象芸術を鑑賞するとき、これまでに出会った人々やできごと、かつて目にした他の芸術作品の記憶など、現実世界における過去の経験全体をそれに関連づけるのだ。

フリスは、視覚の本質に関するヘルムホルツの洞察について次のように述べている。「私たちは、物理世界に直接アクセスする手段を持っていない。直接アクセスしているかのように感じられるかもしれないが、その感覚は脳によって生み出された幻想である」(Frith 2007)

ある意味で、カンバスに絵として表現されたものを見るためには、どんな種類のイメージが絵に描かれていると予想されるかについての知識を、私たちは前もって持っていなければならない。たとえば私たちは、自然や、何世紀にもわたり制作されてきた風景画に馴染むことで、フィンセント・ファン・ゴッホの筆づかいに小麦畑を、またジョルジュ・スーラの点描に芝生をたちどころに見出すことができる。このようにして、物理的リアリティや心理的リアリティをめぐるアーティストのモデリングは、日常生活でも生じている、本質的に創造的な脳の作用とも符合する。

(『なぜ脳はアートがわかるのか―現代美術史から学ぶ脳科学入門』エリック・R・カンデル　著、高橋洋　訳)

問　この文章の内容に合致するものとして、最も妥当なものはどれか。

1　過去の経験や仮説の検証による学習を通して、知識を脳の発達プログラムに組み込んでいくことで、脳は知覚することができる。

2　抽象芸術を鑑賞するときには過去の経験ではなく、かつて目にした他の芸術作品の記憶とその芸術作品を関連づけることで、知覚できる。

3　芸術作品を見るためには、どんな種類のイメージが絵に描かれていると予想されるかについての知識を、あらかじめ持っていなければならない。

4　私たちは物理世界に直接アクセスする手段を持たないため、芸術作品を通じて現実世界に間接的にアクセスするしかない。

5　ゴッホやスーラのようなアーティストのモデリングは現実の世界から離れすぎてしまい、もはや幻想でしかない。

解説　正解　3

1　×　第1段落の「知覚は、…統合する」という説明と食い違う内容である。また、本文では「過去の経験や仮説の検証による学習に基づいて得られた知識」について「必ずしも…組み込まれているわけではないこの知識」と説明しているのである。

2　×　「過去の経験ではなく」という箇所が誤り。第1段落末尾に「過去の経験全体を…関連づける」とある。

3　○　第3段落の内容と合致している。

4　×　選択肢後半の「芸術作品を通じて…アクセスするしかない」は、本文にはない内容である。

5　×　選択肢後半の「現実の…幻想でしかない」は、本文にはない内容である。

次の文章を読んで、以下の問に答えなさい。

ドラマや小説で江戸時代を舞台とした作品は多い。テレビで時代劇を目にする機会も少なくない。歴史のイメージとして、桃山から江戸にかけての近世は、身近で馴染みやすい時代といってよいだろう。とくに近年、江戸時代のリサイクル文化は注目されており、いっそうその注目度は高まっている。衣料を徹底的に使い尽くす古手(ふるて)市場の存在や、ゴミや肥(こえ)の処理・再利用の方法など、今日の生活にただちに応用できそうな生活の知恵がいっぱい詰まった時代であることはまちがいない。

現代と直線的につながり、回帰の容易な場であるかに思われる江戸時代であるが、やはり近いとはいえ、開府は四〇〇年以上も前のこと。幕末といわれた時期でさえ、一世紀半も時をさかのぼる。当代の生活を振り返ろうと思っても、なかなか想像のおよばないことがあるのも事実である。そのひとつが、視覚情報の質と量の問題だ。

今日、一般的な生活の場において、夜間、人工の光を利用できないところというのはほとんどないであろう。昼間でも、ちょっと薄暗くなると、電灯の世話になってしまう。よほどの僻地(へきち)でもなければ、光があるのは当たりまえで、繁華街などは、文字どおり不夜城のごとくである。そして、その豊かな光の下には、ありとあらゆる色とかたちがひしめき合っている。しかも都市部では、木々などはほんのお飾り程度で、土さえもめったにみられない。片隅に追いやられた自然のかわりに圧倒的位置を占めているのは、工業製品、印刷物、映像、CGなど、人工物や加工物である。

それらのかたちや色は変化に富み、われわれの眼を楽しませてくれる。デザイナーは、不特定多数の人びとの期待に応えようと、日々、新しい造形の創出に腐心している。われわれの日常は、常に新しいかたちと色に覆い尽くされている。

こういった日々が日常となって、どのくらい経つのだろうか。いつしか、われわれの眼は、日常空間に横溢(おういつ)する視覚情報にさらされ、どんなに強い刺激にも驚かないほどに馴らされてきてしまっている。個性的なデザインにもめったなことでは感動しなくなり、たまに斬新さに魅了されても、その感慨は長くは続かない。視覚情報の消費は加速度的に高まり、身辺には時間に置き去りにされた多種多様なかたちと色が堆積している。

(『江戸(えど)モードの誕生(たんじょう)—文様(もんよう)の流行(りゅうこう)とスター絵師(えし)』丸山伸彦(まるやまのぶひこ)　著)

問　この文章の内容に合致するものとして、最も妥当なものはどれか。

1　江戸時代のリサイクル文化が注目されていることにより、ドラマや小説で江戸時代を舞台とした作品が多くなっている。

2　江戸のリサイクル文化は今日の生活にただちに応用できそうな生活の知恵がいっぱい詰まっており、特に近年注目されている。

3　江戸時代の生活様式はテレビの時代劇などで目にすることが多く、桃山時代の生活よりも容易に想像できる。

4　今日では、あらゆる場所で昼夜を問わず人工の光を利用しているので、人びとは常に光の下にいる。

5　江戸時代は人工的な光も加工物もなかったため、自然の光の下でありとあらゆる色とかたちがひしめき合い、人びとを刺激していた。

解説　　正解　2

1　×　因果関係が誤り。第１段落には、江戸時代を舞台とした作品は多いが、リサイクル文化が注目され、近年いっそう注目度が高まっていると述べられている。

2　○　第１段落の内容と合致している。

3　×「桃山時代の生活」と比較した内容は本文には見られない。第２段落には、一世紀半前の幕末でさえ「なかなか想像のおよばないことがあるのも事実」とあり、江戸時代が容易に想像できるという内容は読み取れない。

4　×　第３段落には「夜間、…ほとんどない」、「よほどの僻地でもなければ、…のは当たり前」とはあるが、「あらゆる場所で昼夜を問わず」、「常に光の下にいる」というのは言い過ぎである。

5　×　江戸時代に、光と人びとがどのようであったかの記述は本文には見られない。第３段落以降は、今日のわれわれの日常について述べられている。

現代文　内容合致　2023年度 ❶ 教養 No.1

次の文章を読んで、以下の問に答えなさい。

日本語の中には、地域と結びついた「○○弁」やジェンダーと結びついた「女ことば」など、いろいろな集団と結びついた「○○ことば」がある。近年、社会言語学では、「○○ことば」がどのようにつくられるのかが注目されている。なぜならば、「○○ことば」には、その集団を他から区別して、特定のイメージを与える働きがあるからだ。

これまでは、ある集団の普段の言葉づかいが、自然に「○○ことば」になると考えられていた。

しかし「○○ことば」は、そのような単純なプロセスで成立するわけではない。なにより「○○ことば」は、言葉づかいを区別する理由がないと成立しない。ここで言う「区別する理由」とは、社会の中で広く受け入れられている考え方、いわゆる「イデオロギー」と呼ばれているもののひとつだ。だから、「○○ことば」の形成過程を研究することは、「○○ことば」が成立する背後にある、言葉づかいと社会のイデオロギーの密接な関係を明らかにするのだ。

（『新敬語(しんけいご)「マジヤバイっす」―社会言語学(しゃかいげんごがく)の視点(してん)から』中村桃子　著）

問　この文章の内容に合致するものとして、最も妥当なものはどれか。

1　日本語の固有の言語現象に地域と結びついた「○○弁」やジェンダーと結びついた「女ことば」がある。

2　近年、社会言語学では、「○○ことば」の形成過程を研究することが注目されている。

3　女性という集団の言葉づかいは、単純なプロセスにより自然に「女ことば」として成立している。

4「イデオロギー」がなくとも女性は丁寧な言葉づかいをするべきだと考えられ、女ことばは自然に成立した。

5　言葉づかいと社会のイデオロギーの密接な関係を明らかにすることで、特定の「○○ことば」への差別意識をなくすことができる。

解説　正解　2

TAC生の正答率 76%

1 × 第1段落に「〇〇弁」や「女ことば」についての説明があるが、「日本語の固有の言語現象」とは述べられていない。

2 ○ 第1段落の内容と合致している。

3 × 第3段落に「『〇〇ことば』は、そのような単純なプロセスで成立するわけではない」とあるため、「〇〇ことば」の一つである「女ことば」もそれに含まれる。

4 × 「『イデオロギー』がなくとも…言葉づかいをするべきだと考えられ」という内容は本文には見られない。

5 × 「特定の『〇〇ことば』への差別意識」について本文では述べられていない。

現代文　内容合致

2023年度 ❶
教養 No.2

次の文章を読んで、以下の問に答えなさい。

社会人とは組織人であることを意味しています。会社という組織の一員として活動することを求められるのです。たとえば、社章をつけたり、会社の名前が入った名刺を差し出すことになります。この場合、見た目からもある会社の一員であることが明らかになるのです。

そして、本質という側面からも、組織人である限り、自分の自由を制限せざるを得ない部分が出てきます。当たり前のことですが、会社のルールに従う必要があります。ルールには書いてなくても、その会社にふさわしい人物としてふるまう必要もあるでしょう。

組織の一員であるということは、安心を得られると共に責任を求められるものなのです。そのことについて、アリストテレスの「人間は本性的にポリス的動物である」という言葉を参照しながら考えてみましょう。

アリストテレスは、アレキサンドロス大王の家庭教師も務めたような人物ですから、組織を論じるのが得意だったのでしょう。彼は幸福の追求が人間の目的であると考えていました。そしてそれは人間の徳にかかっているとしたのです。徳は人の性格ですから、知性とは異なり、学習によって習得できるものではありません。それは共同体における人とのかかわりの中で身につけてゆくべきものなのです。

自分の主張を強引に押し通そうとすれば、周囲から非難され、うまくことを運ぶことができません。それを経験することで、人は他者を思いやる気持ちを身につけるのです。これが徳のある人間になる方法であるといえます。ただ、徳というのは、一概にこうだと定義できるものではありません。

アリストテレスも、どのような徳が望ましいかということを論じる際、中庸の意義を説きます。中庸とは、快不快が適切でほどほどな状態を指す言葉です。人の集団である組織で求められる徳とは、まさにそのような極端ではない性格だといえるのではないでしょうか。

（『世界のエリートが学んでいる教養としての哲学』小川仁志　著）

問　この文章の内容に合致するものとして、最も妥当なものはどれか。

1　会社という組織の一員として活動することに人間は生きがいを見つけ、同時に安心を得られ、それが幸せとなる。

2　人間は本性的にポリス的動物で、共同体における人とのかかわりの中で他者を思いやる気持ちを身につけるものである。

3　組織に属することで、安心を得られると共に責任を求められ、幸福はルールに従う者のみに与えられる。

4　強引に幸福を追求しようとすると、共同体の人々から非難され、うまくことを運べなくなるため、妥協することを学ぶようになる。

5　人間はポリス的動物であるので、人の集団である組織で求めることのできる幸せは、極端ではないほどほどの幸せである。

解説　**正解 2**　TAC生の正答率 81%

1 × 第1段落に「会社という…活動することを求められる」とはあるが、そのことに「人間は生きがいを見つけ」るとは、本文では述べられていない。

2 ○ 第3段落〜第5段落の内容と合致している。

3 × 「幸福はルールに従う者のみに与えられる」という内容の記述は本文には見られない。

4 × 肢前半の因果関係がおかしい。第5段落には「自分の主張」を強引に押し通そうとすれば、周囲から非難され、うまくことを運べないとある。また、「妥協することを学ぶ」という内容の記述は本文には見られない。

5 × 「組織で求めることのできる幸せは、…ほどほどの幸せ」という箇所が誤り。最終段落には、組織で求めることのできる「徳」について、極端ではなく、ほどほどな状態がよいと述べているのである。

現代文　内容合致

2020年度❷
教養 No.3

次の文章を読んで、以下の問に答えなさい。

他者軽視に基づく仮想的有能感が生じる背景には「希薄化する人間関係」が存在する。簡単に言えば、人は親しい人間関係を喪失し、孤立すればするほど、外面的には傍若無人な他者軽視的行動をとるようになる。つまり、現代の希薄化した人間関係においては、周りが支えてくれるという認識を欠くことになり、他者をむしろ脅威と見なすために、背伸びをして弱い自分を防衛しようとするのである。

では、なぜ彼らは真の自己肯定感は持てないのだろうか。それは、人の自信というのはつまるところ、親しい人間関係にある周りの人たちから、承認され賞賛される経験を通して形成されることが多いからである。しかるに、そのような親密な周りの人たちが少ない社会では、個人の自信も形成されがたいのである。ただし親密な周りの人といっても、親や兄弟というよりは、それ以外の親しい人の承認や賞賛が大きいように思われる。それは先生であったり、友人であったりするであろう。

周囲の評価に関係なく、適切な自己評価ができれば、実績に応じて自信が高まるはずだとの見解もあろうが、それは成熟した大人になってからの話で、発達過程においては周りの温かい賞賛が内面化することで自信がつくことの方が多いのではなかろうか。大人の場合でも身近な人たちからの好意的な評価は大きな自信になる。特に子どもの場合、たとえ客観的には低い達成水準であるとしても、周囲が承認し励まし続けることで本人が自己期待を強く持ち、現実に自信が形成されることは少なくない。

現代では、若者の友人関係の希薄化が問題視されて久しいが、彼らは友人に無関心なのかといえば、そうではない、むしろ、彼らは異常なほど、物理的に身近な友人の言動を意識している、いや意識過剰である。ただし、友人がどのような人物なのかということに対してというよりも、友人が自分をどう見ているかに対して意識過剰なのである。最近では中学や高校で、「うれしい」場面でもそのまま感情を表出せず、友人たちの顔色や出方を見たうえで、それを表出するかどうか決める子どもが多いという。自分だけ他者たちと異なる行動をして、異質な存在と見なされることを極端に恐れるためであろう。

自分が他人の目にどう映っているのかを知るためにも、友人をもっと知ればよいのにと思われるのだが、彼らは確かに心理的距離を置く傾向があり、概して相手をよく知ろうとしない。コミュニケーションするのが苦手なこともあるが、親密な関係を持つことが面倒でわずらわしく感じられるからなのかもしれない。したがって、友人たちがいかにすばらしいものを持っていたとしても気づかずに終わってしまうことが多い。

彼らの関心はあくまで自分にある。自分を友人がどう見ているかという観点で、友人を意識しているのである。自分が友人をどう見るかということにはさしたる関心もない。友人が生真面目な人であれ、ルーズな人であれ、相手を詳しく知って自分の参考にしようという志向も弱いように思われる。

（他人を見下す若者たち　速水敏彦　著）

問　この文章の内容として、最も妥当なのはどれか。

1　真の自己肯定感を持てないせいで、自分が他人の目にどう映っているか知ることばかりに目がいき、友人と会話することが苦痛となり、周囲から孤立することを選ぶ若者がふえた。

2　自分が他人の目にどう映っているか知るためには、友人たちの素晴らしい一面を知ろうとする努力が必要である。

3　親しい人間関係にある人の承認や賞賛から自信は形成されていくことが多い。

4　「うれしい」場面でその感情を表すと自己肯定していると見なされてしまうことに現代の若者は恐れている。

5　友人が生真面目な人であれ、ルーズな人であれ、参考にすることで、自分のコミュニケーション能力は向上する。

解説　正解　3

1　×　「苦痛となり」、「孤立することを選ぶ」が誤り。第5段落で似たような記述はあるが、会話が苦痛であるとか、自ら孤立を選ぶとまでは述べていない。

2　×　「知ろうとする努力が必要である」が誤り。本文では「知ろうとしない」という特徴を述べているにすぎない。

3　○　第2段落に合致する。

4　×　「自己肯定していると見なされてしまうこと」が誤り。第4段落で「自分だけ他者たちと異なる行動をして、異質な存在と見なされる」ことを恐れるためだと述べられている。

5　×　選択肢後半が誤り。本文最終段落では「参考にしようという志向が弱い」という特徴を指摘したにすぎない。また、参考にすればコミュニケーション能力が向上するという話も本文中にない。

現代文　要旨把握

次の文章を読んで、以下の問に答えなさい。

今日では、私たちは、もはや、ひとつの言葉、ひとつの国民、ひとつの国家という前提にとらわれない生活をしています。近代の始まりのことを考えてみますと、近代とはヨーロッパ西欧から発生したものでありました。近代のヨーロッパが作り出した世界のシステムは「国民国家」を単位として、それぞれの国の枠組みを基礎に経済が営まれ、社会生活が組織され、文化が育つという発展の図式を世界に与えたのです。

日本においても、近代の世界システムの中に一九世紀半ばに組み込まれ、「近代化」の図式を取り入れることによって、近代的な国民国家の枠組みが創り出され、法律や社会的制度が整備され、「日本語」が「国語」として整理されて、近代の文化が生み出されていきました。

ところが、現在では、そうしたナショナルな、あるいは国民国家的なものをひとつの基準にするような世界、西欧的な国民国家モジュール（基準、尺度）が支配するような体制がもはや自明ではなくなった世界に私たちは暮らしています。国、国語というものが、人々の生活を全面的に支配することが終わった時代に私たちは生きています。そのことを指して「ポスト・ナショナル」の状況、「ポスト・ナショナル期」に私たちは生きているということがいえると思います。これも私たちの今日の生活を考えるときに重要な次元を構成すると私は考えています。

（『現代思想の教科書　世界を考える知の地平15章』石田英敬　著）

問　この文章の要旨として、最も妥当なものはどれか。

1　近代の始まりは、ひとつの言葉、ひとつの国民、ひとつの国家という前提のもとに成立していた。

2　日本の近代は、ヨーロッパが作り出した世界のシステムを積極的に取り入れ発展したことから、ポスト・ナショナル期と呼ばれる。

3　近代の世界のシステムに組み込まれた結果、法律や社会制度は整備されたが、「日本語」など日本固有の文化は失われてしまった。

4　「ポスト・ナショナル期」に生きる私たちは、国民国家モジュールに代わる新たなモジュールを作り出す必要がある。

5　国民国家を一つの基準にするような世界が支配する体制が自明ではなくなった「ポスト・ナショナル」の状況に、今私たちが生きていることを意識する必要がある。

解説　正解　5

1　×　第１段落の内容と合致するものの、「近代の始まり」の説明に過ぎず、最終段落の「現在」、「私たち」が生きる時代についての言及がないため、要旨とはいえない。

2　×　第２段落に、日本の近代についての説明があるが、「ポスト・ナショナル期」と呼ばれていたとは述べられていない。「ポスト・ナショナル期」とは、現在の私たちが生きる時代を指す言葉である。

3　×　「『日本語』など…失われてしまった」が誤り。第２段落には、「『日本語』が『国語』…文化が生み出されていきました」とある。

4　×　「新たなモジュールを作り出す必要がある」という記述は本文には見られない。

5　○　最終段落の内容と合致しており、本文の要旨としてもふさわしい。

現代文　要旨把握

2023年度 ❶
教養 No.3

次の文章を読んで、以下の問に答えなさい。

論理力を獲得するためには、言語の問題を抜きには語れない。

論理とは、突き詰めれば、言葉の一定の規則に従った使い方である。

私たち日本人の場合、その言語が日本語であるため、一生、日本語でものを考え、日本語で文章を読み、日本語で表現する。

ここで、一つ例を挙げよう。今、この場で言葉を使わずに「暑い」と感じてみて欲しい。どうだろうか？

言葉がなければ、私たちは「暑い」と感じることはできず、すべてが混沌に過ぎないことが分かるだろう。その状態をカオス（混沌）という。言葉を棄てた瞬間、私たちはカオスの世界に投げ出される。それは人間ではなく、犬や猫などの動物の世界である。

もしかすると、あなたはここで、次のように反論するかもしれない。「暑い」と感じるのは、皮膚であり神経であって、決して言葉ではないのだと。

その通りである。確かに、「暑い」と感じるのは皮膚であり、神経である。

だが、言葉がなければ、それを「暑い」と認識することができないのだ。

たとえば、「甘い」「おいしい」「好きだ」「悲しい」、これらはすべて言葉であって、実体があるわけではない。人がそれらの言葉で整理したに過ぎない。

しかし、その瞬間、私たちはカオスの状態から脱却できるのだ。

犬や猫だとそうはいかない。彼等はカオスの中に生まれて、カオスの状態のまま死んでいく。まして、犬や猫は「暑い」とは思わない。なぜなら、そのために必要な言葉を持っていないからだ。

このように、私たち人間は、外界のあらゆるものをいったん言葉で置き換え、整理し、認識する。これは「空」で、これは「海」だ、これは「男」で、これは「女」だという具合に。なぜなら、私たちはカオスの状態が耐え切れないからだ。そして、整理した上で初めて思考し、感覚する。こうした意味で、言葉がなければ、私たちは考えることも、感じることもできない。

だから、思考力も感覚も、突き詰めればすべて言葉の問題なのである。

つまり、論理とは、言葉による世界の整理の仕方と言い換えてもいい。私たちは世界を一定の規則でもって、整理しようとする。それが分かれば、論理などはいたって簡単で、誰でも確実に習得できるものなのである。

（『論理思考力（ろんりしこうりょく）をきたえる「読む技術（よむぎじゅつ）」』出口汪（でぐちひろし）　著）

問　この文章の要旨として、最も妥当なものはどれか。

1　私たち日本人は、その言語が日本語であるので、日本語以外の言語で思考することは不可能である。

2　われわれに言葉がなければ、犬や猫などの動物のようにただカオスの世界に生きていくだけである。

3　私たち人間は論理力を獲得するために、外界のあらゆるものをいったん言葉で置き換え、整理し、思考することを習得した。

4　私たち人間は、外界を言葉に置き換え、整理し、認識し、思考するもので、その言葉による世界の整理の仕方が論理というものであり、誰でも論理の習得は可能である。

5　思考力も感覚も、突き詰めればすべて言葉の問題であり、誰でも言語習得は可能である。

解説　正解　4

TAC生の正答率　89%

1　×　第３段落には「一生、日本語でものを考え」とはあるものの、「日本語以外の言語」での思考ができるか否かが本文の主題ではないため、要旨とはいえない。

2　×　第５段落に類似する内容があるものの、「論理」についての言及がないため、要旨とはいえない。

3　×　第12段落に「外界のあらゆるものを…整理し」とはあるが、「論理力を獲得するため」に人間がそうしているとは述べられていない。また「思考することを習得」という記述も本文には見られない。

4　○　第12段落、最終段落の内容と合致しており、論理とは何かについて言及しているため、要旨としてもふさわしい。

5　×　肢前半は第13段落の内容と合致するが、言語について誰でも習得可能とは述べられていない。最終段落には「論理」について習得可能とあるだけである。

現代文　要旨把握

2022年度 ❷
教養 No.1

次の文章を読んで、以下の問に答えなさい。

学校の道徳授業では、たとえば優先座席の前に立っている高齢者に対して、同情や共感の気持ちを持つことを目指しているのか（道徳感情を重視）、それとも気持ちはどうであれ、すぐに立って座席を譲る行動ができるようにしたいのか（道徳的行動を重視）、あるいは高齢の方に席を変わるべきだという規範意識を強く持つことをねらいとするのか（道徳的判断を重視）、によって、自ずと教え方に違いがでます。

もちろん「道徳的」というからには、すべての側面が求められるわけですが、従来の道徳の授業は、どちらかといえば規範意識を強めることばかりに終始して偏っていたように思います。実際のところ、子どもたちは、「いじめは良くない」ことは頭ではわかっている場合がほとんどです。ところが、実際にはいじめに加わる子どもたちが少なくないのですから、規範を知っているだけではダメなわけです。

ところが、いじめは良くないという規範意識を持っていても、いじめという悪い行動をとってしまう原因の一つは、「悔しさ」「嫉妬」「みんなから一目置かれたい」など、感情の部分の弱さゆえです。同時に、規範意識に比べて、慈悲、感謝、罪悪感、恥、崇高さ、といった道徳的感情が育っていないとも考えられます。

赤信号なのに急いで渡ってしまったときの罪悪感、うっかり忘れたものを届けてくれた人がいることを知ったときの感謝の気持ち、『レ・ミゼラブル』に登場するミリエル司教の慈悲など、ただ「悲しい」とか「怒った」という以上の気持ちをしみじみと感じることが、本来人間にはできるはずです。

こうした道徳的な感情は、ただ感じるだけではなく、次は望ましくない行動を慎もうと思ったり、さらに規範意識を強くするなど、認識や行動に大きな影響を及ぼします。感謝や慈悲の気持ちを抱けば、将来自分も道徳的な行動ができる人間になりたいと願い、実際の行動を変えていくことも少なくありません。

公共のルールを破った人に対して、社会は犯してしまった行動だけでなく、反省の気持ちがあるかどうかも斟酌（しんしゃく）します。心の奥底まで覗くことは難しいですが、道徳的感情を育てることは、社会において重きがおかれているのです。

（感情の正体—発達心理学で気持ちをマネジメントする　渡辺弥生　著）

問　この文章の要旨として、最も妥当なのはどれか。

1　道徳的な感情が社会において重視されているのは、この感情が認識や行動に大きな影響を及ぼすからである。

2　いじめがなくならない原因は、本来人間が持っていなくてはならない他人への感謝や慈悲といった気持ちが失われてしまったからである。

3　たとえば優先座席の前に立っている高齢者がいれば、速やかに座席を譲ることができるような人間を育てることが、道徳教育の本来の目的である。

4　今までの道徳教育では、とにかく高齢者に席を譲るという行動ばかりを推奨していたが、これからは同情や共感の気持ちを優先して教える必要がある。

5　規範意識を強く持つことができるようになれば、実際の認識や行動も良い方向に変えることができるようになる。

解説　正解　1

1　○　第５段落、第６段落の内容と合致しており、本文の要旨としてもふさわしい。

2　×　第３段落には、感謝や慈悲などの道徳的感情が「育っていない」ことがいじめをする原因として挙げられている。したがって「失われてしまった」という選択肢の表現は適切ではない。そもそも、いじめがなくならない原因が何かという点が本文の主題ではない。

3　×　第１段落には、高齢者に速やかに席を譲るという「道徳的行動を重視」することの説明があるが、それが「道徳教育の本来の目的」という内容の記述は本文には見られない。

4　×「行動ばかりを推奨していた」という箇所が誤り。第２段落には「従来の道徳の授業は…規範意識を強めることばかりに終始」と述べられている。

5　×「規範意識を強く持つ」という箇所が誤り。第５段落には、「道徳的な感情」を持つことで、行動を慎もうと思ったり、規範意識を強くするなど、認識や行動に影響を及ぼすと述べられている。

次の文章を読んで、以下の問に答えなさい。

まちづくりに限りませんが、私たちは課題や問題に直面すると、すぐに「対策」を考えようとします。心理学的に言えば、問題や課題を目の前にすると、自分の心の中に不安が生まれるので、その不安を解消するために、「とりあえずできそうなこと」を考え、自分の不安をなくそうとするのでしょう。

これが「問題」だ、だからこの「対策」をとる、というような「出来事→出来事」レベルの反応が非常に多いのです。「スーパーの撤退」が問題だ、「空き家の増加」が問題だ、「今年の出生数がまた減ったこと」が問題だ、「だから、どうしよう、こうしよう」という対策づくりに走ります。

また、まちの人や域外の人々を対象に、「まちづくりのアイディアをください」というアイディア・コンテストを行うこともよくあります。様々な可能性を考えることや、それがまちづくりの刺激になるという側面はもちろん大事なことですが、やはり「出来事→出来事」レベルのアイディアになってしまうことも少なくないようです。

「目の前の問題」は、「問題の症状」であることが多いのです。スーパーの撤退も空き家の増加も出生数の減少も、それ自体が「問題」なのではなく、より根本的な問題の「症状」ではないでしょうか？　そして、スーパーの撤退や空き家の増加や出生数の減少という“問題状況”を、どういう状態にもっていきたいのでしょう？　スーパーが残ればよいのでしょうか？　空き家はどういう状態になればよいのでしょうか？　出生数やまちの人口はどうあれば、持続可能で幸せなまちになるのでしょうか？

目の前の問題や問題の症状だけを見て「何をしたらよいか？」を考えた結果は、多くの場合、対症療法になってしまいます。さらに、その取り組みが新たな問題を生んでしまったり、解決したいと思っていたそもそもの問題を悪化させる可能性すらあります。

では、どうしたらよいのでしょうか？　すぐに問題の解決策を考えたくなる、対策に走りたくなる衝動を少し我慢して、まずは、全体像をじっくりと考える必要があります。考えることは二つです。「そもそもどういう姿にしたいのか」、そして「なぜ今そうなっていないのか、その構造がどうなっているからか」です。

(好循環のまちづくり！　枝廣淳子　著)

問　この文章の要旨として、最も妥当なのはどれか。

1　目の前に問題や課題がある場合には、「とりあえずできそうなこと」から順番に取り組む必要がある。

2　問題が起きてから対策を練るのではなく、先に「だから、どうしよう、こうしよう」といった対策を考えてから、問題にとりかかるのが大切である。

3　課題や問題に直面した時は、すぐに対策に取り組むのではなく、まずは全体像をじっくりと考えるのがよい。

4　問題を解決するためには、その問題の根本を速やかに見つけ出し、取り除くようにしなくてはならない。

5　「目の前の問題」は「問題の症状」であることが多いので、対処療法で一つずつ解決するのが重要である。

解説　正解　3

1　×　第1段落には、「とりあえずできそうなこと」を考えるのは、自分の不安を解消するためとある。また、第5段落には、それは多くの場合、対症療法になってしまい、新たな問題を生んだり、そもそもの問題を悪化させたりする可能性があるとしており、筆者が推奨していないことがわかる。

2　×　最終段落には、すぐに問題の解決策を考えたくなる、対策に走りたくなる衝動を我慢し、まず全体像をじっくりと考える必要があると述べられている。したがって、先に対策を考えてから、問題にとりかかるという本肢の内容は要旨とはいえない。

3　○　最終段落の内容と合致しており、本文の要旨としてもふさわしい。

4　×　本文にはない記述である。

5　×　後半の内容が誤り。そもそも本文には「対処療法」ではなく、「対症療法」とある（「対処療法」という表現は誤用と考えられる）が、仮に同一の療法を指していたとしても、第5段落には、対症療法になることの問題点の指摘がされており、筆者が「対処療法」を推奨していないことがわかる。

現代文　要旨把握

2022年度 ❷
教養 No.3

次の文章を読んで、以下の問に答えなさい。

本には、情報にはない、メッセージがあります。この社会を生きている（いた）、おじさん・おばさんが命を削り、コストを払って、その本を届けてくれています。著者の人間を通り抜けたメッセージで、そこには価値が含まれています。

たとえば、ある文学作品があるとしましょう。主人公が、こうなって、ああなった。その作品を、著者はなぜ書いたのか？　よくあるストーリーかもしれません。でも、ほんとうによくあるストーリーだったら、わざわざ作品にする必要はないのではないか。

その著者にとって、いままで読んだことがない、でも自分が生み出した、この世界でたったひとつの大事な作品です。その作品でなければ伝えられないことがあると考えて、書いている。

さて、作品のなかに、この作品はこういうことを言いたいのです、と説明してありません。説明してしまえば、作品とは言えなくなってしまう。作品を読んだら、自然にわかるようになっている。作品以外のかたちで、伝えられるのなら、作品は書かなかった。

その作品を読むと、その作品のことがわかる。作品をうみ出した著者や価値観や時代背景についても、いろいろ伝わってくる。作品を前にした私の思いや価値観についても気づかされる。

文学作品の例をあげました。思想や哲学や、片づけの本でも、別にかまいません。人間はこう生きたらどうだろうという、メッセージが確かにそこにある。

もっとも、いま、本と情報は、分かちがたく絡みあって存在しています。はっきり区別しにくい。著者も校閲係も、確認のため、ウェブを参照するのですから。

それでも、本は、情報に還元できない生命をもっています。なぜならそれは、生身の人間が、かたちを変えたものだから。人間と付き合っていくように、本と付き合う。それこそ、「正しい本の読み方」なのです。

（正しい本の読み方　橋爪大三郎　著）

問　この文章の要旨として、最も妥当なのはどれか。

1　著者が本を書くのは、この作品ではこういうことを言いたいのだ、と説明したいと考えたからである。

2　本の中にある著者の主張や価値観は説明されてはいないので、ていねいに読み解いて理解する必要がある。

3　文学作品の主人公や登場人物には、著者によって生命が込められているのだから、生身の人間と同じように付き合わなくてはならない。

4　情報とは異なり、本は生命をもっているのだから、人間と付き合うのと同じように、本と付き合うのがよい。

5　かつての本は情報に還元できない生命をもっていたが、いまでは本と情報は分かちがたく絡みあってしまい、生命は失われてしまった。

解説　正解 4

1 × 「説明したいと考えた」という箇所が誤り。第３段落には「その作品でなければ伝えられないことがあると考えて、書いている」とあるが、第４段落には「この作品は…説明してありません」、「説明してしまえば、作品とは言えなくなってしまう」とある。したがって、著者が「説明したい」というのが理由ではない。

2 × 後半の内容が誤り。「ていねいに読み解いて理解する必要がある」という記述は本文には見られない。最終段落には「人間と付き合っていくように、本と付き合う」のが「正しい本の読み方」だと述べられている。

3 × 第６段落に「文学作品」はあくまでも一例であり、筆者は思想や哲学、片づけの本でも構わないと述べている。最終段落に「本は、…生命をもっています」とあるように、「文学作品の主人公や登場人物」に限定せず、「本」との付き合い方を要旨として考えるべきである。

4 ○ 最終段落の内容と合致しており、本文の要旨としてもふさわしい。

5 × 「生命は失われてしまった」という箇所が誤り。最終段落に「それでも、本は…生命をもっています」と述べられている。

現代文
英文
判断推理
空間把握
数的推理
資料解釈
法律
政治
経済

現代文　要旨把握

2022年度 ❷
教養 No.4

次の文章を読んで、以下の問に答えなさい。

私たちの出発点は、自分自身が「交換可能」な存在であり、「かけがえのない存在」であると感じることができないという「生きる意味の病」であった。そして私たちの到達点は、自分自身で自らの「生きる意味」を創造していく社会である。それはひとりひとりがオリジナリティーのある生き方を獲得する社会だと言ってもいい。

ここで言うオリジナリティーとは、よく使われるように「他の人と違う」という意味ではない。「君の意見にはオリジナリティーがない」といった言い方は「他の人と同じ」という意味で多く使われるが、それは必ずしも正しくない。オリジナリティーとは何よりもまず「自分自身にオリジン（源）がある」ことである。他人の言うことを鵜呑みにしたり、他人に同調したりして同じことしか言わなければそれは「オリジナリティーがない」ということになるが、私が私自身の「生きる意味」を創造する中で結果的に他人と同じ結論に至るのならば、それは私のオリジナリティーなのだ。

例えば、「お年寄りを大切にしよう」という発言を、それを言わないと学校の先生に怒られるからと復唱している学生にはオリジナリティーはないが、自分がボランティアに参加したり自分のおじいちゃんとの触れ合いなどからお年寄りに対する気持ちを掻き立てられての発言ならば、それはオリジナリティーのあるものになる。「生きる意味」の創造者としての発言や行動なのか、「生きる意味」を抑圧された者としての発言や行動なのかによって、同じことを言い、行動しても全くオリジナリティーの次元が異なってくるのである。

私が「交換不可能」であり、「かけがえのない」存在であるということは、他の人とことさらに違うところを探すというわけではない。それは自分自身の人生にオリジナリティーがあるかどうか、自分自身が「生きる意味」の創造者となっているかどうかの問題なのである。

（生きる意味　上田紀行　著）

問　この文章の要旨として、最も妥当なのはどれか。

1　自分自身の人生にオリジナリティーがあり、「生きる意味」の創造者であれば、それは私が唯一無二の存在であるということである。

2　他の人の真似をせず、常に他の人とは違うことを考えるのが真のオリジナリティーであり、それが「生きる意味」につながっていく。

3　「お年寄りを大切にしよう」という発言自体にオリジナリティーはなく、実際にボランティアに参加するなど行動が伴わなければオリジナリティーとは言えない。

4　自分自身で自らの「生きる意味」を創造していくことで、他の人とは違うオリジナリティーのある人間になることができる。

5　自分自身を「かけがえのない」「交換可能」な存在であると感じるためには、「生きる意味」の創造者としてのオリジナリティーを持たなくてはならない。

解説　正解 1

1 ○ 最終段階の内容と合致しており、本文の要旨としてもふさわしい。選択肢の「唯一無二」と本文の「交換不可能」、「かけがえのない」は同義である。

2 × 「常に他の人とは違うことを考えるのが真のオリジナリティー」という内容の記述は本文にはみられない。

3 × 第3段落に類似する内容がみられるが、「オリジナリティーがない」とされているのは先生に言わされたという状態の中での発言である。自身の考えのもとの発言、行動ならばオリジナリティーがあるというのが本文の主張である。

4 × 「他の人とは違うオリジナリティーのある人間」という箇所が誤り。第2段落や最終段階には、自分自身にオリジナリティーがあるかどうかの問題であって、オリジナリティーは他人との違いを探すことではないことが述べられている。

5 × 「交換可能」という箇所が誤り。最終段階には「交換不可能」と述べられており、正反対の内容である。

次の文章を読んで、以下の問に答えなさい。

歴史には、「よい歴史」と「悪い歴史」がある。もっと正確に言えば、「よりよい歴史」があり、「より悪い歴史」がある。

「よい歴史」、「悪い歴史」と言っても、その「よい」、「悪い」は、道徳的価値判断とも、功利的価値判断とも関係がない。歴史は法廷ではない。個人や国家のある行動が、道徳で言って正義だったか、それとも罪悪だったかを判断する場ではない。それがある目的にとってつごうがよかったか、それともつごうが悪かったかを判断する場でもない。歴史家のめざすものは、そんなことではない。歴史家がめざすものは、真実、それも歴史的真実だけだ。

「よい歴史」とは、結局、史料のあらゆる情報を、一貫した論理で解釈できる説明のことだ。こういう説明が、いわゆる「歴史的真実」ということになる。もちろん、完全な説明、窮極の説明というものはありえない。だから「よい歴史」とは言っても、あくまでも「よりよい歴史」でしかない。

論理が一貫した説明というのは、だれの立場から見て論理を一貫させるのか、ということが、つぎに問題になる。

西ヨーロッパ人なら、「神の立場から」と言うだろう。しかし歴史家は神ではない。ここでは、「普遍的な個人の立場」とでも言うしかない。

いよいよ、最初から言っている命題になるけれども、歴史をつくるのは、結局、個人としての歴史家なのだ。歴史は、それを書く歴史家の人格の産物なのだ。ただし、書く歴史が、一人がてんの独り言に終わらないためには、その歴史家が、豊かな個性を持っていなくてはいけない。神のような全知全能になれ、というのではないけれども、なるべくたくさんの経験を積まなくてはいけない。いろいろな人と、気持ちを通い合わせることができた、と感じるような経験を、たくさん積み重ねなくてはいけない、ということになる。結局、それ以外に、歴史を書く立場というものは、理論上、ありえない。

だから、たいへんむずかしい要求になるのだが、書く歴史家の人格の幅が広く大きいほど、「よりよい歴史」が書ける、ということになる。そうした歴史家の、世界を包みこむような普遍的な知恵、仏教風に言えば「般若の智慧」があってはじめて、普遍的な歴史になりうる。言いかえれば、歴史家個人が、個性的であることを極限まで追求すれば、普遍的な歴史が可能になる、ということだ。

（歴史（れきし）とはなにか　岡田英弘　著）

問　この文章の要旨として、最も妥当なのはどれか。

1　「よい歴史」か「悪い歴史」かを判断するのは、歴史家ではなく、歴史を学ぶ我々ひとりひとりである。

2　歴史家は神にはなれないので普遍的な歴史を書くことはできないが、「よりよい歴史」なら書くことはできる。

3　歴史家には、「よい歴史」ばかりだけでなく、戦争などの「悪い歴史」であっても目を背けずに説明する義務がある。

4　歴史とはそれを書く歴史家個人の人格の産物であるから、誰もが納得できる一貫した論理で解釈することはできず、真実とは言えないものである。

5　歴史をつくるのは個人としての歴史家であり、その歴史家は豊かな個性を持っていなくてはならない。

解説　正解　5

1　×　「よい歴史」か「悪い歴史」かを判断するのは誰であるかという内容の記述は本文にはない。

2　×　「普遍的な歴史を書くことはできない」という箇所が誤り。最終段階末尾には「歴史家個人が…普遍的な歴史が可能になる」と述べられている。

3　×　本文にはない記述である。

4　×　第３段落に類似する内容はあるものの、「真実とは言えない」とまでは述べられていない。本文は歴史をつくる歴史家が持つべきものは何かについて述べた内容であり、その点について言及していない本肢は要旨とはいえない。

5　○　第６段落の内容と合致しており、本文の要旨としてもふさわしい。

現代文　要旨把握

2022年度 ❶
教養 No.1

次の文章を読んで、以下の問に答えなさい。

僕は有機農業を、「生き物の仕組みを生かす農業」と定義しています。最近では植物工場のように、生き物の仕組みに頼らないタイプの農業技術も開発されていますが、有機農業では自然の仕組みにできるだけ逆らわず、生き物、特に土の微生物の力を生かすことを重視します。このような考え方は、ヨーロッパではビオ農法などと呼ばれています（アメリカではオーガニックという言葉を使う）。日本語では生物学的農法と訳されていますが、「有機」よりもビオ（bio＝「生」「生命」）という言葉の方が僕の言っている「生き物の仕組みを生かす」を率直に表現していてしっくりきます。

「有機」という言葉は、もともとは漢書の中の「天地有機（天地に機あり）」という言葉から付けられた、と言われています。「機」とは英語で言うシステムやメカニズム、日本語ではからくり、装置という意味です。天地、つまり宇宙にはからくり＝法則があり、それを理解し、尊重する農業を標榜しよう、という意味です。素晴らしい考え方だと思います。

ここで言う「機」の一つが、今で言う循環型農業の事です。健康で肥沃な土が健康な作物を育み、それが健康な動物を育み、その死骸や糞が微生物によってまた健康な土へと返っていく。この自然のサイクルに可能な限り沿う農業が有機農業です。

生き物は単独では生きられません。動物と植物、植物同士、植物と土の中の微生物はそれぞれ互いに影響し合い、共生しています。たとえば土壌微生物の中には、植物の根に棲(す)み付き、根から炭水化物をもらいながら、土壌から養分を取り込んで根に供給しているものがいます。弱肉強食の単純な力関係だけが自然の摂理ではありません。無数の生き物が相互に作用しながら、複雑なネットワークを形成して生態系全体を強く豊かにしているのです。それぞれの生き物が持つ機能、それが全体で回るシステム、これらを積極的に生かそうというのが有機農業の考え方です。

土と植物の関係はまだ分かっていない事も多いのですが、知れば知るほどそれがいかに上手(うま)くできているかに感心します。そのシステムの、単純なようで複雑、脆(もろ)いようで強いさまに驚かされます。そうした生き物のしたたかさを利用しない手はない、というのが有機農業の基本的な考え方です。

（キレイゴトぬきの農業論(のうぎょうろん)　久松達央　著）

問　この文章の要旨として、最も妥当なのはどれか。

1　単純な弱肉強食の力関係だけではなく、無数の生き物が相互に助け合っているのが自然の摂理である。

2　有機農業とは、それぞれの生き物の機能と、生き物が相互に作用しあうネットワークを利用する農業である。

3　生態系は大変複雑で脆いシステムでもあるので、有機農業でそれを使う際には十分に注意しなくてはならない。

4　有機農業は「生き物の仕組みを生かす農業」であるから、農薬や化学肥料を使うことは決してない。

5　これからの日本には、自然の仕組みにできるだけ逆らわず、生物の力を生かすことを重視した有機農業が必要になる。

解説　正解　2

TAC生の正答率　89%

1　×　第4段落の内容と合致するものの、本文の主題は「自然の摂理とは何か」ではなく、「有機農業とは何か」である。その点に触れていないため、要旨とはいえない。

2　○　第4段落の内容と合致しており、本文の主題である「有機農業とは何か」の答えとしても適切であるため、要旨としてふさわしい。

3　×　後半の内容が誤り。「十分に注意しなくてはならない」という内容は本文には見られない。

4　×　後半の内容が誤り。「農薬や化学肥料」の使用について、本文では述べられていない。

5　×　本文では「これからの日本」についての言及はないため、要旨とはいえない。

現代文　要旨把握

次の文章を読んで、以下の問に答えなさい。

意見とはある問題に対する解決である。しかし、それは単なる「感じ」や「心情」の表明ではない。根拠を伴って、その内容が客観的に正しいのだ、ということを相手に強制する構造をしている。たとえば、「私はこう思う。なぜなら〜からだ」と言うとき、「なぜなら〜からだ」の部分を聞いて、「なるほど」と思ったら、その前の「こう思う」の部分も承認しなければならない。それが、議論というゲームのルールなのである。

相手が自分の根拠を認めれば、相手に自分の意見を押しつけることができる。逆に自分が相手の根拠を認めれば、自分の意見を捨てて相手に従わねばならなくなる。つまり議論とは、支配と屈従という権力関係を暗黙のうちに含むシビアなゲームなのである。議論に負けると、何だか悔しい感じになるのは、そういうことなのだ。

しかし、これが「勝ち負け」に終わらないのは、双方が「真理の探求」という共通の目標を持っているからだ。議論してどちらが正しいかを決定するのは、勝ち負けを決めることが主なる目的ではない。よりよい解決を求めるためである。だから、議論に負けても、それは相手に負けたことにはならない。真理に負けた、いや従っているのである。悔しがるより、自分がより真理に近づいたと満足すべきなのだ。

議論に参加する者は、まずこの「真理への献身」を共有しなければならない。根拠の承認を迫る形式に則って発言することは、いわば、この暗黙の献身を表しているのである。

しかし、「私はこう思うけれど、人それぞれ、いろいろな考えがあると思うし、それでいい」は、このルールを無化することをねらっている。根拠を聞いて「なるほど」と思っても同意しなくていいし、私も他人が何を言っても自分の意見を変えるつもりはない、とはじめから言っているに等しいからだ。

この「やさしさ」は、議論で相手や自分が人間的に傷つくことが自分にとっての一番の関心事だし、あなたもそうだろうと言っている。一方が他方の根拠に賛同して、その意見に従わねばならなくなるくらいなら、真理の探求という大前提がうやむやになってもいいと主張しているのだ。しかも、それはあなたも同じだ、と決めつける。その証拠に「いや、私は何が正しいか、もっと議論をしたい」と言う相手に対しては、「でも、やっぱりそれも『人それぞれ』でしょう」と言い返すことになる。つまり、議論を勝ち負けの次元でしか受け取っておらず、それ以上の姿勢を他人と共有するつもりがないと表明しているのである。

（だまされない〈議論力（ぎろんりょく）〉　吉岡友治　著）

問　この文章の要旨として、最も妥当なのはどれか。

1　議論とは自分の意見を相手に強制するシビアなゲームであるから、議論に負けて悔しいのは当然である。

2　議論に参加する者は、「真理の探求」という共通の目標を持ち、「真理への献身」を共有しなければならない。

3　議論を単なる勝ち負けにしないためには、人それぞれ違う考えがあってよい、という「やさしさ」がなくてはならない。

4　議論において「やさしさ」は不要であり、真理の探求のためには自分の意見の正しさを一方的に押しつける強さが必要である。

5　真理の探求こそ議論の目的であり、議論中に相手を人間的に傷つけるような意見は決して述べてはならない。

解説　正解　2

TAC生の正答率　91%

1　×　本文の議論についての説明と合致する点があるものの、第３段落以降では議論が「勝ち負け」に終わらないことや「真理の探求」という共通の目標について述べられている。その点の言及がないため、要旨とはいえない。

2　○　第３段落、第４段落の内容と合致しており、議論に参加する者が「真理への献身」を共有すべきと述べられているため、要旨としてふさわしい。

3　×　後半の内容が誤り。第５段落には「人それぞれ違う考えがあってよい」というのは「ルールを無化することをねらっている」とある。最終段落にも「真理の探求という大前提がうやむやになってもいいと主張している」とあり、筆者はそのような「やさしさ」について、議論をするうえで必要であるとは述べていない。さらに「真理への献身」の共有について触れていないため、要旨とはいえない。

4　×　後半の内容が誤り。真理の探求のために「自分の意見の正しさを一方的に押しつける強さが必要」という内容は本文には見られない。「真理への献身」の共有についても触れていないため、要旨とはいえない。

5　×　後半の内容が誤り。最終段落には、人それぞれ違う考えがあってよいという「やさしさ」について、議論で傷つくことが一番の関心事になっているという指摘があるが、「相手を人間的に傷つけるような意見」のよしあしについて筆者は意見を述べていない。さらに「真理への献身」の共有について触れていないため、要旨とはいえない。

次の文章を読んで、以下の問に答えなさい。

エジプトのミイラはリサイクル資源として使われていたそうだ。

世に「ミイラとりがミイラになる」という言葉がある。捜索者が逆に遭難者になってしまう、あるいは説得しに行った人が逆に説得されて意見を変えてしまうなどの意味に使われる言葉である。ところで「ミイラとり」とは何かをご存じだろうか。おそらくは熱心な考古学者たちのことだろうとお考えの方も多いはずだが、こんな話がある。

エジプトのミイラは考古学資料ではなく埋蔵資源として随分と盗掘にあったそうだ。目当てはミイラを巻いてある「亜麻布」。これは洋麻（ケナフ）を原料とした紙を世に出した農学博士の原啓志さんにお聞きした話である。ミイラが盗掘にあった十九世紀半ばのヨーロッパでは紙の原料と言えばコットンか亜麻布のボロ。使い古した布をたたきほぐし、繊維を水に分散させて漉(す)きあげて紙にした。しかし紙の需要が増すにつれて原料が足らなくなる。そこで目をつけられたのが亜麻布を巻いて大量に眠っているミイラ。嘘のような話だがこれらは盗掘されて包帯をはぎ取られた。さらに信じがたいことにその多くはエジプト国内の機関車を走らせる「燃料」として薪(まき)がわりに用いられた。博士が文献で調べたところ、エジプト鉄道には十九世紀の半ばに約十年間ミイラで機関車を走らせた記録がある。ミイラとりというのはリサイクル資源としてのミイラの調達者たちだったのだ。

異文化に対する不敬も極まったような話だが、僕らはこれを批判してばかりはいられない。リサイクルという考え方はこれからの時代、とても重要になるが、それだけにその扱いには要注意。

もちろん、合理的なリサイクルは望ましい。例えば日本の新聞紙は現在はほとんど再生紙になり、ボール紙や緩衝材など適材適所への古紙利用は優れた事例である。しかし紙をすべてリサイクルの対象と考えるのは行き過ぎだ。紙は幾種類もの植物繊維の配合が多様な表情を生み出す超繊細な製品なのだ。繊維なら何でもいいという風潮は抄紙(しょうし)文化を破壊する。また「白い紙」を市中の古紙で作ると薬品を投与して漂白する際に大量の汚水を処理しなければならず、紙の生産コストも押し上げる。これでは本末転倒。

紙の原料を供給する北米などの森林が計画伐採に進みつつある現状では、資源利用の最適バランスを考えることが重要だ。環境を考えて逆に自然や文化を損なっては意味がない。それではミイラとりがミイラになる。

（デザインのめざめ　原研哉　著）

問　この文章の要旨として、最も妥当なのはどれか。

1　エジプトのミイラがリサイクル資源として使われていたように、あらゆるものをリサイクルするような仕組みをつくることが重要である。

2　超繊細な製品である紙をリサイクルの対象とするのは、逆に自然や文化を破壊することになるので、望ましくない。

3　リサイクルは重要ではあるが、その最適なバランスを考えなくては逆効果になることもあるので注意しなくてはならない。

4　「ミイラとりがミイラになる」のミイラとりとは、実はリサイクル資源としてミイラを調達する者たちのことである。

5　リサイクルにコストをかけるのは本末転倒であり、ミイラとりがミイラになるとはこのことである。

解説　**正解　3**　TAC生の正答率　89%

1　×　後半の内容が誤り。「あらゆるものをリサイクルするような仕組みをつくることが重要」とは本文では述べられていない。

2　×　第５段落には、合理的なリサイクルは望ましいとして、新聞紙が再生紙であることや、適材適所の古紙利用を優れた事例として挙げているため、筆者は「紙をリサイクルの対象」とすることに否定的ではないことがわかる。「紙をすべてリサイクルの対象と考えるのは行き過ぎ」と述べているのである。

3　○　最終段落の内容と合致しており、リサイクルに対する筆者の意見が述べられているため、要旨としてふさわしい。

4　×　第２段落の内容と合致するものの、本文の主題は「ミイラとりとは何者か」ではない。したがって、要旨とはいえない。

5　×　筆者が述べる「ミイラとりがミイラになる」とは、環境を考えて逆に自然や文化を損なってしまうことであり、コストをかけることだけを問題視していない。さらに「資源利用の最適バランスを考えることが重要」という点の言及もないため、要旨とはいえない。

現代文　要旨把握

2022年度 ❶
教養 No.5

次の文章を読んで、以下の問に答えなさい。

人間が現象を認識しそれを記述するに際しては、ヒトの脳に固有のクセが反映される。ほとんどの人にとっては、自分のクセはクセではなく当たり前なので、そう認識されることはない。多くの人が、ありのままの現象やありのままの自然を記述できると信じ込む理由は恐らくここにある。

今は亡きカール・ポパーは、反証可能性の有無によって科学と非科学を区分けした。たとえば、「カラスは黒い」という命題は反証可能ゆえに科学的命題である。一羽でも白いカラスが観察されれば、この命題は反証されるからである。それに対し、「明日は雨が降るか降らないかのどちらかである」といった命題や「世界は神が創った」といった命題は反証不能であり、科学的命題ではない。そうポパーは主張した。前者は観察事実とは無関係に常に正しく、後者はどんな観察事実によっても反証されないからである。

ポパーの考えは「記述」の後の段階においては正しいと私も思う。しかし、問題はそこにはなく、現象から記述を導く所にあるのだ。ポパーは帰納というものは成立しないと述べた。なぜなら観察した百羽のカラスが黒くても、「カラスは黒い」という一般命題は成立しないからである。百一羽目のカラスは白いかも知れないではないか。この議論は一見帰納の不可能性を証明しているように思われるが、実は帰納を前提としている。

屁理屈のように聞こえるかも知れないが、百一羽のカラスはなぜカラスとわかったのだろう。ライプニッツは「すべての個物は異なる」と述べた。百一羽のカラスはそれぞれ少しずつ異なっていたはずだ。それをすべてカラスだと記述したということは、記述者が個別から一般を帰納したからに他ならない。個別のカラスの中からカラスという同一性を抽象したのである。カラスという同一性が、あらかじめあるという保証は実はどこにもないにもかかわらず、我々はカラスという同一性を措定してしまうらしいのである。我々の脳はそういうクセを持っているのであろう。

（やぶにらみ科学論　池田清彦　著）

問　この文章の要旨として、最も妥当なのはどれか。

1　「カラスは黒い」という命題を科学的に証明するには、できるだけたくさんのカラスを観察し、すべてのカラスが黒かったということを示さなくてはならない。

2　我々が黒い鳥を見た時にそれがカラスであると認識するのは、個別から一般を抽象するというヒトの脳が持つ固有のクセが反映されるからである。

3　ヒトの脳は、たとえばいろいろなカラスを観察した際、これらはすべてカラスであると認めるというような、固有のクセを持っている。

4　カール・ポパーは、「カラスは黒い」という一般命題は証明可能であると述べたが、白いカラスがいる可能性がある限り、それは不可能である。

5　ヒトの脳には、百羽のカラスの中から個別の一羽のカラスを見つけ出すことができるといった、独特の能力がある。

解説　正解 3

TAC生の正答率 39%

1 × 本文には「『カラスは黒い』という命題を科学的に証明する」ことについての言及はされていない。人間の脳が持つクセが主題と考えるべきである。

2 × 因果関係がおかしい選択肢である。第4段落には「個別のカラスの中からカラスという同一性を抽象」してしまうクセを我々の脳が持っていると述べているのである。黒い鳥＝カラスという認識については述べられていない。

3 ○ 第4段落の「百一羽のカラスはそれぞれ少しずつ異なっていたはずだ。それをすべて…抽象したのである」という箇所と、本肢のヒトの脳が持つ固有のクセについての説明内容が合致しており、この脳のクセが本文の主題であるため、要旨としてふさわしい。

4 × 「一般命題は証明可能である」という箇所が誤り。第2段落には「反証可能ゆえに科学的命題である」と述べられている。そもそも、ヒトの脳のクセについての言及もない。

5 × 本文はヒトの脳が持つ固有のクセを主題としている。「独特の能力」とは表現されておらず、「百羽のカラスの中から…見つけ出すことができる」という記述も見られない。

現代文　要旨把握

2021年度
教養 No.1

次の文章を読んで、以下の問に答えなさい。

同世代の中でも「飛び抜けて賢い」、「アイデアがとにかく豊富」と思われるような存在になりたいと思った時に、周りに対してそのイメージを刷り込むためには、「普通のちょっと上」ではなく「頭一つ抜けている」ことを証明する必要があります。逆に言えば、「頭一つ抜けている」ことを示すことで、周りにそのイメージが浸透し、覚えてもらえるようになるのです。

例えば、自分では「声が大きくて元気」なキャラクターだと思っている人がいるとします。しかし実際には「人よりも少し声が大きい」レベルであったとしたら、周りは「声が大きくて元気」な人として認識はしていないはずです。体調を崩せば周りから「君ってなんだか弱々しいよね」と言われ、本人がいくら「自分はこれでも、元気な方だと思っていたんですけど……」と言っても、周りは「えっ、そうだっけ？」ととり合ってくれないでしょう。

私の知り合いの中に、職場の広いフロアの端から端まで届くような大声で「おはようございます」と元気よく挨拶をする人がいました。扉を隔てていても、その人が雑談しながらこちらに歩いて来るのがわかるくらいです。おそらく、それくらい飛び抜けて大きな声でようやく、「声が大きくて元気」な人という印象を持ってもらえ、周りの人の記憶にも残るのだと思います。

一方で、知人に、普段の声はものすごく高いのに、職場で話す時は極端なローボイスで話す人もいます。この人は、知的で冷静かつ分析力のある存在に見せるために、あえて声を変えているのです。つまり、演技をしているわけです。コミュニケーションでキャラクターを作ろうとするのであれば、これくらい極端でなくては意味がないのかもしれません。

（やってはいけない！職場(しょくば)の作法(さほう)－コミュニケーション・マナーから考(かんが)える　高城幸司　著）

問　この文章の要旨として、最も妥当なのはどれか。

1　印象に残らないような地味な仕事でも、それはなくてはならない仕事なのであり、誰にも気付かれなくても意義はあるものだ。

2　キャラクターづくりに夢中になって、大声や仕事のミスで周りに迷惑をかけてしまっては、悪いイメージばかり印象に残ってしまう。

3　周囲に自分の良いイメージや特徴を覚えてもらうためには、極端なほど飛び抜けていることを証明する必要がある。

4　能力に大きな差がない同世代の中では、日々の努力によるわずかな差こそが、明確な違いとなって表れてくるのである。

5　自分のセールスポイントがわからない人は、まずは声の大きさや健康状態など、日常的なことから変えてみるべきだ。

解説　正解　3

TAC生の正答率　97%

1　×　「印象に残らないような地味な仕事」については特に本文で述べられていない。

2　×　「キャラクター」を作ることについては本文第４段落に出てくるが、選択肢後半のような説明は本文に述べられていない。

3　○　本文第１段落と第４段落末尾の内容と合致し、要旨としても妥当である。

4　×　「能力に大きな差がない同世代」や「日々の努力によるわずかな差」の話は本文に述べられていない。

5　×　「自分のセールスポイントがわからない人」については、本文に述べられていない。

現代文　要旨把握　2021年度 教養 No.2

次の文章を読んで、以下の問に答えなさい。

私たちの精神のなかには、根源的な欲求が宿っていて、「社会の動きを読もう」とか「自分の人生を深めたい」という意欲がときどき現れる。こうした欲望を追求するためには、知的に貪欲でなければならない。

かつてＪ・Ｓ・ミルは、次のように述べたことがある。「満足したブタであるよりは、不満足な人間である方がいい。満足した愚者であるよりは、不満足なソクラテスであるほうがいい」と。知的欲求を弱めて幸せになるよりも、知的欲求を高めて不満な人生を送ったほうがいい、というわけである。

むろん人は、ソクラテスのような哲学者を好きになれないかもしれない。それでもソクラテスの考え方に面白さを感じたり、啓発されたりすることはあるだろう。作家の司馬遼太郎は、司馬遷に惚れこんだ。ニーチェはショーペンハウアーにいかれた。廣松渉はマルクスに共鳴し、マルクス主義とともに死ぬ覚悟をもった。彼らは、ある知的偉人に深くコミットメント（傾倒）することによって、たんにその偉人のファンに終わるというのではなく、そこから新たな自分を芽生えさせていった。

自分に不満を抱きながらも、知を渇望していく。そのためには、誰でもいいから、まずある思想家にあこがれて、その人の人生について調べてみてはどうだろうか。自伝、評伝、手記、手紙、講演、あるいは対談など、思想家をとりまく本はいろいろと出版されている。自分で自分のヒーローから学ぶことを、「私淑（ししゅく）する」という。人は誰かを私淑することで、知的に大きく成長する。私淑に値する人物を探してみたい。

（学問（がくもん）の技法（ぎほう）　橋本努　著）

問　この文章の要旨として、最も妥当なのはどれか。

1　いくら知的な欲求を追求しても、それが他者の笑顔や幸福につながらないのなら、真に充実した幸せな人生と言うことはできない。

2　知的偉人に傾倒し、その足跡をそっくりそのままなぞることで、知的欲求を満たし、充実した人生を送ることができる。

3　根源的な欲求である知的欲求を追求するためには、誰かにあこがれ「私淑する」ことで、知的に成長することが重要である。

4　一般的な人間はソクラテスのような哲学者を好きになれないので、家族や友人など身近な人の良いところを見習い、自分の人生に生かすべきだ。

5　知的な欲望をいくら追求したところで、物質的に満たされない思いを抱えたまま生きるのは不幸なことである。

解説　正解　3

TAC生の正答率　99%

1　×　「他者の笑顔や幸福に」つながるかどうかという論点や、「真に充実した幸せな人生」については本文に述べられていない。

2　×　「知的偉人に傾倒」することについては本文で述べられていることだが、「その足跡をそっくりそのままなぞること」については本文に述べられていない。

3　○　本文第４段落の内容と合致する。

4　×　「家族や友人など身近な人の良いところを見習い」という説明は本文に述べられていない。

5　×　選択肢全体が本文と関係のない内容である。

次の文章を読んで、以下の問に答えなさい。

グローバリゼーションが進展し、私たちの利益追求活動が国境を越え、それが一つの構造になっている。この構造がある人々に大きな不利益をもたらしており、これを改革することは正義の義務だと言える。

正義の義務を実践するならば、私たちが今、手にしている利益の一部を手放さなくてはならないかもしれない。ただ、ここで注意してほしいのは、そのことは私たちが一方的に今よりも不利益になることを意味していないことだ。正義を実行することは私たちの利益になることもある。

地球上に極端な貧困地域があることは、実は私たちにとってあまり望ましいことではない。この点は国内に貧困者がいることが、全員の利益にならないこととほぼ同じ形で考えればいいだろう。

例えば貧困地域が内戦・紛争、麻薬製造、テロの温床となっている。世界銀行はある国の所得が半減すると内戦の危険性は二倍になると試算している。麻薬製造やテロといった犯罪行為は、どんな社会でも起こりうるが、これも貧困地域において勢力を拡大しやすい傾向にある。ある地域の多くの人々が、貧困から抜け出し、まともな生活を送ることができるならば、その人々は犯罪行為に手を染めなくなるだろう。

貧困が解消されるならば、富裕国が紛争のとばっちりを受けることも減る。また犯罪行為に巻き込まれる可能性もなくなる。

また貧困地域（特にサハラ砂漠以南地域）ではHIVをはじめとした感染症が猛威をふるっている。この地域が貧困から脱出し、適切な医療サービスを受けることができるようになれば、これは感染症の世界的拡大を防止することになる。そして、それは私たちの利益にもなる。

（さもしい人間(にんげん) – 正義(せいぎ)をさがす哲学(てつがく)　伊藤恭彦　著）

問　この文章の要旨として、最も妥当なのはどれか。

1　貧困を撲滅することは正義の唯一の使命であり、その達成は無上の喜びであるので、その行使によって私たちに多少の不利益があったとしても帳消しにできる。

2　貧困の解消が紛争や犯罪の減少、感染症の拡大防止につながったりするなど、正義を実行することは私たちの不利益ばかりを意味せず、利益になることもある。

3　正義の実行は先進国に住む私たちの市民としての義務であり、それによって他の人々が不利益をこうむるのはやむを得ないことである。

4　グローバリゼーションが世界に十分広がらないとある人々の大きな不利益を生むので、これをより高度に構造を洗練させ行き渡らせることは、正義の義務である。

5　正義の実行によって、紛争や犯罪の減少、感染症の拡大防止など、多くの人の利益が得られるので、私たちが一方的に不利益をこうむったとしても、耐えなければならない。

解説　正解　2

TAC生の正答率　97%

1　×　貧困を撲滅することが「正義の義務」だという説明は本文第1段落に述べられているが、「正義の唯一の使命」であるとは述べられていない。また「その達成は無上の喜びである」ということも本文には述べられていない。

2　○　本文第2段落・第5段落・第6段落の内容をまとめた説明である。

3　×　「先進国に住む私たちの市民としての義務」とは述べられていない。また、「他の人々が不利益をこうむるのはやむを得ない」という説明は本文に述べられていない。

4　×　本文第1段落では、グローバリゼーションの進展により、ある人々に大きな不利益をもたらす社会の構造になっていると述べられており、この選択肢前半の説明と矛盾する。

5　×　本文第2段落では、「私たちが一方的に今よりも不利益になることを意味していない」と述べられており、この選択肢後半の説明と矛盾する。

現代文　要旨把握

2021年度
教養 No.4

次の文章を読んで、以下の問に答えなさい。

私たちは必ずしも文法的に正しい表現だけを使っているわけではなく、単純な言い間違いや思い違いも含めて、文法的な誤りや不適切さのある文を結構使っているものである。

動画や音声で記録されたものから探すのは大変だが、いまは国会会議録（衆参両院の本会議と委員会）がウェブサイトで公開されている。これは、おおむね議員などの口頭での発言の記録であり、実際の日本語運用の記録でもある。これらを見ると、文法的な誤りが結構多い。

国会議員が公的な場で品位ある言い方をしようとして不自然になる例も見られるが、この種の誤りは、多くの日本語話者がしてしまうようなもので、議員だから多いというわけではないと思う。問題は、どうして「正しい日本語」を適切に使っていなくてもおおよそコミュニケーションが成立するのか、ということだが、話者が不十分な表現をしても通じる以上聞いているほうがなんとかしていると考えるしかない。

これは、合理性の原則などということがあるが、私たちは、内容が難しかったりわかりにくかったりすることがあっても、話し手は理解可能な内容を話しているという信頼を持って聞いているのである。つまり伝達である以上、伝達内容には合理性があるはずだという前提に立っているから、なんとか読み取るべき意味をつかみ取ろうとするわけだ。信義がなければコミュニケーションはできないとすると言い過ぎかもしれないが、私たちのやりとりの基盤に「相手はつじつまの合うことを言っているはずだ」という思いがあるから、間違いや不備があっても修正したり補足したりしながら理解できるのである。

（言語学講義－その起源と未来　加藤重広　著）

問　この文章の要旨として、最も妥当なのはどれか。

1　文法的な誤りや不適切さは、話の内容が相手にうまく伝わらない主な原因であるから、「正しい日本語」を適切に使うことで、できるだけ是正しなくてはならない。

2　話し手が「正しい日本語」を適切に使っていなくても、身振りや表情など言葉以外の情報から正確な内容を読み取ることで、コミュニケーションは齟齬なく成立する。

3　国会など公の場で話す場合、普段の会話と違って、文法的な誤りや不適切さのある文は許容されることはなく、結果としてコミュニケーションは成立しなくなる。

4　言葉は変化していくものであり、「正しい日本語」など実際には存在しないのであるから、文法的な誤りや表現の不適切さにこだわる意味はない。

5　コミュニケーションが成立するのは、伝達内容に合理性があるはずという前提に立ち、聞き手側が修正、補足しながら理解しているからである。

解説　正解 5

TAC生の正答率 99%

1 ×「文法的な誤りや不適切さ」があってもコミュニケーションが成立する理由を考察しているのが本文の内容であり、「話の内容が相手にうまく伝わらない主な原因である」という説明は、本文の説明と反対の内容である。「できるだけ是正しなくてはならない」という主張も本文には述べられていない。

2 ×「正しい日本語」を適切に使っていなくてもコミュニケーションが成立する理由として、本文第４段落で「伝達内容には合理性があるはずだという前提に立っているから」と説明している。その説明とこの選択肢の内容は食い違う。

3 × 本文第２段落では国会での議員の発言には「文法的な誤りが結構多い」と述べられており、この選択肢の「文法的な誤りや不適切さのある文は許容されることはなく」という説明は本文と反対である。

4 ×「言葉は変化していくもの」という説明や、「『正しい日本語』など実際には存在しない」という説明は、本文に述べられていない。

5 ○ 結論部分である本文第４段落の内容をまとめたものとなっている。

現代文 英文 判断推理 空間把握 数的推理 資料解釈 法律 政治 経済

次の文章を読んで、以下の問に答えなさい。

子どもの福利厚生度がつねに親を介した間接的なものである限り、子どもは親との呪縛からはなれることはできません。親にとってはわが子でありますが、子どもはそれ自身として「ひと」であるわけです。ですから、人としての権利の一つとして学ぶ権利が保障され、自らの希望に沿ってチャレンジする機会が保障されなくてはなりません。それは、特定の親子を超えた子どもの権利の一つです。

特定の親子関係からはなれて自らの可能性を見極める場所の一つが教育の場にほかなりません。ここがさまざまな子どもを柔軟に受け入れ、教育する場にできるかどうかで、いうなれば社会としての、国としての成熟度も決まってくると思います。職業教育が強調されますが、実学のみならず、価値や倫理の問題、さらには社会について学ぶ場こそが教育だと思います。その意味で、私は教養教育はいま一度見直されるべきだと考えています。もちろん教養と実学とを乖離させるべきではありませんが、人として人間らしく育つための基礎学力、教養の修得が長い目で見たときに大切になってくるのではないでしょうか。

働くこと、職業をもつことを、幼い教育の中に適宜盛り込み、職業経験や職業カウンセリングを一定年齢になったときから教育カリキュラムに組み込むことは必要でしょう。さらには、職業という枠だけにこだわることなくボランティア活動も含めた社会経験を、子どもたちが獲得する機会を積極的に組み込むことも大切だと思います。限られた生活空間を超えた社会経験を積むことで、さまざまな社会的想像力が芽生え、自らの将来を考える機会になっていくはずです。

（生き方の不平等－お互いさまの社会に向けて　白波瀬佐和子　著）

問　この文章の要旨として、最も妥当なのはどれか。

1　子どもの貧困においてまず改善するべきは親の経済状態であり、福利厚生によってそれを整えるために、子どもの教育が一時的に犠牲になることは、やむを得ない。

2　貧困の問題を抱えた子ども専用のカリキュラムとして、職業経験や職業カウンセリング、またボランティア活動を含めた社会経験などを充実させるべきである。

3　教育の場は子どもが特定の親子関係からはなれて教養や社会経験を積み、自らの可能性を見極められる場所であり、その権利は親子の関係を超えて保障されるべきである。

4　すべての子どもには親の庇護が必要であるので、たとえ教育を目的としたものであっても、国の福利厚生が親子関係を妨げるものであってはならない。

5　現代においてすべての子どもに必要な教育は実学であり、教養や基礎学力の向上よりも、職業経験や職業カウンセリングなどのカリキュラムを重視しなくてはならない。

解説　**正解　3**　TAC生の正答率　92%

1　×　「まず改善するべきは親の経済状態」という説明や「子どもの教育が一時的に犠牲になることは、やむを得ない」という説明は、本文に述べられていない。

2　×　この選択肢の後半で示されているようなカリキュラムは、本文第３段落ですべての子どもに保障すべき教育として説明されている。「貧困の問題を抱えた子ども専用」という限定をしているわけではない。

3　○　本文第２段落、第３段落の内容を要約したものとなっている。

4　×　「すべての子どもには親の庇護が必要」という説明や、「国の福利厚生が親子関係を妨げるものであってはならない」という説明は、本文に述べられていない。

5　×　「現代においてすべての子どもに必要な教育は実学であり」という箇所が誤りである。本文第２段落では、「実学のみならず、価値や倫理の問題、さらには社会について学ぶ場こそが教育だと思います」と述べられており、本文の主張と食い違う。

現代文　要旨把握

次の文章を読んで、以下の問に答えなさい。

ある事柄について日本人には賛成が多いのか反対が多いのかを調べるには、どうするのが一番いいと思いますか？

まず思いつくのは、全員の意見を聞くという方法でしょう。その集団の全員を調べることを「全数調査」または「悉皆(しっかい)調査」と言います。悉皆ということばを聞くと、「わっ、難しい」と感じるでしょうが、悉(ことごと)く皆。そう、全数と同じ意味です。簡単な概念を難しいことばで表しているだけですね。

さて、１億2000万人以上もいる国民を悉皆調査するには、人手も費用も莫大なものになることは想像に難くありません。

日本で唯一行われている国民の悉皆調査は国勢調査です。大正時代の1920年から５年に一度行われ、2015年が20回目です。この調査は「統計法」という法律に基づいて総務大臣が行うもので、氏名や生年月日から学歴、家の広さ、通勤手段まで約20項目を調べます。皆さんも毎回協力しているでしょうから、よくご存じだと思います。国勢調査の結果は、選挙区の区割り、税金、福祉など様々な政策を検討する際の基本的なデータとして活用されています。国勢調査のデータがなければ正確なGDPだって計算できませんし、将来の年金や医療費の負担もきちんと議論することができないでしょう。また、私たちの行っている世論調査や民間の会社の売上げ戦略など、さまざまな場面で利用される、まさに最重要データの一つです。ただ、約700億円という莫大な費用がかかります。

学校のクラスだとか会社の○○部ならまだしも、全国民のように、対象とする集団が大きくなればなるほど悉皆調査は難しくなります。そこで、世論調査では、全体を代表するように人を選び、少数の人の結果から全体の結果を推測します。全体の代表を選び出すために最も良いとされている方法が、ランダムサンプリング＝無作為抽出なのです。

ランダムサンプリングは、簡単に言えばくじ引きです。くじを引いたり、サイコロを振ったり、コインの裏表で決めたりといった、完全に偶然に支配される選び方のことです。人が“適当”に選ぶのではなく、“偶然”という「神の見えざる手」によって選ぶのです。

くじ引きやサイコロなど完全に偶然に支配される出来事については、確率の計算が可能です。ということは、サンプルの値から全体の値を推計したり、誤差がどのくらいあるかを計算したりできるわけです。このように数学の確率論を当てはめることができると、調査の正確さを数字で客観的に判断できますから、“科学的”な調査であると証明するための強力な“武器”になります。

（世論調査とは何だろうか　岩本裕　著）

問　この文章の要旨として、最も妥当なのはどれか。

1　賛成が多いのか反対が多いのかを調べる方法として、悉皆調査とランダムサンプリングという方法がある。

2　悉皆調査はランダムサンプリングによって行われ、その集団の全員を調べる調査方法である。

3　ランダムサンプリングは、簡単にいえば、「くじ引き」なので、代表者はくじによる偶然で選び出される。

4　ランダムサンプリングが有効なのは、人が“適当”に選ぶのではなく、神が選んだからである。

5　国全体を代表する人を偶然性によって選べば、国勢調査も正確さをもって客観的に判断することができる。

解説　正解　1

1　○「調べる方法」としてどのようなものがあるか、についての説明がこの文の骨組みであり、要旨としてふさわしい。

2　×「ランダムサンプリングによって」が誤り。ランダムサンプリングとは、世論調査のように代表者を選んで行う調査の話である。

3　×　第6段落の内容と一致する。しかし、ランダムサンプリングについての説明がこの文の要旨とは言い難い。

4　×「神が選んだ」が誤り。「神」は偶然性の比喩にすぎない。確率の計算が可能であり、調査の正確さを数字で客観的に判断できることが有効である根拠だと、最終段落で示唆されている。

5　×　流れからいくと、本文の次に来ても不自然ではないが、この文章中では選択肢のような提案までは言及していない。

次の文章を読んで、以下の問に答えなさい。

『道徳の系譜』において、ニーチェは「非利己的」であることが「よい」ことであるとする今日の道徳思想を攻撃した。そしてそこから、「愛」とは「非利己的」なものであるとする愛の思想もまた激しく批判した。

古代において、「よい」とは強者が思いのままに生きられることを意味していた。それに対して「悪い」とは、弱者が情けなくもおのれの欲望を叶えられないことをいった。

しかしキリスト教がすべてを変えた。そうニーチェは言う。虐(しいた)げられた弱者の宗教であるキリスト教は、その強者に対するルサンチマンから、弱者こそが善であり、強者こそが悪であるという、顚倒(てんとう)した価値観を創り出したのだ。惨(みじ)めで悩める者、貧しく病める者こそ、神に愛される者である。彼らはこうして、それまでの「貴族道徳」を「奴隷道徳」へと顚倒させてしまったのだ。

ニーチェは続ける。キリスト教は、人間は罪深い存在であると言う。生まれながらに「原罪」を背負った者であると言う。しかしこれは、弱者がおのれの弱さゆえに抱く、「良心の疚(やま)しさ」の最終形態にほかならないのだと。

強く高貴な人間であれば、おのれの存在に疚しさを感じることなどはない。しかし弱い自分、すなわち、誰かに“借り”を返すこともできないような弱い自分に疚しさを抱くルサンチマンの人間は、それゆえに、人間とはそもそもにおいて罪深い存在であるなどという歪んだ思想を創り出すのだ。

こうしてついに、キリスト教は「天才的な弥縫策(びほうさく)」を発明した。そのような弱き人間たちは、しかし神（キリスト）の自己犠牲によって救いを得たのだと。神はわたしたちのためにおのれを犠牲にしてくださった。なぜか？ ――「愛」のゆえに！

ニーチェにとって、キリスト教における「愛」とは、ルサンチマンを抱えた弱者によって贋造(がんぞう)された、いわばご都合主義的な神の非利己的精神にほかならないのだ。

（愛　苫野一徳　著）

問　この文章の要旨として、最も妥当なのはどれか。

1　ニーチェにとってキリスト教の「愛」とは、神（キリスト）の自己犠牲によって与えられた、最終的な救いにほかならない。

2　人間は生まれながらに「原罪」を背負った者であるというキリスト教の思想はニーチェにとって真理であり、だからこそ弱者には耐えきれないとして批判した。

3　ニーチェにとってキリスト教の「愛」とは、ルサンチマンによって価値観を顚倒させた弱者が贋造した、ご都合主義的な非利己的精神でしかない。

4　キリスト教の「愛」とは、実のところ強者が思いのままに生きられるように贋造された、都合の良い歪んだ思想でしかないとして、ニーチェは激しく批判した。

5　ニーチェによれば、すべての人間はルサンチマンを抱えた弱者であり罪深い存在であるので、神（キリスト）の「愛」によって救われるには値しない。

解説　正解　3

1　×　本文後半で、ニーチェはこうした考え方を非難していることが書かれていた。

2　×　「ニーチェにとって真理であり」、「弱者には耐えきれない」が誤り。むしろニーチェはキリスト教の思想を非難し、弱者によって贋造されたものだと考えた旨が述べられている。

3　○　本文のまとめに相当する最終段落の内容に合致する。

4　×　「強者が思いのままに生きられるように」が誤り。これはキリスト教ではなく古代の思想である。本文でキリスト教の「愛」については、弱者が疚しさを抱くゆえに贋造されたものであると述べられている。

5　×　選択肢の前半も後半も、本文中で一切述べられていない。

現代文　要旨把握　2020年度 ❷ 教養 No.5

次の文章を読んで、以下の問に答えなさい。

学校生活を通じて、生徒たちはどんな隠れたカリキュラムを学んでいるのでしょうか。

この問題を考えるために、隠れたカリキュラムを大きく二つに分けてみましょう。一つのタイプは、学校生活をスムーズに行うために入り込んでくる隠れたカリキュラムです。これは、授業などをきちんと行うために必要とされるいろいろなルールのことです。時間を守ることも、コミュニケーションのルールも、一人で勉強するのではなく、集団で勉強するときに必要となる約束事です。

もうひとつのタイプは、もっと自然に、知らず知らずのうちに学校生活に入り込んでいる隠れたカリキュラムです。男女の区別や、年齢による区別といったことは、それが特別に問題とされないかぎり、「あたりまえ」のこととして学校の中でも使われる区別であり、約束事です。学校以外のところでも、なにげなく使われる区別が、そのまま学校でも使われるのです。

日本人や日本という国についての意識も同じです。日本という国がすでにまとまりをもっていることや、私たちが日本人であるという意識があたりまえになっている現在では、日本という国のまとまりを前提に教育が行われるのも不思議ではありません。あたりまえと思われているからこそ、自然と学校の中にも入ってくる考え方なのです。

ここで重要なのは、第二のタイプ、つまり、知らず知らずのうちに学校に入り込んでくる隠れたカリキュラムです。というのも、この第二のタイプの隠れたカリキュラムによって、あたりまえだと思っていることが、あたりまえのまま疑われなくなることがあるからです。

男女の区別にしても、年齢による区別にしても、慣れてしまえばあたりまえに思える区別です。では、男子と女子の区別にしても、ほかのやり方はないのでしょうか。年齢ごとの集団づくりにしても、違う学年をごちゃまぜにするやり方はできないのでしょうか。そう疑ってみると、どうしてもそうしなければならないほどの必然性があるとは限りません。出欠をとるときに男女まぜこぜで名前を呼んでも困らないはず。授業だって、塾や大学などでは、年齢にこだわらずにいっしょに勉強する集団がつくられることがあります。年齢よりどれだけの学力があるかを基準にクラスをつくってもよいのです。

日本という国や日本人という意識にしても、外国人の子どもが日本の学校にもっと増えていけば、どうなるでしょう。今までのように、日本という国のまとまりを前提に、日本語や日本の歴史、地理を中心に教える教育が望ましいかどうか、疑問が出てくることだってあるでしょう。実際に、いろいろな国から人びとが集まってできたアメリカやカナダのような国では、それぞれの人種や民族の特徴を学校でもっと勉強させようという主張があるくらいなのです。

このように、隠れたカリキュラムを通じて、私たちは、自分たちのまわりの世界を、どのように区別するのかを知らず知らずのうちに身につけていきます。

（高校生のための現代思想ベーシック　ちくま評論入門　改訂版－隠れたカリキュラム
苅谷剛彦　著）

問　この文章の要旨として、最も妥当なのはどれか。

1　隠れたカリキュラムには、学校生活をスムーズに行うために入り込んでいるものと知らず知らずのうちに学校生活に入り込んでいるものがあり、自分たちのまわりの世界を、どのように区別するのかを知らず知らずのうちに身につけていく。

2　隠れたカリキュラムのうち、学校生活をスムーズに行うために入り込んでくるカリキュラムは、集団生活を営む上で重要なルールを学ぶため、学校現場では重要視されている。

3　隠れたカリキュラムのうち、知らず知らずのうちに入り込んでくるカリキュラムは、あたりまえだと思っていることが、あたりまえのまま疑われなくなることがあるので、危険である。

4　男子と女子の区別は慣れてしまえばあたりまえのことだが、そこには必然性はなく、出欠をとるときに男女まぜこぜで名前を呼んでも困ることなどない。

5　知らず知らずのうちに入り込んでくるカリキュラムによって、日本という国のまとまりを前提とした教育を行っているが、多様性の時代には、他の人種や民族の特徴を学ぶ必要がある。

解説　正解　1

1　○　本文全体の要約になっており、要旨としてふさわしい。

2　×　「学校現場では重要視されている」が誤り。本文中に記述はない。

3　×　「危険である」が誤り。危険とまでは述べていない。

4　×　本文の内容と合致するが、出欠のとり方がこの文章の主題ではないので要旨としては不適当である。

5　×　選択肢後半が誤り。アメリカやカナダのような国ではそういった主張があるという話が書かれているのみである。

現代文　要旨把握

2020年度 ❶ 教養 No.1

次の文章を読んで、以下の問に答えなさい。

しばらく前に、石川県のとある公立高校で、「考える」ということについて、生徒さんたちに向けて語ったことがある。講演を聴いたひとりの女子生徒が書いてくれた感想文のなかにこんな文章があった――

「哲学は、人間の本質について深く疑問に思った時や、そのことによって悩んだり傷ついたりした時に、それを解決する手がかりをつかむための一つの手段なのではないか、と思いました。」

さっと読んだかぎりでは哲学についてのよくありそうな印象を記しているようにみえるが、そのなかのある言い回しにわたしの眼は釘づけになった。「解決する手がかりをつかむ」という箇所だ。問いに対する答えではなく、その「手がかり」を摑(つか)むために哲学があるらしい、というのである。

政治や経済においても、育児や介護にあっても、さらには芸術表現に際しても、不確定な状況のなかでどうするのがよいのかわからないまま、とりあえず事に当たるほかない。正しい答えが一つだけあるわけではないし、みなを満足させられる答えがあるわけでもないし、そもそもこれからじぶんが知ろうとしていること、創ろうとしているものがあらかじめわかっているわけでもない。答えがすぐには出ない、あるいは答えが複数ありうる、いや答えがあるかどうかもよくわからない、そんな問題群がわたしたちの人生や社会生活を取り巻いている。そんなときにたいせつなことは、わからないけれどこれは大事ということを摑むこと、そしてそのわからないものにわからないままに正確に対処できるということ、いいかえると、性急に答えを出そうとするのではなくて、答えがまだ出ていないという無呼吸の状態にできるだけ長く持ち堪えられるような知的耐性を身につけることだ、というふうな話をしたのだが、聴いた生徒さんがそれをこんなふうにまとめてくれるとは想像もしていなかった。そしてとてもすてきな捉え返しだとおもった。というのも、哲学の重要な仕事として、問いの構造じたいを問いなおすということ、問題となっていることがらへの視点、ないしはアプーチの仕方を吟味するというところがあるからである。

ひとには「なぜ？」と、どうしても問わずにいられない瞬間がある。なぜじぶんの生活というのはいつもこうでしかありえないのか。この息苦しさの理由は何か。あるいは人びとのあいだで、あるいは時代のなかで、どんな方向に進んでいけばいいのか。時代がなにか大きく変わりつつあるような気配がぼんやりとあるが、いったい何が起こりつつあるのか。その動きになにか、軸とか構造とかいったものが見いだせるのか……。そういう問いがしばしば頭をもたげる。時代の空気への抑えがたい不安や違和感に、時代はなにかとんでもない方向に動きだしているのではないかと、問いを投げ返したくなるときもある。つまり問えば問うほど問いは増殖していって、ついに、これまでじぶんが、あるいはじぶんを取り巻く人びとが、それを下敷きにしてみずからの生の軌跡を描いてきたその《初期設定》、あるいはじぶんがこれまで属してきたその社会が依拠する《フォーマット》に、歪(ゆが)みなりボタンの掛け違えなり不都合なりがあったのではないかと、それらを根本から再チェックしたくなる瞬間がある。そして、じぶん（たち）の生をそれに照らして理解するその《初期設定》や《フォーマット》をあらためて意識の俎上にのせ、吟味し、場合によってはそれを書き換えることで、より見晴らしのよい（ただし、かならずしも心地よいとはかぎらない）場所に立てるようになること、そのプロセスとして哲学はある、はずだ。

（哲学の使い方　鷲田清一 著）

問　この文章の要旨として、最も妥当なのはどれか。

1　問いに対する答えがなくとも、答えを探し続ける姿勢が、とりあえずの答えを与えてくれる。

2　政治や経済、育児や介護など不確定な状況の中で悩んだときは、哲学の本質を考えることが有効である。

3　「なぜ？」と問わずにいられない瞬間に、それを解決する手がかりを摑むための手段の一つに哲学はある。

4　哲学を学ぶことで、人は当然と思われてきた《初期設定》に疑問を感じるようになる。

5　じぶん（たち）の生をそれに照らして理解するその《初期設定》や《フォーマット》をつねに更新することが必要である。

解説　正解　3

TAC生の正答率　77%

1　×　選択肢後半は本文で述べられていない。答えが出ていない状態に長く持ち堪えられるような知的耐性を身につけることがたいせつだと述べられているのみである。

2　×　「哲学の本質を考えること」については述べられていない。

3　○　第２段落に書かれている感想文の内容と合致する。第４段落でこれを「とてもすてきな捉え返し」と述べている以上、筆者の考えとも一致しており、要旨としてふさわしい。

4　×　「哲学を学ぶことで」が誤り。最終段落には、誰にも《初期設定》を根本から再チェックしたくなる瞬間があり、それを考えるプロセスとして哲学があると述べられている。

5　×　「つねに更新することが必要である」とまでは述べられていない。

現代文　要旨把握

2020年度 ❶
教養 No.2

次の文章を読んで、以下の問に答えなさい。

テストでいい点を取って親にほめてもらうとか、大きな契約を取ってきて上司にほめてもらうなどが、「ほめる」の本来の使い方だと思います。「ほめる」ことはこのような限定した場面だけではなく、私たちの日常の暮らしの中では、いろいろなところで用いられるとてもありふれた行動だと私は思っています。

「ありがとう」という感謝の言葉はまさに「ほめる」ことです。「ありがとう」は相手の行為に対して感謝すると同時に、その行為を素晴らしいものとして賞賛するときに用いる言葉です。だから、「ありがとう」と言ってもらえると「ほめてもらえた」とも思えるのです。「ありがとう」の言葉がなくても、ニコッと笑顔を見せるだけでも「ほめる」ことになると思います。だから、口先だけで表情の伴わない「ありがとう」は感謝を表すことにも、ほめることにもなっていないと思います。

「うなずく」という動作があります。賛成や同意を表す動作ですが、これも「ほめる」に通じると私は思っています。授業や講演をしているとき、学生や聴衆の方々が首をたてに動かすことが全くなかったらとてもやりづらくなるはずです。会話の際も同じです。子どもが話しているとき、親のうなずきや「ふーん」とか「そうなの」などの相づちがなかったりすると、子どもは楽しくないはずです。

「うなずき」が無意識に行われる行動かどうかははっきりしません。話し相手を見ながら、そのヒトの言うことを聞いていて「確かに」と思うときには、すでにうなずいていることが多いというのが、私の実感です。だから、話し手に同意するときは、意識せずにうなずきなどの同意の動作や表情を表出しているときもあると思います。他方、話し手は聞き手のうなずきを意識していなくても、そのうなずきに影響されることはわかっています。大学生に思いつく英語の名詞を次々に声に出して言う課題を出します。英語の名詞には単数形と複数形があります。複数形のときのみ、聞き手がうなずくのです。そうすると、大学生は複数形を言うことが多くなります。しかも、この簡単な実験に参加した多くの大学生は、聞き手が複数形のときだけうなずいているのに気が付いていませんでした。つまり、ヒト同士の関わりの中で頻繁に表出されているうなずきは送り手も受け手も必ずしも意識しないでやり取りしているということです。しかも、このうなずきがヒト同士の関わりの潤滑油になるのです。親と子の間ではなおさらのことだと思います。

首をたてに動かして同意を意味する行動様式は、ヒト以外の動物にはありません。ヒトだけが「うなずき」で同意を表現できるのです。私は「うなずき」が生まれたときからヒトが持っている行動、つまり生得的行動なのか、あるいは国や地域、文化の違いに関係なく「うなずき」が肯定や同意を示す動作であるのかは知りません。でも、「うなずき」は「ほめる」ことに通じる行動なので、親と子の間だけでなく、さまざまなヒト同士の関わりを結びつけるとても大事な行動だと思っています。

（サルの子育てヒトの子育て　中道正之 著）

問　この文章の要旨として、最も妥当なのはどれか。

1　「ありがとう」という感謝の言葉にはほめる意味も含まれ、日常生活の中で多用されている。

2　「ありがとう」という言葉同様「うなずき」も感謝と賞賛を表している。

3　首をたてに動かして同意を意味する行動は、ヒトに特有のものであり、それゆえ、生物の優位性を特徴づけている。

4　「ありがとう」も「うなずき」も「ほめる」ことの一種で、ヒト同士の関わりを結びつける大事な行動である。

5　「うなずき」は送り手も受け手も無意識で行っており、万人に共通の生来の特性であることが証明された。

解説　正解　4

TAC生の正答率　97%

1　×　第1段落で「いろいろなところで用いられる」と述べられているのは、「ありがとう」という言葉ではなく、「ほめる」ことである。

2　×　うなずきは「ほめる」に通じるという記述はあるものの、「感謝と賞賛を表している」とまでは言っていない。

3　×　「生物の優位性を特徴づけている」という内容は本文には見られない。

4　○　本文をまとめた内容になっており、要旨としてふさわしい。

5　×　選択肢後半が誤り。最終段落には、生得的行動なのかどうかは知らないと述べられている。

次の文章を読んで、以下の問に答えなさい。

言葉を形づくる音が、なぜその意味を伝えるのかということは、説明することが出来ない、というのが言語学の常識である。あるものについて、なぜその音が選ばれたかは、社会的習慣によるとしか答えられない。難しい言葉で言えば、シニフィアン（音）とシニフィエ（意味）は、恣意的に結びついているということになる。

本当にそうだろうか。

「ジキルとハイド」という物語がある。二重人格で、いい人格と悪い人格が入れ替わる。どちらかが悪いほうのときの名前なのだ。私は、どうしても、ジキルが悪者で、ハイドが善い者に思えてしまう。本当は逆である。しかし、ジキルというのは、いかにも悪そうな名前ではなかろうか。

ゴルゴンゾーラチーズというのがあるが、いかにも凄そうな味を連想しないだろうか。

「イピピ」と「オポポ」という言葉があったとする。これだけでは、どちらも意味がわからない。しかし「イピピとオポポは夫婦です」と言われると、どちらが夫でどちらが妻だろうか。たぶん、多くの読者は、イピピが女で、オポポが男であると思うに違いない。

では、イピピとオポポが兄弟であるとするとどうなるか。これも、一致して、オポポが年上であると答える人が多い。

いろいろな教室で、私は実験してきたのだが、すべて答えは同じだった。さまざまな外国人を相手にした教室でも、この結果にはあまり大差はない。ラテン系の言語では、語尾の音によって男女が決まってしまうことがあって、多少結果が異なるけれど、ほとんど普遍的と言っていい。すなわち、A音やO音、濁音系は、大きいとか男性とか強いとか悪いとかを示す。I音や清音系は、小さいとか女性とか弱いとか善いとかを示してしまう。

江戸時代の三味線の楽譜は、五線譜などというものはなかったから、言葉で音の高低を示していた。「ツン」、「チン」、「ドン」、「トン」、「テン」の５つである。これを高いと思われる音から順に並べてみてほしい。普通の日本人であればほぼ間違いなく「チン、ツン、テン、トン、ドン」の順番に並べるはずだ。

生まれて初めて聞く言葉でも、その音によって、ある程度意味の予測がついてしまう。音と意味とは、ある限定を加えれば、案外結びついている。

（ことばのことばっかし―「先生」と「教師」はどう違うのか？　金田一秀穂 著）

問　この文章の要旨として、最も妥当なのはどれか。

1　言葉を形づくる音（シニフィアン）とその意味（シニフィエ）の結びつきは社会的習慣による。

2　ジキルという音からは悪い人格、ハイドという音からは善い人格というイメージがわきやすいが、実際の物語では逆である。

3　筆者の実験によると、オポポと比較するとイピピという音からは年少者というイメージがわきやすく、これは言葉の音と意味の結びつきは普遍的であるとする根拠となる。

4　どの系統の言語でも、A音やO音、濁音系は大きいとか男性とか強いなどのイメージがわきやすく、言葉の音と意味が恣意的な結びつきであるとはいえない。

5　言語学的には、シニフィエとシニフィアンは恣意的であるのが常識であるが、普遍的な結びつきによる面もある。

解説　正解　5

TAC生の正答率　55%

1　×　社会的慣習によるという考え方に対し、筆者は「本当にそうだろうか」と疑問を投げかけている。また、その後普遍的な結びつきについても言及しているため、要旨とはいえない。

2　×　第3段落の内容と合致する。しかし、ジキルとハイドのことのみを説明したい文章ではないから、要旨とはいえない。

3　×　選択肢後半部分は、本文で述べられていない。文中で普遍的であると述べられていたのは、イピピという音からは女性や年少者というイメージがわきやすいという実験結果についてである。

4　×　「どの系統の言語でも」が誤り。ラテン系の言語では多少結果が異なると述べられている。

5　○　本文の冒頭と末尾の内容と合致する。ある限定を加えれば、音と意味とは結びつきがあるという、という筆者の主張を端的にまとめた選択肢であり、要旨としてふさわしい。

現代文 要旨把握

2020年度 ❶ 教養 No.4

次の文章を読んで、以下の問に答えなさい。

民法のうちでも総則はとくに抽象度が高い、と説明した。こんなことをいうと、「別に民法総則だけが日常用語からかけ離れてわかりにくいわけではない。すべて法律の条文はわかりにくい」とお叱りを受けそうである。

賢明な読者は、どうして「すべて法律の条文はわかりにくい」のか、すでに述べたところからだけでもわかると思う。民法総則に規定される条文は、「様々なシチュエーションに適用される性質を有している」ので、抽象的でわかりにくい。しかし、これは多かれ少なかれ、すべての条文についていえることなのである。

たとえば、「売買」という言葉があり、民法にはそれを規律する条文がある。しかし、実際の社会には、「売買」という抽象的な契約が存在するわけではない。10月１日に、ＡとＢとが、Ａがずっと使っていた中古の自動車をＢに譲り、かわりにＢは30万円をＡに支払う、という約束をする。あるいは、ＣとＤとが、７月25日に、Ｃのもっているパソコンを Ｄに譲り、Ｄは５万円をＣに支払う、という約束をする。実際の社会には、そういった個々具体的な約束がたくさん存在するだけなのである。

きわめて古い時代には、AB間でその約束に関連して争いが起これば、ＡとＢのそれぞれの事情を十分に考えて、長老などによって裁定が下されたのであろう。CD間で紛争が生じたときにも、そうである。それぞれの約束にはそれぞれの特殊性があり、それぞれについて１回かぎりの判断が下されるのである。しかし、上記のAB間の約束とCD間の約束には共通性があることが、長い期間をかけて、だんだんと認識されてくる。そうすると、AB間の争いの裁定とCD間の紛争の裁定との間にはバランスが必要であり、バランスが欠ければ不公平であると感じられるようになってくる。ここがけっこう重要なところであり、AB間の約束とCD間の約束とが、まったく別個独立のものであり、その間に何らの共通性も認識されなかったら、それぞれの約束に関する紛争の裁定の間にバランスが必要であるとは考えられない。共通性があると認識されてはじめて、バランスが必要だと思われるようになるのである。

そして、２つの約束は、いずれにせよ「一方が他方にある財産権を譲り、他方が一方に代金を支払うという約束」であることが分析されてきて、それに「売買契約」という名が与えられることになる。そして、すでに述べたバランスが必要性であるという認識に基づいて、「およそ売買契約に関する紛争においては、これこれのルールが適用される」という法ができあがっていくわけである。

法の形成が以上のようなものであることがわかれば、なぜ、民法総則以外の条文でも、およそ法律の条文というものが、抽象的なものになっているかはわかるはずである。つまり、実際の社会に存在する様々な紛争のうち一定のものについて、共通の要素を見いだし、「こういった共通の要素のある紛争については、これこれの解決をする」と決めているのが法律の条文なのであり、具体的な紛争を抽象化したかたちになっているのは当然なのである。

（リーガルベイシス民法入門　道垣内 弘人 著）

問　この文章の要旨として、最も妥当なのはどれか。

1　民法は抽象的でわかりにくいため、具体的な事件を裁定するためには、条文の解釈ができる裁判官が必要となる。

2　売買契約の共通性は「一方が他方にある財産権を譲り、他方が一方に代金を支払う」というものだが、具体的には支払う金額が違うため、結論は同じにはならない。

3　古い時代には争いのたびに長老などによって、1回かぎりの判断が下されていたが、現代のように複雑化した社会では法律によって解決される必要がある。

4　まったく別の紛争のようにみえても、長い期間をかけて裁定を繰り返すとバランスのよい共通性が認識されてくる。

5　それぞれの紛争から共通性を抽出し、それら共通性のある紛争についてはこのような裁定をするというのが法律の条文である。

解説　正解　5

TAC生の正答率　92%

1　×　選択肢後半は本文で述べられていない。また、選択肢冒頭の「民法は」の部分も誤り。「民法のうちでも総則はとくに抽象度が高い」、「すべて法律の条文はわかりにくい」とあるので、「民法総則は」とか「法律の条文は」という書き方でなければ、本文と噛み合わない。

2　×　選択肢後半部分は、本文中で一切述べられていない。

3　×　選択肢後半が誤り。共通の要素のある紛争については、裁定の間にバランスが必要だと言っているのであり、複雑化した社会については特に言及されていない。

4　×　認識されるのは「バランスのよい共通性」ではなく、別個の約束の間にある共通性である。「バランス」という単語が出てくるのは、それぞれの約束に関する紛争の裁定の間にはバランスが必要だと思われるようになる、という部分である。

5　○　最終段落のまとめになっており、法律の条文はなぜ抽象的でわかりにくいのか、という文章のテーマと合致する。

現代文　要旨把握

2019年度❷
教養 No.1

次の文章を読んで、以下の問に答えなさい。

「人を傷つけたい」とわざわざ思う人はあまりいないでしょう。自分が傷つくのはいやなのと同様に、相手を傷つけることも避けようと思う人がほとんどでしょう。

でも、神経質になりすぎて、「人を絶対に傷つけてはならない」という考えにとらわれすぎると、そのような言動に対して、自分にも他者にも厳しい監視の目を光らせるようになります。ひたすら相手を傷つけないように、態度に気をつかい、控えめなものの言い方をする一方で 、相手も同様に配慮すべきだと考えるようになります。

この考え方は、一見とても配慮に満ちているように見えますが、実は大きな落とし穴を含んでいます。考えてみると、人を絶対に傷つけないようにすることは不可能だからです。

人が何によって傷つくかは、人によって異なります。Aさんがどんなことに傷つくかすべて知ることはできませんし、たとえ分かったとしても、状況によっては配慮できない場合もあります。

一般的に「こういうことをすれば／言えば人を傷つけてしまう」ということには気をつけていても、それ以外の思いもかけぬことで特定の相手を傷つけてしまうことは、ありえます。

たとえば、大事なことを隠されるのが嫌いな人は、遠回しな言い方をされたり、あいまいな言い方でぼかされたりすると、嘘をつかれたような気持ちになり、信頼されていない、と傷つく可能性があります。悪口や批判でなくても、自分についてのコメントを直接言われず、自分のいないところでみなが口にしていることに気づいたら、いじめを受けたような気分になり、傷つくでしょう。

逆に、はっきり言われることで傷つく、だから言わないでほしいと思っている人もいます。そのような人は、黙っていてくれたり、なんとなく遠回しに言われたりする方が、相手に配慮されていると感じるでしょうし、自分もはっきり言わないことが多いでしょう。逆にストレートにコメントする人は無神経なひどい人と受け止める可能性もあります。

(アサーション入門－自分も相手も大切にする自己表現法　平木典子著)

問　この文章の要旨として、最も妥当なのはどれか。

1　人を絶対に傷つけてはならないから互いに配慮をするべきだという考えには、人を絶対に傷つけないことは不可能であるという落とし穴がある。

2　「人を絶対に傷つけてはならない」と心に誓うくらいでなくては、思いもかけないことで相手を傷つけてしまうことがある。

3　「こういうことをすれば／言えば人を傷つけてしまう」という線引きは実際には存在せず、人を傷つけないように配慮するなどということは不可能である。

4　遠回しな言い方やあいまいな言い方はかえって人を傷つけるので、人に対するときは常にストレートにはっきりものを言った方がよい。

5　「人を絶対に傷つけてはならない」という考えにとらわれすぎると、互いに厳しい監視の目を光らせるようになり、逆にいさかいの種をまくことになる。

解説　正解　1

1　○

2　×　「人を絶対に傷つけてはならない」と心に誓うくらいでなくては、との記述は本文にはない。

3　×　第５段落は、人を傷つけないように気をつけていても、それ以外のことで相手を傷つける可能性はあるという文章内容である。

4　×　最終段落には、ストレートにはっきり言われると傷つくので、言わないでほしいと思っている人もいると述べられている。

5　×　この文章では、「人を絶対に傷つけてはならない」という考えにとらわれすぎても、結局は傷つけてしまうことがありえるという内容であり、いさかいの種をまくことになるという内容ではない。

現代文　要旨把握

2019年度 ❷ 教養 No.3

次の文章を読んで、以下の問に答えなさい。

茶を喫する習慣は世界中にある。温かく香りの良い茶を飲むという行為や時間の持ち方は、普遍的な生の喜びに通じているのだろう。この「茶を供し、喫する」という普遍を介して、多様なイマジネーションの交感をはかるのが室町後期にその源流を持つ「茶の湯」である。誤解を恐れずに言えば、茶を飲むというのはひとつの口実あるいは契機にすぎない。空っぽの茶室を人の感情やイメージを盛り込むことのできる「エンプティネス」として運用し、茶を楽しむための最小限のしつらいで豊かな想像力を喚起していく。水盤に水を張り、桜の花弁をその上に散らし浮かべたしつらいを通して、亭主と客があたかも満開の桜の木の下に座っているような幻想を共有する、あるいは供される水菓子の風情に夏の情感を託し、涼を分かち合うイメージの交感などにこそ、茶の湯の醍醐味がある。そこに起動しているのはイメージの再現ではなく、むしろその抑制や不在性によって受け手に積極的なイメージの補完をうながす「見立て」の創造力である。

エンプティネスの視点に立つなら「裸の王様」の寓話は逆の意味に読みかえられる。子供の目には裸に見える王に着衣を見立てていくイマジネーションこそ、茶の湯にとっての創造だからである。裸の王様は確信に満ちて「エンプティ」をまとっている。何もないからあらゆる見立てを受け入れることができるのだ。

空間にぽつりと余白と緊張を生み出す「生け花」も、自然と人為の境界に人の感情を呼び入れる「庭」も同様である。これらに共通する感覚の緊張は、「空白」がイメージを誘いだし、人の意識をそこに引き入れようとする力学に由来する。茶室でのロケーションは、その力が強く作用する場を訪ねて歩く経験であり、これによって、現代の僕らの感覚の基層にも通じる美の水脈、感性の根を確かめることができた。西洋のモダニズムやシンプルを理解しつつも、何かが違うと感じていた謎がここで解けたのである。

(日本のデザイン－美意識がつくる未来　原研哉著)

問　この文章の要旨として、最も妥当なのはどれか。

1　「空白」がイメージを誘いだし、人の意識をそこに引き入れようとする力学は、西洋のモダニズムやシンプルとは異なる美ということができる。

2　茶を喫する習慣が世界中にあるのは、温かく香りの良い茶を飲むという行為や時間の持ち方が生の喜びに通じているからであり、「茶の湯」が世界中に普及した理由でもある。

3　「茶の湯」は、口実あるいは契機にすぎず、そこで供される水菓子は、亭主と客がそれを見てイメージを交感するためにあり、供された水菓子を食することは禁物である。

4　「茶の湯」は、受け手に積極的なイメージの補完をうながすが、「裸の王さま」の寓話のようにないものをあるかの如く振る舞う点が滑稽である。

5　「茶の湯」・「生け花」・「庭」は、日本文化という点では共通性があるが、それぞれ発祥が異なっており、他に共通点を見出すことはできない。

解説　**正解 1**

1　○

2　×　選択肢の内容は第１段落に記述されているが、茶の湯についてはあくまでも例の一つとして挙げられているに過ぎない。

3　×　選択肢後半「供された水菓子を食することは禁物」との記述は本文中にはない。

4　×　選択肢後半の記述は本文中にはない。

5　×　選択肢後半の記述は本文にはなく、茶の湯や生け花、庭についてはあくまでも例として挙げられているに過ぎない。

次の文章を読んで、以下の問に答えなさい。

お布施といえば、われわれはなんとなく“お坊さんに渡す金品”をイメージしてしまいます。時には“読経の代金”なんて思ってしまいますよね。

でも本来は、自分自身が実践する修行なのです。「握っている手を離すトレーニング」であるといえます。私たちは、いずれ老・病・死や愛する者との別れといった事態に直面し、なにがしかのものを手放していかねばならないときがやってきます。このとき、捨てたりあきらめたりできなければ、苦悩は続きます。

ところが、その事態になってから握っている手を離そうとしても、簡単にはできないのです。離そうとしても手が開かない。普段から少しずつ握っている手を離すトレーニングを積み重ねていかなければ、苦悩を引き受けて生き抜くことはできないのです。布施の実践によって、執着が大きくならないようにコントロールするのです。

また、布施の実践は、「分かち合うことの喜び」が自分の生を根源的に支えてくれることを教えてくれます。そもそも人類というのは、分かち合うことによって発達してきた生物です。何かを分かち合うことで、人は喜びを感じます。そういう心身のメカニズムになっているんですね。だから布施の実践は、われわれがより良い社会や関係性を構築するためのトレーニングでもあるのです。布施の原語は「ダーナ」ですが、これは英語のドナー（提供する人）やドネーション（寄贈）と同じ語源をもちます。日本では“旦那”といった字が当てはめられています。旦那とは、「与える人、施す人」の意味なんですね。

（宗教は人を救えるのか　釈徹宗著）

問　この文章の要旨として、最も妥当なのはどれか。

1　布施を実践することで、何かを手放す苦悩に直面することを避けるためのトレーニングを積むことができる。

2　布施の実践は、握っている手を離すトレーニングであり、より良い社会や関係性を構築するためのトレーニングでもある。

3　布施の実践によって、分かち合うことの喜びを知れば、自ら何かを手放すことの愚かさをも学ぶことができる。

4　布施を実践したからといって、何かを手放す苦悩が消えるわけではないが、その苦悩は自分自身が実践する修行によって克服できる。

5　布施の実践につきまとう“お坊さんに渡す金品”“読経の代金”といった負のイメージは、メディアによって与えられた誤った印象である。

解説　**正解　2**　TAC生の正答率 88%

1　×　「何かを手放す苦悩に直面することを避けるためのトレーニング」という説明が本文と合致しない。本文第２段落では、布施の実践をすることが、「握っている手を離すトレーニング」になると説明されている。

2　○　本文第２段落と第４段落の内容をまとめた説明である。

3　×　「自ら何かを手放すことの愚かさ」という説明が本文と合致しない。本文では、「何かを手放すこと」を、苦悩から解放されるために必要なものとして肯定的に説明している。

4　×　「何かを手放す苦悩」は本文に出て来ない内容である。本文第２段落の内容を踏まえると、本文で述べられている「苦悩」とは、何かを手放すことについての苦悩ではなく、捨てたりあきらめたりできないことによって生じる「老・病・死や愛する者との別れ」に直面したときの苦悩である。また、本文では「布施」を「自分自身が実践する修行」の一つとして挙げており、選択肢のように「布施」の実践を否定的にとらえる説明は本文と合致しない。

5　×　「メディアによって与えられた誤った印象である」という説明は、本文に述べられていない。

現代文　要旨把握

2019年度 ❶
教養 No.5

次の文章を読んで、以下の問に答えなさい。

そもそも、高校時代の「現代文」とは、さまざまなテーマについて、それぞれ独自の切り口を持つ文章を数多く学ぶべきものでした。その中で、書いている人が訴えたいことについて、正確に理解し、自分の言葉で咀嚼（そしゃく）した上で説明し、自分のものにしていく。つまり、読んだ作品を自分なりに血肉化した上で、さらに人に伝達していくところまでが求められるわけです。本来、これを数多く行うことにより、世の中で起こっているさまざまな事柄を自分なりの視点でとらえ、じっくりとひもとくことができるようになるわけです。授業を通じた学習が、一概に受け身とばかりは言いきれない点も、ここにあります。

ところが、高２、高３ともなると受験という問題が出てきて、そうした意義の前に、まずは試験問題を解くための読解、パズルのような解き方を身につけることが優先されてしまいがちです。傍線は本来、まとまりのある文章の中で、特に肝となるべき部分に引かれ、解答者がそれを理解しているかを問うはたらきをします。会話の中で、相手の要点をつかまえるのと同じです。大切な心と心の出会いの場なのです。しかし、文章に傍線を引いて、その文章が指し示すことを書いてみろ、というような練習問題ばかり繰り返していると、その大義を見失い、目先の点数をとることに血道を上げてしまう。

そうなると、世の中の事柄を自分なりにとらえるという本来の意味など置いていかれてしまい、いざ目指す大学に入学したものの、何を吸収したら吸収したことになるのか、何を理解すれば本当に理解したことになるのか、何を話せば真に伝達することにつながるのか、ますますわからなくなってきます。学生に論文を課した大学教授が「いったいどんな『現代文』の勉強をしてきたのか」と嘆くような事態になっているのには、ある意味、受験勉強のもたらした影響も大きいのではないかと思っています。

（20歳からの〈現代文〉入門　ノートをつけながら深く読む　中島克治著）

問　この文章の要旨として、最も妥当なのはどれか。

1　高校の「現代文」の意義は、作品を自分なりに血肉化し、人に伝達することで理解を深めることであるのに、受験のための勉強はそうした真の理解から学生を遠ざけてしまう。

2　大学の教授の中にすら、受験のためのパズルのような解き方が、「現代文」を真に理解する唯一の方法であると考えている人がいる。

3「現代文」を真に理解するためには、作品を自分なりに血肉化し、人に伝達するところまでが求められるため、必然的に数を多くこなすことはできないはずである。

4　世の中の事柄を自分なりにとらえるという「現代文」の意味に近付くためには、試験問題を解くためのパズルのような解き方も時に必要であり、決して無駄ではない。

5「現代文」の授業の中で心を打たれる作品に出会えたなら、自分の中だけに感動をしまっておけばよく、それに勝る真の理解などあるはずがない。

解説　正解　1

TAC生の正答率　98%

1 ○ 本文全体の内容を要約した説明である。

2 × 本文第２段落では、受験のために「パズルのような解き方を身につけることが優先されてしまいがち」だと述べられているものの、選択肢のように「大学の教授」たちの中にそのような考えの人がいるかどうかについては触れられていない。

3 × 選択肢前半の「現代文」についての説明は本文と合致するが、「必然的に数を多くこなすことはできないはずである」という説明は本文に述べられていない。

4 ×「試験問題を解くためのパズルのような解き方も時に必要」という説明が本文と合致しない。本文第２段落では、「パズルのような解き方」を「現代文」で本来求められるものとは対立的・対比的なものとして説明している。

5 ×「心を打たれる作品に出会えたなら、自分の中だけに感動をしまっておけばよく」という説明は、本文に述べられていない。

現代文　要旨把握

2018年度❷
教養 No.3

次の文章を読んで、以下の問に答えなさい。

最初に大量生産方式（Mass Production System）を確立したのは、米国のヘンリー・フォードである。二〇世紀初頭に登場したフォードの大量生産方式は、ライバルのGMが採用したのはもちろん、自動車業界以外にも次々と普及していった。当時はモノが慢性的に不足していた時代だったから、つくった先から商品が売れていった。だからその時代は大量生産するための、巨大工場や設備が重要だった。またその設備を建設するための資本を集める銀行の役割も重要だった。

大量生産方式は、食品加工、飲料、製薬、素材、農業などのあらゆる分野に波及した。第二次世界大戦後は、機械化やコンピュータの登場による制御技術の発達が、さらにその進歩を加速してきた。現在では、半導体製造工場では無人工場も実現されている。

しかし、今日フォードが工場で採用しているのは、創業者のヘンリー・フォードが生み出した大量生産方式ではない。トヨタ生産方式である。

現在のフォードは、トヨタ同様「売れるモノを売れる時に売れる数だけ」生産している。つまり売れるモノがなければ、一切生産されない。フォードでも、本当に顧客のニーズにマッチする製品が開発できたあと、お客さんから注文が入って、はじめて工場が稼働する。

結局、現在は、肝心の「モノ」が売れるか売れないかは、安く大量につくる生産能力があるかどうかという工場側の事情では決まっていない。

単純に言ってしまえば、大量生産の時代は、資本を集め設備投資をするだけでも、企業は売上も利益も自動的に上げることができたのである。同時に、銀行は、自動的に大きな収益を上げることができた。銀行業は四則演算ができて、財務諸表さえ読めれば、誰でもできるシンプルなビジネスだった時代もあったのである。

ところがモノがあふれる現在、商品が売れるか売れないかは、量産工場の規模や投下した資本金額の大きさとは関係ないところで決まっている。

現在は「何をつくるか」といった質的な事柄が、企業活動では最も重要である。消費者のニーズにマッチした「何か」をつくることができれば、あとは安く高品質につくるだけである。そのための生産技術も管理方法も確立されている。一定の製造品質で安くつくると同時に「量」を確保するためのノウハウは、十分過ぎるほど研究されてきたのである。

（「タレント」の時代—世界で勝ち続ける企業の人材戦略論　酒井崇男著）

問　この文章の要旨として、最も妥当なのはどれか。

1　現在ではフォードでも大量生産方式ではなく、より大規模な生産方式であるトヨタ生産方式が採用されている。

2　機械化やコンピュータの登場による制御技術の発達により、大量生産方式は現在ますます重要度を増している。

3　消費者のニーズにマッチした「何か」をつくることができるかどうかが、現在の企業活動で最も重要な点である。

4　モノがあふれる現在、商品が売れるか売れないかは、安く高品質につくる生産能力にかかっている。

5　徹底したマーケティングや市場調査によって、消費者のニーズにマッチした「何か」をつくることができる。

解説　正解　3

1　×　第4段落によると、トヨタ生産方式は「売れるモノを売れる時に売れる数だけ」生産するのである。それに対して「より大規模な」という表現は適切ではない。

2　×　選択肢後半「大量生産方式は現在ますます重要度を増している」との記述は、本文の内容とは反対の内容である。

3　○　最終段落の内容と合致しており、要旨としてもふさわしい。

4　×　最終段落によると、「消費者のニーズにマッチした『何か』をつくること」が大切なのである。

5　×　消費者のニーズにマッチした「何か」をつくるための方法については、本文には記載がない。

現代文　要旨把握

2018年度 ❷
教養 No.4

次の文章を読んで、以下の問に答えなさい。

歴史学を含め、人文科学は人間の行動や営みを研究テーマとすることが多いため、得てして情緒的な解釈や分析ばかりがなされているように思われているようです。しかし、歴史学においては、ごく単純な史実を求めるのにも、一つ一つ根拠を挙げ、一定の手続きに従った分析を行うことが求められています。

また、数学や物理、化学といった自然科学のようにスパッと結論の出ることが少なく、歴史事件の解釈、たとえば本能寺の変に黒幕はいたのかといったこと一つとっても、歴史学はつねに諸説紛々ではないかと思われてもいるのでしょう。

しかし、自然科学ほどには明解な結論が得られないことが多い点は否めませんが、自然科学でも実証実験が難しい理論物理学などでは専門家の見解が分かれることも少なくないですし、歴史学では、おそらく皆さんが意外に思われるほど多くの場合において、大多数の研究者の間では、ほぼ一致できる見解が通説として認められているものなのです。

例えば、本能寺の変の黒幕は誰だったのか、などという話も、皆さんはマスコミの影響で諸説がさも群雄割拠しているかのような印象をもたれているかもしれませんが、黒幕説を唱える研究者はごくごく少数なのです。それというのも、黒幕説の論者が根拠としている史料の信頼性が低かったり、史料の解釈が誤っていたりするとみられているからです。明解に黒幕説を否定する論考も、すでにかなり提出されています。

つまり、歴史も「科学的思考」の積み重ねなのです。

科学などと言うと、身がまえさせてしまうかもしれませんが、要するに論理的で理性的な思考と判断が歴史学においても重要だということです。とくに歴史学では、その科学性の根拠となる歴史資料、つまり「史料」がなんと言っても重んじられます。

（歴史をつかむ技法　山本博文著）

問　この文章の要旨として、最も妥当なのはどれか。

1　諸説紛々とみられている歴史学でも、今日では自然科学のような実証実験によって結論が出され、研究者の見解が一致することも多い。

2　情緒的で結論の出ないものと思われがちな歴史学だが、実際は「科学的思考」の積み重ねであり、論理的で理性的な思考と判断が必要である。

3　歴史学においては自然科学のように明解な結論が得られることはなく、長い年月をかけて地道に史料を読み解いていく以外に、真実にたどりつく道はない。

4　「科学的思考」とは論理的で理性的な思考と判断のことであり、現代の歴史学に圧倒的に不足しているものである。

5　歴史学を含めた人文科学においては、自然科学のように明解な結論が得られない場合もあり、時には情緒的な解釈や分析も必要になる。

解説　正解 2

1 ×　歴史学について「実証実験によって結果が出され」るとは述べられていない。また、この文章で言いたいことは、歴史も自然科学も「科学的思考」の積み重ねであることであり、研究者の見解が一致することが多いことではない。

2 ○　歴史学についての筆者の考えをまとめたものであり、要旨としてふさわしい。

3 ×　選択肢後半「真実にたどりつく道はない」との記述は、本文にはない。

4 ×　選択肢後半「現代の歴史学に圧倒的に不足しているもの」との記述は、本文にはない。

5 ×　第1段落には、歴史学を含めた人文科学は情緒的な解釈や分析がなされていると思われているようだ、との記述があるだけで、それが必要とまでは言っていない。

現代文　要旨把握

2018年度❷ 教養 No.5

次の文章を読んで、以下の問に答えなさい。

コンピュータに人間の脳と同じような働きをさせようという試(こころ)みは、以前から行なわれてきました。しかし、以前の人工知能は、表面的には人間に近い動きをしているように見えても、その中身はまるで異なったものでした。

たとえば、コンピュータで人の顔を認識するという作業を考えてみましょう。従来のコンピュータでは、口元の角度や目の開き方など、顔のどの部分がどの程度変化すると笑っていると見なすのか、あらかじめプログラムされていました。最初に設定された条件に合っていれば、笑っていると単純に判断していたのです。

したがって、コンピュータは笑っているということを理解しているわけではなく、条件に合致した場合、笑っているという答えを出しているにすぎなかったのです。

しかし、近年、開発が進んだ機械学習という技術は、これとはまったく異なる概念で組み立てられています。

コンピュータに笑っている顔をたくさん見せることで、コンピュータに笑いというものを学習させ、どんな表情の時に笑っていると判断するのか、コンピュータ自身に考えさせるのです。笑顔を認識できるようになった人工知能が、なぜそのような判断ができるようになったのかは、あとから分析しないとわからない仕組みになっています。

チェスや将棋でプロを打ち負かすコンピュータも同様です。以前のコンピュータでは、次の指(さ)し手(て)を何万通りも予測し、もっとも勝てそうな手を選択する方法が採用されていました。この方法では、パターンが複雑になると、選択肢が無限大に増えてしまい、どこかのタイミングで飽和します。

これまで、チェスで人を打ち負かすことはできても、将棋でコンピュータが人に勝つことは困難でした。その理由は、チェスと将棋では、指し手のパターン数にあまりにも差がありすぎたからです。

しかし機械学習を使えば、コンピュータは他人の対局を見て、自分自身で勝ち方を学んでいきます。これによって、従来の限界を大きく超える成果を上げるようになったのです。

（新富裕層の研究―日本経済を変える新たな仕組み　加谷珪一著）

問　この文章の要旨として、最も妥当なのはどれか。

1　これまで将棋でコンピュータが人に勝てなかったのは、チェスと比べて将棋は指し手のパターン数が少ないためである。

2　機械学習という技術により、コンピュータは自ら学習し、従来の限界を大きく超える成果を上げるようになった。

3　自ら学習し、考えるようになった人工知能は、もはや人間と何ら変わらない能力と自我を持つことになった。

4　機械学習の過程は人間にはわからないため、なぜ急に大きな成果を上げるようになったのかは推測するしかないのが現状である。

5　現在の技術では人工知能にあらかじめ反応をプログラムしておくしかないため、人間の脳と同じような働きをさせることは不可能である。

解説　正解　2

1　×　選択肢後半「指し手のパターン数が少ない」との記述は、本文にはない。

2　○

3　×　選択肢後半「もはや人間と何ら変わらない能力と自我を持つことになった」との記述は、本文にはない。

4　×　最終段落によると、機械学習によって「コンピュータは他人の対局を見て、自分自身で勝ち方を学んで」いくことによって、大きな成果を上げているとある。

5　×　選択肢のような記述は、本文にはない。

現代文　空欄補充

2023年度 ❷ 教養 No.4

次の文章を読んで、以下の問に答えなさい。

ダマシオは、「情動」と「感情」という言葉を、一般社会で使われているのとは少し違うかたちで使い分けています。ダマシオによる情動とは、「おおむね自動化された行動のプログラム」のことです。身体の感覚受容器がキャッチした情報をきっかけとして、体内で実行される様々な行動のことを指します。顔の表情や姿勢、内臓や内部状態の変化（心拍数や呼吸数の変化、発汗など自律神経系の働きによる）が含まれます。怒り、恐れ、悲しみといった一般的な情動は、身体を介した表現として確認することができます。

一方、ダマシオによる感情とは、情動が働いているときに心や身体で起こることについての複合的な知覚のことです。［A］は行動ですが、［B］は行動ではなく、行動にともなうイメージ、感覚の世界です。［C］は［D］に基づいて形成され、行動および精神状態を知覚します。

ダマシオのこの定義を受けて考えてみると、たとえば「痛み」というものには情動と感情の二つが含まれていることになります。痛みを起こす刺激（物理的刺激、温熱、寒冷、化学物質等々）によって、顔をゆがめたり、身をかがめたり、汗をかいたり、脈拍や呼吸が速くなることは、［E］です。これらは外部から確認することができます。一方、「痛い」という知覚は、本人以外には確認することができません。これがダマシオの定義する［F］です。痛みの有無は、本人にしか分かりません。このことは、医療現場でもしばしばコミュニケーション不調の原因になります。「本当に痛いのか」「どこがどのくらい痛いのか」は、本人にしか分からないからです。

（『身体知性―医師が見つけた身体と感情の深いつながり』佐藤友亮　著）

問　文章の空欄Ａ～Ｆに入る語句の組合せとして、最も妥当なものはどれか。

	A	B	C	D	E	F
1	感情	情動	情動	感情	感情	感情
2	感情	情動	情動	感情	感情	情動
3	感情	情動	感情	情動	情動	感情
4	情動	感情	情動	感情	情動	情動
5	情動	感情	感情	情動	情動	感情

解説　正解　5

Aには「情動」が入る。第1段落では情動について、「『おおむね自動化された行動のプログラム』のこと」、「体内で実行される様々な行動のこと」と説明している。「[A]は行動です」とあるため、行動に関連する「情動」を入れるのがふさわしい。

Bには「感情」が入る。「[B]は行動ではなく」とあり、Aとは対比的な語句が入るため、「感情」がふさわしい。

Cには「感情」が入る。第2段落は「感情」についての説明文であり、「複合的な知覚のこと」とある。「[C]は、…を知覚します」とあるため、「感情」を入れるのがふさわしい。

Dには「情動」が入る。第2段落の「行動にともなう」と「[D]に基づいて形成され」は同義である。また、Cとは対比的な語句が入るため、「情動」がふさわしい。

Eには「情動」が入る。第1段落で情動について「顔の表情や姿勢、…が含まれます」、「身体を介した表現として確認することができます」とある。「顔をゆがめたり、身をかがめたり、…」がまさにその具体例であるため、「情動」がふさわしい。

Fには「感情」が入る。直前の文に「『痛い』という知覚」とあり、Eとは対比的な語句が入るため、「感情」がふさわしい。

したがって、**5**が正解としてふさわしい。

現代文
英文
判断推理
空間把握
数的推理
資料解釈
法律
政治
経済

次の文章を読んで、以下の問に答えなさい。

［　　　　　　　　］芸術作品は、美術館やギャラリーにおとなしく収まり、一部の愛好家に愛でられるだけの存在ではなくなった。それらは閉ざされた空間を飛び出し、自然や都市空間、あるいは人々が暮らす場所でおこなわれるアートプロジェクトを通して、どんどん社会に出ていっている。

そこでは、アーティストが地域住民とともにまちの姿や記憶を表現したり、美術教育の新しい試みとしてアーティストと子どもたちが共同制作をおこなったり、医療や福祉の領域で治療や「過ごし方」のひとつとしてアートが取り入れられたりしている。また、「正規の」西洋美術教育を受けていない人々が自らの創造性のままに生み出す表現が「アール・ブリュット」と呼ばれ、注目を集めている。こうした地域、教育、医療、福祉といった社会的領域への芸術の浸透は、日常生活のなかの創造や表現という行為を、われわれ自身があらためて見直す実践の広がりとみることもできるだろう。

芸術が社会的な文脈を意識すること自体は、新しいことではない。二十世紀初頭、ダダイズムは帝国主義と資本主義が台頭する社会を攻撃し、未来派は近代の科学技術を賛美し既存の芸術を否定した。二十世紀なかごろになると、ポップアートが芸術と消費社会との新しい関係を体現し、シチュアシオニストが芸術とマルクス主義思想との統一的な実践を掲げて「ハプニング」を起こした。また、公共空間に作品を置くパブリックアート政策が進められるなか、自然空間やストリート、オルタナティヴスペースなどで、それぞれの表現と場所との関係性を探求する活動が続けられた。そしてヨーゼフ・ボイスは資本主義や環境問題と対峙するなかで、一人ひとりが社会をつくりあげる主体、つまり誰もがアーティストなのだと説いた。これらは制度化され権威づけられた「芸術」への抵抗を原動力としながら、社会との関係を新しく取り結ぼうとする表現だったといえる。

（『芸術は社会を変えるか？―文化生産の社会学からの接近』吉澤弥生　著）

問　文章の空欄に当てはまる文として、最も妥当なものはどれか。

1　芸術の中心化が進んでいる。

2　芸術の社会化が進んでいる。

3　芸術の形骸化が進んでいる。

4　美術教育の拡大化が進んでいる。

5　美術教育の日常化が進んでいる。

解説　**正解　2**　TAC生の正答率 87%

1　×　「芸術の中心化」に関連する内容は本文には見られない。

2　○　第1段落の「どんどん社会に出ていっている」、第2段落の「地域、教育、医療、福祉といった社会的領域への芸術の浸透」、第3段落の「芸術が社会的な文脈を意識する」などがヒントになるだろう。いずれも芸術の社会化に関連する内容である。

3　×　「形骸化」とは実質的な意味を失い、形式だけが残ることをいうが、本文からそのような内容は読み取れない。

4　×　美術教育について触れているのは第2段落のみである。美術教育で新しい試みをしているとはあるが「拡大化が進んでいる」とまでは言えず、そもそも芸術の社会化の一例に過ぎないため、空欄にはあてはまらない。

5　×　第2段落から「美術教育の日常化」という内容を読み取ることはできない。また、**4**で解説した通り、美術教育に関する内容は、芸術の社会化の一例に過ぎないため、空欄にはあてはまらない。

現代文　文章整序

2023年度 ❷
教養 No.5

次の文章を読んで、以下の問に答えなさい。

A　1つは、「とても簡単な計算」です。
　足し算、引き算、掛け算、割り算、それと同じようなレベルの計算を、コンピュータは恐ろしい速さで計算することができます。

B　そしてもう1つは、「覚える」ことです。
　コンピュータがたくさんのことを記憶できるのは、皆さんもよくご存知ですよね。膨大な記憶力のおかげで解決したこともたくさんあります。

C　わかりやすく言えば、電卓ですね。しくみはとてもシンプルですが、これだけでできることもたくさんあります。

D　たとえば、電子辞書は英単語などに関するあらゆることを覚えておくだけのものですが、紙の辞書よりも何倍も効率よく調べることができます。

E　「簡単な計算」と「記憶」。繰り返しますが、コンピュータは基本的に、この2つ以外のことはできません。コンピュータがそれ以外のことができるように見えたとしても、それは「簡単な計算」と「記憶」を使っていろいろな問題を上手に解決できるよう、プログラマと呼ばれる人たちが、コンピュータに指令を与えるプログラムを書くことで解決しているのです。

F　現代社会において、コンピュータはなくてはならないものです。皆さんが持っているスマートフォンから、飛行機の制御装置まで、社会には無数のコンピュータがあります。さまざまな活動を支え、多様な機能を持つように見えるコンピュータなのですが、本質的に言えば、できることは2つだけです。

（『人工知能はどのようにして「名人」を超えたのか？——最強の将棋AIポナンザの開発者が教える機械学習・深層学習・強化学習の本質』山本一成　著）

問　A～Fの文を並べ替えて意味の通る文章にするとき、その順序として最も妥当なものはどれか。

1　F－A－C－B－D－E

2　F－A－D－B－C－E

3　E－A－C－B－D－F

4　E－B－D－A－C－F

5　E－B－C－A－D－F

解説　正解　1

選択肢から、ＥかＦが冒頭にくることがわかる。Ｆの末尾は、コンピュータについて、「できることは２つだけ」という内容があり、その２つに関する説明がＡやＢで述べられるという流れが読み取れるため、Ｆが冒頭としてふさわしい。Ｅは「繰り返しますが」とあるように、すでにその２つについて説明した後の内容であるので冒頭ではない。

ＡとＢを比較した場合、「もう１つ」としているＢのほうが後に来ると推測できる。また、Ａの足し算などの「とても簡単な計算」をすることの具体例がＣ「電卓」であり、Ｂのたくさんのことを「覚える」ことの具体例がＤ「電子辞書」であるため、Ａ→Ｃ、Ｂ→Ｄとなる。

したがって、**1**が正解としてふさわしい。

現代文　文章整序

2023年度 ❶
教養 No.5

次の文章を読んで、以下の問に答えなさい。

A　それは広告宣伝費のかけ方が足りないとか、マーケティングが間違っているといった理由もあるだろうが、もっと根本的なところに原因がある場合も少なくない気がする。それが、重要なメッセージを何度も繰り返すということだ。

B　そしてもう一点、私たちがユヌスから学ぶべきことがある。
　いいシステムや便利な商品は、おそらく世の中に無数にある。しかし、その価値をなかなか世に知らしめることができなかったりする。

C　特に知性の高い人ほど、どんどん新しいことを言いたがる傾向がある。それはちょうど、ユニークなテレビCMをつくって話題性を高めたい、という願望に近いかもしれない。

D　それよりも重要なのは、シンプルな原理を繰り返し説明することだ。それによって理解者を少しずつ増やし、世の中に浸透させ、しだいに大きな力に変えていくのが、現実を動かす本筋ではないだろうか。

E　たしかにそれも大事だが、焦点がズレたり、すぐに飽きられたりしがちだ。そこでまた斬新なアイデアを盛り込もうとして、ますます本筋から遠ざかったりする。

F　人に何かを伝えようとするとき、斬新な内容でなければいけないとか、おもしろく言わなければいけないなどと考えがちだ。

（『すぐれたリーダーに学(まな)ぶ言葉(ことば)の力(ちから)』齋藤孝(さいとうたかし)　著）

問　A～Fの文を並べ替えて意味の通る文章にするとき、その順序として最も妥当なものはどれか。

1　A－F－B－C－E－D

2　B－C－F－D－E－A

3　B－A－F－C－E－D

4　F－A－B－C－E－D

5　F－C－D－E－B－A

解説　**正解　3**　TAC生の正答率 43%

関連する内容でまとめたり、指示語をヒントにして前にくる文を推測したりするとよい。例えば、A冒頭には「それは…といった理由も」とあるので、直前にはAで挙げられている理由によって起こる結果が述べられていると推測できる。Bには、いいシステムや商品の価値をなかなか世に知らしめることができない、とあり、その理由としてA前半の内容があてはまると考えられる。したがって、B→Aとなる。A後半で「重要なメッセージを何度も繰り返す」ことを提案しているため、後ろにはそれに関連する内容が続くと考えられる。

また、E後半に「そこでまた斬新なアイデア…」と述べているので、斬新なアイデアについて述べているものが前につながる。斬新、新しいことについて述べているのはCとFだから、Eの前にCとFがある選択肢を選ぶとよい。

F「人は斬新な内容でなければいけないとか考えがち」→C「特に知性の高い人ほど新しいことを言いたがる傾向がある」→E「確かにそれも大事だが、効果的ではない」→D「それよりも重要なのは、シンプルな原理を繰り返し説明すること」という流れになると考えられるため、**3**が正解としてふさわしい。

英文　内容合致　2023年度❷ 教養 No.6

次の英文を読んで、以下の問に答えなさい。

My Italian classmate Lorenzo was giggling: "You are so German!"

What sparked this comment? We were in our Japanese language class in Shibuya, and our teacher had asked us on which recent occasions we had felt moved. The Italians and French immediately started replying: the sunset last weekend, a movie they had been watching, a special present... But when the question reached me, the only German in class, I replied honestly that I couldn't remember having felt moved. For most of my mainly Italian classmates, that was unbelievable. Was there nothing that had deeply moved me during the previous week?

(Mainichi Weekly 2015.6.20)

問　この英文の内容に合致するものとして、最も妥当なものはどれか。

1　筆者は語学教室で、先生の質問に、思い出せないと答えた。

2　筆者は語学教室で、先生の質問に、先週末見た夕日と答えた。

3　筆者は語学教室で、先生の質問に、ドイツと答えた。

4　筆者は語学教室で、先生の質問に、特別なプレゼントと答えた。

5　筆者は語学教室で、先生の質問に、見た映画と答えた。

解説　正解　1

1　○　「I replied honestly that I couldn't remember having felt moved.」の内容と合致している。

2　×　「the sunset last weekend」は、イタリア人とフランス人がした返答の一つである。

3　×　筆者がドイツ人であることは述べられているが、「ドイツ」と答えたという内容は本文には見られない。

4　×　「a special present」は、イタリア人とフランス人がした返答の一つである。

5　×　「a movie they had been watching」は、イタリア人とフランス人がした返答の一つである。

[訳　文]

イタリア人のクラスメート、Lorenzoはくすくすと笑っていた。「君は本当にドイツ人だね！」

この発言のきっかけは何か？　私たちは渋谷にある日本語のクラスにいたのだが、先生が私たちに最近どのようなことで感動したのかと尋ねた。イタリア人とフランス人はすぐに、先週末の夕日、見ていた映画、特別なプレゼントについて答え始めた。しかし、その質問がクラスで唯一のドイツ人である私にきたとき、私は正直に感動したことを覚えていないと答えた。主にイタリア人のクラスメートのほとんどにとって、それは信じられないことだった。先週、私が深く感動したことは何もなかったのだろうか？

[語　句]

giggle：くすくすと笑う　　previous：前の

英文　英文解釈　2023年度 ❶ 教養 No.6

次の英文の内容に関する以下の問の答えとして、最も妥当なものはどれか。

There is a book with 120 pages. On the first day 2 over 5 of the whole book were read, and on the second day 3 over 8 of the remainder were read.

問　At this time, how many unread pages are left?

1　27 pages

2　45 pages

3　48 pages

4　72 pages

5　75 pages

解説　正解　2

TAC生の正答率　39%

1日目に120ページの5分の2、つまり48ページ読んだことが分かる。120－48で残りは72ページである。2日目に、72ページの8分の3、つまり27ページ読んだことが分かる。72－27で残りは45ページとなる。したがって、**2**が妥当である。

[訳　文]

120ページある本があります。1日目に全体の5分の2が読まれ、2日目には残りの8分の3が読まれました。

問　この時点で未読ページは何ページ残っていますか？

[語　句]

remainder：残り

次の英文の（　　）に当てはまる語として、最も妥当なものはどれか。

“People watching” is one of the most interesting things that you can do that doesn't cost money. I enjoy (　　) people: looking for their individual quirks* but also trying to spot which habits are common in which countries.

quirks*　癖

1　greeting

2　imitating

3　observing

4　teaching

5　touching

解説　正解　3

冒頭に「People watching（人間観察）」とあるため、本文はそれに関する内容だと推測できる。空欄には、人に対する行為が入るため、「見る」や「観察する」に関係する単語を選べばよい。

1　×　「greeting（挨拶すること）」は、人間観察に当てはまらない。

2　×　「imitating（真似ること）」は、人間観察に当てはまらない。

3　○　「observing（観察すること）」なので、妥当である。相手の癖を探すなどの行為も、観察に含まれる。

4　×　「teaching（教えること）」は、人間観察に当てはまらない。

5　×　「touching（触れること）」は、人間観察に当てはまらない。

[訳　文]

「人間観察」は、お金をかけずにできる最も興味深いことの一つです。私は人々を【観察すること】が好きです。彼ら個人の癖を探したり、どの国でどのような習慣が一般的であるかを見つけようとしたりもします。

英文　空欄補充

2023年度 ❷ 教養 No.8

次の英文の（　　）に当てはまる語として、最も妥当なものはどれか。

(　　) is a scientist who focuses primarily on the study of space, which includes the stars, the planets and the galaxies above us.

1　An archaeologist

2　An artist

3　An astronomer

4　A chemist

5　A musician

解説　正解　3

選択肢から、何らかの職業の説明文になっていることが分かる。空欄以下は「私たちの頭上にある星、惑星、銀河などの宇宙の研究に主に焦点を当てる科学者」という内容である。

1　×「An archaeologist（考古学者）」は当てはまらない。

2　×「An artist（芸術家）」は当てはまらない。

3　○「An astronomer（天文学者）」なので妥当である。正確に訳せなかったとしても、「space」、「stars」、「planets」、「galaxies」などの単語をヒントにすれば、推測できるはずである。

4　×「A chemist（化学者）」は当てはまらない。

5　×「A musician（音楽家）」は当てはまらない。

英文　空欄補充

2022年度 ❷ 教養 No.8

次の英文の（　　　）に当てはまる正しい語句として、最も妥当なのはどれか。

The novel is worth (　　　).

1 reading

2 to be read

3 to read

4 read

5 to reading

解説　正解 1

「be worth 名詞（動名詞）」で「…する価値がある、…の価値がある」という意味になる。選択肢から「read」をどのように置くかが問われていることがわかる。worthの後ろが行動の場合は、動名詞にする必要があるため、「reading」とするのが妥当であり、正解は**1**となる。

英文は「その小説は読む価値がある」という意味である。「The car is worth three million yen.（その車は300万円の価値がある）」のように、worthの後ろに金額（名詞）を置くこともできる。

英文　空欄補充

2023年度 ❶ 教養 No.7

次の英文の（　　　）に当てはまる語として、最も妥当なものはどれか。

I like to invent words. I do it on purpose usually but also by accident occasionally.

Sometimes I infer* a non-existent word from an existing one. For example, there is a word "apologist" which means "someone who tries to excuse inexcusable* behaviour". So I decided that there must also be an adjective "(　　)" but no such word exists, apparently.

infer* 造語する　　inexcusable* 許しがたい

（『"Secrets" of England』コリン・ジョイス　著）

1　apologistic

2　apologize

3　apology

4　excusable

5　inexcusable

解説　正解　1　　TAC生の正答率 31%

1 ○　第２段落で、筆者は既存の単語から存在しない単語を推測することがあることを述べ、具体例として「apologist」の形容詞として推測した単語が挙げられている。末尾にも、その単語は存在しないと述べられているので、英語として存在しない単語を空欄には入れればよい。選択肢の中で存在しないのは「apologistic」のみである。

2 ×　「apologize」は「謝罪する」という意味の動詞である。

3 ×　「apology」は「謝罪」という意味の名詞である。

4 ×　「excusable」は「(過ちなどが) 許される」という意味の形容詞である。形容詞ではあるが、存在する単語であり、「apologist」から推測する単語としてもふさわしくない。

5 ×　「inexcusable」は注釈にもあるが「許しがたい」という意味の形容詞である。形容詞ではあるが、存在する単語であり、「apologist」から推測する単語としてもふさわしくない。

[訳　文]

私は単語を発明するのが好きです。普段は意図的にそれを行いますが、時々偶然行うこともあります。

時々、存在しない単語を既存の単語から推測することがあります。例えば、「apologist」という言葉がありますが、これは「許しがたい行為を弁解しようとする人」を意味します。そこで、「apologistic」という形容詞も必要だろうと考えたのですが、どうやらそのような単語は存在しないようです。

[語　句]

occasionally：時々、たまに

英文 空欄補充

次の英文の（　　）に当てはまる単語として、最も妥当なのはどれか。

（　　）has 29 days in a leap year.

1 December

2 November

3 January

4 October

5 February

解説　正解 5

“leap” は「跳ぶ・飛び越える」といった意味のことば。“leap year” はとびとびで来る年、すなわち閏年のことを指す。この文章は直訳すれば「（　　）は閏年に29の日を有している」となる。

1 × 12月

2 × 11月

3 × 1月

4 × 10月

5 ○ 2月

英文　空欄補充

2018年度 ❷
教養 No.8

次の英文の（　　　）にあてはまる単語として、最も妥当なのはどれか。

The Tone river is the second（　　　）river in Japan.

1　as long

2　longest

3　longer

4　long

5　next long

解説　正解　2

最上級の応用「the＋序数詞＋最上級」を使う問題。序数詞とは、first（１番目）やsecond（２番目）などを表す数詞のことである。序数詞を使う以外は最上級の文法と同じなので、**2**が適切である。

英文 空欄補充

2022年度 ❷ 教養 No.6

次の会話文のうち、[　　]に当てはまる正しい英文のみを、すべて選んだものとして、最も妥当なのはどれか。

A：I'm looking for a white T-shirt.
B：How about this one?
A：It's very nice. How much is it?
B：Three thousand yen.
A：Good. [　　]

ア　That's a little expensive.
イ　I'll take it.
ウ　Here's your change.
エ　I think I'll leave it.

1　ア

2　イ

3　エ

4　ア、ウ

5　イ、エ

解説　正解　2

ア　×　「That's a little expensive.」は「少し高いですね」という意味である。空欄直前には「Good.」とあり、Tシャツの値段に不満がないことがわかるため、適切ではない。

イ　○　「I'll take it.」は「買います」という意味である。空欄直前には「Good.」とあり、Aが値段にも満足していることが読み取れるため、購入する意思を示す内容が続くのが自然である。

ウ　×　「Here's your change.」は「おつりです」という意味である。会話からAが客、Bが店員ということが読み取れるため、客であるAの台詞としてもふさわしくない。

エ　×　「I think I'll leave it.」は「やめておきます」という意味である。Tシャツそのものや値段に対して好意的な反応を示しているAが購入しないというのは不自然な流れであるため、ふさわしくない。

以上より、イのみが当てはまるため**2**が最も妥当である。

[訳　文]
A「白いTシャツを探しています」
B「こちらはいかがでしょうか？」
A「とても素敵です。いくらですか？」
B「3,000円になります」
A「いいですね。(　　　　)」

英文　空欄補充　2022年度 ❶ 教養 No.6

次の会話文のうち、[　　]に当てはまる正しい英文のみを、すべて選んだものとして、最も妥当なのはどれか。

A：I had a quarrel with Tom. Will you telephone Tom for me? I need you to tell him I'm sorry.
B：When you ask someone to do something for you, you should ask politely.
A：All right. Would you mind telephoning Tom for me?
B：[　　] You are such a nuisance, you know, Ann.
A：That's kind of you.

ア　Certainly not.
イ　Yes, I do mind.
ウ　I'd rather you didn't.
エ　Not at all.

1　ア

2　イ

3　ア、エ

4　イ、ウ

5　ウ、エ

解説　正解　3　TAC生の正答率 35%

ア　○「Certainly not.」は「もちろんダメ」、「絶対いや」という強い否定を表す言葉である。しかし、相手の質問が「Would you mind ...？」や「Do you mind ...？」のように「mind」があると「…を気にしますか？」の答えとなるため、「気にしません」という表現になる。つまり、「いいですよ」と肯定の意味の返事になる。今回Aは「Would you mind ...？」と質問しており、最後にお礼を言っているため、Bの返事は「いいですよ」とするのが適切である。

イ　×「Yes, I do mind.」は「はい、気にします」という意味である。「Would you mind ...？」や「Do you mind ...？」のように「mind」があるときの返答にはなるが、今回の場合は「トムに電話をすることを気にする」つまり、「トムに電話をしたくない」という返事になってしまう。直後でAがお礼を言っている以上、Bは電話をすることを承諾したと考えられるため、拒否する返事は適切ではない。

ウ　×「I'd rather you didn't.」は「どちらかといえばあなたにしてもらいたくない」という意味である。AがBに電話するよう頼んでいる状況にあるため、Bの返事として適切ではない。

エ　○「Not at all.」は「とんでもない」という意味であり、「ありがとう」などの返事に用いる。しかし、相手が「Would you mind ...？」や「Do you mind ...？」のように「mind」のつく質問をした場合は、「…を気にしますか？」の答えとなるため、「全く気にしません」という表現になり、「いいですよ」という意味の返事になる。BはAの質問に承諾していることが分かるため、返事として適切である。

以上より、アとエを選んでいる**3**が最も妥当である。

[訳　文]

A「トムと喧嘩したの。トムに電話をしてくれない？　私が悪かったと伝えて欲しいの」
B「誰かにあなたのために何かするようにお願いするときは、丁寧にお願いするべきだよ」
A「わかったわ。トムに電話してくれませんか？」
B「(　　　) あなたは厄介な人だね、アン」
A「ご親切にありがとう」

英文　空欄補充

次の会話文のうち、[　　]に当てはまる正しい英文のみを、すべて選んだものとして、最も妥当なのはどれか。

A：You look tired. Are you all right?
B：I have a bad cold.
A：That's too bad. [　　]
B：Thank you.
A：Take care.

ア　Can I see doctor?
イ　What's wrong?
ウ　I'm feeling much better.
エ　Get well soon.

1　ウ

2　エ

3　ア、イ

4　ア、エ

5　イ、ウ

解説　**正解　2**　TAC生の正答率 58%

ア　×「Can I see doctor?」は「医者に診てもらえますか？」という意味である。風邪を引いているのはBなのに、A自身が診察を受けられるかを問うのは不自然である。また、直後のBはお礼を言っていることから、空欄にはBを気遣う言葉が入ることと、「Yes」、「No」で答える問いかけはしていないことも分かる。

イ　×「What's wrong?」は「どうしたの？」、「調子が悪いの？」という意味である。既にBは風邪を引いたと述べており、さらに直後のBはお礼を言っているため、この問いかけでは会話が成立しない。

ウ　×「I'm feeling much better.」は「体調もだいぶ良くなってきました」という意味である。風邪を引いているのはBであるのだから、この内容では会話が成立しない。

エ　○「Get well soon.」は「早く元気になってね」という意味である。直後Bがお礼を述べていることから、空欄には風邪を引いたBの体調を気遣う言葉が入ると考えられる。

以上より、エのみが当てはまるため**2**が最も妥当である。

[訳　文]

A「疲れているように見えるよ。大丈夫？」

B「風邪がひどいんだ」

A「お気の毒に。(　　　)」

B「ありがとう」

A「お大事に」

現代文　英文　判断推理　空間把握　数的推理　資料解釈　法律　政治　経済

英文　空欄補充

2021年度
教養 No.6

次の会話文について、[　　　]に当てはまる正しい英文のみを、すべて選んだものとして、最も妥当なのはどれか。

A：Do you know what today is?
B：No, what is it?
A：It's our wedding anniversary. We were married six years ago today.
B：Are you sure? I thought we were married on the nineteenth.
A：So we were, and today is the nineteenth.
B：[　　　] I think you'll find it's the eighteenth.
A：Well, let's have a look at the newspaper.

ア　I'm afraid that's not right.
イ　Exactly.
ウ　You can count on it.
エ　Surely not!

1　ア

2　イ

3　イ、ウ

4　ア、エ

5　ウ、エ

解説　**正解　4**　TAC生の正答率　42%

ア　○「それは正しくないのではないかと思う」という意味である。

イ　×「まさにそのとおり」という意味である。

ウ　×「任せておいてよ」という意味である。

エ　○「それはないよ」という意味である。

Aが日付を19日だと勘違いしていることについてBが指摘している場面であることを考えると、相手の意見を否定する言葉となるアとエが当てはめるものとして妥当である。よって、正解は**4**である。

[訳　文]
A：今日が何の日か知ってる？
B：いや、何の日だろう？
A：私たちの結婚記念日よ。私たちは6年前の今日結婚したの。
B：本当に？　僕たちが結婚したのは19日だったと思うけど。
A：そうよ、そして今日が19日。
B：［　　　　］。今日は18日だとわかると思うよ。
A：ええと、新聞を見てみましょう。

[語　句]
exactly：まさにそのとおり　　count on：頼りにする・任せる

現代文　英文　判断推理　空間把握　数的推理　資料解釈　法律　政治　経済

英文 空欄補充

2021年度 教養 No.7

次の会話文について、[　　]に当てはまる正しい英文のみを、すべて選んだものとして、最も妥当なのはどれか。

A：I just received a letter from one of my old junior high school friends.
B：That's nice!
A：Well, actually I hadn't heard from her in ages.
B：I've lost touch with most of my old friends. Only one or two still keep in touch.
A：I know. It's really hard to maintain contact when people move around so much.
B：[　　] People just drift apart! But you're lucky to have a loyal friend.

ア　That's right.
イ　Never!
ウ　Good for you.
エ　I don't think so.

1　ア

2　エ

3　ア、ウ

4　イ、エ

5　ウ、エ

解説　正解　1

TAC生の正答率 38%

空欄の直前でAは、友人と連絡を取り合い続けることは難しいということを述べている。それに対して、Bが空欄の言葉のあとに、人々は疎遠になるばかりだということを述べている。直前のAの言葉に同意、共感している会話なのでそれに当てはまる語句を選べばよい。

ア　○「そのとおりだ」という意味である。

イ　×「決してそんなことはない」という意味である。

ウ　×「よかったね」という意味である。

エ　×「そうは思わない」という意味である。

相手の意見に同意、共感している言葉はアのみなので、**1**が妥当である。

[訳　文]
A：中学校の古い友人から手紙が届いたの。
B：それはいいね。
A：そうね、実際にはここ何年も彼女からは連絡をもらっていなかったの。
B：僕も古い友人とはほとんど連絡が途絶えてしまっているよ。まだ連絡を取り合っているのは、一人か二人だけだ。
A：そうよね、あちこちみんな移動してしまう中で連絡を取り続けるのは本当に難しい。
B：［　　　］。人は疎遠になるものだね。でも、君には幸運にも誠実な友人がいるんだ。

[語　句]
hear from：連絡をもらう　　lost touch with：連絡が途絶える
drift apart：疎遠になる　　loyal：誠実な

現代文 英文 判断推理 空間把握 数的推理 資料解釈 法律 政治 経済

英文 空欄補充

2021年度 教養 No.8

次の会話文について、[ ]に当てはまる正しい英文のみを、すべて選んだものとして、最も妥当なのはどれか。

A：How are your final exams going?
B：Not bad, but I'll be glad when they're over.
A：Me too. What's the first thing you want to do when you're done with all your exams?
B：I want to sleep!
A：I want to go somewhere far away ... maybe Italy.
B：[ ] Let's go!

ア　What a pity!
イ　Sounds good to me!
ウ　Lovely.
エ　My pleasure.

1　イ

2　エ

3　ア、ウ

4　イ、ウ

5　ウ、エ

解説　正解 4

TAC生の正答率 31%

空欄の直前で、Aはイタリアに行きたいという話をしている。それに対して、Bが「行こう！」と言っているので、Aの意見に賛同していることを表す言葉を選べばよい。

ア　×「お気の毒に」という意味である。

イ　○「それはいいね」という意味である。

ウ　○「すばらしい」という意味である。

エ　×「どういたしまして」という意味である。

相手の意見に賛同している気持ちを表す言葉はイとウなので、**4**が妥当である。

[訳　文]
A：期末テストの調子はどう？
B：悪くないけど、テストが終わったら嬉しいな。
A：私もそう。テストが全部終わったら最初に何をしたい？
B：僕は眠りたい。
A：私はどこか遠くに行きたい…イタリアがいいかな。
B：［　　　］。行こうよ！

[語　句]
my pleasure：どういたしまして

英文　空欄補充

次の会話文のうち、［　　］に当てはまる正しい英文のみを、すべて選んだ組合せとして、最も妥当なのはどれか。

A：Good evening, sir.

B：Good evening. My name's Watson. I have a reservation.

A：Just a moment, Mr. Watson.［　　］Yes, Mr. Watson, room 308. Could you fill out this registration form, please?

B：All right.

ア　You see?

イ　The line is engaged.

ウ　Let's see.

エ　It cannot be true.

1　イ

2　ウ

3　エ

4　ア、ウ

5　ア、イ

解説　正解　**2**

ア　×「分かりますか？」という意味である。空欄の直前では「少々お待ちください」と言っており、文脈上合わないので妥当ではない。

イ　×「話し中です」という意味である。予約を確認している場面での言葉としては不自然なので、妥当ではない。

ウ　○「えーと」という意味である。Bの予約を探していることが読み取れるため、空欄の語句として妥当である。

エ　×「そんなはずはありません」という意味で、予約を確認している場面での言葉としては不自然なので、妥当ではない。

したがって、ウのみが妥当であり、**2**が正解である。

[訳　文]

A：こんばんは、お客様。

B：こんばんは。予約をしているWatsonと申します。

A：Watson様ですね、少々お待ちくださいませ。［　　　］、はい、308号室のWatson様ですね。こちらの宿泊者カードにご記入いただけますか？

B：分かりました。

[語　句]

reservation：予約　　fill out：記入する

次の会話文について、ア～エのうち [ ] に当てはまる正しい英文のみを、すべて選んだ組合せとして、最も妥当なのはどれか。

A：Can I help you, sir?
B：Yes, please. I bought this alarm clock here last week. It doesn't work.
A：Are you sure? Perhaps the batteries are dead.
B：No, they can't be because I put some new ones in yesterday. Can you return my money, please?
A：[ ] May I see the receipt?
B：No, I'm afraid I lost it.
A：I'm sorry. I can't refund any money unless I see the receipt.

ア　Good for you.
イ　It's kind of you.
ウ　Thank you for holding.
エ　Sure.

1　ア

2　エ

3　ア、ウ

4　ア、エ

5　イ、エ

解説　正解 2

TAC生の正答率 55%

ア ✕「それはよかったです」という意味である。空欄の直前の、「返金をお願いできませんか」という質問に対する答えにならないので、妥当ではない。

イ ✕「どうもご親切に」という意味である。返金をお願いされている場面でお礼の言葉を言うのは不自然なので、妥当ではない。

ウ ✕「保管してくれて、ありがとうございます」という意味である。Bが何かを保管していたという場面ではないので、妥当ではない。

エ ○「はい、喜んで」という意味で、「yes」に近い返答の表現として用いられる。返金を求められているのに対して応じる返答の言葉として妥当である。

したがって、エのみが妥当であり、**2**が正解である。

[訳　文]

A：何かお困りですか、お客様。
B：ああ、お願いします。先週ここで目覚まし時計を買ったのですが、それが動かないのです。
A：本当ですか。おそらく電池が切れているのでしょう。
B：いいえ、そんなはずはありません。私は昨日新しい電池を入れたのですから。返金をお願いできませんか。
A：［　　　　］レシートをお見せいただけますか。
B：いえ、レシートはなくしてしまったようなのですが。
A：申し訳ありません。レシートをお見せいただかない限り、払い戻しはできません。

[語　句]

receipt：レシート　　refund：払い戻し

英文 空欄補充

2019年度 ❶ 教養 No.7

次の会話文について、ア～エのうち[ ]に当てはまる正しい英文のみを、すべて選んだ組合せとして、最も妥当なのはどれか。

A：Hey, Kumiko! Where are you going all dressed up?
B：Hi, Tom. I'm going to a wedding. Do you know David Brown?
A：Oh, the math teacher. Is he going, too?
B：No, he's the groom!
A：[ ]
B：Yeah after 65 years of being single, I'm surprised he's getting married.

ア　No sweat.
イ　You're telling me!
ウ　You must be joking.
エ　No kidding!

1　イ

2　エ

3　ア、ウ

4　ア、エ

5　ウ、エ

解説　正解　5　　TAC生の正答率 35%

ア　✕「お安い御用だ」という意味である。何かを頼まれている場面ではないので、当てはまらない。

イ　✕「言わなくても百も承知だ」という意味である。空欄の前の会話で、Aはデヴィッド・ブラウンが一緒に結婚式に参列する人だと勘違いしていることから、彼が新郎であることは知らなかったと考えられる。そのため、「言わなくても百も承知だ」という返答は妥当ではない。

ウ　〇「冗談を言っているに違いない」という意味である。Aはデヴィッド・ブラウンが一緒に結婚式に参列すると勘違いしているが、Bは彼が新郎であると述べている。また最後のBの発言から、彼が65年間独身だったと分かるので、「彼が結婚するなんて信じられない」というAの気持ちを表せればよいだろう。したがってウは妥当である。

エ　〇「まさか、冗談でしょう」という意味である。ウ同様、デヴィッド・ブラウンが新郎だということに驚いていることを表すセリフとしてふさわしい。

したがって、ウ、エが妥当であり、**5**が正解である。

[訳　文]
A：やあ、クミコ。すっかり着飾って、どこへ行くの？
B：まあ、トム。結婚式に行くところなの。デヴィッド・ブラウンは知っているかしら。
A：ああ、数学の教師だね。彼も結婚式に行くのかい？
B：いいえ、彼が新郎なの。
A：［　　　　　　］
B：そうね、65年間独身で、彼が結婚するというから驚いたのよ。

[語　句]
groom：新郎

英文　空欄補充

2018年度 ❷ 教養 No.6

次の会話文について、ア～エのうち［　　］に当てはまる正しい英文をすべて選んだものとして、最も妥当なのはどれか。

A：Hello? This is the Green's.
B：Hello. This is Yuji. May I speak to Sam, please?
A：I'm sorry, he is out.
B：I see. ［　　］
　Could you tell him to come to Hikari Park at one today?
A：OK. Hikari Park at one today.
B：Yes. Thank you, Mrs. Green.
A：You're welcome.

ア　You have the wrong number.
イ　Shall I take a message?
ウ　Can I leave a message?
エ　May I have your name, please?

1　イ

2　ウ

3　ア、ウ

4　イ、ウ

5　イ、エ

解説　**正解　2**

ア　×「電話番号を間違えています」という意味である。これは間違い電話がかかってきた際の言葉である。

イ　×「伝言を預かりましょうか？」という意味である。伝言を受け取る側のAの発言ならば適切であるが、これは伝言を残す側のBの発言であるため、ふさわしくない。

ウ　○「伝言をお願いできますか？」という意味である。空欄直後で、サムに公園に来るようにと伝えてほしいとAに頼んでいるため、伝言を残していることがわかる。

エ　×「お名前をよろしいですか？」という意味である。Aは最初に名前を名乗っているため、また聞くのはおかしい。

以上より、ウのみが適切なので、**2**が正解である。

[訳　文]
A：こんにちは。グリーンです。
B：こんにちは。ユウジです。サムをお願いできますか？
A：すみません、彼は外出しています。
B：わかりました。［　　　　　　］
　　今日、ひかり公園に来るよう彼に伝えてもらえますか？
A：はい。今日、ひかり公園ですね。
B：そうです。ありがとうございます。グリーンさん。
A：どういたしまして。

英文　空欄補充

2020年度 ❷ 教養 No.6

次の会話文の（　　　）に当てはまる正しい英文として、最も妥当なのはどれか。

A：Guess what?
B：What?
A：I got the (　　　) from my boss to carry out the plan I suggested.
B：Congratulations!

1　black box

2　green light

3　red alert

4　white book

5　yellow card

解説　正解　2

Aの報告に対しBが「おめでとう」と返しているから、Aは上司から好意的な反応なり評価なりをもらっていると考えるのが自然である。

1　×　black boxといえば透明性が低く内容が明らかでない物事や装置を指す。

2　○　green lightといえば青信号を指す。上司からの青信号、つまりゴーサインをもらったという文ならば自然なので、これが適当。

3　×　red alertは直訳で赤い警報。かなり危険な状態になってしまった際の警告を指すと思われる。

4　×　white bookといえば通常は政府が発表する白書を指す。

5　×　yellow cardといえば通常はサッカー等のイエローカードを指す。転じて、注意や警告のこと。

[訳　文]
A：ねえ、聞いて。
B：なに？
A：上司から私が提案したプランを実施する（　　）をもらったよ。
B：おめでとう！

英文　空欄補充

2020年度 ❶ 教養 No.6

次の会話文の（　　　）に当てはまる正しい英文として、最も妥当なのはどれか。

A：You're not going to leave me alone here, are you?
B：（　　　）Don't worry.

1　I hope not.

2　I'm afraid not.

3　Of course not.

4　Not at all.

5　Why not?

解説　正解　3

TAC生の正答率　37%

1　×「I hope not」は、相手の発言に対して「私はそうであってほしくない」、「そうでないことを望むよ」という意味で用いる表現である。ただし、今回Aが問うているのは「BがAを置いていかない」というBの行動であり、自分自身の行動に対して「I hope not」とは言わない。

2　×「I'm afraid not」は断るときの丁寧な言い方であり、「残念だけどそうしないよ」という意味になる。「Aを置いていかない」という返答ではあるが、それを「残念だけど」とするこの言い回しは、今回のやりとりでは不自然である。

3　○「Of course not」は「…ではないですよね？」と否定の確認の意味で質問されたりしたときに、「もちろん違いますよ」という意味で用いる表現であるため、最も妥当である。

4　×「Not at all」はお礼を言われたときに「どういたしまして」と伝える際や、「Do you mind …?」や「Would you mind …?」（…したら気にする？）と聞かれたときに「気にしないよ」と伝える際の表現であり、会話が噛み合わない。

5　×「Why not?」は相手の否定的な発言に対して「なぜだめなの？」と理由を聞くときや、相手に何かを誘われて「もちろん、いいよ」と賛成するときに用いる表現である。ただし、「Do you want to help me cook dinner?（夕食作るの手伝ってくれる？）」など、肯定の確認の意味で質問されたときの返答として用いるのが適切である。

[訳　文]
A：私をここに一人で残していかないよね？
B：（　　　）。心配しないで。

英文　文章整序　2023年度❷ 教養 No.9

次のA、B、C、Dの英文を、二人の会話として成り立つように並べ替えたものとして、最も妥当なものはどれか。

A：I'll pick you up at eight, okay?
B：Okay. I can hardly wait until the day after tomorrow.
C：Shall we go to the beach the day after tomorrow?
D：Yes, let's!

1　B－A－D－C

2　B－A－C－D

3　C－B－D－A

4　C－D－A－B

5　C－D－B－A

解説　正解　4

AとCが問いかけであり、Bは「Okay」、Dは「Yes」という返答をしているため、問いかけと返答が2回されている状況だと考えられる。問いかけが1番目、3番目、返答が2番目、4番目となる順序となっているのは**4**のみである。

念のため、内容も見てみると、Aは「8時に迎えに行く」とあり、Cは「明後日海に行こう」と誘っている。両者を比較した場合、海に行く誘いよりも、待ち合わせの時刻に関する内容が先にくるのは不自然であるため、**1**、**2**は除外される。また、Dの「Yes, let's!」は、「Let's ...」や「Shall we ... ?」などを使って誘われたときの返答であるため、C→Dが会話として自然である。Aの「okay?」の問いかけに対して、Bの「Okay.」とそのまま返すのも自然である。

したがって、**4**が正解としてふさわしい。

[訳　文]
C：明後日、海に行こうか？
D：うん、そうだね！
A：8時に迎えに行くよ、いい？
B：いいよ。明後日まで待ちきれないよ。

英文　文章整序

2023年度 ❶ 教養 No.9

次のA～Dの英文を、二人の会話として成り立つように並び替えたものとして、最も妥当なものはどれか。

A　Can I see them?
B　How was your trip?
C　Why not?
D　Yosemite was just beautiful. I took a lot of pictures.

1　A－C－B－D

2　A－C－D－B

3　B－D－C－A

4　B－D－A－C

5　C－B－D－A

解説　正解　4

TAC生の正答率　56%

C「Why not?」は、肯定の確認の意味で質問をされたときに「もちろん、いいよ」と賛成するときや、相手の否定的な発言に対して「なぜだめなの？」と理由を聞くときに用いる表現である。今回の台詞には、否定的な発言はないため、A「Can I see them?」という肯定の確認の意味での質問に対する返答だと考えられる。したがって、A→Cとなる。またA「them」が指すのはD「a lot of pictures」しか当てはまらないため、D→Aとなる。D「Yosemite」はアメリカの地名であるため、そこへの旅行の感想を尋ねるBが冒頭にくる。

よって、**4**が妥当である。

[訳　文]
B　旅行はどうだった？
D　ヨセミテはとにかく美しかったよ。たくさん写真を撮ったんだ。
A　写真を見てもいい？
C　もちろん、いいよ。

英文　文章整序　2020年度 ❷ 教養 No.8

次の英文が完成した文になるように、文意に沿って［　　］内の単語を並び替えたとき、［　　］内で２番目と４番目にくる単語の組合せとして、最も妥当なのはどれか。

My parents［are / me / opposed / studying / to］abroad.

	２番目	４番目
1	studying	me
2	studying	to
3	to	me
4	opposed	me
5	opposed	to

解説　正解　4

語句を並べ替えて自然な文章にすると、「My parents are opposed to me studying abroad」（両親は私の留学に反対だ）となる。２番目は「opposed」、４番目は「me」なので、正解は**4**となる。

「be opposed to ...」は「…に反対である」という表現で、直訳すれば「私の両親は海外で学ぶ私に反対である」となる。

次の英文が完成した文になるように、文意に沿って［　　］内の単語を並び替えたとき、［　　］内で２番目と４番目にくる単語の組合せとして、最も妥当なのはどれか。

I ［ find / myself / to / up / woke ］ in the hospital.

	２番目	４番目
1	up	to
2	up	find
3	to	myself
4	myself	to
5	myself	find

解説　正解　2

TAC生の正答率　55%

語句を並べ替えて自然な文章にすると「I woke up to find myself in the hospital.」（目が覚めると、病院にいることに気が付いた）となる。２番目は「up」、４番目は「find」なので、正解は**2**となる。「wake up to find ...」は「目が覚めて…に気づく」という表現である。

英文　文法・語法

2023年度 ❶
教養 No.8

次の英文のうち、文法・語法が正しいものとして、最も妥当なものはどれか。

1　I have seen the movie yesterday.

2　I'm afraid if it will rain.

3　I went to Nagasaki by the train.

4　My father won't let me use his car.

5　She entered into the room quietly.

解説　正解　4

TAC生の正答率　22%

1　×　「have 過去分詞」は、「…したことがある」という過去の経験、「(ずっと) …している」という過去から今までの継続、「(ちょうど) …したところだ」という完了を意味する。映画を観たことは昨日の時点で完結しているため、現在完了ではなく過去形で表すのが適切である。したがって「I saw the movie yesterday.」が正しい。

2　×　「I'm afraid (that)」で「(好ましくないことについて) …と思う、…のようだ」という意味である。afraidのあとにifはつかない。意味は「雨が降るようだ」である。

3　×　「電車で」などの交通手段を表す場合、byの後にくるtrainなどの乗り物には冠詞はつかない。したがって、「by train」とするのが適切である。意味は「私は長崎に電車で行った」である。

4　○　「let＋人 (物) ＋動詞の原形」で「人 (物) に…させる」という意味である。意味は「父は私に自分の車を使わせなかった」である。

5　×　「enter」は「…に入る」という意味の動詞である (「…に」という意味がすでに含まれている) ため、後ろに「into」はつかない。意味は「彼女は静かに部屋に入った」である。

次の英文の文法・語法として、最も妥当なのはどれか。

1 Mary is used to make her own breakfast.

2 I'm looking forward to hear from her.

3 What do you say to go out for dinner today?

4 We failed to solve the problem.

5 You must be very careful when it comes to buy a computer.

解説　正解 4

1 ×「be used to 名詞（動名詞）」で「…に慣れている」という意味である。したがって、「Mary is used to making her own breakfast.（メアリーは自分で朝食を作ることに慣れている）」が正しい。この場合の「to」は前置詞の働きをしている。また、「used to 動詞の原形」で「かつて…した」、「よく…した」という意味になるが、その場合は「is」が不要であり、「Mary used to make her own breakfast.（メアリーはよく自分で朝食を作っていた）」が正しい。この場合の「to」は不定詞の働きをしている。

2 ×「be looking forward to 名詞（動名詞）」で「…を楽しみにしている」という意味である。したがって、「I'm looking forward to hearing from her.（私は彼女から連絡がくるのを楽しみにしている）」が正しい。この場合の「to」は前置詞の働きをしている。

3 ×「What do you say to doing …？」は相手に提案するときに使うフレーズで「…するのはどうでしょうか」という意味である。したがって、「What do you say to going out for dinner today?（今日夕食に出かけるのはどうですか）」が正しい。この場合の「to」は前置詞の働きをしている。

4 ○「fail to 動詞の原形」で「…しない、…できない、…し損なう」という意味である。英文は「私たちは問題解決できなかった」という意味である。この場合の「to」は不定詞の働きをしている。

5 ×「when it comes to 名詞（動名詞）」で「…のことになると、…に関しては」という意味である。「You must be very careful when it comes to buying a computer.（パソコンを買うことに関しては慎重にならなければならない）」が正しい。この場合の「to」は前置詞の働きをしている。

英文　文法・語法

2020年度 ❶ 教養 No.7

次の英文のうち、文法・語法の使い方として、最も妥当なのはどれか。

1　He seemed happily.

2　We discussed about your idea yesterday.

3　How kind you are!

4　He explained me the situation.

5　Is there any mistakes?

解説　正解　3

TAC生の正答率　27%

1　×　「seemed ...（…に見える）」の…には副詞ではなく形容詞がくる。「He seemed happy.」とする方が適切。意味は「彼は幸せそうだ」である。

2　×　「discuss ...（…について議論する）」は「about」を付けなくてよい。「discussed your idea.」とする方が適切。意味は「昨日あなたの考えについて話し合った」である。

3　○　意味は「あなたはなんて親切なの！」である。

4　×　「○○に…を説明する」は、「explain to ○○ ...」と「to」が入る。「explain to me」とする方が適切。意味は「彼は私に状況を説明した」である。

5　×　単数形なら単数形、複数形なら複数形で統一する必要がある。「Is there」を「Are there」とする、もしくは、「mistakes」を「mistake」とする方が適切。意味は「間違いはあった？」である。

英文　文法・語法

2018年度 ❶
教養 No.7

次の英文の文法・語法として、最も妥当なのはどれか。

1 Do you know the language speaking in New Zealand?

2 She kept me waited for thirty minutes.

3 Comparing with his brother, he is not so tall.

4 Having met you before, I noticed you at the party.

5 Knowing not how to study, I asked for his advice.

解説　正解　4

TAC生の正答率　29%

1 × 「ニュージーランドで話されている言語」という文脈にすべきなので、「Do you know the language spoken in New Zealand?」（ニュージーランドで話されている言語を知っていますか）と過去分詞にするのが正しい。

2 × 「me（私）」は待っている状態にさせられたという文脈になるので、「She kept me waiting for thirty minutes.」（彼女は私を30分も待たせた）とするのが正しい。「keep 人 ...ing」で「人が…している状態にしておく」という意味。

3 × この文の主語は「he（彼）」であり、彼が彼の兄と比較されたという文脈になるので、「Compared with his brother, he is not so tall.」（彼は彼の兄と比較して、それほど背が高くはない）とするのが正しい。

4 ○ 「あなたと以前に会ったことがあるので、私はパーティーであなたのことに気がついた」という意味である。

5 × notの位置が間違っている。分詞構文の否定は分詞の直前に置くので「Not knowing how to study, I asked for his advice.」（勉強の仕方が分からなかったので、私は彼にアドバイスを求めた）とするのが正しい。

「ボブは歌手というよりはむしろ俳優である」という意味を表す正しい英文として、最も妥当なのはどれか。

1 Bob is more a singer than an actor.

2 Bob is not only an actor but also a singer.

3 Bob is a singer rather than an actor.

4 Bob is less an actor than a singer.

5 Bob is not so much a singer as an actor.

解説　正解 5

TAC生の正答率 28%

1 × 「more A than B」で「BというよりはむしろAである」という意味になる。この英文の場合は「ボブは俳優というよりはむしろ歌手である」となるため、正しくない。

2 × 「not only A but also B」で「AだけではなくBも」という意味になる。この英文の場合は「ボブは俳優であるだけではなく歌手でもある」となるため、正しくない。

3 × 「A rather than B」で「BというよりはむしろAである」という意味になる。この英文の場合は「ボブは俳優というよりはむしろ歌手である」となるため、正しくない。

4 × 「less A than B」で「AというよりはむしろB」という意味になる。この英文の場合は「ボブは俳優というよりはむしろ歌手である」となるため、正しくない。

5 ○ 「not so much A as B」で「AというよりはむしろB」という意味になる。この英文の場合は「ボブは歌手というよりはむしろ俳優である」となるため、正しい。

英文	文法・語法	2019年度 ❶ 教養 No.8

「あなたはその角を右に曲がるべきではなかったのに」という意味を表す英文として、最も妥当なのはどれか。

1 You must have turned right at the corner.

2 You ought to have turned right at the corner.

3 You could have turned right at the corner.

4 You cannot have turned right at the corner.

5 You should not have turned right at the corner.

解説　正解 5

TAC生の正答率 85%

1 × 「must have ...」は、「…だったに違いない」という意味である。選択肢の文は、「あなたはその角を右に曲がったに違いない」という意味になるので、妥当でない。

2 × 「ought to have ...」は「should have ...」と同じ用法で、「…するべきだったのに」という意味である。選択肢の文は「あなたはその角を右に曲がるべきだったのに」という意味になり、「曲がるべきではなかったのに」と反対の説明になってしまう。

3 × 「could have ...」は、「…できたはずだ」、「…していた可能性がある」という意味である。選択肢の文は、「あなたはその角を右に曲がることができたはずだ」あるいは「あなたはその角を右に曲がっていた可能性がある」という意味になり、妥当ではない。

4 × 「cannot have ...」は、「…したはずがない」という意味である。選択肢の文は、「あなたはその角を右に曲がったはずがない」という意味になり、妥当ではない。

5 ○ 「should not have ...」は、「…すべきではなかった（のにしてしまった）」という意味になる。「あなたはその角を右に曲がるべきではなかったのに」という意味の文なので、最も妥当である。

英文　文法・語法

2018年度 ❷
教養 No.7

「もし英語をもっと一生懸命に勉強していたら、私は今、英語の教師になっていただろう」という意味を表す英文として、最も妥当なのはどれか。

1　If I had studied English harder, I would be an English teacher now.

2　If I had studied English harder, I am an English teacher now.

3　If I had studied English harder, I will have been an English teacher now.

4　If I had studied English harder, I would have been an English teacher now.

5　If I had studied English harder, I was an English teacher now.

解説　正解　1

日本語の後半が「私は今、英語の教師になっていただろう」となっているので、「私」は今は教師ではないということが分かる。つまり、現在の事実に関する内容とする仮定法過去の文章にすればよい。仮定法過去の基本形は「If＋主語＋動詞の過去形、主語＋would（should/could/mightなど）＋動詞の原形」である。この形を知っていれば、容易に**1**を選べる。**4**は仮定法過去完了であり、「私はあの時、英語の教師になっていただろう」など、過去の事実に反する仮想を表現する際に用いる。

判断推理　集合

2022年度 ❶
教養 No.12

公園にいる親子連れ120人に、夏と冬が好きか嫌いかについてアンケートをとったところ、夏が好きと答えた人が80人、冬が好きと答えた人が48人だった。また、夏が好きで冬が好きでないと答えた人数は、夏と冬の両方が好きと答えた人数の３倍だった。このとき、夏も冬も好きでないと答えた人の人数として、最も妥当なのはどれか。ただし、アンケートの回答は好きか嫌いかだけで、どちらでもないという回答はなかったものとする。

1　10人

2　12人

3　18人

4　20人

5　22人

解説　正解　2

TAC生の正答率　68%

ベン図を描いて整理する。夏と冬の両方が好きと答えた人数をx[人]とすると、夏が好きで冬が好きではないと答えた人数は$3x$[人]となる。

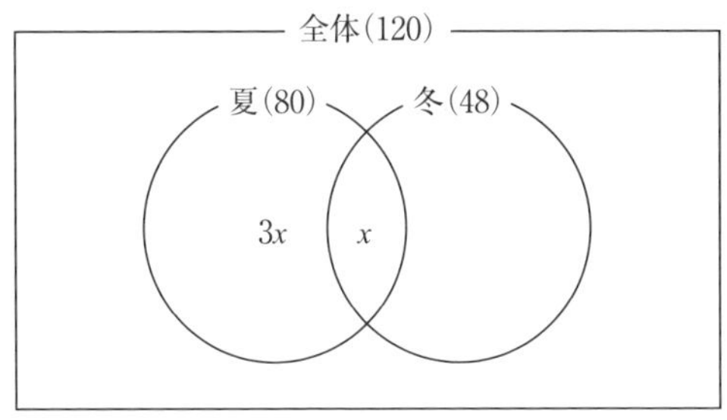

夏が好きと答えた人は80人であるから、$3x+x=80$が成り立ち、これを解くと、$x=20$[人]となる。よって、夏または冬が好きと答えた人数は、$80+48-20=108$[人]となるので、夏も冬も好きではないと答えた人数は、$120-108=12$[人]となる。

したがって、正解は**2**である。

判断推理　集合　2021年度 教養 No.10

全校生徒300人の商業高校で、簿記、英語、電卓の資格を持っているかアンケートを実施した。次のア～オのことがわかっているとき、確実にいえることとして、最も妥当なのはどれか。

ア　いずれの資格も持ってない生徒は21人だった。
イ　簿記の資格を持っていない生徒は88人だった。
ウ　簿記と電卓の両方の資格を持っている生徒は64人だった。
エ　簿記と英語の２つの資格のみを持っている生徒は19人だった。
オ　英語の資格のみを持っている生徒は１人もいなかった。

1　英語の資格を持っている生徒は150人だった。

2　電卓の資格を持っている生徒は131人だった。

3　簿記の資格のみを持っている生徒は128人だった。

4　電卓の資格のみを持っている生徒は67人だった。

5　３つの資格をすべて持っている生徒は24人だった。

解説　正解　2　　TAC生の正答率 50%

条件イより、簿記の資格を持っている生徒は、300－88＝212［人］である。図1のように文字をふり、条件ア～オより、①～③の式が成り立つ。

$a+b+c+d+e+19+21=300$

より、

$a+b+c+d+e=260$　……①

$a+b+c+19=212$

より、

$a+b+c=193$　……②

$b+c=64$　……③

②－③より、$a=129$なので、**3**は不適となり、①の式に$a=129$を代入すると、$b+c+d+e=131$となる（図2）。

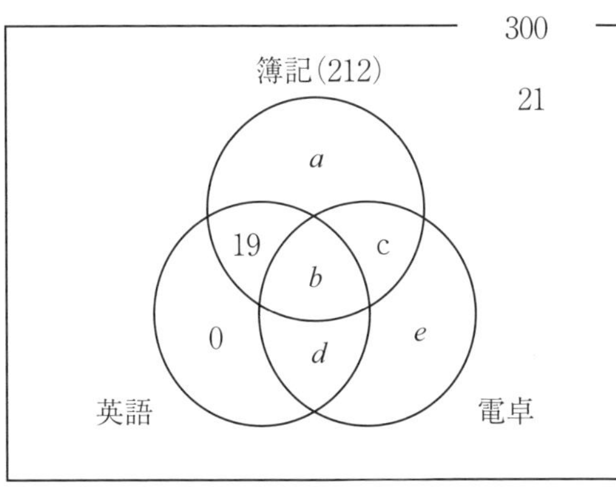

図1

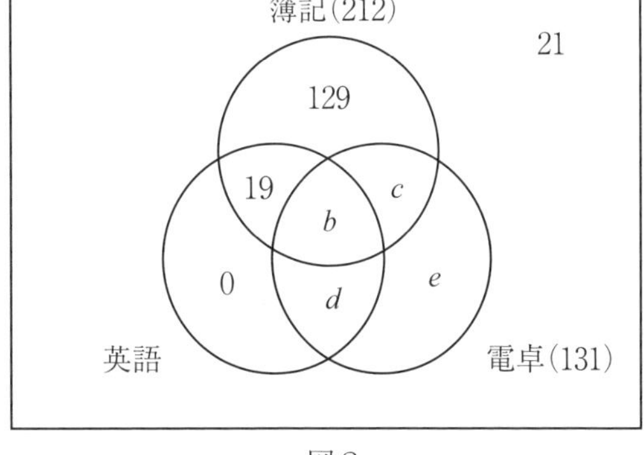

図2

よって、正解は**2**である。

判断推理　集合

2019年度 ❶
教養 No.10

ある会社の社員80人について、次のア～オのことがわかっているとき、都内に住んでおり勤続年数が10年未満の女性の人数として、最も妥当なのはどれか。

ア　都内に住んでいる者が53人おり、残りの者は都内には住んでいない。
イ　男性は42人いる。
ウ　勤続年数が10年以上の者は40人おり、男性で勤続年数が10年以上の者は24人いる。
エ　都内に住んでいない者のうち、女性は15人いる。また、都内に住んでおらず勤続年数が10年未満の者についてみると、女性が男性より３人多い。
オ　都内に住む勤続年数が10年以上の男性は21人いる。

1　10人

2　11人

3　12人

4　13人

5　14人

解説　正解　1

TAC生の正答率　57%

条件エの後半より、都内に住んでおらず勤続年数が10年未満の男性の人数をx[人]とおくと、女性の人数は（$x+3$）[人]である。これらと、わかっている数値をキャロル表に書き入れると、表1のようになる。

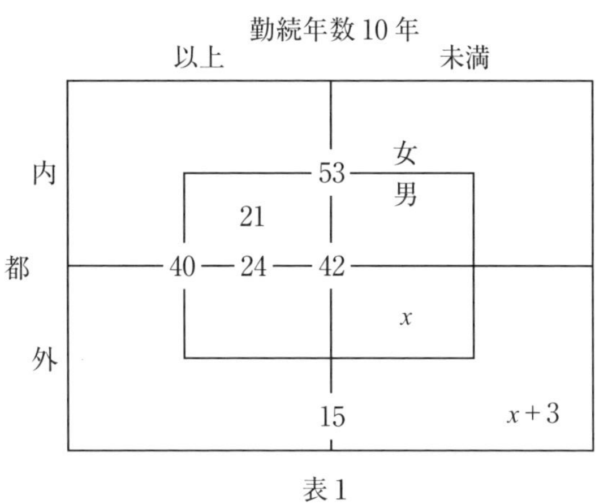

表1

表1より、都内に住んでいない者は$80-53=27$[人]であり、勤続年数が10年未満の者は$80-40=40$[人]である。また、都内に住んでおらず勤続年数が10年以上の男性は$24-21=3$[人]である。さらに、勤続年数が10年未満の男性は$42-24=18$[人]であり、勤続年数が10年未満の女性は$40-18=22$[人]である。これらの数値を加えたものが表2である。

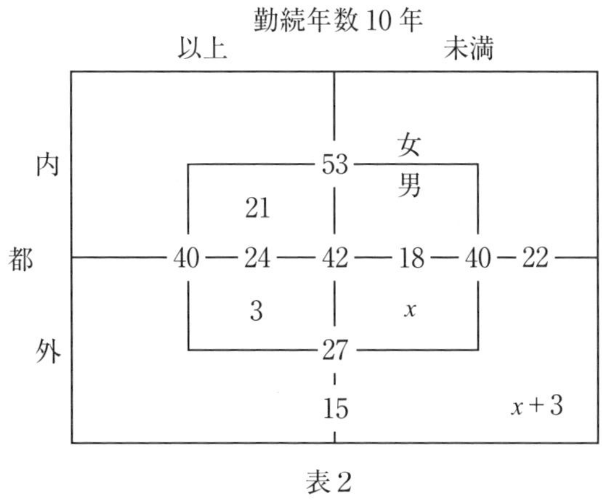

表2

表2より、都外に住んでいる人数で（$3+x$）$+15=27$が成り立ち、これを解くと、$x=9$[人]となる。したがって、都内に住んでおらず勤続年数が10年未満の女性は$x+3=9+3=12$[人]となり、都内に住んでおり勤続年数が10年未満の女性は$22-12=10$[人]となる。

よって、正解は**1**である。

現代文　英文　判断推理　空間把握　数的推理　資料解釈　法律　政治　経済

判断推理　集合

2018年度❷
教養 No.10

学生100人を対象に英語、中国語、韓国語の履修状況を調査した。次のア～キのことがわかったとき、英語を履修している学生の人数として、最も妥当なのはどれか。

ア　英語のみを履修している学生は38人いる。
イ　中国語のみを履修している学生は24人いる。
ウ　韓国語のみを履修している学生は３人いる。
エ　英語、中国語、韓国語の全てを履修している学生は８人いる。
オ　英語、中国語、韓国語のいずれも履修していない学生は７人である。
カ　英語は履修していないが中国語と韓国語の両方を履修している学生は、韓国語は履修していないが英語と中国語の両方を履修している学生より３人少ない。
キ　中国語は履修していないが英語と韓国語の両方を履修している学生は、英語は履修していないが中国語と韓国語の両方を履修している学生より７人少ない。

1　57人

2　58人

3　59人

4　60人

5　61人

解説　正解　2

ベン図を描き、条件を書き入れる。韓国語を履修していないが英語と中国語の両方を履修している学生をx［人］とすると、条件カより、英語を履修していないが韓国語と中国語の両方を履修している学生は$x-3$［人］となり、条件キより、中国語を履修していないが英語と韓国語の両方を履修している学生は$x-10$［人］となる（図１）。

図１

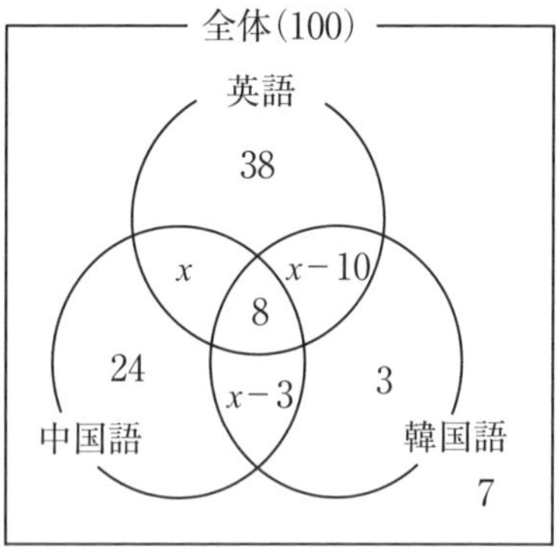

全体の人数が100人であるから、図１より、$8+x+(x-10)+(x-3)+38+24+3+7=100$が成り立ち、これを解くと$x=11$［人］となる。

したがって、英語を履修している学生は$8+11+1+38=58$［人］なので、正解は**2**である。

あるクラスで、野球、サッカー、テニス、バスケットボールの４種類の球技について、好きであるか、あるいは好きではないかのアンケートを実施したところ、アとイのことがわかった。このとき確実にいえることとして、最も妥当なものはどれか。

ア　野球が好きな者は、サッカーもテニスも好きではない。
イ　バスケットボールが好きな者は、サッカーも好きである。

1　サッカーもテニスも好きではない者は、野球が好きである。

2　バスケットボールが好きではない者は、サッカーも好きではない。

3　野球が好きではない者は、サッカーが好きか、またはテニスが好きである。

4　テニスが好きな者は、バスケットボールも好きである。

5　バスケットボールが好きな者は、野球が好きではない。

解説　正解　5

命題ア、イを記号化して対偶を取ると、次の表のようになる。ただし、アは並列化できる命題であるから、並列化したものに対して対偶を取る。

	元の命題	対偶
ア	野→$\overline{\text{サ}}$∧$\overline{\text{テ}}$	
並列化	野→$\overline{\text{サ}}$ …① 野→$\overline{\text{テ}}$ …②	サ→$\overline{\text{野}}$ …④ テ→$\overline{\text{野}}$ …⑤
イ	バ→サ …③	$\overline{\text{サ}}$→$\overline{\text{バ}}$ …⑥

三段論法を用いて、各選択肢を検討する。

1　×　「$\overline{\text{サ}}$∧$\overline{\text{テ}}$→野」が確実にいえるかを問われているが、①～⑥に「野」で終わる命題がないので、確実にはいえない。

2　×　「$\overline{\text{バ}}$→$\overline{\text{サ}}$」が確実にいえるかを問われているが、①～⑥に「$\overline{\text{バ}}$」で始まる命題がないので、確実にはいえない。

3　×　「$\overline{\text{野}}$→サ∨テ」が確実にいえるかを問われているが、①～⑥に「$\overline{\text{野}}$」で始まる命題がないので、確実にはいえない。

4　×　「テ→バ」が確実にいえるかを問われているが、①～⑥に「バ」で終わる命題がないので、確実にはいえない。

5　○　「バ→$\overline{\text{野}}$」が確実にいえるかを問われており、③と④に三段論法を用いれば、「バ→サ→$\overline{\text{野}}$」となり、「バ→$\overline{\text{野}}$」は確実にいえる。

命題

ある宅配ピザ店での、ナゲット、サラダ、ポテト、スープの４種のサイドメニューの注文状況を調べたところ、次のア～エのことがわかった。このとき、確実にいえることとして、最も妥当なのはどれか。ただし、４種のサイドメニューのいずれも１つ以上の注文があったものとする。

ア　４種のサイドメニューの中では、スープを注文した客の数が最も少なかった。
イ　ナゲットとサラダの両方を注文した客はいなかった。
ウ　サラダかスープの少なくとも一方を注文した客は、一緒にポテトを注文した。
エ　ポテトとナゲットの両方を注文した客はスープを注文しなかった。

1　ナゲットとスープの両方を注文した客はいなかった。

2　ポテトだけを注文した客はいなかった。

3　ポテトかサラダの少なくとも一方を注文した客は、ナゲットを注文しなかった。

4　サラダだけを注文した客がいた。

5　サラダを注文した客の数は、ナゲットを注文した客の数より少なかった。

解説　正解　1

ナゲット、サラダ、ポテト、スープの４種のメニューについて、「注文した／しなかった」の全ての組合せは$2^4=16$[通り]あり、注文したを「○」、注文しなかったを「×」で表すと、次の表１のようになる。

表１	ナ	サ	ポ	ス	ナ	サ	ポ	ス	
①	○	○	○	○	×	○	○	○	⑨
②	○	○	○	×	×	○	○	×	⑩
③	○	○	×	○	×	○	×	○	⑪
④	○	○	×	×	×	○	×	×	⑫
⑤	○	×	○	○	×	×	○	○	⑬
⑥	○	×	○	×	×	×	○	×	⑭
⑦	○	×	×	○	×	×	×	○	⑮
⑧	○	×	×	×	×	×	×	×	⑯

まず、前文より、４種のメニューのいずれも１つ以上の注文があったので、⑯はあり得ない。

条件イより、ナゲットとサラダの両方が○である組合せの①、②、③、④はあり得ない。条件ウより、サラダとスープのうち少なくとも一方が○で、かつ、ポテトが×である組合せの⑦、⑪、⑫、⑮はあり得ない。条件エより、ポテトとナゲットの両方が○で、かつ、スープが○である組合せの⑤はあり得ない。

よって、残った組合せは次の表２のようになり、これらの組合せがあり得るものである。

表２	ナ	サ	ポ	ス
⑥	○	×	○	×
⑧	○	×	×	×
⑨	×	○	○	○
⑩	×	○	○	×
⑬	×	×	○	○
⑭	×	×	○	×

表２をもとに選択肢を検討する。

1　○　ナゲットとスープの両方を注文した客はいなかった。

2　×　⑭より、ポテトだけを注文した客がいなかったとはいえない。

3　×　⑥より、ポテトかサラダの少なくとも一方を注文した客は、ナゲットを注文しなかったとはいえない。

4　×　サラダだけを注文した客はいなかった。

5　×　サラダを注文した客数とナゲットを注文した客数の大小関係は判断できない。

判断推理　命題

2022年度❶ 教養 No.9

語学の検定試験を受験したA～Dの４人の結果について、次のア～エのことがわかっているとき、確実にいえることとして、最も妥当なのはどれか。

ア　A～Dのうち、少なくとも２人が合格している。
イ　AとBが合格していたら、Dも合格している。
ウ　AとCは同じ結果だった。
エ　Cが合格していたら、BとDの少なくとも一方は合格している。

1　３人が合格している。

2　Aは合格している。

3　Bは合格している。

4　Cは合格している。

5　Dは合格している。

解説　正解 5　TAC生の正答率 57%

4人の試験結果の組合せは全部で$2^4=16$[通り]ある（○は合格を表す）。

	A	B	C	D		A	B	C	D
①	○	○	○	○	⑨	×	○	○	○
②	○	○	○	×	⑩	×	○	○	×
③	○	○	×	○	⑪	×	○	×	○
④	○	○	×	×	⑫	×	○	×	×
⑤	○	×	○	○	⑬	×	×	○	○
⑥	○	×	○	×	⑭	×	×	○	×
⑦	○	×	×	○	⑮	×	×	×	○
⑧	○	×	×	×	⑯	×	×	×	×

条件アより、⑧、⑫、⑭、⑮、⑯は除外される。条件イより、②、④は除外される。条件ウより、③、④、⑦、⑧、⑨、⑩、⑬、⑭は除外される。条件エより、⑥、⑭は除外される。以上より、残った組合せは、①、⑤、⑪の3通りとなる。

	A	B	C	D
①	○	○	○	○
⑤	○	×	○	○
⑪	×	○	×	○

よって、Dは確実に合格しているから、正解は**5**である。

判断推理　命題　2021年度 教養 No.9

「春が好きな生徒は、冬が嫌い。」という命題が成立するために必要な命題の組合せとして、最も妥当なのはどれか。

ア　春が嫌いな生徒は、夏が好き。
イ　夏が好きな生徒は、春が好き。
ウ　夏が嫌いな生徒は、春が嫌い。
エ　夏と冬が両方好きな生徒はいなかった。
オ　夏と冬が両方好きな生徒が必ずいる。
カ　冬が嫌いな生徒は、夏が好き。

1　ア、エ

2　ア、オ

3　イ、エ

4　ウ、エ

5　ウ、カ

解説　正解　4

TAC生の正答率 62%

命題ア、イ、ウ、カを記号化し、対偶をとると以下のようになる。

	原命題	対偶
ア	$\overline{\text{春}}$→夏…①	$\overline{\text{夏}}$→春…②
イ	夏→春…③	$\overline{\text{春}}$→$\overline{\text{夏}}$…④
ウ	$\overline{\text{夏}}$→$\overline{\text{春}}$…⑤	春→夏…⑥
カ	$\overline{\text{冬}}$→夏…⑦	$\overline{\text{夏}}$→冬…⑧

また、命題エ、オをベン図で表すと以下のようになる（☆は少なくとも１人はいることを表す）。

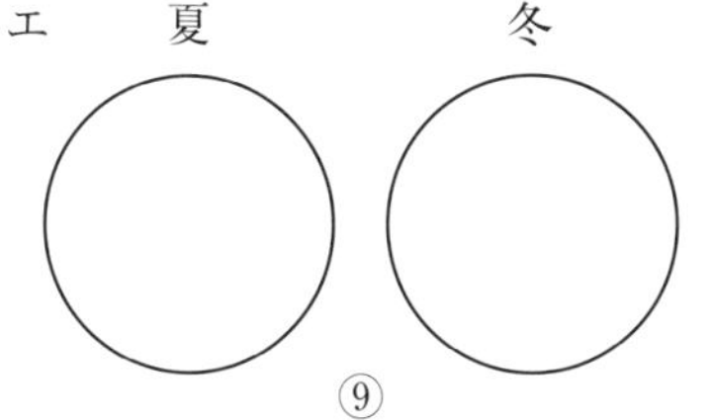

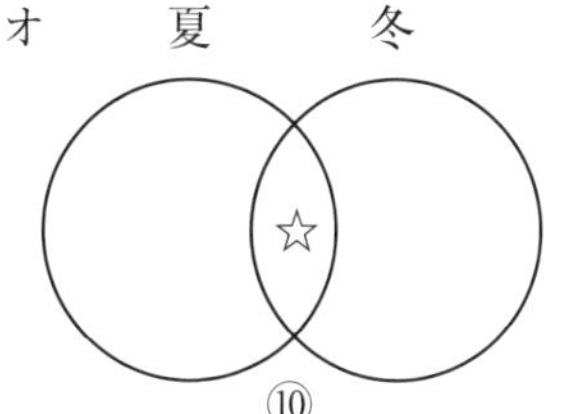

以上をふまえて、「春が好きな生徒は、冬が嫌い。」が成立するために必要な命題の組合せを考える。記号化すると、「春→$\overline{\text{冬}}$」で、対偶は「冬→$\overline{\text{春}}$」となり、①～⑧の中で「春が好き」もしくは「冬が好き」で始まるのは、⑥のみである。また、⑨は夏と冬の共通部分がないので、「夏→$\overline{\text{冬}}$」となり、⑥と⑨を合わせると、「春→夏→$\overline{\text{冬}}$」となる。

よって、組合せはウ、エとなるから、正解は**4**である。

判断推理　命題　2020年度 ❶ 教養 No.9

あるサークルにおいて、好きなスポーツ及び料理についてのアンケート調査を実施した。次のア～オのことがわかっているとき、確実にいえることとして、最も妥当なのはどれか。

ア　マラソンが好きではない者は、フランス料理も好きではない。
イ　サッカーが好きではない者は、テニスも好きではない。
ウ　フランス料理が好きではない者は、野球もイタリア料理も好きではない。
エ　中華料理もテニスも好きではない者は、ラグビーも好きではない。
オ　野球が好きではない者、またはサッカーが好きではない者は、日本料理も好きではない。

1　テニスが好きではない者は、サッカーも好きではない。

2　野球とイタリア料理の両方が好きである者は、フランス料理が好きではない。

3　ラグビーが好きな者は、中華料理もテニスも好きである。

4　ラグビーが好きな者は、サッカーも好きである。

5　日本料理が好きな者は、マラソンも好きである。

解説　正解　5　TAC生の正答率 51%

命題とその対偶を記号化すると、次のようになる。

		原命題	対偶
ア		$\overline{\text{マラソン}}$→$\overline{\text{フランス料理}}$…①	フランス料理→マラソン…⑧
イ		$\overline{\text{サッカー}}$→$\overline{\text{テニス}}$…②	テニス→サッカー…⑨
ウ		$\overline{\text{フランス料理}}$→$\overline{\text{野球}}$∧$\overline{\text{イタリア料理}}$	
	並列化	$\overline{\text{フランス料理}}$→$\overline{\text{野球}}$…③	野球→フランス料理…⑩
		$\overline{\text{フランス料理}}$→$\overline{\text{イタリア料理}}$…④	イタリア料理→フランス料理…⑪
エ		$\overline{\text{中華料理}}$∧$\overline{\text{テニス}}$→$\overline{\text{ラグビー}}$…⑤	ラグビー→中華料理∨テニス…⑫
オ		$\overline{\text{野球}}$∨$\overline{\text{サッカー}}$→$\overline{\text{日本料理}}$	
	並列化	$\overline{\text{野球}}$→$\overline{\text{日本料理}}$…⑥	日本料理→野球…⑬
		$\overline{\text{サッカー}}$→$\overline{\text{日本料理}}$…⑦	日本料理→サッカー…⑭

1　×　「$\overline{\text{テニス}}$」から始まる命題がないので、不明である。

2　×　「野球∧イタリア料理」から始まる命題がないので、不明である。

3　×　⑫より「ラグビー→中華料理∨テニス」はいえるが、「中華料理∧テニス」ではないので、不明である。

4　×　⑫より「ラグビー→中華料理∨テニス」はいえ、⑨より「テニス→サッカー」はいえるが、「中華料理」から始まる命題がないので、不明である。

5　○　⑬、⑩、⑧より「日本料理→野球→フランス料理→マラソン」となるので、確実にいえる。

判断推理　命題

2019年度❷
教養 No.12

飼育しているハムスターについて、次のア～エのことがわかっているとき、確実にいえることとして、最も妥当なのはどれか。

ア　ハムスターは、すべて白か茶色のどちらかの色をしている。
イ　白いハムスターで、遊んでいるものはいない。
ウ　目が赤いハムスターは、すべて白い。
エ　遊んでいるハムスターは、すべて尻尾が長い。

1　遊んでいないハムスターは、すべて白い。

2　尻尾が長くないハムスターは、すべて白い。

3　茶色のハムスターは、すべて尻尾が長い。

4　尻尾が長いハムスターは、すべて目が赤くない。

5　遊んでいるハムスターは、すべて目が赤くない。

解説　正解　5

それぞれの命題と対偶を記号化する。なお、条件アよりハムスターは白か茶色のどちらかで、白でなければ茶色となるので、「$\overline{\text{白}}$＝茶色」である。

		原命題		対偶
イ	①	白→$\overline{\text{遊}}$	④	遊→$\overline{\text{白}}$
ウ	②	目赤→白	⑤	$\overline{\text{白}}$→$\overline{\text{目赤}}$
エ	③	遊→尻尾長	⑥	$\overline{\text{尻尾長}}$→$\overline{\text{遊}}$

1　×　選択肢の命題は「$\overline{\text{遊}}$→白」であるが、「$\overline{\text{遊}}$」で始まる命題はないので不明である。

2　×　選択肢の命題は「$\overline{\text{尻尾長}}$→白」であり、⑥より「$\overline{\text{尻尾長}}$→$\overline{\text{遊}}$」とつながるが、「$\overline{\text{遊}}$」で始まる命題はないので不明である。

3　×　選択肢の命題は「$\overline{\text{白}}$→尻尾長」であり、⑤より「$\overline{\text{白}}$→$\overline{\text{目赤}}$」とつながるが、「$\overline{\text{目赤}}$」で始まる命題はないので不明である。

4　×　選択肢の命題は「尻尾長→$\overline{\text{目赤}}$」であるが、「尻尾長」で始まる命題はないので不明である。

5　○　選択肢の命題は「遊→$\overline{\text{目赤}}$」であり、④、⑤より、「遊→$\overline{\text{白}}$→$\overline{\text{目赤}}$」とつながるので、確実にいえる。

判断推理　命題

2019年度 ❶ 教養 No.9

あるスポーツジムにＡ～Ｅの５人が通っている。この５人が通っている状況について、次のア～ウのことがわかっている。

ア　Ａが通っているときには、Ｂも通っている。
イ　Ｂが通っているときには、ＣもＤも通っている。
ウ　ＣとＤの２人とも通っているときには、Ｅは通っていない。

ある日、Ａ～Ｅのうちの４人が通っていた。このとき、通っていなかった人として、最も妥当なのはどれか。

1　A

2　B

3　C

4　D

5　E

解説　正解　5　TAC生の正答率 98%

場合分けをして考える。

(i)　Aが通っているとき

アより、Bは必ず通い、イより、CとDも通う。このとき、ウよりEは通っていない。

(ii)　Aが通っていないとき

Bが通っている場合とBが通っていない場合がある。

❶　Bが通っているとき

イより、CとDも通う。このとき、ウよりEは通っていない。

❷　Bが通っていないとき

C、D、Eは下の表1の$2^3=8$[通り]の場合がある。ただし、以下の表中では○が「通っている」、×が「通っていない」を表すものとする。ウより、①の場合はありえない。①以外はありえる組合せである。

表1	C	D	E
①	○	○	○
②	○	○	×
③	○	×	○
④	○	×	×
⑤	×	○	○
⑥	×	○	×
⑦	×	×	○
⑧	×	×	×

以上をまとめると、A～Eの考えられる場合は、表2のようになる。

表2	A	B	C	D	E
(i)	○	○	○	○	×
(ii)－❶	×	○	○	○	×
(ii)－❷					
②	×	×	○	○	×
③	×	×	○	×	○
④	×	×	○	×	×
⑤	×	×	×	○	○
⑥	×	×	×	○	×
⑦	×	×	×	×	○
⑧	×	×	×	×	×

表2より、4人が通っているのは(i)の場合のみであり、通っていなかったのはEであるので、正解は**5**である。

判断推理　対応関係

ある中学校において、月曜日から金曜日までの５日間に、国語、数学、英語、理科、社会の５科目で、毎日３時間ずつ夏季特別講習が実施された。各科目は１時間単位で行われ、同じ科目が１日に２時間以上実施されることはなかった。次のように時間割の一部とア～オのことがわかっているとき、確実にいえることとして、最も妥当なものはどれか。

	月	火	水	木	金
１時間目					
２時間目	社会		社会	国語	
３時間目					数学

ア　３日連続で実施された科目は２科目だけであり、４日以上連続で行われた科目はなかった。
イ　国語は４時間、社会は３時間実施された。
ウ　実施された時間数を比較すると、英語は数学よりも多く、数学は理科よりも多かった。
エ　英語は常に同じ時間に実施された。
オ　火曜日の２時間目と水曜日の１時間目は同じ科目であった。

1　月曜日の１時間目は数学である。

2　火曜日の３時間目は数学である。

3　水曜日の１時間目は国語である。

4　木曜日の３時間目は理科である。

5　金曜日の２時間目は理科である。

解説　正解　4

夏季特別講習は1日3時間で5日間実施されたので、総時間数は$3\times5=15$[時間]である。このうち、条件イより、国語と社会に合わせて（4+3=）7時間が充てられているので、残りの英語と数学と理科の3科目を合わせた時間数は（15−7=）8時間である。条件ウより、時間数の大小は、英語＞数学＞理科であるので、8時間の内訳は、(英語, 数学, 理科) = (5, 2, 1) または (4, 3, 1) であるが、1科目の時間数が5時間の場合は、4日以上連続するので、条件アに反する。よって、(英語, 数学, 理科) = (4, 3, 1) となる。

条件エより、英語は4時間あるため実施時間は1時間目または3時間目であるが、3時間目の場合、英語の4時間は4日連続で行われるので、条件アに反する。また、条件オより、水曜日の1時間目は英語以外であるので、このことから英語の実施は、月、火、木、金曜日の1時間目となる。ここまでを時間割に反映すると、表1のようになる（○=同じ科目）。

表1	月	火	水	木	金
1時間目	英語	英語	○	英語	英語
2時間目	社会	○	社会	国語	
3時間目					数学

表1の同じ科目（○）を考える。国語の場合、国語は火、水、木曜日に行われ、残りの1時間が月曜日または金曜日だとしても4日連続で行われるので、条件アに反する。社会の場合、水曜日に社会が2時間行われるので、同じ科目が1日に2時間以上行われることになり、前文に反する。したがって、同じ科目は数学とわかる（表2）。

表2	月	火	水	木	金
1時間目	英語	英語	数学	英語	英語
2時間目	社会	数学	社会	国語	
3時間目					数学

条件アの3日連続で行われた2科目は、社会と国語である。表2より、社会は月曜日と水曜日に行われているので、残りの1時間は火曜日となる。国語は木曜日に行われているので、残りの3時間は、月、水、金曜日である。よって、理科の1時間は、木曜日となる（表3）。

表3	月	火	水	木	金
1時間目	英語	英語	数学	英語	英語
2時間目	社会	数学	社会	国語	国語
3時間目	国語	社会	国語	理科	数学

表3より、正解は**4**である。

判断推理　対応関係

Ａ～Ｅの５人に対して、札幌、仙台、横浜、神戸、広島、福岡の６都市へ行ったことがあるか否かを尋ねたところ、次のア～クのことがわかった。このとき、確実にいえることとして、最も妥当なものはどれか。

ア　ＡとＢは広島に行ったことがある。
イ　Ａが行ったことのある都市の数は、Ｄが行ったことのある都市の数より１つ多い。
ウ　Ｂは横浜と福岡に行ったことがない。
エ　Ｃは札幌のほかに２都市に行ったことがあるが、仙台と横浜には行ったことがない。
オ　Ｄは神戸に行ったことがあるが、福岡には行ったことがない。
カ　Ｅは札幌のほかに１都市に行ったことがあるが、仙台、横浜、福岡には行ったことがない。
キ　ＡかＥのどちらか一方は、神戸に行ったことがある。
ク　札幌と広島に行ったことがあるのはそれぞれ４人、仙台に行ったことがあるのは３人、それ以外の都市に行ったことがあるのはそれぞれ２人である。

1　Ａは札幌に行ったことがある。

2　Ｂは札幌に行ったことがある。

3　Ｃは広島に行ったことがない。

4　Ｄは広島に行ったことがある。

5　Ｅは神戸に行ったことがある。

解説　正解　2

TAC生の正答率　76%

条件ア、ウ～カ、クを○×表に整理すると表1のようになる。なお、○:「行ったことがある」、×:「行ったことがない」を示す。

表1	札幌	仙台	横浜	神戸	広島	福岡	計
A					○		
B			×		○	×	
C	○	×	×				3
D				○		×	
E	○	×	×			×	2
計	4	3	2	2	4	2	17

表1より、仙台に行ったことがある3人はA、B、D、横浜に行ったことがある2人はA、D、福岡に行ったことがある2人はA、Cである。また、神戸に行ったことがある2人は、1人はDであるが、条件キより、もう1人はAかEのどちらかであるので、BとCは神戸に行ったことがないとわかる。このことより、Cは広島へ行ったことがわかる（表2）。

表2	札幌	仙台	横浜	神戸	広島	福岡	計
A		○	○		○	○	
B		○	×	×	○	×	
C	○	×	×	×	○	○	3
D		○	○	○		×	
E	○	×	×			×	2
計	4	3	2	2	4	2	17

条件イを考える。既にDは3都市、Aは4都市へそれぞれ行ったことがわかっているので、DとAが行ったことがある都市の数の組合せは、(D, A)＝(3, 4)、(4, 5)、(5, 6) が考えられる。5人が行ったことがある都市の総数は17であるので、それぞれの組合せにおいて、Bが行ったことがある都市の数を考えると、(D, A, B)＝(3, 4, 5)、(4, 5, 3)、(5, 6, 1) となる。しかし、表2より、Bが行ったことがある都市の数として、5および1はあり得ない。よって、A、B、Dがそれぞれ行ったことがある都市の数は、Aが5、Bが3、Dが4となる。このことにより、Bは札幌へ行ったことがわかる（表3）。

表3	札幌	仙台	横浜	神戸	広島	福岡	計
A		○	○		○	○	5
B	○	○	×	×	○	×	3
C	○	×	×	×	○	○	3
D		○	○	○		×	4
E	○	×	×			×	2
計	4	3	2	2	4	2	17

これ以上は確定しないので、表3をもとに選択肢を検討すると、正解は**2**である。

判断推理　対応関係

2020年度 ❷
教養 No.10

Ａ～Ｅの５人はそれぞれ、野球、サッカー、ラグビー、テニス、卓球、バスケットボールの６種目の中から３種目を選んで球技大会に出場する。次のア～ウのことがわかっているとき、確実にいえることとして、最も妥当なのはどれか。

ア　野球とテニスにはそれぞれ４人、サッカーには３人、卓球には２人、ラグビーとバスケットボールにはそれぞれ１人が出場する。
イ　ＡとＢには同一の出場種目がない。
ウ　Ｃは、卓球には出場しない。

1　Ａは、野球に出場する。

2　ＡとＤは、卓球に出場する。

3　Ｂは、ラグビーに出場する。

4　Ｃは、サッカーに出場する。

5　Ｅは、テニスには出場しない。

解説　正解 4

表を作って整理する。問題文の条件および条件ア、ウを表に書き入れると表1のようになる。

条件イについて、AとBは同一の出場種目がないので、Aの3種目とBの3種目はすべて別種目であるが、全部で6種目であるので、6種目すべてAとBのうち一方のみが選んでいることになる。1人しか選んでいないラグビーとバスケットボールは、AとBのどちらかが選んでいるので、C、D、Eは選んでおらず、4人が選び1人だけが選んでいない野球とテニスは、AとBのどちらかが選んでいないので、C、D、Eは選んでいる（表2）。

表1	野	サ	ラ	テ	卓	バ	計
A							3
B							3
C					×		3
D							3
E							3
計	4	3	1	4	2	1	15

表2	野	サ	ラ	テ	卓	バ	計
A							3
B							3
C	○		×	○	×	×	3
D	○		×	○		×	3
E	○		×	○		×	3
計	4	3	1	4	2	1	15

表2より、Cはサッカーに出場したことがわかる（表3）。これ以上は埋まらず、AとBがそれぞれどの3種目を選んだか、および、DとEはどちらがサッカーでどちらが卓球を選んだかは不明である。

表3	野	サ	ラ	テ	卓	バ	計
A							3
B							3
C	○	○	×	○	×	×	3
D	○		×	○		×	3
E	○		×	○		×	3
計	4	3	1	4	2	1	15

よって、表3より正解は**4**である。

家具と家電（本棚、ベッド、こたつ、パソコン、DVDレコーダー）の所有状況についてＡ～Ｅの５人に対してアンケート調査を実施した。次のア～カのことがわかったとき、確実にいえることとして、最も妥当なのはどれか。

ア　Ａ～Ｅの５人の中で、パソコンを持っている人は４人、ベッドを持っている人は３人、本棚、DVDレコーダーを持っている人はそれぞれ２人、こたつを持っている人は１人である。
イ　今回アンケート対象となった家具と家電のうち、Ａ～Ｅの５人は２種類または３種類持っている。
ウ　Ａは本棚を持っているが、こたつは持っていない。
エ　ＢとＣが持っている物はすべて同じ種類である。
オ　Ｄは３種類の物を持っており、ベッドを持っているが、DVDレコーダーは持っていない。
カ　ＤとＥが持っている物はすべて種類が異なる。

1　ＡはDVDレコーダーを持っている。

2　Ｂは３種類の物を持っている。

3　ＣはＡと同じ種類の物を２つ持っている。

4　Ｄはパソコンを持っている。

5　Ｅはこたつを持っていない。

解説　正解　1

対応表を用いて整理する。各条件を書き入れると表１のようになる。

表１	本棚	ベッド	こたつ	パソコン	DVDレコーダー	計
A	○		×			
B						
C						
D		○			×	3
E						
計	2	3	1	4	2	12

条件イより、Ｅは２種類か３種類持っているが、３種類だと少なくとも１種類はＤと同じものを持っていることになるので条件カに反する。よって、Ｅは２種類持っていることになる。Ａ、Ｂ、Ｃの３人でのべ12－3－2＝7[種類]となり１人が３種類、２人が２種類持っていることになるが、条件エよりＢとＣが２種類、Ａが３種類となる。ＤとＥは２人で合計５種類持っており、条件カよりすべて異なるものを持っていることから、どの種類についても必ず、ＤとＥの一方が持っており、もう一方が持っていないことになる。よって、Ｅはベッドを持っておらず、DVDレコーダーを持っている

ことになる（表2）。

表2	本棚	ベッド	こたつ	パソコン	DVDレコーダー	計
A	○		×			3
B						2
C						2
D		○			×	3
E		×			○	2
計	2	3	1	4	2	12

条件エより、どの種類についてもBとCは2人とも持っているか2人とも持っていないかのどちらかである。表2より、本棚を持っている人は残り1人なので、BとCは2人とも持っていないことになる。同様に、こたつを持っている人とDVDレコーダーを持っている人はそれぞれ残り1人なので、BとCは2人とも持っていないことになり、ベッドを持っていない人とパソコンを持っていない人はそれぞれ残り1人なので、BとCは2人とも持っていることになる。ベッドを持っているのがB、C、Dの3人なのでAはベッドを持っておらず、パソコンとDVDレコーダーを持っていることになる（表3）。

表3	本棚	ベッド	こたつ	パソコン	DVDレコーダー	計
A	○	×	×	○	○	3
B	×	○	×	○	×	2
C	×	○	×	○	×	2
D		○			×	3
E		×			○	2
計	2	3	1	4	2	12

残る本棚、こたつ、パソコンのうち、Dは2つ、Eは1つを持っているが、その内訳は確定しない。
したがって、表3より正解は**1**である。

判断推理 | 対応関係 | 2018年度 ❶ 教養 No.11

A～Eの５人は同じ会社に勤めている。５人の所属する課、通勤手段、趣味について次のア～クのことがわかっているとき、確実にいえることとして、最も妥当なのはどれか。

ア　A～Eの５人は、ゴルフ、旅行、読書、スポーツ観戦、映画鑑賞のいずれか１つを趣味としており、同じ趣味を持つ者はいない。
イ　A～Eの５人の通勤手段は、自転車、バス、電車のいずれか１つであり、自転車通勤の者は１人、バス通勤、電車通勤の者はそれぞれ２人ずついる。
ウ　Aは人事課に所属しており、バスで通勤している。
エ　自転車通勤の者はスポーツ観戦が趣味である。
オ　Cは総務課に所属しており、Cのほかにもう１人総務課に所属している者がいる。
カ　Dは営業課に所属しており、ゴルフが趣味である。
キ　経理課に所属している者は電車で通勤している。
ク　Eは電車で通勤しておらず、映画観賞が趣味である。

1　Aの趣味は読書である。

2　Bの趣味は旅行である。

3　Bは総務課に所属している。

4　Cは電車通勤である。

5　Dは電車通勤である。

解説　正解　5　TAC生の正答率 84%

次のような対応表を作って考える。ただし、表中では、ゴルフから映画鑑賞までの趣味は頭文字で表現してある。

条件を反映させると、次表①になる。

所属	①	ゴ	旅	読	ス	映	自転車	バス	電車
人事課	A	×				×	×	○	×
	B	×				×			
総務課	C	×				×			
営業課	D	○	×	×	×	×			
	E	×	×	×	×	○			×
対応数		1	1	1	1	1	1	2	2

自転車通勤もスポーツ観戦を趣味に持つ者も１人だけなので、エより、自転車通勤とスポーツ観戦を趣味に持つ者は同一人物であり、表①より、これはＢまたはＣしかありえない。すると、Ｄ、Ｅは自転車通勤していないことがわかり、Ｅはバス通勤していることがわかる。これで、バス通勤の２人が決まる。これに伴い、Ｄの通勤手段が電車であることも決まる（表②）。

所属	②	ゴ	旅	読	ス	映	自転車	バス	電車
人事課	A	×				×	×	○	×
	B	×				×		×	
総務課	C	×				×		×	
営業課	D	○	×	×	×	×	×	×	○
	E	×	×	×	×	○	×	○	×
対応数		1	1	1	1	1	1	2	2

キより、経理課に所属している者は、電車で通勤しているので、Ｅは経理課に所属していない。残るＢしか経理課に所属できず、Ｂは電車で通勤していることがわかる。そして、Ｅは条件オにある、Ｃとは別の総務課の者であることがわかる。これにより、残りの通勤に関する空欄も埋まり、自転車通勤の者はＣであることが決まる。エより、自転車通勤の者と同一人物であるスポーツ観戦を趣味に持つ者はＣである。ここまでを表にすると③になる。

所属	③	ゴ	旅	読	ス	映	自転車	バス	電車
人事課	A	×			×	×	×	○	×
経理課	B	×			×	×	×	×	○
総務課	C	×	×	×	○	×	○	×	×
営業課	D	○	×	×	×	×	×	×	○
総務課	E	×	×	×	×	○	×	○	×
対応数		1	1	1	1	1	1	2	2

ここまでしかわからず、正解は**5**である。

判断推理　対応関係

2020年度 ❶
教養 No.10

A～Eの５人が、月曜日から土曜日までの連続する６日間に行われたイベントの受付業務を担当した。次のア～エのことがわかっているとき、確実にいえることとして、最も妥当なのはどれか。

ア　受付業務は毎日３人ずつが担当し、A～Eの５人はそれぞれ３日または４日担当した。
イ　Aは、２日間以上連続して担当することはなかった。
ウ　AとBが同じ日に担当することはなかった。
エ　C、Dはどちらも連続する４日間担当し、C、Dが一緒に担当したのは２日だった。

1　月曜日に担当したのは、A、C、Eだった。

2　Bは、火曜日に担当した。

3　Cは、土曜日に担当した。

4　木曜日に担当したのは、B、C、Dだった。

5　Eは金曜日に担当した。

解説　**正解　5**　TAC生の正答率 86%

表を作って整理する。条件ア、エを書き入れると表1のようになる。条件エについて、連続する4日間は（月，火，水，木）、（火，水，木，金）、（水，木，金，土）のいずれかで、いずれであっても水曜日と木曜日に担当する。また、CとDが一緒に担当した2日は水曜日と木曜日だから、2人のうち1人は月曜日〜木曜日の担当、もう1人は水曜日か〜土曜日の担当となり、月曜日、火曜日、金曜日、土曜日は、C、Dのうちどちらか一方のみが担当している。

表1	月	火	水	木	金	土	計
A							
B							
C	○/×	○/×	○	○	×/○	×/○	4
D	×/○	×/○	○	○	○/×	○/×	4
E							
計	3	3	3	3	3	3	18

全部で6日間行われ、それぞれ3日か4日担当しているから、条件ウより、Aは3日、BはAと異なる3日を担当している。よって、すべての曜日でA、Bのうちどちらか一方のみが担当している。また、Eは4日担当したことになる（表2）。

表2	月	火	水	木	金	土	計
A	○1	○1	○1	○1	○1	○1	3
B	×1	×1	×1	×1	×1	×1	3
C	○/×	○/×	○	○	×/○	×/○	4
D	×/○	×/○	○	○	○/×	○/×	4
E							4
計	3	3	3	3	3	3	18

表2より、Eが担当したのは月曜日、火曜日、金曜日、土曜日の4日となる（表3）。

表3	月	火	水	木	金	土	計
A	○1	○1	○1	○1	○1	○1	3
B	×1	×1	×1	×1	×1	×1	3
C	○/×	○/×	○	○	×/○	×/○	4
D	×/○	×/○	○	○	○/×	○/×	4
E	○	○	×	×	○	○	4
計	3	3	3	3	3	3	18

表3より、正解は**5**である。

判断推理　リーグ戦

2023年度❷ 教養 No.13

A～Gの７人が、１回戦総当たりで将棋のリーグ戦を行った。対局終了後に確認すると、A、B、Cの３人の間では、AはBに勝ち、BはCに勝ち、CはAに勝ち、という「三すくみ」の状態になっていた。また、A～Gが図のように円状に並ぶと、いずれの隣り合った３人の間でも「三すくみ」の状態となっていた。AとBが２人とも４勝２敗であったとき、Eの結果として、最も妥当なものはどれか。

1　C、Gに勝って、２勝４敗

2　A、C、Fに勝って、３勝３敗

3　D、Fに勝って、２勝４敗

4　B、D、Gに勝って、３勝３敗

5　C、Fに勝って、２勝４敗

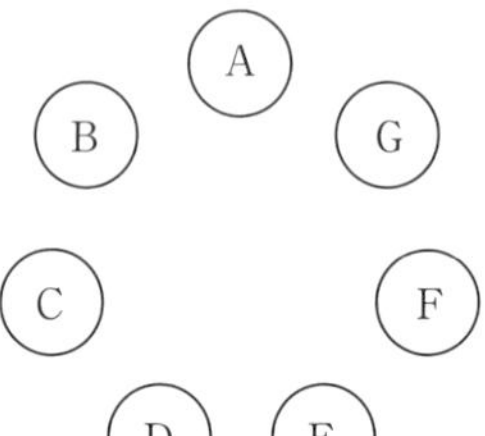

解説　正解　5

「AはBに勝ち、BはCに勝ち、CはAに勝ち」…①を対戦表に表すと表１のようになる。

表1	A	B	C	D	E	F	G	勝－敗
A		○	×					4－2
B	×		○					4－2
C	○	×						
D								
E								
F								
G								

①の「三すくみ」の状態を［A＞B＞C＞A］と表すと、図のように円状に並んだ隣り合う３人の間でも「三すくみ」の状態があるので、（B，C，D）の３人では、［B＞C＞D＞B］と表すことができ、これを対戦表に書き入れると表２のようになる。

表2	A	B	C	D	E	F	G	勝－敗
A		○	×					4－2
B	×		○	×				4－2
C	○	×		○				
D		○	×					
E								
F								
G								

同様にして、(C，D，E)、(D，E，F)、(E，F，G)、(F，G，A)、(G，A，B) では、[C＞D＞E＞C]、[D＞E＞F＞D]、[E＞F＞G＞E]、[F＞G＞A＞F]、[G＞A＞B＞G] と表すことができ、これらを対戦表に書き入れると表3のようになる。

表3	A	B	C	D	E	F	G	勝－敗
A		○	×			○	×	4－2
B	×		○	×			○	4－2
C	○	×		○	×			
D		○	×		○	×		
E			○	×		○	×	
F	×			○	×		○	
G	○	×			○	×		

表3より、AとBの2敗の相手はわかったので、残りの試合はすべて勝てばよい (表4)。

表4	A	B	C	D	E	F	G	勝－敗
A		○	×	○	○	○	×	4－2
B	×		○	×	○	○	○	4－2
C	○	×		○	×			
D	×	○	×		○	×		
E	×	×	○	×		○	×	2－4
F	×	×		○	×		○	
G	○	×			○	×		

表4より、EはCとFに勝って2勝4敗となるから、正解は**5**である。

判断推理　リーグ戦　2021年度 教養 No.12

A～Fの６人がテニスのリーグ戦を行い、試合後に、各人が次のように話していた。このとき、確実にいえることとして、最も妥当なのはどれか。

A 「私は３勝２敗だった。全試合を通じて引き分けは２回のみであった。」
B 「私はDと引き分けた。」
C 「私はBに勝ったが、負け数が勝ち数よりも多かった。」
D 「私はEに勝った。」
F 「私はCに負けた以外は全員に勝った。１勝もしていない者はいなかった。」

1 AはBに勝った。

2 DはAに勝った。

3 Cは１勝した。

4 EはAに勝った。

5 Bは２回引き分けた。

解説　正解　5

TAC生の正答率　84%

A、C、Fの前半の発言とB、Dの発言をリーグ表に書き入れると表1のようになる。

表1	A	B	C	D	E	F	勝－敗－分
A						×	3－2－0
B			×	△		×	
C		○				○	
D		△			○	×	
E				×		×	
F	○	○	×	○	○		4－1－0

Cの後半の発言より、負け数が勝ち数より多かったので、負け数は3となり、CはA、D、Eに負けたことがわかる。また、Aの後半の発言より、引き分けは全部で2試合あり、Aには引き分けがないので、BとEの試合が引き分けだったことがわかる（表2）。

表2	A	B	C	D	E	F	勝－敗－分
A			○			×	3－2－0
B			×	△	△	×	
C	×	○		×	×	○	2－3－0
D		△	○		○	×	
E		△	○	×		×	
F	○	○	×	○	○		4－1－0

Fの後半の発言より、1勝もしていない者はいないので、BはAに勝ったことがわかり、Aは3勝2敗なので、AはDとEに勝ったことがわかる（表3）。

表3	A	B	C	D	E	F	勝－敗－分
A		×	○	○	○	×	3－2－0
B	○		×	△	△	×	1－2－2
C	×	○		×	×	○	2－3－0
D	×	△	○		○	×	2－2－1
E	×	△	○	×		×	1－3－1
F	○	○	×	○	○		4－1－0

よって、表3より正解は**5**となる。

判断推理　リーグ戦　2020年度 ❷ 教養 No.12

A～Dの４人が卓球の総当たり戦を行い、勝ち数の多い順に順位をつけた。試合は第１試合から第６試合までの全６試合が順に行われ、試合がない選手は、他の選手が行っている試合を観戦する。試合について、A～Dの４人が次のように発言しているとき、確実にいえることとして、最も妥当なのはどれか。ただし、全試合終了後、勝ち数が同じ者はいなかった。また、引き分けはなかったものとする。

A「私は第５試合で初めて負けた。その後試合はなかった。」
B「Dが出場した第６試合を観戦していた。」
C「私は第１試合に出場していた選手と第４試合で対戦し、勝った。」
D「私は第２試合で勝ち、第３試合で負けた。」

1　Bは３位だった。

2　第６試合では、Cが勝った。

3　Dは２位だった。

4　第４試合はC対Dだった。

5　第５試合はA対Bだった。

解説　正解　2

各試合の対戦者とその勝敗を各人の発言から表にまとめると、表1のようになる。なお、各人はそれぞれ3試合対戦している。

A、Bの発言より、AとBは第6試合では観戦していたから、第6試合の対戦者はCとDとなる。Aの発言より、Aは第5試合より前に2試合行っており、かつ、その試合で勝っている。第2試合と第4試合はそれぞれDとCが勝っているので、Aは第1試合と第3試合で勝ったことになる。AとDは対戦した3試合が判明したので、残る部分はBまたはCとなる。よって、Cの発言より第4試合でCに負けたのはBで、Bは第1試合にも出場したことになる（表2）。

表2において、対戦組合せがないのはA－CとB－Dの対戦だから、第2試合はBがDに負け、第5試合はCがAに勝ったことになる。第6試合の勝敗は、Dが勝っているとA、C、Dの3人が2勝1敗となり、「勝ち数が同じ者はいなかった」という条件に反する。よって、第6試合はCがDに勝ったことになる（表3）。

表1	（対戦者）	
	勝	敗
第1試合		
第2試合	D	
第3試合		D
第4試合	C	
第5試合		A
第6試合	（D）	

表2	（対戦者）	
	勝	敗
第1試合	A	B
第2試合	D	
第3試合	A	D
第4試合	C	B
第5試合		A
第6試合	（C，D）	

表3	（対戦者）	
	勝	敗
第1試合	A	B
第2試合	D	B
第3試合	A	D
第4試合	C	B
第5試合	C	A
第6試合	C	D

よって、表3より正解は**2**である。

判断推理　リーグ戦

2018年度❶
教養 No.9

Ａ～Ｄの４人が赤色、青色、白色、黒色のいずれかのゼッケンをつけて、腕相撲の総当り戦を行った。次のア～エのことがわかっているとき、確実にいえることとして、最も妥当なのはどれか。ただし、Ａ～Ｄのゼッケンの色はすべて異なるものとする。

ア　Ａは３勝した。
イ　Ｂは赤色のゼッケンをつけている選手に勝ったが、白色のゼッケンをつけている選手に負けた。
ウ　黒色のゼッケンをつけている選手は、Ｃに負けた。
エ　白色のゼッケンをつけている選手は、青色のゼッケンをつけている選手に負けた。

1　赤色のゼッケンをつけている選手は、白色のゼッケンをつけている選手に勝った。

2　ＣはＤに勝った。

3　３敗した選手がいた。

4　Ｃは青色のゼッケンをつけている。

5　Ｄは赤色のゼッケンをつけている。

解説　正解　5

TAC生の正答率　87%

アより、Aは全勝したので、少なくとも1敗した、赤色、黒色、白色のゼッケンをつけた選手ではない。ゆえに、Aは青色のゼッケンをつけていることがわかる。すると、イより、C、Dのゼッケンはそれぞれ赤色、白色または白色、赤色のいずれかである。この時点で、Bは黒色のゼッケンをつけていることもわかる。

C、Dのゼッケンはそれぞれ赤色、白色のとき、ア、イ、エを反映した対戦表は次の表1のようになる。

表1		A	B	C	D	勝敗数
青	A	＼	○	○	○	3－0
黒	B	×	＼	○	×	1－2
赤	C	×	×	＼		
白	D	×	○		＼	

このとき、条件ウの「黒色のゼッケンをつけた選手（B）はCに負けた」ことに矛盾する。

C、Dのゼッケンはそれぞれ白色、赤色のとき、ア、イ、エを反映した対戦表は次の表2のようになる。

表2		A	B	C	D	勝敗数
青	A	＼	○	○	○	3－0
黒	B	×	＼	×	○	1－2
白	C	×	○	＼		
赤	D	×	×		＼	

このとき、CとDの試合結果はわからないが、条件ウには矛盾しない。

表2より、選択肢を検討すれば、正解は**5**である。

現代文　英文　判断推理　空間把握　数的推理　資料解釈　法律　政治　経済

判断推理　トーナメント戦

2022年度 ❷ 教養 No.12

A組～G組の７組のペアによるバドミントンダブルスのトーナメント戦を、下の図のような組合せで開催した。対戦の結果として次のア～エのことがわかっているとき、確実にいえることとして、最も妥当なのはどれか。

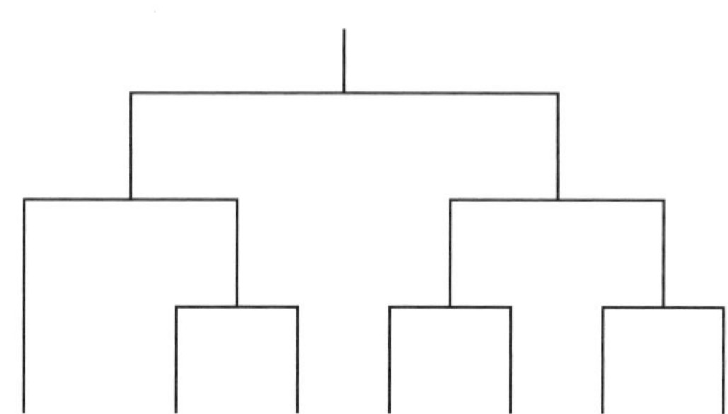

ア　A組はB組に勝った。
イ　C組はF組に勝った。
ウ　D組はC組に勝ち、合計２勝した。
エ　E組は合計２勝した。

1　A組とE組の対戦はなかった。

2　C組に勝ったペアが優勝した。

3　D組が優勝した。

4　E組はG組に勝った。

5　G組に勝ったペアは決勝で敗れた。

解説　正解　5

各位置を①～⑦で示し、わかっている勝ち上がり方を太線で示すと図１のようになる。

条件ウおよびエより、少なくとも２勝した組が２組あることがわかる。優勝組の位置が③または⑦であると、優勝組は３勝し、合計２勝した組は１組しかできないので、優勝組の位置は①とわかり、２勝した組の位置は①および⑦となる（図２）。

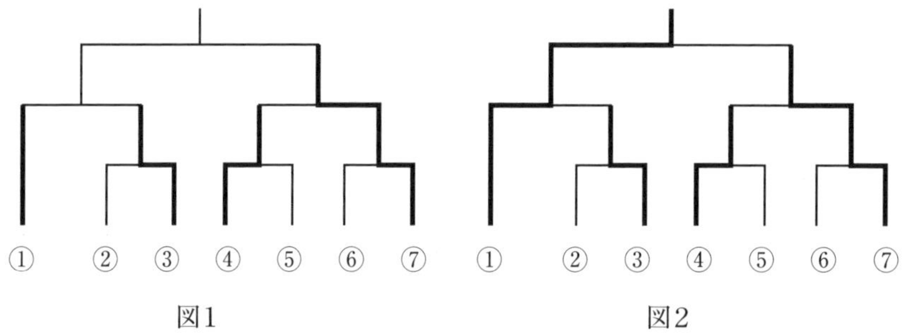

図1　図2

条件ウおよびエより、(優勝組，準優勝組)＝(D，E）または（E，D）であるので、場合分けして考える。

(i)（優勝組，準優勝組)＝(D，E）の場合（図３）

条件ウより、Fに勝ったCの位置は③、条件イより、Fの位置は②となる。さらに、条件アより、Aの位置が④、Bの位置が⑤となり、残りの⑥がGの位置となる（図４）。

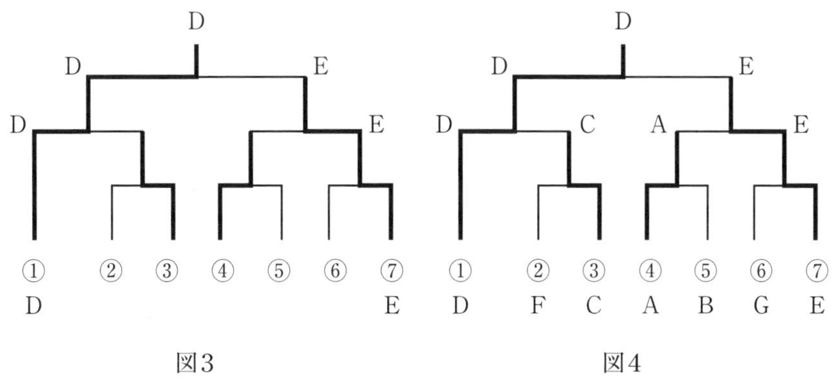

図3　　図4

(ii)（優勝組，準優勝組）=（E，D）の場合（図５）

条件ウより、Ｆに勝ったＣの位置は④、条件イより、Ｆの位置は⑤となる。さらに、条件アより、Ａの位置が③、Ｂの位置が②となり、残りの⑥がＧの位置となる（図６）。

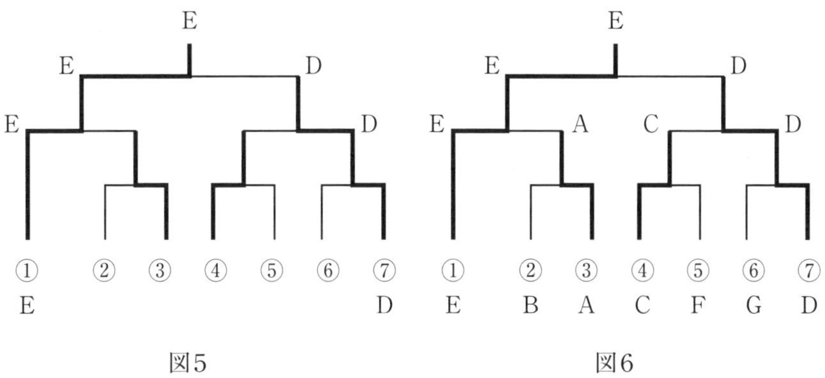

図5　　図6

よって、図４および図６より、正解は**5**である。

判断推理　トーナメント戦

2018年度 ❷
教養 No.9

A～Gの７人が、下の図のような勝ち残り式トーナメント戦を行った。次のア～オのことがわかっているとき、確実にいえることとして、最も妥当なのはどれか。

ア　AはBに勝った。
イ　CはAに勝った。
ウ　DはC、Eと対戦した。
エ　FはGとは対戦していない。
オ　全部で２試合した人が３人いて、そのうちの一人が準優勝だった。

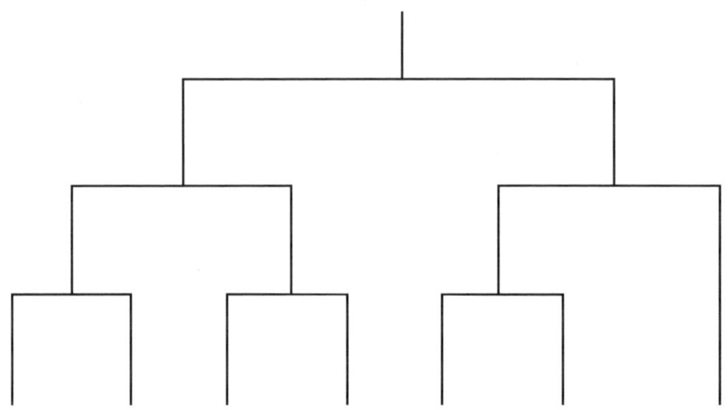

1　Bは初戦で負けた。

2　Cは優勝した。

3　Dは準優勝だった。

4　Eは初戦で負けた。

5　Fは初戦で負けた。

解説　正解　5

条件オについて、２試合するパターンは、①１回戦から参加し、１回戦で勝って２回戦で負ける、②２回戦から参加し、２回戦で勝って決勝戦に進む、の２パターンがある。準優勝の人は決勝戦に進んでいるので②であり、また、２回戦から参加するのは１人だけであるから、２試合した残りの２人は①である。これをもとに、トーナメント表に勝ち上がり結果を入れると、表１のようになる。条件ア、イより、Aは２試合以上しているが、Cに負けて優勝はしていないので、トーナメント表の位置は、２試合した３か所のいずれかになる。

表1

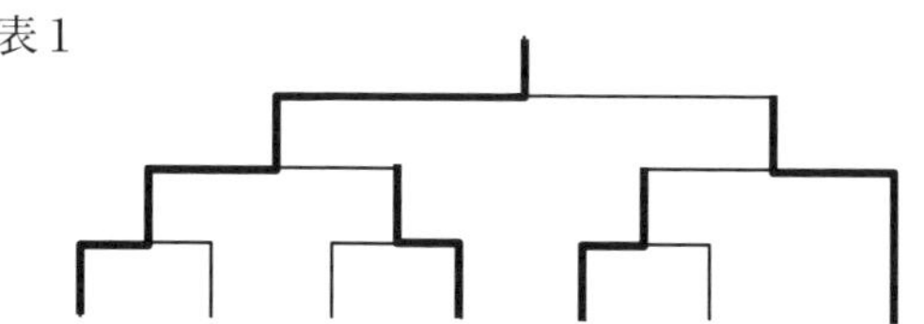

(i) Aが左の山の場合

Aは2試合行ったので、1試合目でBに勝ち、2試合目でCに負けており、Cが優勝したことになる。条件ウより、Dは、Cの他にEとも対戦しているから決勝でCと対戦しており、2回戦でEと対戦したことになる。残るFとGの位置は確定しない（表2）。

表2

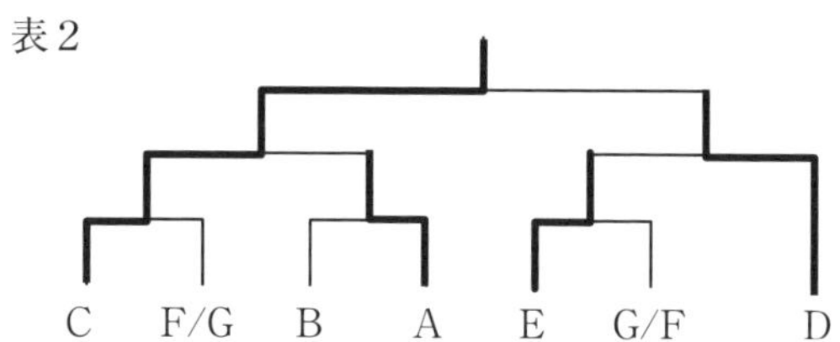

(ii) Aが右の山の1回戦から参加した場合

Aは2試合行ったので、1試合目でBに勝ち、2試合目でCに負けたことになる。条件ウより、DはCと対戦しているから決勝でCと対戦しており、優勝したことになる。DがEと対戦したのが1回戦だと、FとGが1回戦で対戦することになり、条件エに反するから、2回戦でEと対戦したことになる。残るFとGの位置は確定しない（表3）。

表3

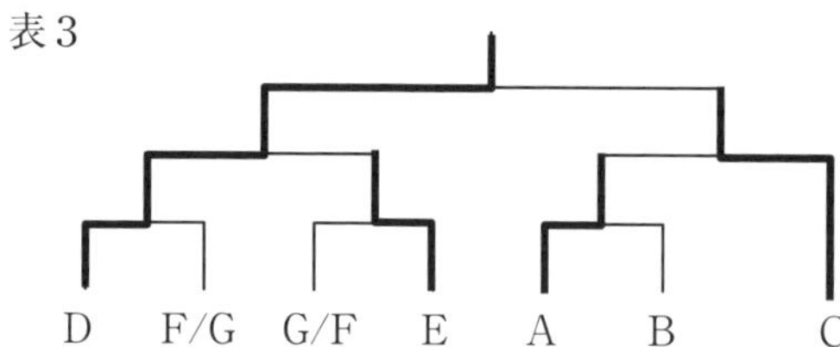

(iii) Aが右の山の2回戦から参加した場合

Aは2試合行ったので、1試合目でBに勝ち、2試合目でCに負けており、Cが優勝したことになる。条件ウより、Dは、Cの他にEとも対戦しているから2回戦でCと対戦しており、1回戦でEと対戦したことになる。残るFとGの位置は確定しない（表4）。

表4

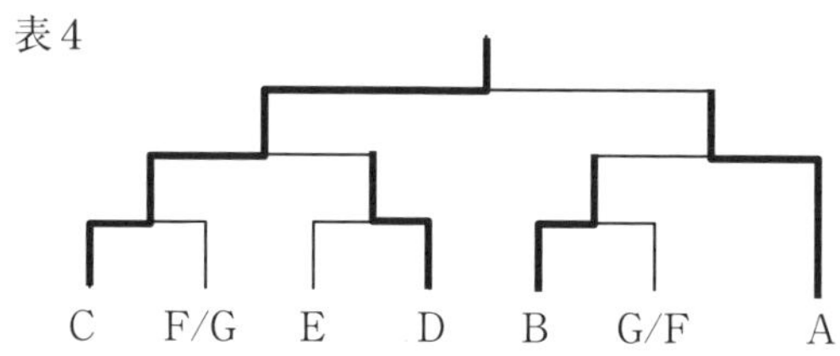

表2、表3、表4より、正解は**5**である。

判断推理　トーナメント戦

2019年度❷
教養 No.10

勝ち残り式トーナメント戦により、1日に4試合ずつサッカーの試合を行うものとする。出場するチームは全部で64チームであり、同じチームが1日に行うことができる試合数は1回とする。このとき、優勝チームを決めるために、最低かかる日数として、最も妥当なのはどれか。ただし、シード権を持ったチームはないものとし、引き分けや試合の中止はないものとする。

1　14日

2　15日

3　16日

4　17日

5　18日

解説　正解　4

64チーム参加のトーナメント戦では、1回戦で32試合行って64チームから32チームに、2回戦で16試合行って32チームから16チームに、3回戦で8試合行って16チームから8チームに、準々決勝で4試合行って8チームから4チームに、準決勝で2試合行って4チームから2チームに、決勝で1試合行って2チームから1チームになる。

1日4試合では、1回戦が32試合だから32÷4＝8[日]、2回戦が16試合だから16÷4＝4[日]、3回戦が8試合だから8÷4＝2[日]、準々決勝が4試合だから4÷4＝1[日]かかる。準決勝2試合と決勝1試合は合計3試合だが、準決勝で勝ったチームが決勝に出場するので、同じ日にはできない。よって、準決勝2試合で1日、決勝1試合で1日かかる。

したがって、最低かかる日数は8＋4＋2＋1＋1＋1＝17[日]となるので、正解は**4**である。

Ａ～Ｄの４校が参加して球技大会が行われ、表のとおり、バレーボールから順に５種類の球技を実施した。それぞれの順位に応じて各校に得点が与えられ、また、同時に複数の球技が行われることはなかった。各校の結果について次のことがわかっているとき、確実にいえることとして、最も妥当なものはどれか。ただし、いずれの球技も同順位はなかった。

実施順	球技	１位	２位	３位	４位
1	バレーボール	16	12	8	4
2	バスケットボール	16	12	8	4
3	ラグビー	20	15	10	5
4	ハンドボール	16	12	8	4
5	サッカー	25	18	10	4

Ａ校　３球技目のラグビーが終了した時点で40点を獲得して１位だった。その後のハンドボールとサッカーで合計12点しか獲得できず、最終的に４位となった。

Ｂ校　バレーボールは１位であったが、ラグビーが終了した時点では33点で２位、全球技が終了した時点で３位であった。

Ｃ校　ラグビーが終了した時点で１位とは14点の差があったが、最終的に１位となった。

Ｄ校　全球技が終了した時点で、２位であった。

1　Ａ校はハンドボールで４位となった。

2　Ｂ校はサッカーで２位となった。

3　Ｃ校はハンドボールで１位となった。

4　Ｄ校はサッカーで１位となった。

5　Ｂ校とＣ校との最終的な得点差は、９点であった。

解説　正解　2

バレーボール：バレー、バスケットボール：バスケット、ハンドボール：ハンドとして説明する。

各校の条件を見ると、ラグビーが終了した時点での順位および得点に着目することができる。Aは40点で1位であるので、Cは40－14＝26［点］である。また、ラグビーまでの3種類の競技の1位から4位までの得点の合計は130点であるので、Dは130－40－33－26＝31［点］とわかり、Dが3位、Cが4位となる（表1－1）。また、最終順位にも着目でき、Aは4位で40＋12＝52［点］であることがわかる（表1－2）。

表1－1	ラグビー終了時の順位			
順位	1位	2位	3位	4位
校名	A	B	D	C
得点	40	33	31	26

表1－2	最終順位			
順位	1位	2位	3位	4位
校名	C	D	B	A
得点				52

各校の各競技における得点を考えていく。

Bはバレーが16点であるので、バスケットとラグビーで合計（33－16＝）17点である。よって、17点の内訳はバスケットが12点、ラグビーが5点である。同様にして、A、C、Dの得点の内訳を考えると、各校のバレー、バスケットについては2通りの内訳が考えられる（表2）。

表2	ラグビー	バレー	バスケット	合計得点
A	20	12	8	40
		4	16	
C	10	12	4	26
		8	8	
D	15	12	4	31
		8	8	

表2より、A、C、Dのバレーとバスケットの得点を比較すると、バレーの8点と12点はCまたはDのどちらかで、バスケットの4点と8点もCまたはDのどちらかであるので、バレーの4点はA、バスケットの16点はAであることがわかる。ここまでを整理すると表3のようになる。

表3	1位		2位		3位		4位	
バレー	16	B	12		8		4	A
バスケット	16	A	12	B	8		4	
ラグビー	20	A	15	D	10	C	5	B
ハンド	16		12		8	A	4	
サッカー	25		18		10		4	A

5種類の競技の1～4位の得点の合計は227点であるので、最終順位が1位であるCは、平均（227－52）÷3＝58.333…［点］以上を取らなければならず、ラグビー終了時の26点から最終までに32.333…［点］以上獲得する必要がある。Aがハンドで8点獲得していることに注意すれば、Cがハンド及びサッカーで32.333…［点］以上獲得する得点の組合せは、（ハンド，サッカー）＝（16点，25点）、（16点，18点）、（12点，25点）の3通りが考えられる。よって、場合分けして考える。

(i)　Cの得点が（ハンド，サッカー）＝（16，25）の場合

Cの最終の獲得点数は26＋16＋25＝67［点］である。

ラグビー終了時点でBが33点獲得して２位、Dが31点獲得して３位であるので、ハンドとサッカーでDはBより３点以上多く獲得しないと、最終の得点順位でDが２位、Cが３位にならない。このような得点の組合せは、Dがハンドで２位、サッカーで２位、獲得点数が12＋18＝30[点]及び、Bがハンドで４位、サッカーで３位、獲得点数が4＋10＝14[点]の場合のみである（表４－１）。しかしこの場合、最終の獲得点数はDが31＋30＝61[点]、Bが33＋14＝47[点]となり、Bの得点がAの52点を下回り矛盾する（表４－２）。

表４－１	１位		２位		３位		４位	
ハンド	16	C	12	D	8	A	4	B
サッカー	25	C	18	D	10	B	4	A

表４－２	最終順位			
順位	１位	２位	３位	４位
校名	C	D	B	A
得点	67	61	47	52

(ii)　Cの得点が（ハンド，サッカー）＝(16, 18）の場合

Cの最終の獲得点数は26＋16＋18＝60[点]である。

(i)と同様に、DはBより３点以上多く獲得しないと、最終の得点順位でDが２位、Cが３位にならない。このような得点の組合せを考えると、少なくともDはサッカーで１位の25点を取らなくてはならないが、この時点で56点のDはハンドが何位であっても、最終の獲得点数がCの60点を下回らないので矛盾する。

(iii)　Cの得点が（ハンド，サッカー）＝(12, 25）の場合

Cの最終の獲得点数は26＋12＋25＝63[点]である。

(i)と同様に、DはBより３点以上多く獲得しないと、最終の得点順位でDが２位、Cが３位にならない。このような得点の組合せを考えると、少なくともDはハンドで１位の16点を取らなくてはならず、この時点でDは31＋16＝47[点]を獲得している。さらに獲得点数がCの63点を下回るには、Dはサッカーで３位の10点でなくてはならず、最終の獲得点数が47＋10＝57[点]となる。このとき、Bはハンドで４位の４点、サッカーで２位の18点となり、最終の獲得点数は33＋4＋18＝55[点]で、矛盾は生じない（表５－１、５－２)。

表５－１	１位		２位		３位		４位	
ハンド	16	D	12	C	8	A	4	B
サッカー	25	C	18	B	10	D	4	A

表５－２	最終順位			
順位	１位	２位	３位	４位
校名	C	D	B	A
得点	63	57	55	52

よって、表５－１、５－２より、正解は**2**である。

判断推理　数量推理

2021年度
教養 No.11

A～Eの５人は、コーヒー、お茶、水の３種類の飲み物の中から２本ずつ購入した。次のア～オのことがわかっているとき、確実にいえることとして、最も妥当なのはどれか。

ア　５人が購入した飲み物の種類の組合せは、すべて異なっていた。
イ　同じ種類の飲み物を購入した者が２人いた。
ウ　お茶を購入した者はEを含めて、２人いた。
エ　コーヒーを購入した者は、A、B、Dの３人だけだった。
オ　CはBと同じ種類の飲み物を購入したが、AとEは同じ種類の飲み物は購入しなかった。

1　Aはコーヒーを２本購入した。

2　Dはコーヒーと水を購入した。

3　Eはお茶を２本購入した。

4　BとEは同じ種類の飲み物を購入しなかった。

5　CとDは同じ種類の飲み物を購入した。

解説　　正解　1　　TAC生の正答率　57%

条件ア、イより、５人のうち２人は同じ飲み物を２本購入したので、５人のうち３人は表１の①、②、③の組合せで飲み物を購入したことがわかる。条件ウより、お茶を購入したのが２人なので、この２人（うち１人はE）は①か③の組合せとなり、条件イの同じ種類の飲み物を購入した２人は、コーヒー２本、水２本を購入したことがわかる（表１の◎は２本購入したことを表す）。また、条件オの後半より、AとEは同じ種類の飲み物を購入していないので、Aは④か⑤とわかり、条件エより、④とわかる。

Eはコーヒーを購入していないので、③となる。条件エより、B、Dはコーヒーを購入しているので①か②となり、残りの⑤がCとなる。条件オの前半より、Cが購入している水をBも購入しているのでBは②となり、残るDが①となる（表２）。

表1	コ	茶	水
①	○	○	
②	○		○
③		○	○
④	◎		
⑤			◎

表2	コ	茶	水
D	○	○	
B	○		○
E		○	○
A	◎		
C			◎

よって、表２より正解は**1**である。

判断推理　数量推理

A～Gの７個のボールのうち、赤いボールが４個、白いボールが３個ある。次のア～ウのことがわかっているとき、確実にいえることとして、最も妥当なのはどれか。

ア　A、B、C、Dのうち白いボールが１個だけある。
イ　C、D、Eのうち赤いボールが２個ある。
ウ　A、D、Gのうち白いボールが２個ある。

1　Aは赤いボールである。

2　Bは白いボールである。

3　Dは白いボールである。

4　Fは赤いボールである。

5　Gは白いボールである。

解説　正解　5　　TAC生の正答率 83%

Dはすべての条件に含まれているので、Dで場合分けする。

(i)　Dが白いボールの場合

条件アより、A、B、Cは赤いボールとなる（表1）。

表1	A	B	C	D	E	F	G	内訳
ア	(赤)	(赤)	(赤)	(白)				(白)1個，(赤)3個
イ			(赤)	(白)	○			(白)1個，(赤)2個
ウ	(赤)			(白)			○	(白)2個，(赤)1個

条件イより、Eは赤いボールとなり、条件ウより、Gは白いボールとなる（表2）。白いボールは合計3個なので、Fは白いボールとなる。

表2	A	B	C	D	E	F	G	内訳
ア	(赤)	(赤)	(赤)	(白)				(白)1個，(赤)3個
イ			(赤)	(白)	(赤)			(白)1個，(赤)2個
ウ	(赤)			(白)			(白)	(白)2個，(赤)1個

(ii)　Dが赤いボールの場合

条件ウより、A、Gは白いボールとなる（表3）。

表3	A	B	C	D	E	F	G	内訳
ア	(白)	○	○	(赤)				(白)1個，(赤)3個
イ			○	(赤)	○			(白)1個，(赤)2個
ウ	(白)			(赤)			(白)	(白)2個，(赤)1個

条件アより、B、Cは赤いボールとなり、条件イより、Eは白いボールとなる（表4）。赤いボールは合計4個なので、Fは赤いボールとなる。

表4	A	B	C	D	E	F	G	内訳
ア	(白)	(赤)	(赤)	(赤)				(白)1個，(赤)3個
イ			(赤)	(赤)	(白)			(白)1個，(赤)2個
ウ	(白)			(赤)			(白)	(白)2個，(赤)1個

よって、表2、表4より、正解は**5**である。

判断推理　順序関係

ある日、A～Dの４人が、借りていた本を返却するために徒歩、自転車、自動車、バスのいずれか異なる手段を使って図書館を訪れた。次のア～キのことがわかっているとき、確実にいえることとして、最も妥当なのはどれか。

ア　４人は絵本、小説、参考書、詩集のいずれか異なる本を１人１冊ずつ借りていた。
イ　同じ時間帯に訪れた人はおらず、４番目に訪れた人が返却した本は絵本ではなかった。
ウ　絵本を返却した人は自転車を使わなかった。
エ　Cより先に小説を返却した人がいる。
オ　参考書を返却した人は自動車を使わなかった。
カ　詩集が返却されたすぐ後に、自転車で訪れた人が本を返却し、そのすぐ後にAが訪れた。
キ　Dは１番目ではなく、また、Dのすぐ後にバスで訪れた人が返却した本は参考書ではなかった。

1　Aは、３番目にバスで訪れ、小説を返却した。

2　Bは、１番目に自動車で訪れ、詩集を返却した。

3　Cは、２番目に自動車で訪れ、詩集を返却した。

4　Dは、２番目に自転車で訪れ、参考書を返却した。

5　Dは、３番目に自転車で訪れ、詩集を返却した。

解説　正解　2

TAC生の正答率　46%

条件カより、詩集→自転車→Aの順番であるから、表1、2のように詩集が返却されたのが1番目か2番目かで場合分けする。

順位	1番目	2番目	3番目	4番目
人物			A	
手段		自転車		
本	詩集			

表1

順位	1番目	2番目	3番目	4番目
人物				A
手段			自転車	
本		詩集		

表2

(i) 詩集が返却されたのが1番目の場合（表1）

条件キより、D→バスの順番であるから、Dが2番目、バスで訪れた人が3番目となる。条件イより、絵本を返却した人は2番目か3番目であるが、条件ウより、絵本を返却した人は自転車を使っていないので、3番目となる（表3）。条件エより、Cは1番目ではないので4番目となり、残りのBが1番目、Dが小説を返却した人となる。参考書を返却した人は4番目となり、また、条件オより、自動車を使っていないので、徒歩となる。残った自動車を使った人は1番目となる（表4）。

順位	1番目	2番目	3番目	4番目
人物		D	A	
手段		自転車	バス	
本	詩集		絵本	

表3

順位	1番目	2番目	3番目	4番目
人物	B	D	A	C
手段	自動車	自転車	バス	徒歩
本	詩集	小説	絵本	参考書

表4

(ii) 詩集が返却されたのが2番目の場合（表2）

条件キより、Dは1番目ではなく、D→バスの順番であるから、Dが3番目、バスで訪れた人が4番目となる（表5）。条件イ、キより、4番目に返却された本は、絵本でも参考書でもなく、詩集は2番目に返却されているので、小説となる。しかし、条件エより、小説は4番目ではないので、不適となる。

順位	1番目	2番目	3番目	4番目
人物			D	A
手段			自転車	バス
本		詩集		

表5

よって、表4より正解は**2**である。

判断推理　順序関係

2020年度 ❷
教養 No.11

下の図のようにA～Fの6人が前を向いて横1列に並んで着席している。次のア～ウのことがわかっているとき、6人の着席位置を確定させるための条件として、最も妥当なのはどれか。

ア　Bは、Dのすぐ左に着席している。
イ　EとFは、隣り合って着席している。
ウ　AとEの間には、3人が着席している。

前
左 〇〇〇〇〇〇 右

1　AとCは、隣り合って着席している。

2　AとDは、隣り合って着席している。

3　Cは、左から2番目に着席している。

4　Fは、Eより左に着席している。

5　CとFは、隣り合って着席している。

解説　正解　3

条件ウより、AとEの着席位置はⅠ～Ⅳの４通りがあり得る（表１）。

表１	左					右
Ⅰ	A				E	
Ⅱ	E				A	
Ⅲ		A				E
Ⅳ		E				A

Ⅰの場合、条件イより、FはEの左隣と右隣の２通りがある。左隣の場合、条件ウより、B、Dの位置が確定し、残る席がCとなる（表２の①）。右隣の場合、B、Dの位置は２通りあり、それぞれにおいて残る席がCとなる（表２の②、③）。Ⅱの場合、FはEの右隣で、B、Dの位置も１か所に確定し、残る席がCとなる（表２の④）。Ⅲの場合、FはEの左隣で、B、Dの位置も１か所に確定し、残る席がCとなる（表２の⑤）。Ⅳの場合、FはEの左隣と右隣の２通りがある。左隣の場合、B、Dの位置は２通りあり、それぞれにおいて残る席がCとなる（表２の⑥、⑦）。右隣の場合、B、Dの位置が確定し、残る席がCとなる（表２の⑧）。

表２	左					右	
Ⅰ	A	B	D	F	E	C	①
	A	B	D	C	E	F	②
	A	C	B	D	E	F	③
Ⅱ	E	F	B	D	A	C	④
Ⅲ	C	A	B	D	F	E	⑤
Ⅳ	F	E	B	D	C	A	⑥
	F	E	C	B	D	A	⑦
	C	E	F	B	D	A	⑧

あり得る着席位置は表２の①～⑧の８通りあり、選択肢の条件で１通りに確定するかを考える。

1　×　AとCが隣り合うのは③、④、⑤、⑥だから、１通りに確定しない。

2　×　AとDが隣り合うのは④、⑦、⑧だから、１通りに確定しない。

3　○　Cが左から２番目なのは③のみだから、１通りに確定する。

4　×　FがEより左なのは①、⑤、⑥、⑦だから、１通りに確定しない。

5　×　CとFが隣り合うのは存在しない。

現代文　英文　判断推理　空間把握　数的推理　資料解釈　法律　政治　経済

判断推理　順序関係　2018年度❷ 教養 No.12

A～Eの５人が国語と英語のテスト（各100点満点）を受けた。次のア～カのことがわかったとき、確実にいえることとして最も妥当なのはどれか。

ア　国語の平均点は72点、英語の平均点は68点である。
イ　Aの国語の点数は82点で、Aよりも国語の点数が高い者が１人いた。
ウ　Bの国語の点数は最高点の者に比べると38点低く、英語の点数は国語の点数よりも18点高かった。
エ　Cの英語の点数は76点で、国語の点数と合わせると国語と英語の合計点数の平均点より26点高かった。
オ　Dの国語の点数は67点で、英語の点数はEの英語の点数と23点差である。
カ　Eの国語と英語の点数を合わせると国語と英語の合計点数の平均点より13点低かった。

1　Aの英語の点数は55点である。

2　Bの英語の点数はA～Eの中で２番目に高い。

3　Cの国語の点数はEの国語の点数より22点高い。

4　Dの英語の点数はA～Eの中で最も低い。

5　Eの国語と英語の合計点数はA～Eの中で３番目に高い。

解説　正解 1

表を用いて整理する。条件アについて、国語の平均点は72点なので、国語の点数の総和は72×5＝360［点］、英語の平均点は68点なので、英語の点数の総和は68×5＝340［点］である。また、国語と英語の合計点数の総和は360＋340＝700［点］、合計点数の平均点は、700÷5＝140［点］となる。条件エについて、Cの国語と英語の合計点は、140＋26＝166［点］となるから、Cの国語の点数は166－76＝90［点］となる。条件カより、Eの国語と英語の合計点は140－13＝127［点］であり、さらに条件イの前半、オの前半を書き入れると表1のようになる。

表1	国語	英語	合計
A	82		
B			
C	90	76	166
D	67		
E			127
総和	360	340	700
平均	72	68	140

表1と条件イより、国語の点数が最高点の者はCとなるので、条件ウより、Bの国語の点数は90－38＝52［点］、Bの英語の点数は52＋18＝70［点］となる。これにより、Eの国語の点数は360－（82＋52＋90＋67）＝69［点］、Eの英語の点数は127－69＝58［点］となる（表2）。表2より、AとDの英語の点数の和は340－（70＋76＋58）＝136［点］で、Dの英語の点数は、条件オより58＋23＝81［点］か、58－23＝35［点］となるが、35点の場合は、Aの英語の得点が136－35＝101［点］となるので不適となる。よって、Dの英語の点数は81点、Aの英語の点数は136－81＝55［点］であり、表3のようになる。

表2	国語	英語	合計
A	82		
B	52	70	122
C	90	76	166
D	67		
E	69	58	127
総和	360	340	700
平均	72	68	140

表3	国語	英語	合計
A	82	55	137
B	52	70	122
C	90	76	166
D	67	81	148
E	69	58	127
総和	360	340	700
平均	72	68	140

したがって、表3より正解は**1**である。

判断推理　位置関係　2022年度❷ 教養 No.10

下の図のような契約駐車場の［1］～［6］の6区画のうち、5区画についてはA～Eが1区画ずつ契約していて、1区画だけが空いている。A～Eはそれぞれ3人の個人と2社の法人のいずれかであり、さらに次のア～エのことがわかっているとき、確実にいえることとして、最も妥当なのはどれか。

ア　個人Aが契約している区画の、通路を挟んだ正面の区画は空いていて、空いている区画の隣の区画はEが契約している。
イ　Bが契約している区画の隣の区画はEが契約していて、Eの区画の、通路を挟んだ正面の区画は個人Cが契約している。
ウ　Bの区画の通路を挟んだ正面の区画は法人が契約している。
エ　区画［1］は、法人が契約している。

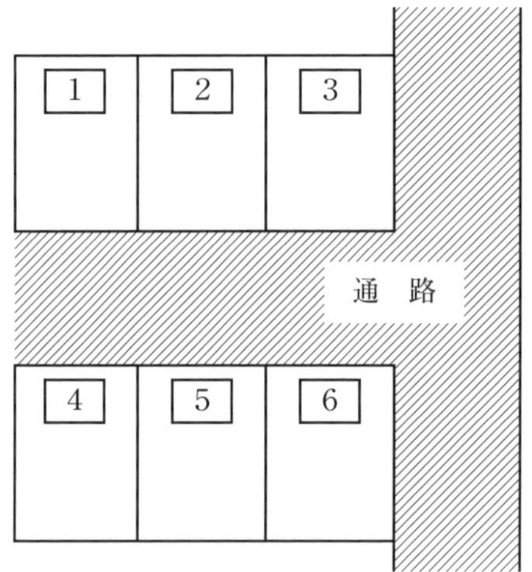

1　Aは区画［3］を契約している。

2　Bは法人である。

3　Cは区画［2］を契約している。

4　Dは法人である。

5　Eは個人である。

解説　正解　4

図の駐車場1、2、3を「上側」、4、5、6を「下側」と呼び、Xが契約している区画を「X」、空いている区画を「空」と表現して説明することにする。

条件アから、Aと（空，E）は、通路を挟んで異なる側の区画であり、条件イから、（B，E）とCは、通路を挟んで異なる側の区画である。このことから、通路を挟んで同じ側の3つの区画の一方は（B，E，空）とわかるので、もう一方の3つの区画は（A，C，D）となる。

また、条件アから、空とEは隣り合っており、条件イから、BとEは隣り合っているので、Eの両隣に空とBが並ぶ。よって、B、E、空の並び方は、図の左側から（B－E－空）または（空－E－B）の２通りの並び方が考えられる。

ここで、（空－E－B）の並び方を考えると、この並びが通路を挟んで上側だとすると、[1]＝空となり、条件エに矛盾する。また、この並びが通路を挟んで下側だとすると、[4]＝空、条件アより[1]＝A（個人）となり、やはり、条件エに矛盾する。

よって、B、E、空の並び方は、（B－E－空）となり、通路を挟んで上側の場合と下側の場合で場合分けして考える。

(i)（B－E－空）が上側の場合

[1]（法人）＝B、[2]＝E、[3]＝空となるので、条件アから、[6]＝A（個人）、条件イから、[5]＝C（個人）、条件ウより、[4]＝法人となる（図１）。

したがって、[4]＝Dとなり、個人は３人、法人は２社であるので、[2]＝個人となる（図２）。

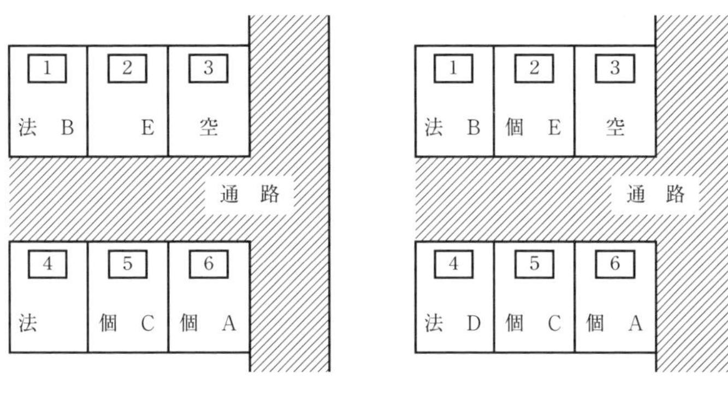

図1　図2

(ii)（B－E－空）が下側の場合

[4]＝B、[5]＝E、[6]＝空となるので、条件アから、[3]＝A（個人）、条件イから、[2]＝C（個人）となる（図３）。

したがって、[1]＝Dとなるが、BとEは個人または法人のどちらかはわからない（図４）。

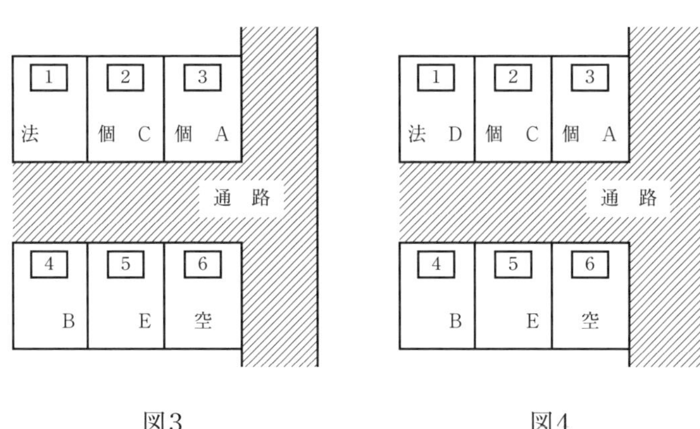

図3　図4

よって、図２および図４より正解は**4**である。

判断推理　位置関係

下の図のように、A～Gの７人が前を向いて横１列に並んでいる。次のア～ウのことがわかっているとき、確実にいえることとして、最も妥当なのはどれか。

前
左 ○○○○○○○ 右

ア　Aの両隣にはCとEが並んでおり、CとGとの間に２人が並んでいる。
イ　AはFより右側に、BはAより左側に、DはBより左側に並んでいる。
ウ　BはCともFとも隣り合っていない。

1　Aは右から３人目に並んでいる。

2　Bの左隣はDである。

3　BとEとの間に２人が並んでいる。

4　GはBより左側に並んでいる。

5　Fから左側に２人置いてGが並んでいる。

解説　正解　2

TAC生の正答率　81%

条件アの前半より、AはCとEに挟まれており、条件イより、F、B、DはいずれもAより左側に並んでいるから、A、C、Eの右側にはGが並んでいるか、誰も並んでいないかのどちらかになる。これをふまえ、条件アの後半を加えるとA、C、Eの並び方は次の表のいずれかになる。

①				C	A	E	G
②		G			C	A	E
③				G	E	A	C

条件イより、BはDより右側に並ぶから、一番左側には並んでいない。①の場合、条件ウよりBはCの左隣でもないから、Bは左から２番目に並んでいるが、これだとBとFが隣り合うので不適である。②の場合、Bは左端でもCの左隣でもないから、Bは左から３番目に並んでいるが、やはりBとFが隣り合うので不適である。③の場合、Bは左端でなく、左から２番目だとFと隣り合うので、Bは左から３番目に並んでいることになる。Dが左から２番目、Fが左端に並んでいれば、すべての条件を満たす。

③	F	D	B	G	E	A	C

よって、正解は**2**である。

判断推理　位置関係

2018年度 ❶
教養 No.10

平面図上にA～Fの異なる6つの地点がある。次のア～エのことがわかっているとき、確実にいえることとして、最も妥当なのはどれか。

ア　AはB、C、D、Eからの距離が等しい。
イ　BはA、C、D、Fからの距離が等しい。
ウ　CはA、B、E、Fからの距離が等しい。
エ　DはCから真南の方向にある。

1　AはFからちょうど南南西の方向にある。

2　BはDからちょうど東北東の方向にある。

3　CはFから真東の方向にある。

4　DとEの距離はAとFの距離と等しい。

5　EとFの距離はAとBの距離の2倍である。

解説　正解　5

TAC生の正答率　45%

条件アより、B、C、D、EはAを中心とした円周上にあり、条件イより、A、C、D、FはBを中心とした円周上にある。Aを中心とした円周上にB、Bを中心とした円周上にAがあるので、例えば、Aを真西、Bを真東として作図をし、さらに、2つの円に共通しているCとDは2つの円の交点にあることがわかる。さらに、条件エより、DはCの真南にあることがわかるので、A、B、C、Dの4つの地点に位置関係は図1のようになる。

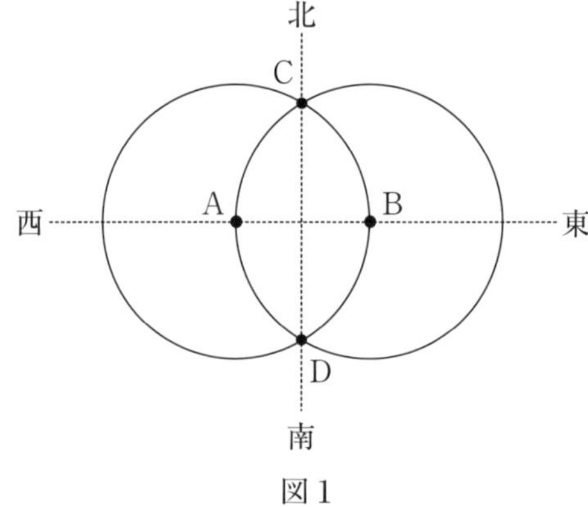

図1

条件ウより、A、B、E、FはCを中心とした円周上にあるので、図1にCの円を加えると図2のようになり、Aの円とCの円の交点（B以外）がEであり、Bの円とCの円の交点（A以外）がFとなる。よって、図2のように完成するが、東西について逆もあるので、図3もありえる。

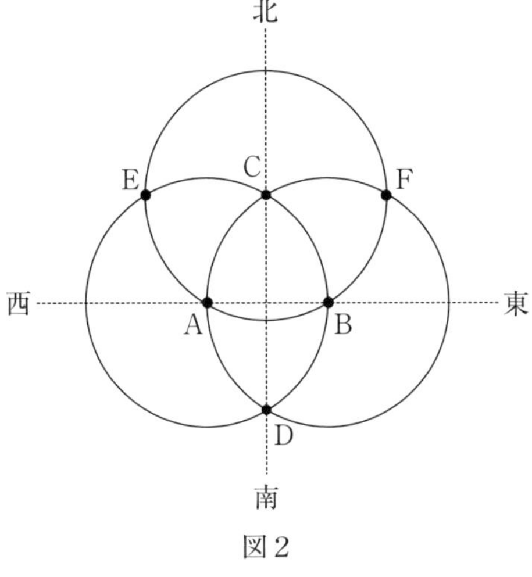

図２

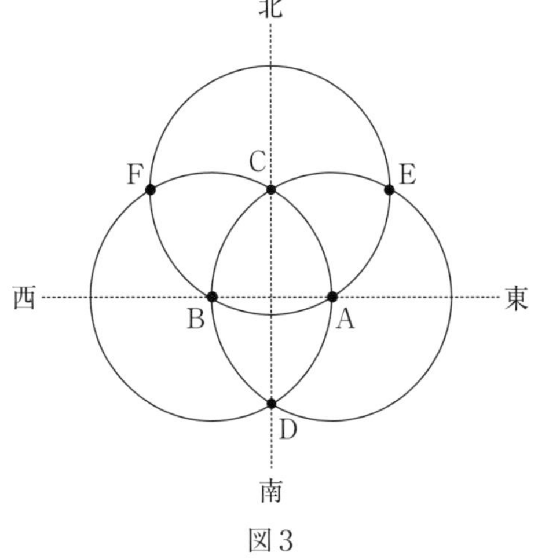

図３

選択肢を検討する。

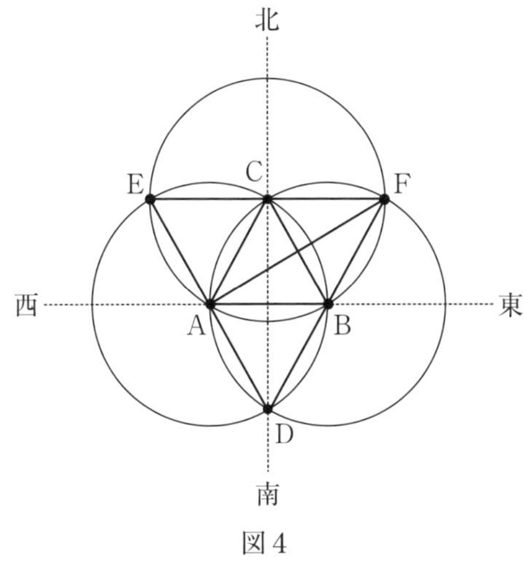

図４

1　×　図３より、ＡはＦからちょうど南南西の方向ではない。

2　×　図３より、ＢはＤからちょうど東北東の方向ではない。

3　×　図２より、ＣはＦの真東の方向ではない。

4　×　図４より、△ACE、△ABC、△ABDは合同な正三角形であるので、∠EAD＝180°となり、線分DEは円の直径の長さに等しい。線分AFは円の中心を通っていないので、直径の長さより短い。よって、ＤとＥの距離はＡとＦの距離と等しくない。

5　○　図４より、線分EFは円の直径の長さに等しく、線分ABは円の半径に等しい。よって、ＥとＦの距離はＡとＢの距離の２倍である。

現代文
英文
判断推理
空間把握
数的推理
資料解釈
法律
政治
経済

判断推理　暗号

2023年度❷
教養 No.14

ある暗号では、「アワビ」が「12：10、3：10、7：21」、「モズク」が「6：50、10：31、11：30」というように、時刻表示を利用して表される。この暗号法則で、「10：31、3：10、12：20、11：11、8：20」と表されるものとして、最も妥当なものはどれか。

1 「ギンギツネ」

2 「ガスコンロ」

3 「ズワイガニ」

4 「ブンカザイ」

5 「ドビンムシ」

解説　正解　3

平文の文字を推測する。「アワビ」、「モズク」はかなで３文字であり、暗号文も時刻の３単位からなるので、平文の文字はかなと推測できる。

また、かなと暗号文の単位が左から右へ同じ順で対応すると仮定して考えていく。

時刻の「分」を考える。「ア」、「ワ」の「分」がともに「10」であることからア段は「10」と表されると考えると、「ク」の「分」が「30」よりウ段は「30」、「モ」の「分」が「50」よりオ段は「50」となる。したがって、ア段＝「10」、イ段＝「20」、ウ段＝「30」、エ段＝「40」、オ段＝「50」と推測できる。このことから、「分」の「21」、「31」は濁点を表していると考えられ、「21」を「20」にすると、「ヒ」でイ段、「31」を「30」にすると、「ス」でウ段であるので矛盾しない。

時刻の「時」を考える。時刻の「分」がかなの「段」を表していたので、「時」はかなの「行」を表すのでないかと推測する。

「ア」は「ア行」で「時」は「12」、「ク」は「カ行」で「時」は「11」、「ス」は「サ行」で「時」は「10」であり、「タ行」は「９」、「ナ行」は「８」、…と対応すると考えることができる。実際、「ヒ」は「ハ行」で「時」は「７」、「モ」は「マ行」で「時」は「６」、「ワ」は「ワ行」で「時」は「３」であるので矛盾しない。

これらのことを五十音表に対応させたものが下表である。

段/行		ア	カ	サ	タ	ナ	ハ	マ	ヤ	ラ	ワ
		12	11	10	9	8	7	6	5	4	3
ア	10	12:10									3:10
イ	20										
ウ	30		11:30								
エ	40										
オ	50							6:50			
	11										
	21						7:21				
	31			10:31							
	41										
	51										

表より、「10：31」＝「ズ」、「3：10」＝「ワ」であるので、選択肢より、「ズワイガニ」となり、正解は**3**である。

判断推理　暗号　2023年度 ❶ 教養 No.14

ある暗号では、「静岡」が「6948693775127260」、「新潟」が「6348754872616660」、「鹿児島」が「7260721369485760」で表される。この暗号法則で「6360726169607248」と表されるものとして、最も妥当なものはどれか。

1　山形

2　神奈川

3　石川

4　和歌山

5　長崎

解説　正解　5

TAC生の正答率　76%

平文が示す文字を推測する。例文では、「静岡」をアルファベット(ローマ字)で示すと文字数は「SHIZUOKA」の８文字、仮名で示すと文字数は「しずおか」の４文字となる。同様にして、「新潟」は「NIIGATA」の７文字、「にいがた」の４文字、「鹿児島」は「KAGOSHIMA」の９文字、「かごしま」の４文字となる。

また、「静岡」を表す暗号文は「6948693775127260」で、１つの数字を１単位とすると、16単位となる。同様にして、「新潟」は「6348754872616660」で16単位、「鹿児島」は「7260721369485760」で16単位となる。よって、文字数と単位数を比べると、平文は仮名で、暗号文の４単位で１つの仮名に対応していると推測できる。

6	9	4	8	6	9	3	7	7	5	1	2	7	2	6	0
し				ず				お				か			

6	3	4	8	7	5	4	8	7	2	6	1	6	6	6	0
に				い				が				た			

7	2	6	0	7	2	1	3	6	9	4	8	5	7	6	0
か				ご				し				ま			

「か」、「た」、「ま」を見ると、暗号文の単位の「60」が共通であり、この３つの仮名に共通するのはア段の仮名である。同様にして、「い」、「し」、「に」を見ると、「48」が共通であり、この３つの仮名に共通するのはイ段の仮名である。また、「か」、「が」、「ご」を見ると、「72」が共通であり、この３つの仮名に共通するのはカ（ガ）行の仮名である。同様にして、「し」、「ず」を見ると、「69」が共通であり、この２つの仮名に共通するのはシ（ジ）行の仮名である。

よって、暗号の４単位のうち前の２単位は子音、後の２単位は母音を表していると推測でき、これらのことを五十音表に反映させたものが表１となる。

表1		イ行	カ行	サ行	タ行	ナ行	ハ行	マ行
		75	72	69	66	63		57
ア段	60	あ	か	さ	た	な	は	ま
イ段	48	い	き	し	ち	に	ひ	み
ウ段		う	く	す	つ	ぬ	ふ	む
エ段		え	け	せ	て	ね	へ	め
オ段	12	お	こ	そ	と	の	ほ	も
			ガ行	ザ行				
ア段	61		が	ざ				
イ段			ぎ	じ				
ウ段	37		ぐ	ず				
エ段			げ	ぜ				
オ段	13		ご	ぞ				

表1より、段は12ずつ減っていき、行は3ずつ減っていくことが推測でき、このことを反映させたものが表2である。

表2		イ行	カ行	サ行	タ行	ナ行	ハ行	マ行
		75	72	69	66	63	60	57
ア段	60	あ	か	さ	た	な	は	ま
イ段	48	い	き	し	ち	に	ひ	み
ウ段	36	う	く	す	つ	ぬ	ふ	む
エ段	24	え	け	せ	て	ね	へ	め
オ段	12	お	こ	そ	と	の	ほ	も
			ガ行	ザ行				
ア段	61		が	ざ				
イ段	49		ぎ	じ				
ウ段	37		ぐ	ず				
エ段	25		げ	ぜ				
オ段	13		ご	ぞ				

よって、表2より、「(6360)(7261)(6960)(7248)」が示すのは「ながさき」=「長崎」であるので、正解は**5**である。

判断推理　暗号

2020年度 ❶ 教養 No.12

ある暗号で、「源（みなもと）」は「ＬＧＫＷＨＩＭＧ」、「平（たいら）」は「ＳＹＦＮＶ」と表すことができるとき、暗号「ＳＹＨＷＰＤＢ」が表す名前を含む人物として、最も妥当なのはどれか。

1 源　頼朝

2 平　清盛

3 北条泰時

4 足利尊氏

5 徳川家康

解説　正解　4

TAC生の正答率 58%

「みなもと」は、暗号では８つの文字で表されており、かなでは４字、アルファベットでは「ＭＩＮＡＭＯＴＯ」で８字なので、アルファベットどうしの置き換え（ずらし読み）であると推測できる。どのように置き換え（ずらし読み）されているかを考える。暗号の１文字目の「Ｌ」に対し、平文の１文字目の「Ｍ」はアルファベット順で１文字後にずらしたものである。暗号の２文字目の「Ｇ」に対し、平文の２文字目の「Ｉ」はアルファベット順で２文字後にずらしたものである。暗号の３文字目の「Ｋ」に対し、平文の２文字目の「Ｎ」はアルファベット順で３文字後にずらしたものである。以下同様に考えると、暗号のｘ文字目をアルファベット順でｘ文字後ろにずらすと平文になると推測できる。

暗号	L	G	K	W	H	I	M	G
	+1	+2	+3	+4	+5	+6	+7	+8
平文	M	I	N	A	M	O	T	O

暗号	S	Y	F	N	V
	+1	+2	+3	+4	+5
平文	T	A	I	R	A

設問の暗号を同様にしてずらして読むと、「ＴＡＫＡＵＪＩ」となる。

暗号	S	Y	H	W	P	B	D
	+1	+2	+3	+4	+5	+6	+7
平文	T	A	K	A	U	J	I

よって、正解は**4**である。

ある暗号で、「空（そら）」は「ＨＰＢ」、「空気」は「ＺＲＩ」と表すことができるとき、暗号「ＤＺＧＶＩ」が表すものとして、最も妥当なのはどれか。

1　雲

2　水

3　夢

4　地球

5　光

解説　**正解　2**　TAC生の正答率　59%

平文に対し暗号文の文字数を調べてみると、「空（そら）」が「ＨＰＢ」の３文字、「空気」が「ＺＲＩ」の３文字と表されているが、平文をかなやローマ字表記にしても字数が合わない。そこで、平文を英訳して、「空（そら）」を「ｓｋｙ」とし、「空気」も「ａｉｒ」とすれば、暗号文の字数と合うので、このまま推論を進めてみる。

「ｓｋｙ」と「ＨＰＢ」、「ａｉｒ」と「ＺＲＩ」の各アルファベットどうしが、それぞれ同じ順に対応しているとすれば、ｒ→Ｉ、ｓ→Ｈなので、他の文字も含めて、次のように対応していると言える。ただし、上が平文、下が暗号文である。

平文	a	b	c	d	e	f	g	h	i	j	k	l	m
暗号文	Z	Y	X	W	V	U	T	S	R	Q	P	O	N
平文	n	o	p	q	r	s	t	u	v	w	x	y	z
暗号文	M	L	K	J	I	H	G	F	E	D	C	B	A

暗号文「ＤＺＧＶＩ」は、上表より、「ｗａｔｅｒ」と解読でき、平文は「水」であるから、正解は**2**である。

判断推理 暗号

2018年度 ❶ 教養 No.12

ある暗号で「庚火・壬木・甲火・戊水・辛土・庚金」が「みらいのゆめ」と読めるとき、暗号「丁水・乙金・甲火」が表すものとして、最も妥当なのはどれか。

1 こけい

2 こせい

3 こてい

4 そせい

5 とけい

解説 正解 5

TAC生の正答率 44%

1つの暗号は漢字2つで表されているので、平文の文字種を仮名と考えれば、漢字の1つが母音、もう1つが子音に対応していると推測できる。

「み」と「い」はイ段（i）であり、共通して暗号に「火」が含まれており、「み」と「め」はマ行であり、共通して暗号に「庚」が含まれている。ゆえに、1つの暗号の左側は子音、右側は母音 a、i、u、e、o を表していると推測できる。

暗号	庚	火	壬	木	甲	火	戊	水	辛	土	庚	金
平文	み	i	ら	a	い	i	の	o	ゆ	u	め	e

これらを五十音表に整理すると、次のようになる。

		甲				戊		庚	辛	壬	
a	木	あ	か	さ	た	な	は	ま	や	ら	わ
i	火	い	き	し	ち	に	ひ	み		り	
u	土	う	く	す	つ	ぬ	ふ	む	ゆ	る	
e	金	え	け	せ	て	ね	へ	め		れ	
o	水	お	こ	そ	と	の	ほ	も	よ	ろ	を

解読する暗号の左側の漢字には、丁、乙、甲が使われており、これらの漢字は甲乙（丙）丁の順であると推測できるので、「丁水」＝「と」、「乙金」＝「け」と対応し、平文は「とけい」となる。ちなみに、1つの暗号の左側の漢字は十干（甲乙丙丁戊己庚辛壬癸）、右側の漢字は五行（木火土金水）である。

よって、正解は**5**である。

発言

20枚のカードがあり、どのカードも表には1桁の整数が1つずつ書かれ、裏は青または黄のいずれかに塗られている。Aは20枚の中から4枚のカードを選び、自分にしか見えないように下の図のように机の上に並べた。その後、Bに対して机の上のカードを見せ、次のように述べた。

「私が並べた4枚のカードのうち、表が偶数のカードはすべて裏が青である。」

このAの発言が正しいかどうかを確かめるために、Bが必ずめくって見なければならないカードとして、最も妥当なものはどれか。

5	黄	8	青

1　5のカードと黄のカード

2　5のカードと8のカード

3　黄のカードと8のカード

4　黄のカードと青のカード

5　8のカードと青のカード

解説　正解　3

TAC生の正答率　52%

「表が偶数のカードはすべて裏が青である」の発言が正しいかどうかを確かめるためには、表が「8」のカードをめくって青かどうか確かめて見なければならない。また、この発言の対偶は、「表が青ではないカードはすべて裏が偶数ではない」、つまり、「表が青以外のカードはすべて裏が奇数である」だから、表が「黄」のカードをめくって奇数かどうか確かめて見なければならない。

よって、これ以外のカードはめくって見る必要はないので、正解は**3**である。

判断推理　発言　2023年度 ❶ 教養 No.12

６人が円卓に、互いの顔が見えるように着席している。赤い帽子と白い帽子を１個ずつ、黒い帽子を５個用意し、これらを６人に見せた後、この中から１人に１個ずつ選んで頭に被せた。６人は、それぞれ自分の帽子は見えないが、ほかの５人の帽子は見ることができる。６人に、自分の帽子の色がわかるか否か尋ねたところ、６人は同時に「わからない」と答えた。６人が同時に「わからない」と答えたことにより、自分の帽子の色を正確に把握できる者の人数として、最も妥当なものはどれか。

1　１人

2　２人

3　３人

4　４人

5　５人

解説　正解　5　TAC生の正答率 45%

赤い帽子１個、白い帽子１個、黒い帽子５個のうち６人の頭に１個ずつ被せた帽子６個の色の組合せは、(赤，白，黒) = (１個，１個，４個)、(１個，０個，５個)、(０個，１個，５個) の３通りが考えられ、６人全員は、この３通りの組合せを頭の中で考えている。よって、場合分けをして考える。

(i) (赤，白，黒) = (１個，１個，４個) の場合

６人は７個の帽子の色の内訳を知っているので、黒い帽子を被せられた４人は、赤い帽子と白い帽子を見ることで、自分たちに被せられた帽子の色を見ることなく、自分たちは「黒い帽子を被せられた」と知り、「わかる」と答える。よって、この場合は、６人は同時に「わからない」とは答えない。

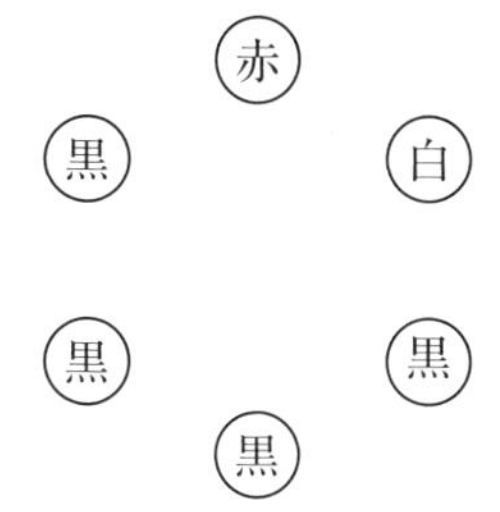

(ii) (赤，白，黒) = (１個，０個，５個) の場合

黒い帽子を被せられた５人は、だれも赤い帽子１個と黒い帽子４個を見ても、自分に被せられた帽子の色が白いのか黒いのかはわからない。また、赤い帽子を被せられた１人は、黒い帽子５個を見ても、自分に被せられた帽子の色が赤いのか白いのかはわからない。よって、この場合は、６人は同時に「わからない」と答える。

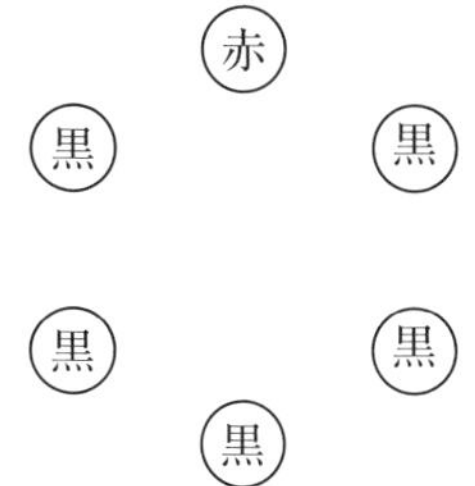

よって、６人全員が帽子の色の組合せが(i)ではないと知り、黒い帽子は５個あるとわかる。黒い帽子を４個、赤い帽子を１個見ることができる５人は、自分たちに被せられた帽子の色を見ることなく、自分たちは「黒い帽子を被せられた」と知り、「わかる」と答える。このことは、(iii) (赤，白，黒) = (０個，１個，５個) の場合においても同じことがいえる。

よって、正解は**5**である。

判断推理　発言

2022年度 ❷
教養 No.9

A～Eの５人が、それぞれ１個から５個の異なる個数のビー玉を持っている。A～Eの５人は次のように発言したが、その内容はすべて誤りであることがわかった。このとき、確実にいえることとして、最も妥当なのはどれか。

A「私のビー玉は、Bより少ない。」
B「私のビー玉は、Cより少ない。」
C「Dのビー玉が一番少ない。」
D「私のビー玉とEのビー玉との差は１個である。」
E「５人の中で、私のビー玉が一番多い。」

1　Aはビー玉を５個持っている。

2　Bはビー玉を３個持っている。

3　CのビーアはDより少ない。

4　Dのビー玉はEより多い。

5　Eのビー玉はCより少ない。

解説　正解　3

５人の内容はすべて誤りであるので、正しい内容は次のようになる。なお、条件を簡潔にしたいので、「ビー玉」という言葉は省略してある。

「ＡはＢより多い」、「ＢはＣより多い」より、まとめると、Ａ、Ｂ、Ｃの個数は「Ｃ<Ｂ<Ａ」…①

「Ｄが一番少なくない」つまり、「Ｄは１個ではない」…②

「ＤとＥとの差は１個ではない」…③

「Ｅが一番多くない」つまり、「Ｅは５個ではない」…④

よって、②よりＤの個数は２～５個であるので、Ｄの個数で場合分けして考える。

(i)　Ｄが２個の場合

③よりＥの個数は４個または５個であるが、④よりＥは４個とわかる。これに①を加えると５人の個数がわかる(次表)。

個数	1	2	3	4	5
	C	D	B	E	A

(ii)　Ｄが３個の場合

③よりＥの個数は１個または５個であるが、④よりＥは１個とわかる。これに①を加えると、５人の個数がわかる（次表）。

個数	1	2	3	4	5
	E	C	D	B	A

(iii)　Ｄが４個の場合

③よりＥの個数は１個または２個であり、いずれも④を満たす。よって、これらに①を加えると、５人の個数がわかる（次表）。

個数	1	2	3	4	5
	E	C	B	D	A
	C	E	B	D	A

(iv)　Ｄが５個の場合

③よりＥの個数は１個か２個か３個であり、いずれも④を満たす。よって、これらに①を加えると、５人の個数がわかる（次表）。

個数	1	2	3	4	5
	E	C	B	A	D
	C	E	B	A	D
	C	B	E	A	D

よって、正解は**3**である。

判断推理　発言

Ａ～Ｃの３人が、それぞれアメリカ、インド、オーストラリアのいずれか異なる国に旅行した。以下のことがわかっているとき、正しい旅行者と行先の組合せとして、最も妥当なのはどれか。なお、１人は全てを正直に答えており、１人は前半と後半のどちらかが正しくどちらかが偽りであり、１人は全てが偽りである。

Ａ「アメリカに行ったのはＢです。インドに行ったのはＣです。」
Ｂ「アメリカに行ったのはＡです。インドに行ったのはＣです。」
Ｃ「オーストラリアに行ったのはＡです。インドに行ったのはＢです。」

1　ＡがオーストラリアにＢがアメリカに行った。

2　Ａがアメリカに、Ｂがインドに行った。

3　Ｃがアメリカに、Ａがインドに行った。

4　Ｃがオーストラリアに、Ａがインドに行った。

5　Ｃがインドに、Ｂがオーストラリアに行った。

解説　正解　5

全てを正直に答えているのが誰かで場合分けをする（○は正直、×は偽り）。

(i)　Aが全てを正直に答えている場合

この場合、アメリカに行ったのはB、インドに行ったのはCで、残るオーストラリアに行ったのはAとなる。よって、発言の真偽は次表のようになるが、B、Cともに正しい発言を１つずつしているので、この場合は不適である。

A	アメリカ＝B	○	インド＝C	○
B	アメリカ＝A	×	インド＝C	○
C	オーストラリア＝A	○	インド＝B	×

(ii)　Bが全てを正直に答えている場合

この場合、アメリカに行ったのはA、インドに行ったのはCで、残るオーストラリアに行ったのはBとなる。よって、発言の真偽は次表のようになり、Aは正しい発言が１つ、Cはともに偽りの発言なので、この場合は適する。

A	アメリカ＝B	×	インド＝C	○
B	アメリカ＝A	○	インド＝C	○
C	オーストラリア＝A	×	インド＝B	×

(iii)　Cが全てを正直に答えている場合

この場合、オーストラリアに行ったのはA、インドに行ったのはBで、残るアメリカに行ったのはCとなる。よって、発言の真偽は次表のようになるが、A、Bともに全てが偽りの発言なので、この場合は不適である。

A	アメリカ＝B	×	インド＝C	×
B	アメリカ＝A	×	インド＝C	×
C	オーストラリア＝A	○	インド＝B	○

以上より、正解は**5**である。

判断推理　操作手順

外見からは区別できない３つの箱A、B、Cがある。箱Aには赤い球が２個と白い球が18個、箱Bには赤い球が17個と白い球が３個、箱Cには赤い球が10個と白い球が10個入っている。３つある箱のうちどれか１つを選び、中から球を取り出して球の色を調べることによって、その箱がA、B、Cのいずれであるかを判断したい。A、B、Cいずれの箱であるか確実に判断するために、取り出さなければならない球の最少個数として、最も妥当なものはどれか。

1　13個

2　14個

3　15個

4　16個

5　17個

解説　正解　2

TAC生の正答率　36%

箱Aと箱Bを考える。この2つの箱において、色ごとの最少個数は、赤い球が箱Aの2個、白い球が箱Bの3個であるので、仮に5個を取り出し、色を調べた結果、赤い球が2個、白い球が3個であると、箱Aと箱Bの区別がつかない。そこで、球を1個プラスして6個を取り出せば、赤い球が1個プラスされたならば箱B、白い球が1個プラスされたならば箱Aと区別できる。よって、取り出さなければならない球の最少個数は6個である。

赤	白
2個	3個
AまたはB	

赤	白
3個	3個
B	

赤	白
2個	4個
A	

箱Aと箱Cを考える。この2つの箱において、色ごとの最少個数は、赤い球が箱Aの2個、白い球が箱Cの10個であるので、仮に12個を取り出し、色を調べた結果、赤い球が2個、白い球が10個であると、箱Aと箱Cの区別がつかない。そこで、球を1個プラスして13個を取り出せば、赤い球が1個プラスされたならば箱C、白い球が1個プラスされたならば箱Aと区別できる。よって、取り出さなければならない球の最少個数は13個である。

赤	白
2個	10個
AまたはC	

赤	白
3個	10個
C	

赤	白
2個	11個
A	

箱Bと箱Cを考える。この2つの箱において、色ごとの最少個数は、赤い球が箱Cの10個、白い球が箱Bの3個であるので、仮に13個を取り出し、色を調べた結果、赤い球が10個、白い球が3個であると、箱Bと箱Cの区別がつかない。そこで、球を1個プラスして14個を取り出せば、赤い球が1個プラスされたならば箱B、白い球が1個プラスされたならば箱Cと区別できる。よって、取り出さなければならない球の最少個数は14個である。

赤	白
10個	3個
BまたはC	

赤	白
11個	3個
B	

赤	白
10個	4個
C	

3つの箱をすべて区別することを考えた場合、取り出さなければならない球の最少個数は14個であり、正解は**2**である。

判断推理 | 操作手順 | 2022年度 ❶ 教養 No.11

　大きさ、形、色が全く同じコインが90枚ある。その中の89枚は本物で重さはすべて同じだが、１枚だけ偽物が混じっており、偽物は本物のコインよりも軽い。天秤ばかり１台を使ってこの偽物１枚を確実に見つけ出すとき、天秤ばかりを使用する最少の回数として、最も妥当なのはどれか。ただし、偶然わかった場合は最少の回数としないものとする。

1　３回

2　４回

3　５回

4　６回

5　７回

解説　正解　3　　TAC生の正答率 59%

　90枚のコインを30枚ずつの３つのグループ（天秤ばかりの左側をＡグループ、右側をＢグループ、天秤ばかりに載せないのをＣグループ）に分ける。天秤ばかりが釣り合えばＣグループに偽物があり、釣り合わなければ軽い方に偽物がある（１回目）。次に30枚のコインを10枚ずつ同様に３つのグループに分ける。天秤ばかりが釣り合えばＣグループに偽物があり、釣り合わなければ軽い方に偽物がある（２回目）。さらに、10枚のコインを３枚（Ａ）、３枚（Ｂ）、４枚（Ｃ）の３つのグループに分ける。天秤ばかりが釣り合えばＣグループに偽物があり、釣り合わなければ軽い方に偽物があるので、残り枚数の多いＣグループの４枚に偽物があった場合で考える（３回目）。４枚のコインを１枚（Ａ）、１枚（Ｂ）、２枚（Ｃ）の３つのグループに分ける。天秤ばかりが釣り合えばＣグループに偽物があり、釣り合わなければ軽い方に偽物があるので、残り枚数の多いＣグループの２枚に偽物があった場合で考える（４回目）。２枚のコインを１枚（Ａ）、１枚（Ｂ）の２つのグループに分けると、軽い方が偽物と判断できる（５回目）。

　よって、正解は**3**である。

太郎さんと花子さんがドングリを使って、次のようなルールでゲームを行う。

・ドングリは、50個ある。
・ドングリを最小で1個、最大で5個ずつ交互に取っていく。
・最後の50個目を取ることになった者が負けとする。

太郎さんが先攻のとき、太郎さんが花子さんに必ず勝つために、最初に取らなければならないドングリの個数として、最も妥当なのはどれか。

1　1個

2　2個

3　3個

4　4個

5　5個

解説　正解　1

自分がドングリを取った後に残り1個にして相手の手番にすると、相手は最後の1個を取ることになるので必ず勝てる。この状況にするために、どのように取ればいいのかを考える。

残り2個で相手の手番にすると、相手は1個を取り、最後の1個は自分が取ることになって負ける。残り3個で相手の手番にすると、相手は2個を取り、最後の1個は自分が取ることになって負ける。同様に考えると、残り2個～6個で相手の手番にすると、最後の1個は自分が取ることになって負ける。

残り7個で相手の手番にすると、相手が1個取ったら自分は5個、相手が2個取ったら自分は4個、というように、相手と自分の取る個数の合計を6個にすることによって、残り1個にして相手の手番にできるので必ず勝てる。同様に、残り7個で相手の手番にするためには、相手と自分の取る個数の合計を必ず6個にできるから、残りを7＋6＝13[個]にして相手の手番にすればよい。

以上より、必ず勝つためには、残りの個数を1＋（6の倍数）にして相手の手番にすればよい。初めに50個ある場合は、1＋6×8＝49より、49個にして相手の手番にすれば勝てる。

したがって、最初に取るべき個数は50－49＝1[個]であるから、正解は**1**である。

空間把握　正多面体

2019年度 ❶ 教養 No.14

下の図のような正十二面体において、１つの頂点から出発し、一度通った辺を通らないようにして全ての頂点を通過して出発点に戻るとき、通らないですむ辺の最大の本数として、最も妥当なのはどれか。

1　5本

2　8本

3　10本

4　13本

5　15本

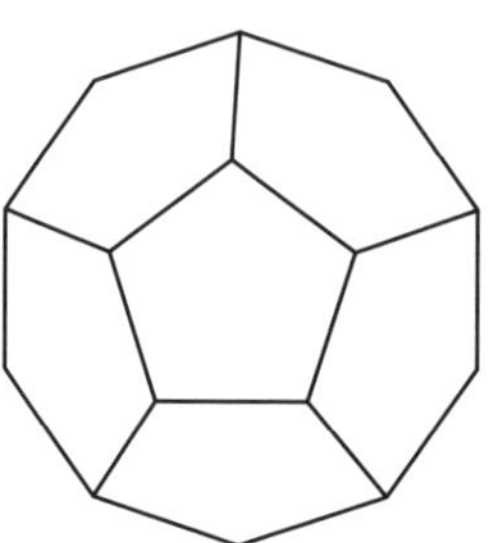

解説　正解 3

TAC生の正答率 28%

１つの頂点から出発し、一度通った辺を通らないようにして全ての頂点を通過して出発点に戻る図形を考えると、一筆書きできる図形であり、かつ、全て偶点図形となる。正十二面体の各頂点には辺が３本集まっているので、全て奇点図形である。よって、各頂点から１本の辺を取り除けば、全て偶点図形となる。正十二面体の頂点数は20個であり、１つの頂点から１本辺を取り除けば、辺の両端の２つの頂点がそれぞれ、辺が２本集まる偶点となるので、辺を合計10本取り除けば、20個の頂点は全て偶点となる。

よって、正解は**3**である。ちなみに、通り方の一例は、下図のようになる。

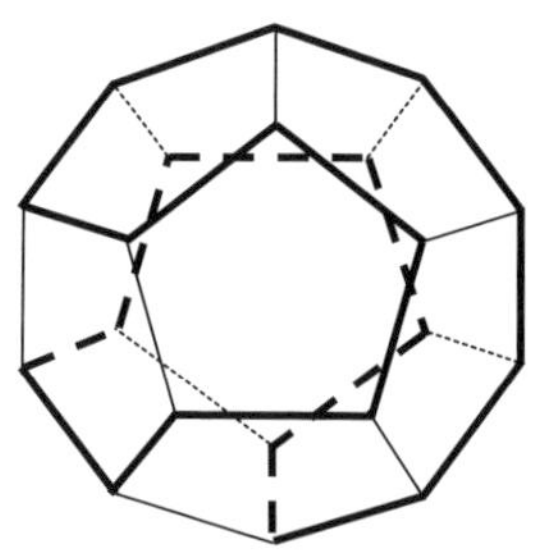

下の正八面体の展開図を組み立てたとき、他と異なるものとして、最も妥当なのはどれか。

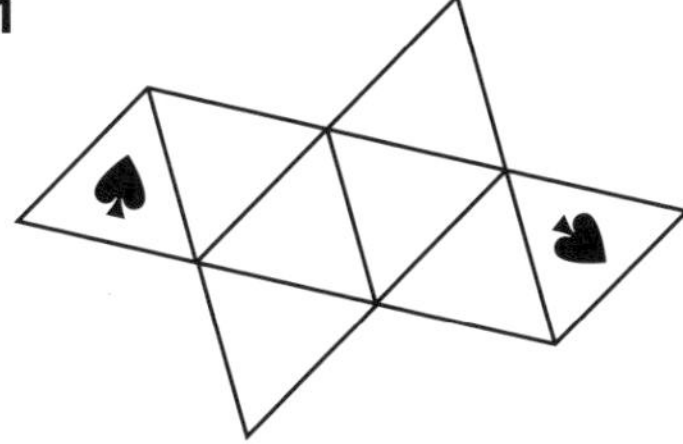

2

3

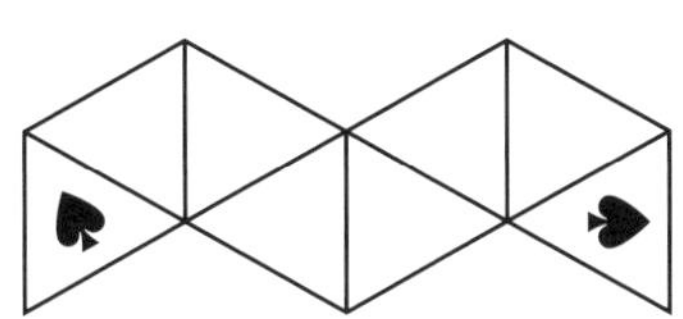

4

5

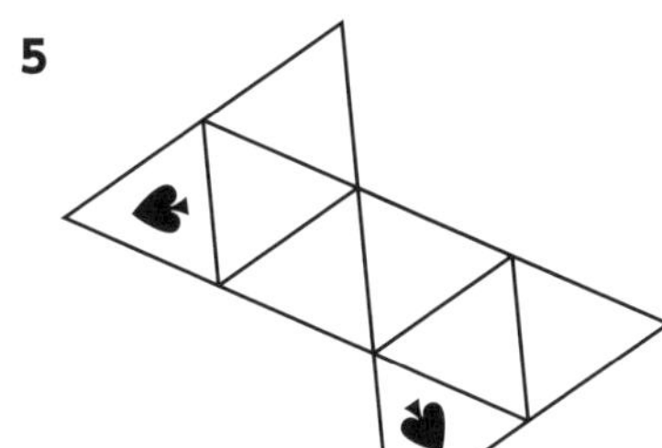

解説　正解 4

TAC生の正答率 54%

スペードのマークのある面どうしを近づけて、２面のマークの向きに注意して検討する。

1 ×　２段目は６面が並んでいるので、①の面をこのまま②の面の右側に平行移動する。

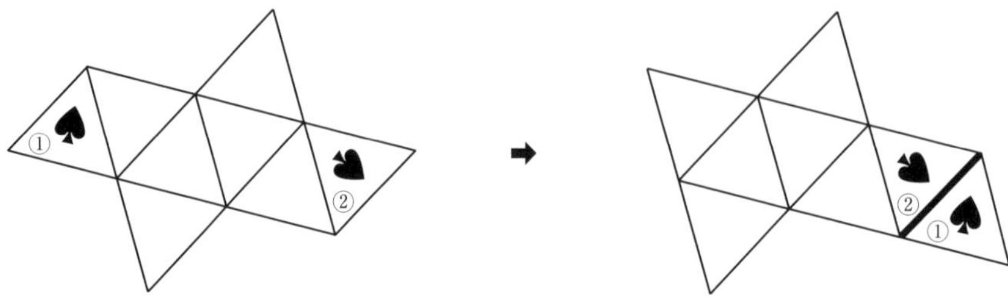

2 ×　①と②の面をセットで●を中心に回転移動をして、さらに、そこから②の面を③の面の下に回転移動する。

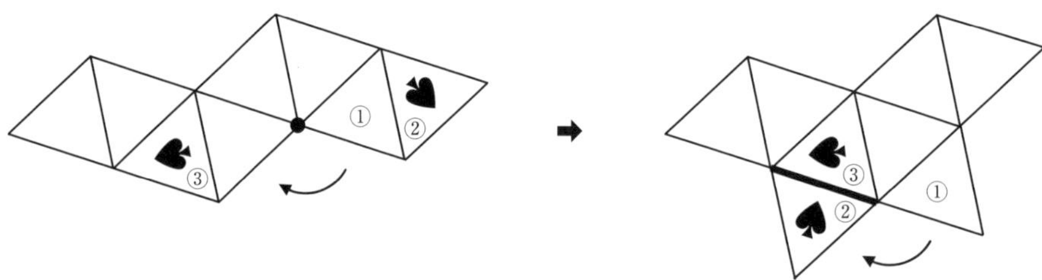

3 ×　①の面を●を中心に③の面の下に回転移動する。②の面を回転移動した①の面の下まで回転移動する。

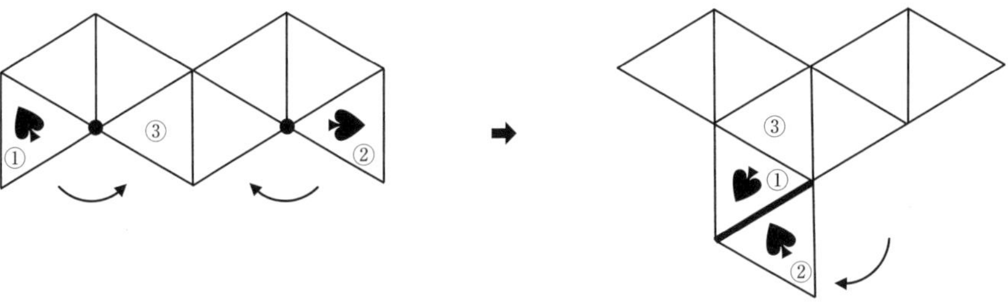

4 ○　①の面を●を中心に②の面の右側に回転移動する。回転移動後、２段目に６面が並んでいるので、③の面をこのまま①の面の右側に平行移動する。

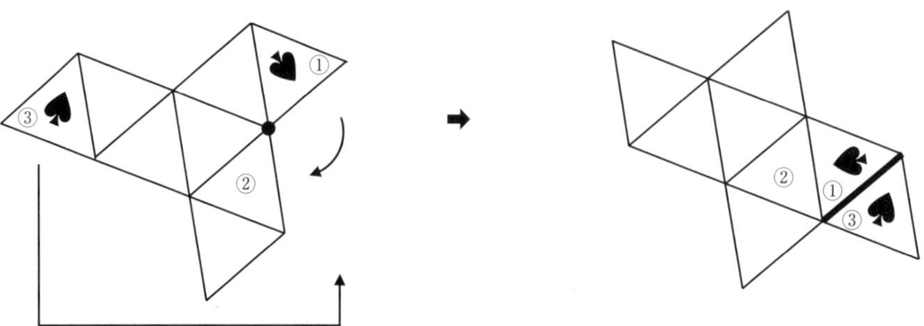

5　×　２段目は６面が並んでいるので、①の面をこのまま②の面の右側に平行移動する。さらに、③の面を●を中心に平行移動した①の面の下に回転移動する。

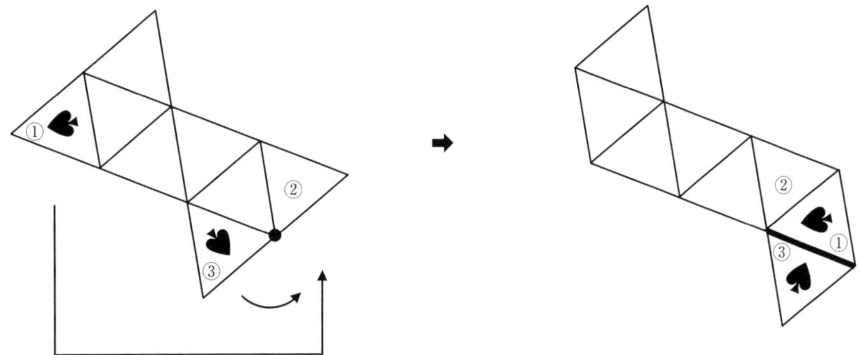

よって、**4**のみが２つのスペードのマークのどちらもが太線部分の方向に先端が向いていないので、正解は**4**となる。

空間把握 展開図

2019年度 ❷ 教養 No.13

下の展開図を組み立てて正八面体を作ったとき、面Aと平行になる面として、最も妥当なのはどれか。

1 ア

2 イ

3 ウ

4 エ

5 オ

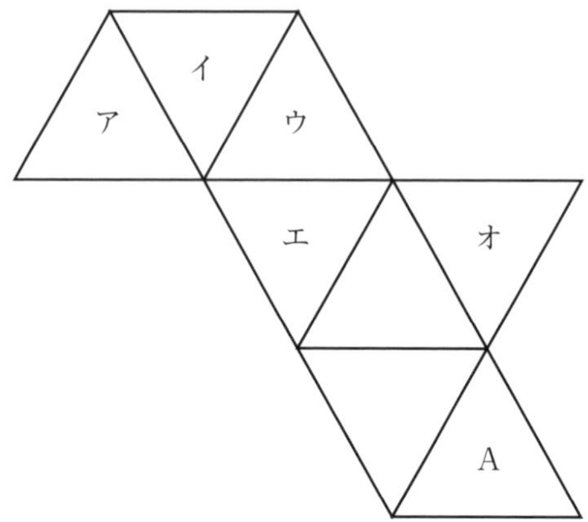

解説　　正解　**4**

正八面体の展開図を組み立てた場合、正三角形の面が一直線上に４つ連なって接している部分の、左右の両端の面どうしが平行面となる。

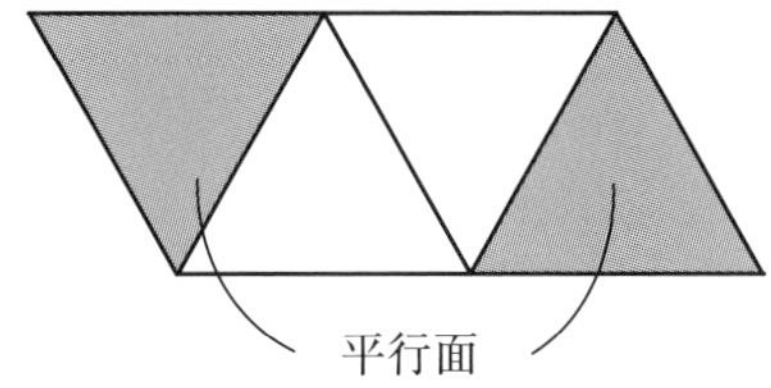

したがって、面Ａと平行になる面はエとなるので、正解は**4**である。

空間把握　展開図

各面に○、●、×、■、◆の５種類の記号と何も描かれていない無地の面をもつ立方体Ａがある。ア〜オの図のうち、４つは立方体Ａを異なる角度から見たものであるが、１つは記号の配置が異なる別の立方体Ｂである。立方体Ｂを示した図として、最も妥当なのはどれか。

ア
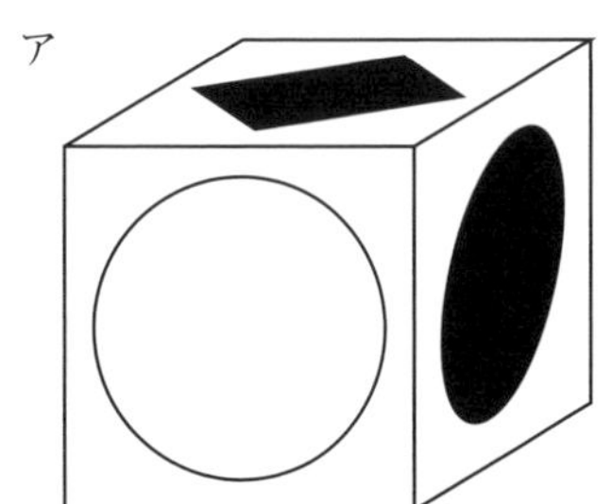

イ
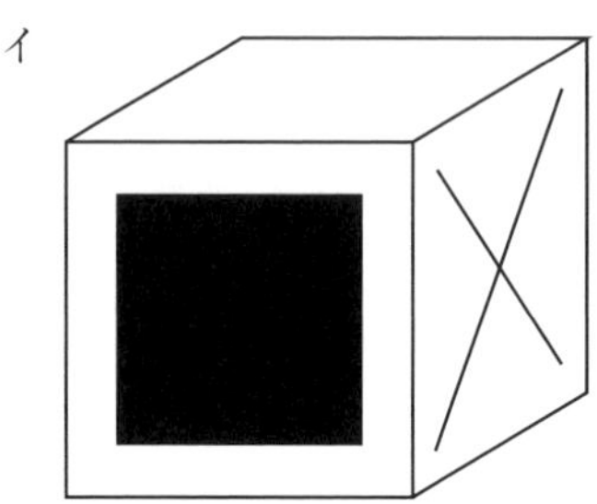

ウ
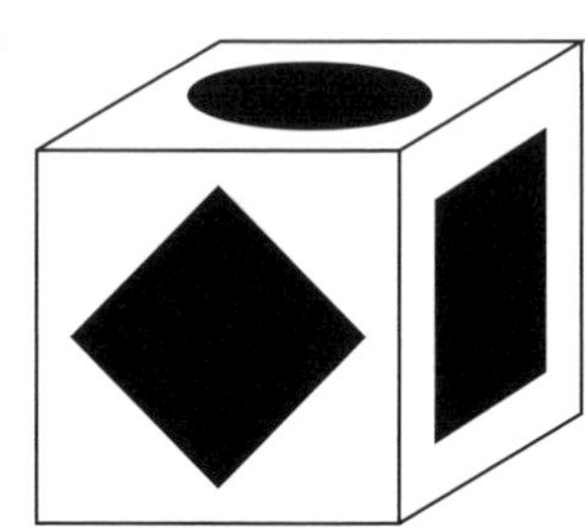

エ
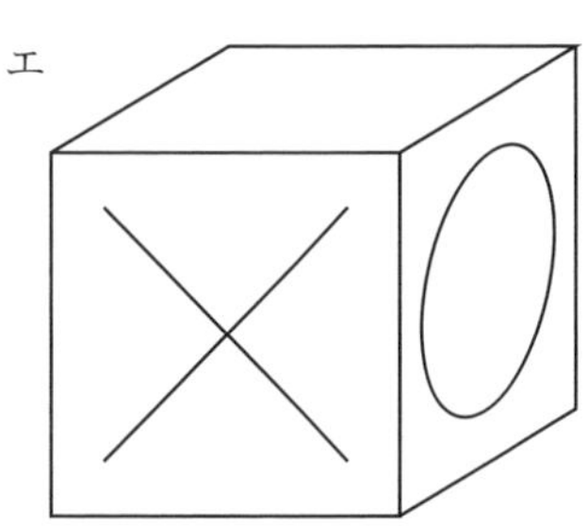

オ
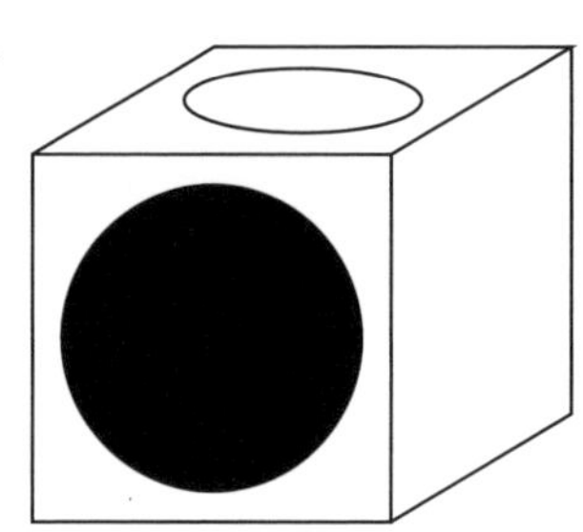

1　ア

2　イ

3　ウ

4　エ

5　オ

解説　正解　1　TAC生の正答率 53%

立方体アの右上前の頂点に集まっている３面は、頂点に対して時計回りに●→○→◆の順に配列している。立方体オの右上前の頂点に集まっている３面は、頂点に対して時計回りに●→○→（無地）の順に配列している。よって、立方体アとオは異なるものである。

さらに、立方体ウの右上前の頂点に集まっている３面は、頂点に対して時計回りに◆→●→■の順に配列しており、立方体アの右上前の頂点に集まっている３面は、頂点に対して時計回りに◆→●→○の順に配列している。よって、立方体ウとアは異なる。

よって、立方体Ｂはアであり、正解は**1**となる。

空間把握　立体の切断

2022年度 ❶
教養 No.13

下の図は、球に直円錐が内接したものである。この立体を平面で切断したときの断面として、最も妥当なのはどれか。

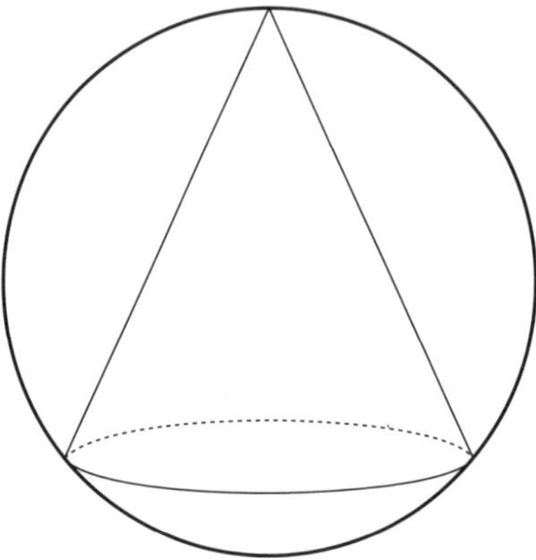

1

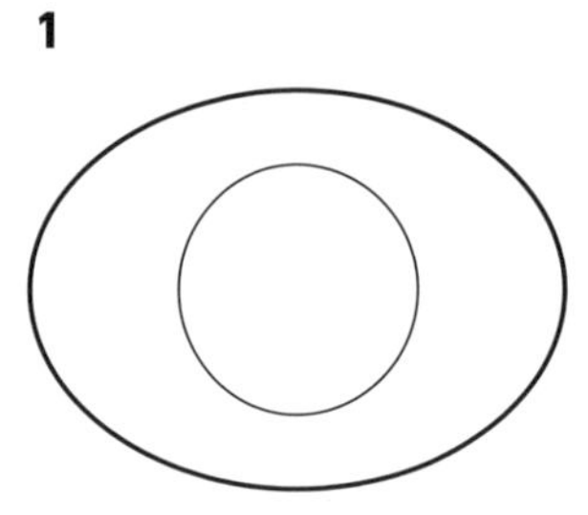

2

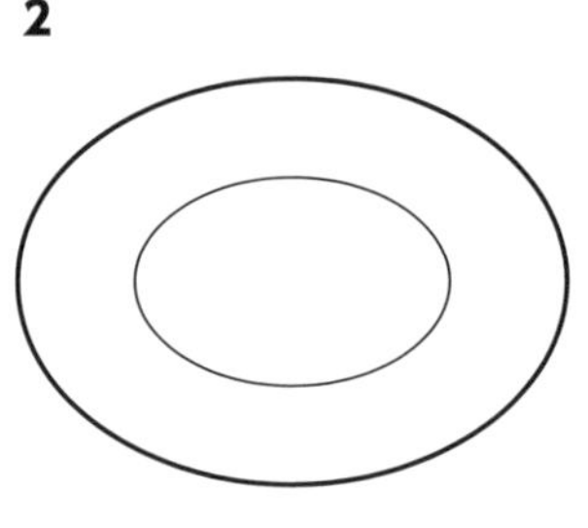

3

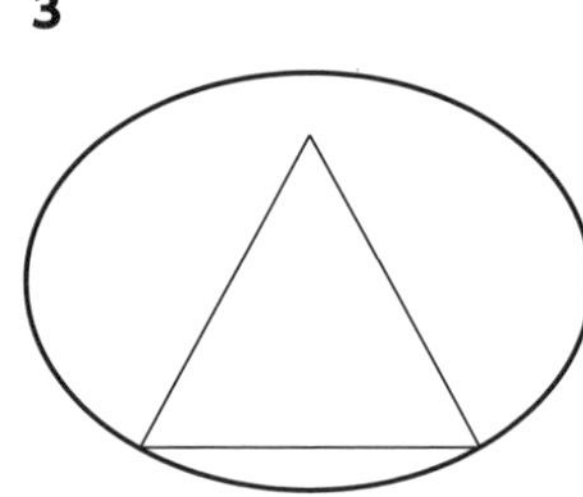

4　**5**

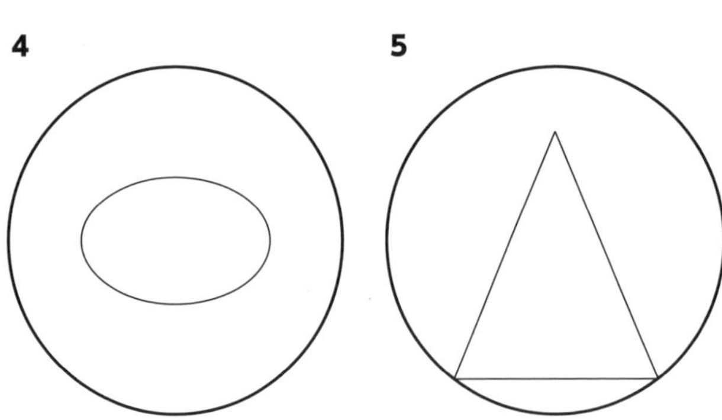

解説　正解　4　TAC生の正答率 53%

球は平面でどのように切断しても切断面は円となるので、**1**、**2**、**3**は不適である。

円錐の頂点を通り、底面と垂直な平面で切断すると、切断面は二等辺三角形になるが、**5**は二等辺三角形の頂点が円に内接していないので不適である。

よって、消去法より、正解は**4**である。なお、円錐の母線に平行ではなく、底面にも平行でない平面で切断すると、**4**のような切断面となる。

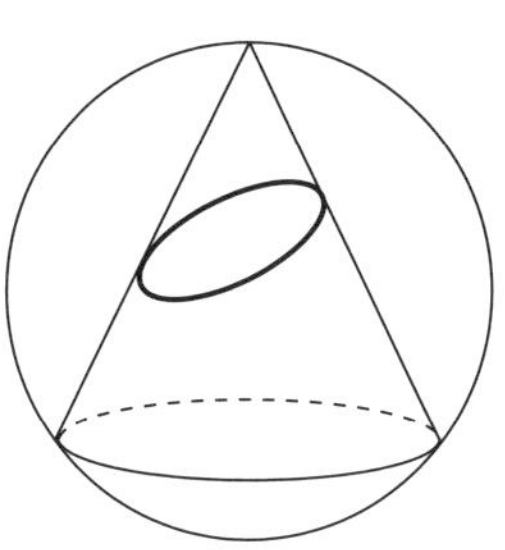

空間把握　立体の切断

2021年度
教養 No.14

下の図は立方体を３つ積み上げたものである。A、B、Cの３つの頂点を通る平面で切断したときの断面の様子として、最も妥当なのはどれか。

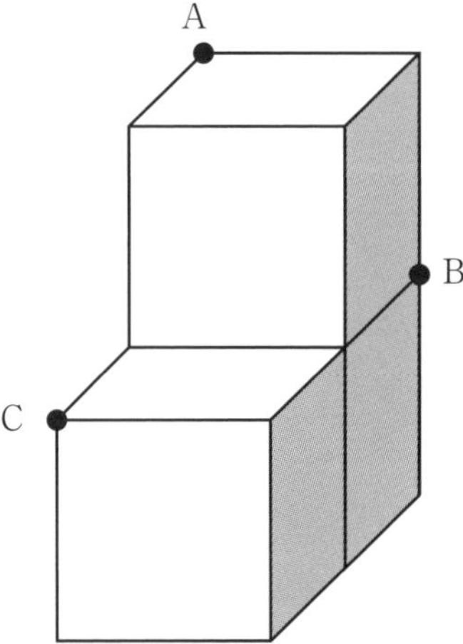

1

2

3

4

5

解説　　正解　3　　TAC生の正答率 51%

点AとB、点AとC、点BとCはそれぞれ同一平面上にある２点なので、直線で結ぶと切断線AB、切断線AC、切断線BCができる。切断線AC、切断線BCと正方形の１辺との交点をそれぞれD、Eとする。点DとEは同一平面上にある２点なので、直線で結ぶと切断線DEができる（図１）。切断線ABが引かれた面と平行な面のうち、図１の網掛けの面に着目すると、切断点Cがある。よって、点Cから引くことができる切断線は、切断線ABと平行になり、この切断線の端を点Fとおくと、切断線CFができる。点BとFは同一平面上にある２点なので、直線で結ぶと切断線BFができる（図２）。

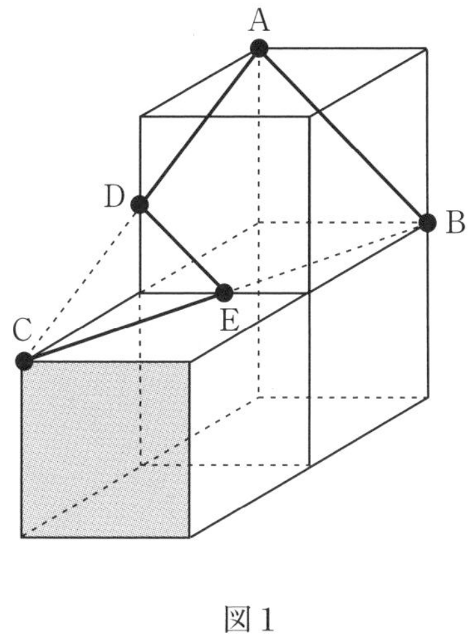

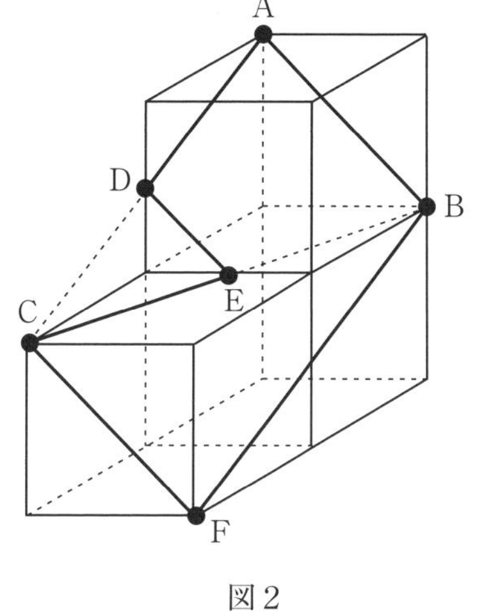

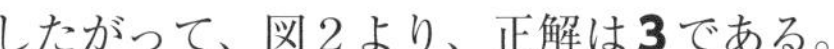

図１　　図２

したがって、図２より、正解は**3**である。

空間把握　立体の切断

2020年度 ❷
教養 No.14

次の図は、１辺の長さが$3\sqrt{2}$ の立方体を５個組み合わせた立体である。この立体を、４点A、B、C、Dを通る平面で切断したとき、切断面の面積として、最も妥当なのはどれか。

1　$36\sqrt{2}$

2　$39\sqrt{5}$

3　$42\sqrt{2}$

4　$45\sqrt{3}$

5　$48\sqrt{3}$

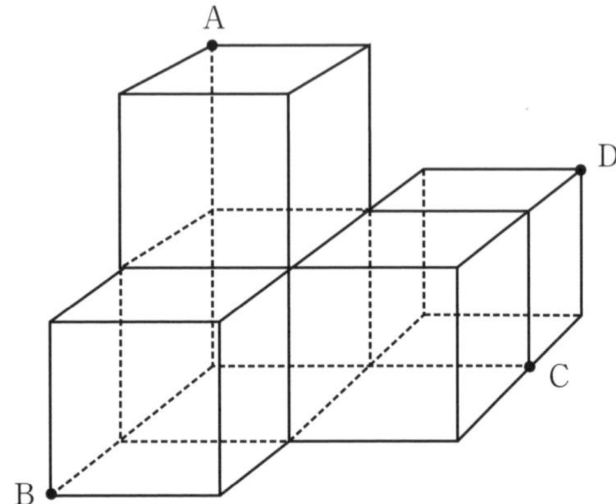

解説　正解 4

A、B、C、Dを通る平面で切断したとき、同一平面上にある点はその2点を結んだ直線が切り口となる。AとB、BとC、CとDはそれぞれ同一平面上の点なので、結んで切り口を作る（図1）。次に、立体の平行面にできる切り口は必ず平行線になるから、点Dを含む立方体の上面に、Dを通ってBCと平行な線を引き、立体との交点をEとする。このとき、点Aと点Eは同一平面上にあるから、AとEを結ぶと、できる切断面は図2のようになる。

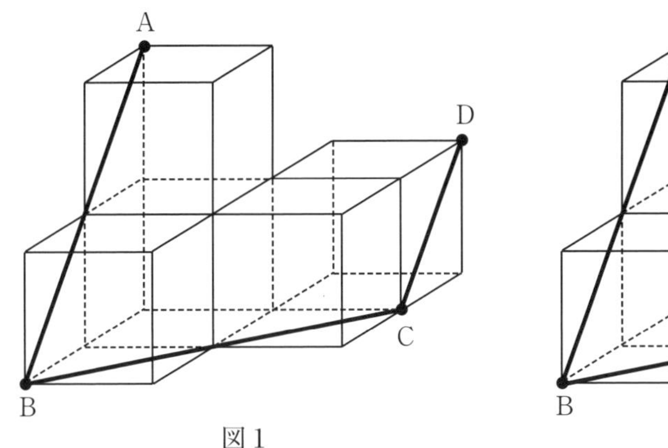

図1

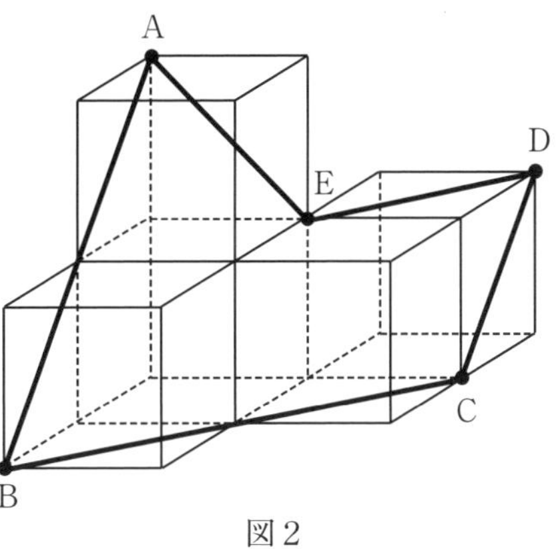

図2

図2における切断面は、図3のようにECを結ぶと、ACが直線となり、正三角形ABCと正三角形CDEの2つに分けることができる。正三角形ABCの1辺の長さは立方体の1つの面の正方形における対角線の長さ2つ分である。1つの面の正方形の1辺の長さは$3\sqrt{2}$で、対角線の長さは$3\sqrt{2}\times\sqrt{2}=6$だから、正三角形ABCの1辺の長さは$6\times2=12$である。正三角形CDEの1辺の長さは立方体の1つの面の正方形における対角線の長さと同じであるから、6である。

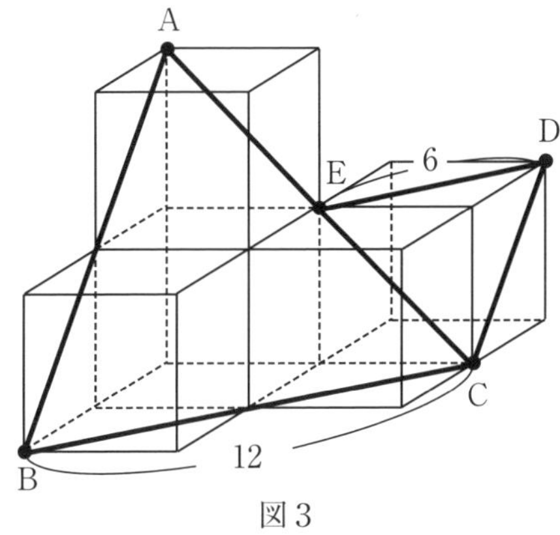

図3

正三角形の1辺の長さと高さの比は$2:\sqrt{3}$だから、正三角形ABCの高さは$6\sqrt{3}$、正三角形DECの高さは$3\sqrt{3}$であり、2つの正三角形の面積を合わせた切断面の面積は、

$$\frac{1}{2}\times12\times6\sqrt{3}+\frac{1}{2}\times6\times3\sqrt{3}=36\sqrt{3}+9\sqrt{3}=45\sqrt{3}$$

となる。したがって、正解は**4**である。

下の図のように、同じ大きさの27個の小立方体を積み上げた２つの立方体Ⅰ、Ⅱがある。それぞれ点A、B、Cと点D、E、Fを通る平面で切断したとき、切断される小立方体の個数の和として最も妥当なのはどれか。ただし、点Eは立方体Ⅱの辺の中点に位置している。

1 16個

2 18個

3 20個

4 22個

5 24個

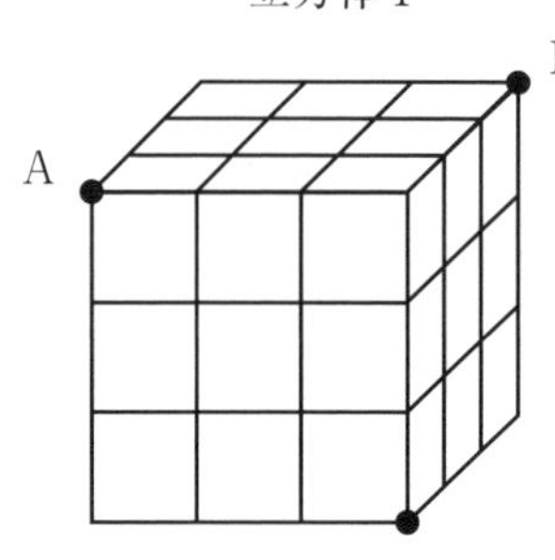

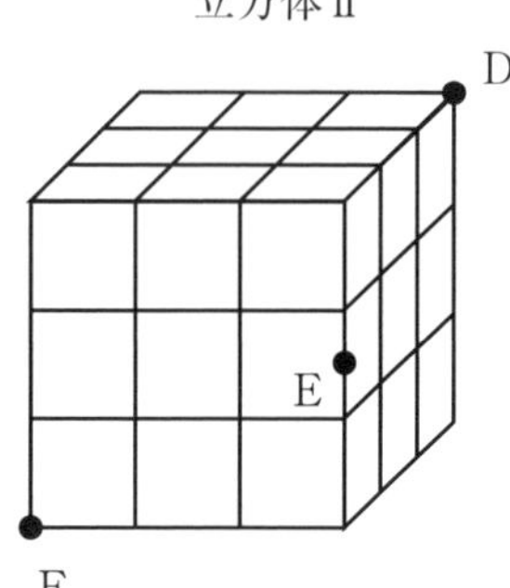

解説　正解　4

立方体ⅠおよびⅡをそれぞれ切断したときの切断図は以下のようになる。

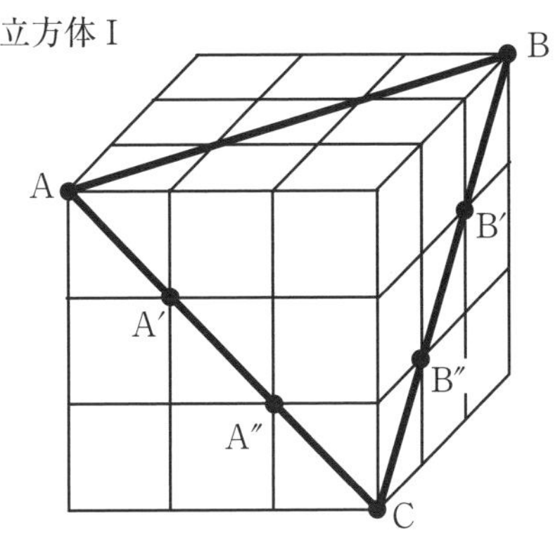

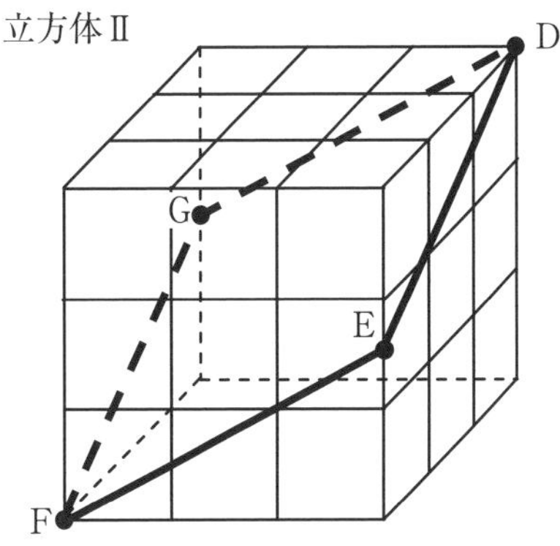

それぞれの切断の様子を、１段ごとにスライスした図で表す。

立方体Ⅰは以下のように切断される。上段の上面の切断線は線分AB、上段の下面と中段の上面の切断線はA′B′、中段の下面と下段の上面の切断線はA″B″となり、切断される小立方体は、上段が５個、中段が３個、下段が１個で、合わせて5＋3＋1＝9［個］となる。

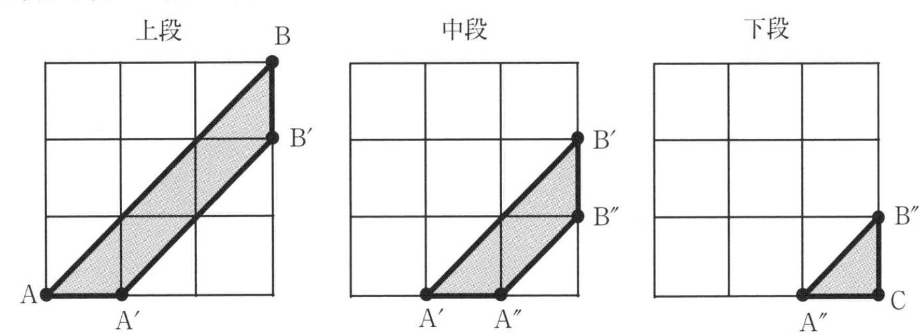

立方体Ⅱは以下のように切断される。前面、後面、左面、右面は、それぞれスライスして上から見た図の前側、後側、左側、右側の線にあたるが、1.5段下がるまでに端から端まで小立方体３個分それぞれ移動している。よって、１段下がる間に小立方体２個分だけ切断線が描かれ、切断される小立方体は、上段が３個、中段が７個、下段が３個で、合わせて3＋7＋3＝13［個］となる。

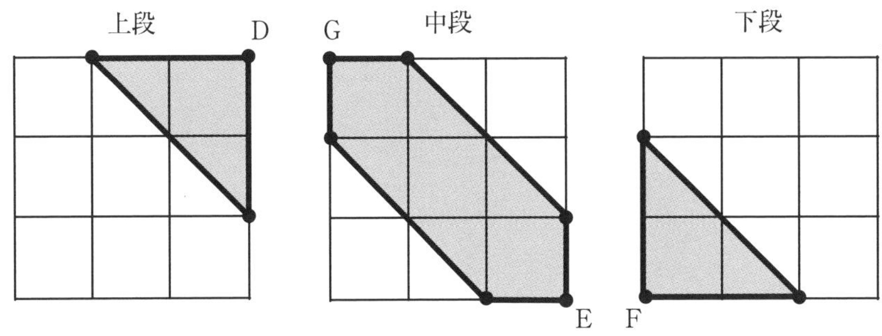

したがって、切断される小立方体の個数の和は、9＋13＝22［個］なので、正解は**4**である。

空間把握 投影図

2018年度 ❷ 教養 No.13

大きさが異なるA～Eの5つの円柱又は円すいを平らな円形のテーブルの上に置いた。下の図は、このテーブルをある方向から見た立面図である。A～Eの配置をあらわす平面図として、最も妥当なのはどれか。

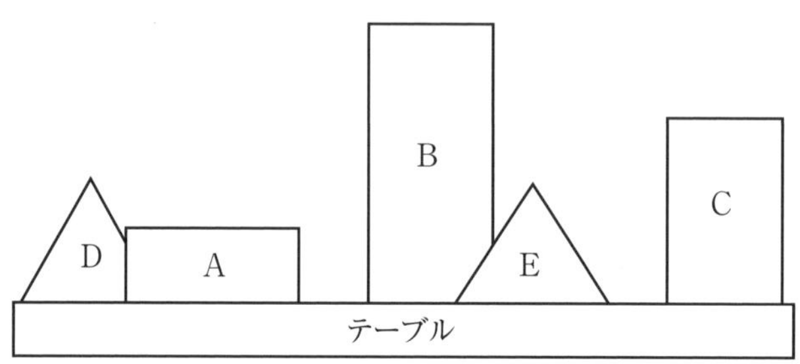

1

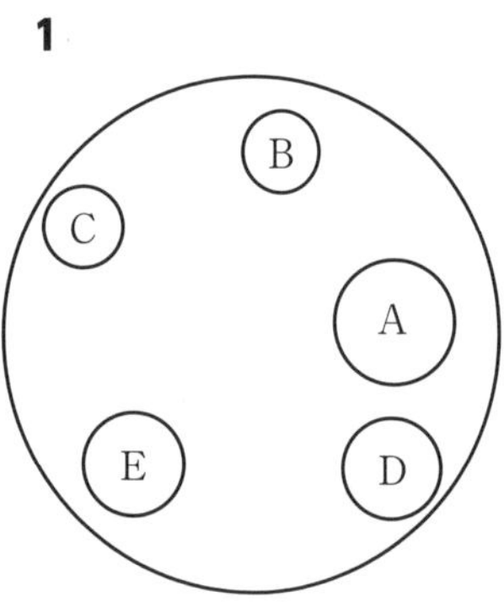

2

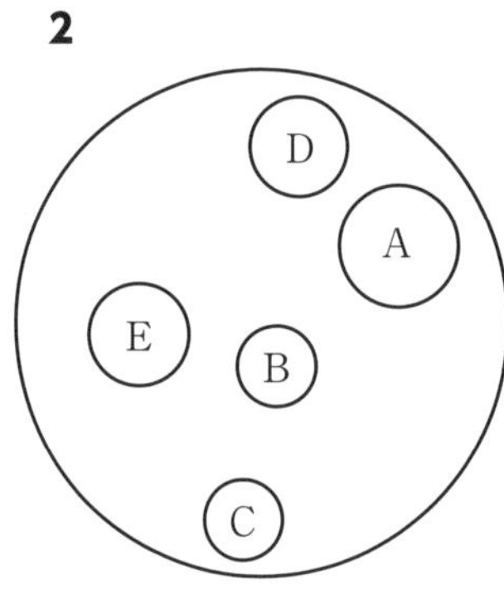

3

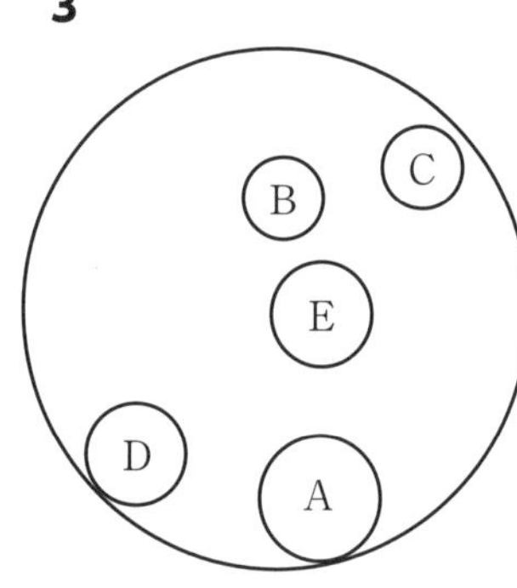

4

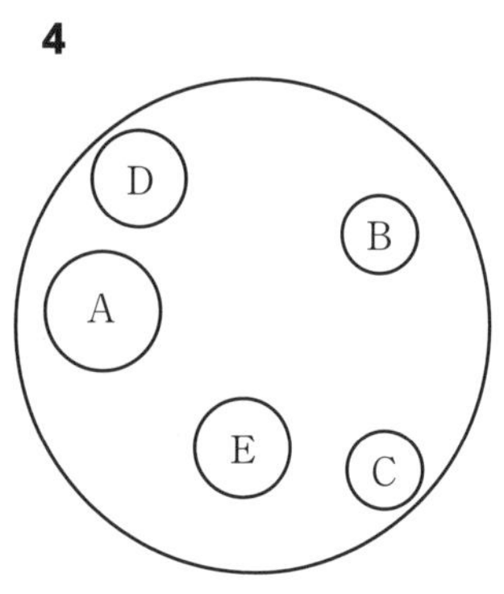

5

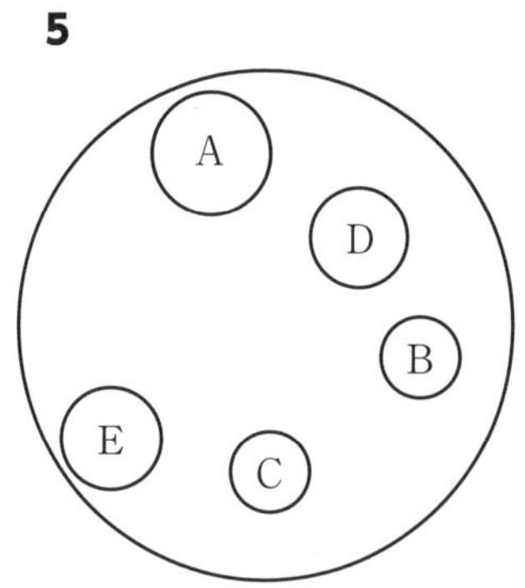

解説　正解　4

Dが左端、Cが右端となる見え方の位置を確認し、配置が正しいかを考える。

1　×　Dが左端、Cが右端となるには、時計の１時の方向から見る必要があるが、このとき、EがBより後方になるので、立面図と矛盾する。

2　×　Dが左端、Cが右端となるには、時計の10時の方向から見る必要があるが、このとき、AがDより後方になるので、立面図と矛盾する。

3　×　Dが左端、Cが右端となるには、時計の５時の方向から見る必要があるが、このとき、EがBより左側になるので、立面図と矛盾する。

4　○　Dが左端、Cが右端となるには、時計の８時の方向から見る必要があるが、このとき、特に矛盾はない。

5　×　どこから見てもDが左端、Cが右端となる見え方にはならない。

空間把握　サイコロ

2020年度 ❶ 教養 No.14

下の図のように、２つのサイコロが並んでいる。A、B、Cの目の和が７であるとき、A、B、Cの目の積として最も妥当なのはどれか。ただし、サイコロの相対する面の目の和は７とする。

1　4

2　6

3　8

4　10

5　12

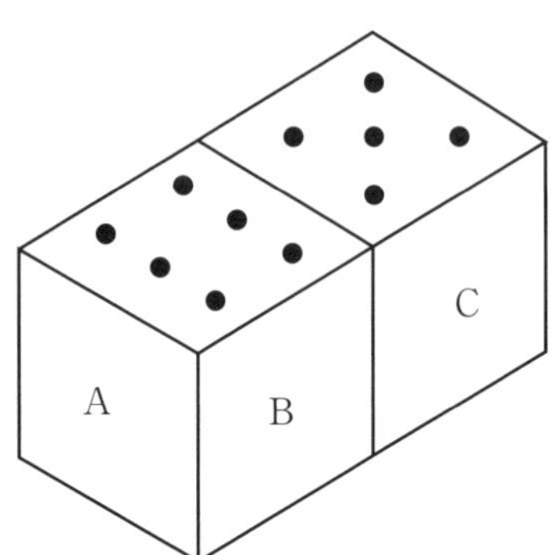

解説　**正解　3**

TAC生の正答率 82%

１～６のうち３つを用いて、和が７になる組合せは、(5, 1, 1)、(4, 2, 1)、(3, 3, 1)、(3, 2, 2)の４通りある。相対する面の目の和が７であることから、A、Bは１ではなく、Cは２ではない。また、AとBは同じ目にはならない。以上を踏まえて、妥当な組合せを考える。

(5, 1, 1) は、１になる可能性があるのはCだけなので、不適である。

(4, 2, 1) は、１がCで、４、２がA、B（順不同）であれば条件を満たす。

(3, 3, 1) は、１がCとなるが、AとBが同じ目になるので、不適である。

(3, 2, 2) は、Cは２ではないので３となるが、AとBが同じ目になるので、不適である。

よって、３つの目は (4, 2, 1) で、その積は4×2×1＝8であるから、正解は**3**である。

下の図は、27個の小立方体を積み上げて作った立方体である。この立方体に、黒印のところから反対側まで貫通するように、面に対して垂直な穴をあけた。このとき、6面すべてに穴があいている小立方体の個数と、穴が1つも空いていない小立方体の個数の和として、最も妥当なものはどれか。

1　6個

2　7個

3　8個

4　9個

5　10個

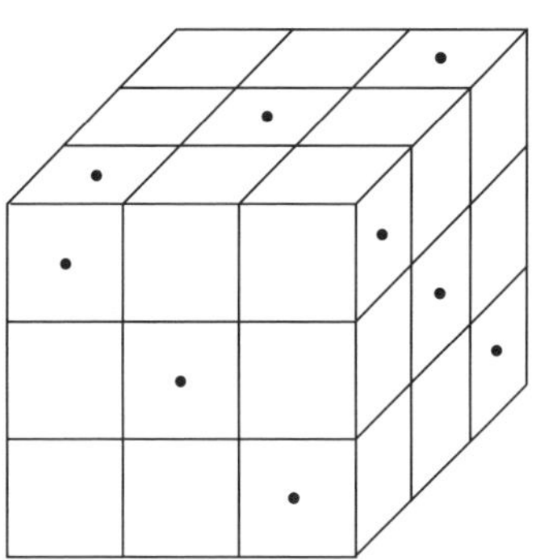

解説　正解　4

TAC生の正答率　56%

立方体を3段に平面化して考える。上から穴があいた小立方体は、×印がついた正方形であり、前および右から穴があいた小立方体は、それぞれ矢印が通った正方形である。

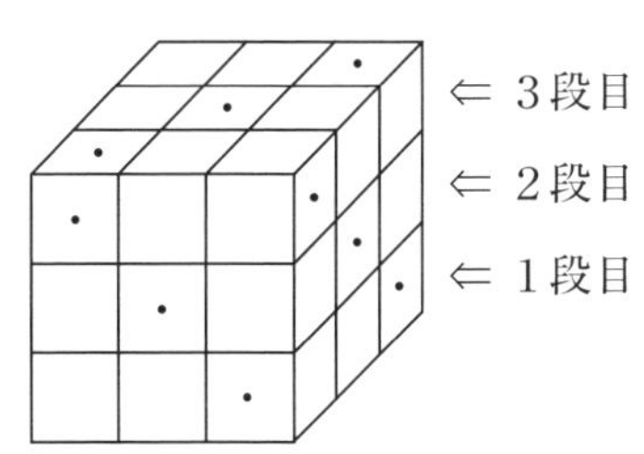

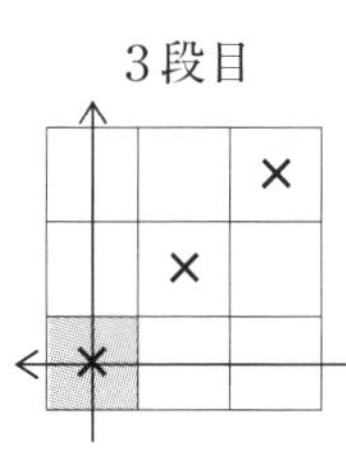

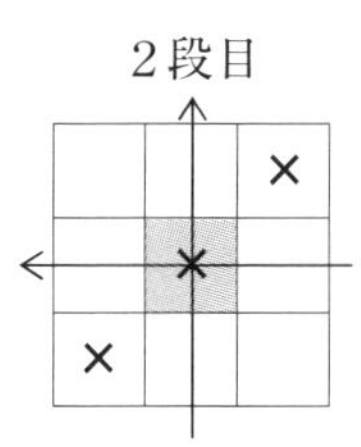

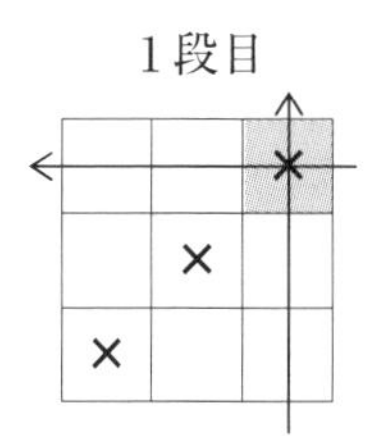

一方向から穴をあけると平行な2面の両方に穴があく。6面すべてに穴をあけるには3方向から穴をあけなければならない。このことから、各段において、6面すべてに穴があいている小立方体は、×印が1つ、矢印が2つ通っている正方形であり、各段に1個ずつある。また、各段において、穴が1つもあいていない小立方体は、何も描かれていない正方形であり、各段に2個ずつある。

よって、この2種類の小立方体の個数の和は1×3+2×3=9[個]であるので、正解は**4**である。

空間把握　立体構成　2023年度❷ 教養 No.17

下の図のように、小立方体64個を積み重ねて作った立方体がある。この立方体を３点A、B、Cを通る平面で切断した。このとき、切断される小立方体の個数として、最も妥当なものはどれか。

1　12個

2　16個

3　20個

4　24個

5　28個

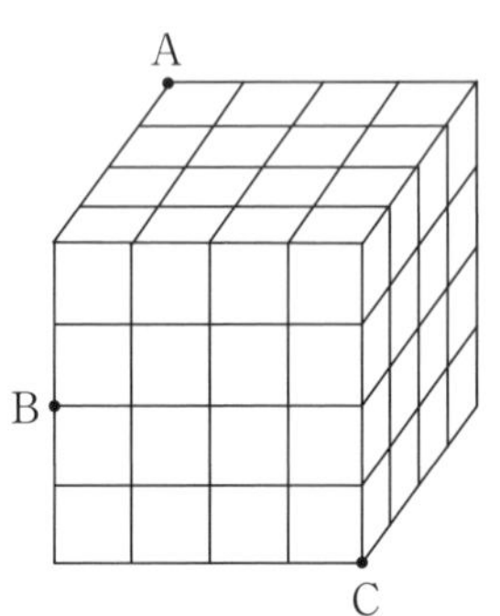

解説　正解　4

まず、３点A、B、Cを通る平面による切断面の形状を考える。

２点B、Cは立方体の正面上の点であるから、BとCを結ぶ線分BCが切断線となる。同様に、２点A、Bは立方体の左面上の点であるから、AとBを結ぶ線分ABが切断線となる（図１）。

正面と平行な後面の切断線は、Aを通り、線分BCに平行な直線である。小立方体の辺の数でみると、線分BCは下に２辺、右に４辺傾いた直線であるので、Aを通り、線分BCに平行な直線は図２のように描くことができる。そして、後面と右面の交わる辺上の端点をDとおくと、右面の線分CDが切断線となる（図３）。

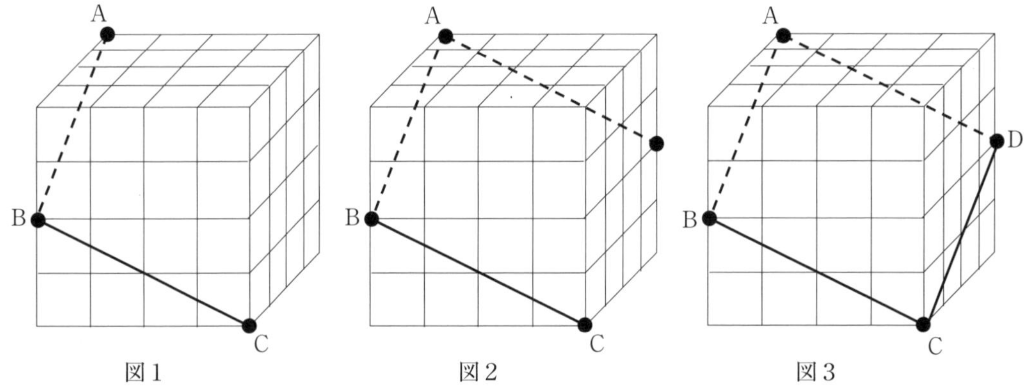

図１　図２　図３

次に、切断される小立方体を段ごとに分割して考える。

段を上から１段目、２段目、３段目、４段目とすると、２段目と３段目を分割するとき、切断面も分割され、その境界は線分BDである（図４）。３段目と４段目を分割するとき、その境界はBCの中点E、CDの中点Fを結ぶ線分EFである（図５）。同様に、１段目と２段目を分割するとき、その境界はDAの中点G、ABの中点Hを結ぶ線分GHである（図６）。

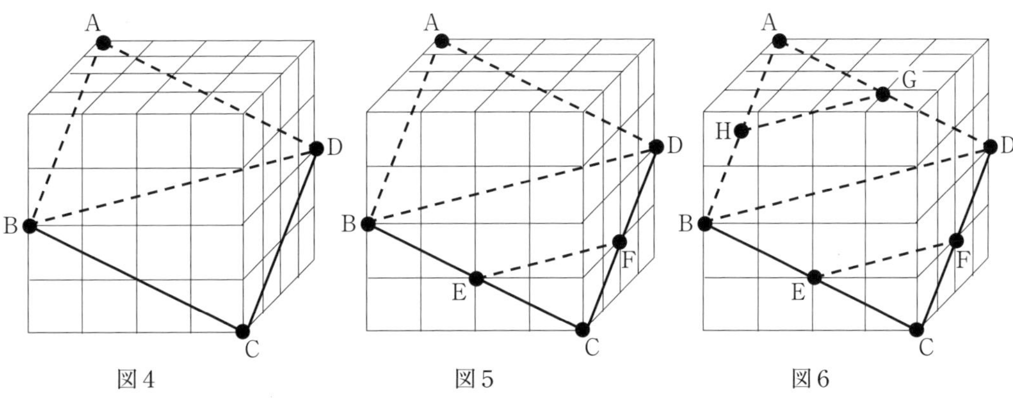

図４　　　図５　　　図６

最後に、切断される小立方体の個数を段ごとに数え上げる。

立方体の内部と段ごとの切断面の様子を可視化するために、段ごとに分割したものを平面図に描くと、図７のようになる。なお、各図の太線で囲まれた部分が段ごとの切断面であり、○をつけた正方形が切断された小立方体である。

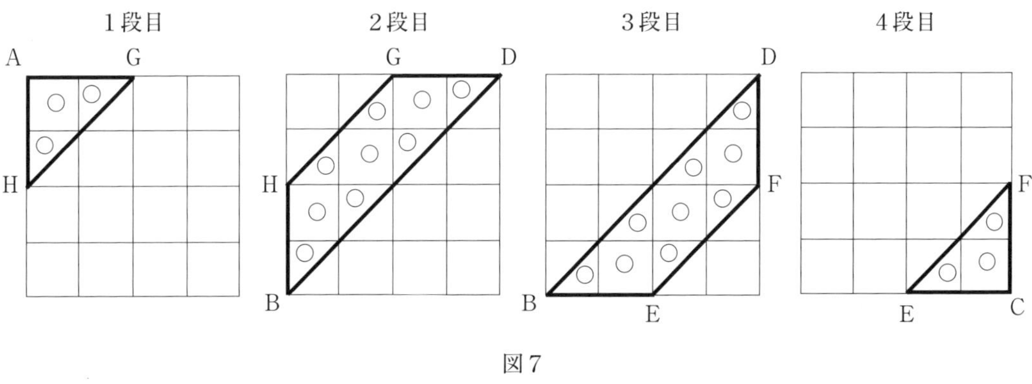

図７

図７より、切断された小立方体は１段目が３個、２段目が９個、３段目が９個、４段目が３個であるので、合計で$3+9+9+3=24$[個]である。

よって、正解は**4**である。

空間把握　立体構成

2020年度 ❷
教養 No.13

下の図は、同じ大きさの立方体を90個使って積み立てたものである。底面を含む表面を黒い塗料で着色するとき、3つの面だけが着色される立方体の個数として、最も妥当なのはどれか。

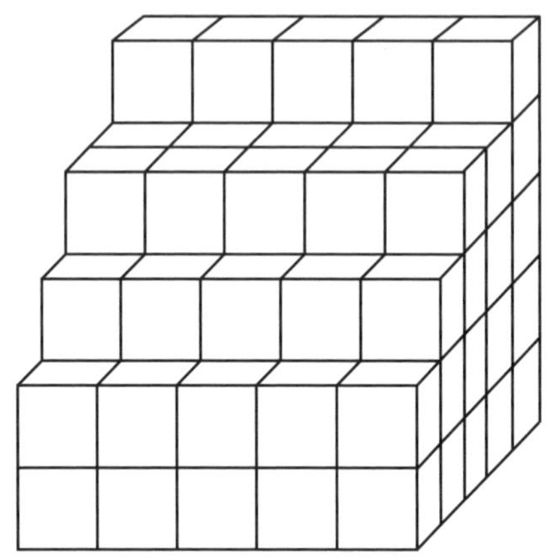

1　13個

2　15個

3　17個

4　19個

5　21個

解説　　正解　1

各段にスライスして上から見た図を描き、それぞれの立方体が何面着色されるかを考える。上から見たとき、立方体の側面の４面は正方形の辺として示されるから、外側にある辺となっているのが着色できる面である。側面の４面のうち、それぞれの立方体が着色できる面の数を記入すると、次のようになる。

一番上の段

3	2	2	2	3

上から２段目

2	1	1	1	2
1	0	0	0	1
2	1	1	1	2

上から３段目

2	1	1	1	2
1	0	0	0	1
1	0	0	0	1
2	1	1	1	2

上から４段目

2	1	1	1	2
1	0	0	0	1
1	0	0	0	1
1	0	0	0	1
2	1	1	1	2

一番下の段

2	1	1	1	2
1	0	0	0	1
1	0	0	0	1
1	0	0	0	1
2	1	1	1	2

また、上の図において、グレーで塗られた正方形（立方体）は、上面が表面に表れているので、上面を着色できる。さらに、一番下の段の立方体は、下面を着色できる。それぞれの立方体において、上面および下面を着色できる面の数を加えると、次のようになる。

一番上の段

4	3	3	3	4

上から２段目

2	1	1	1	2
2	1	1	1	2
3	2	2	2	3

上から３段目

2	1	1	1	2
1	0	0	0	1
1	0	0	0	1
3	2	2	2	3

上から４段目

2	1	1	1	2
1	0	0	0	1
1	0	0	0	1
1	0	0	0	1
3	2	2	2	3

一番下の段

3	2	2	2	3
2	1	1	1	2
2	1	1	1	2
2	1	1	1	2
3	2	2	2	3

以上より、３面だけが着色される立方体の個数は$3+2+2+2+4=13$[個]となるので、正解は**1**である。

空間把握　立体構成

2019年度 ❶ 教養 No.13

図Ⅰのような同じ大きさの小立方体を積み上げて立体をつくり、正面から見ると図Ⅱのように、右側面から見ると図Ⅲのようになったとき、使用する小立方体の最小の個数として、最も妥当なのはどれか。ただし、各小立方体は少なくとも１辺が他の小立方体と接しているものとする。

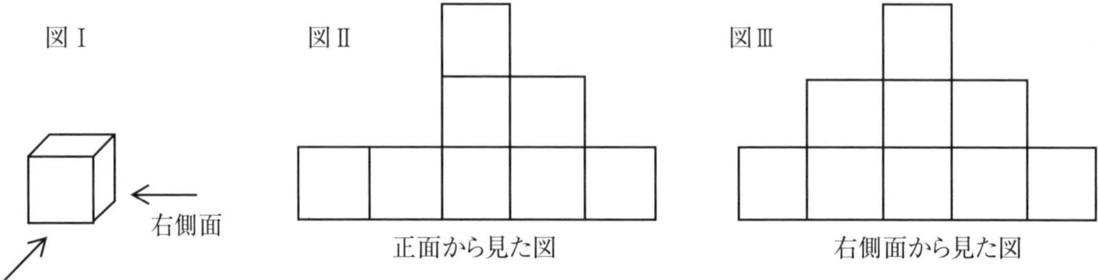

1　８個

2　10個

3　12個

4　14個

5　16個

解説　正解　2

TAC生の正答率 51%

小立方体が積み上げられた「積み木」の平面図に、積み上げられた小立方体の個数（高さ）を書き込んでいく。ただし、平面図の上側には正面から見た積み木の高さを、左側には右側面から見た積み木の高さを書いておく（図１）。

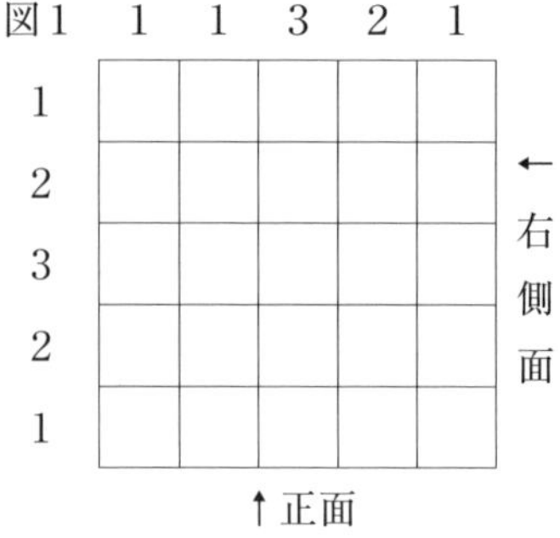

平面図を表のように見立て、上から１行目、２行目、…、５行目と呼び、左から１列目、２列目、…、５列目と呼ぶことにする。

３行目と３列目に高さ３の積み木が少なくとも１か所あり、それより高い積み木はなく、他の行と列には高さ３の積み木がないので、３行３列目に３を書く。２行目、４行目、４列目に高さ２の積み木が少なくとも１か所あり、それより高い積み木はなく、なるべく少なく配置するには、２行４列目と４行４列目に２を書けばよい（図２）。

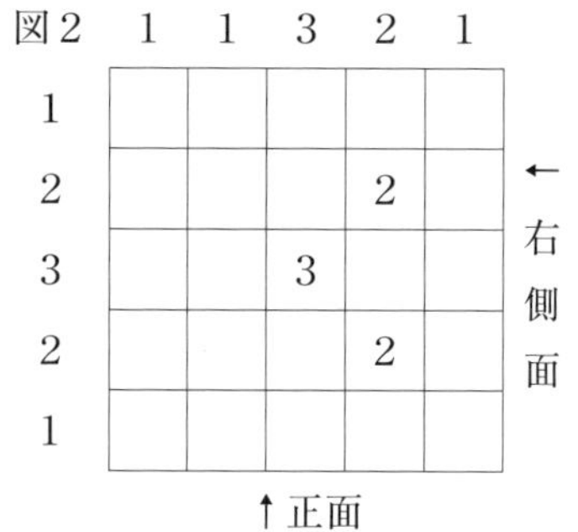

１行目、５行目、１列目、２列目、５列目に高さ１の積み木が少なくとも１か所あり、それより高い積み木はなく、なるべく少なく配置するには、１行１列目と１行２列目と５行５列目に１を書けばよい（図３）。

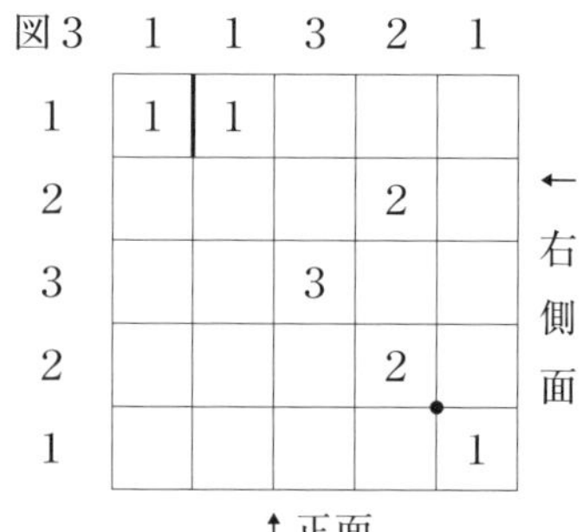

図３は最小値を与える積み木の配置の１つであり、積み木の最小値は10個である。また、２段および３段の高さに積んだ積み木は上下で他の小立方体と接しており、１段の積み木も図３の太線および点で示した辺で接しているので、すべての条件を満たしている。

よって、正解は**2**である。

空間把握　軌跡

下の図のような１辺の長さaの正方形の辺上を、動点ＰとＱが２点間の距離aを保ちながら動くとき、線分PQの中点のすべての軌跡として、最も妥当なのはどれか。

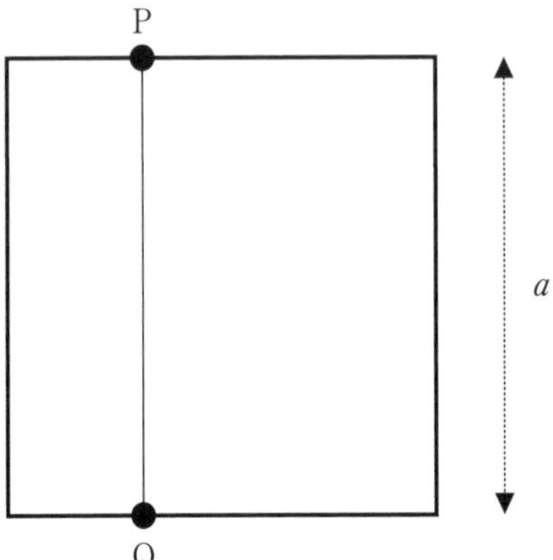

1

2

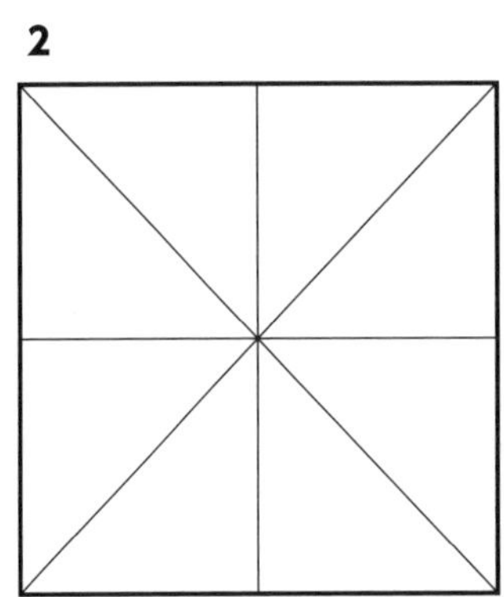

3

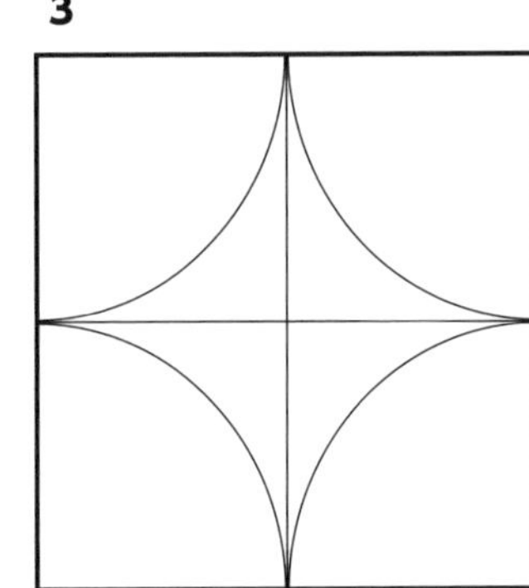

4

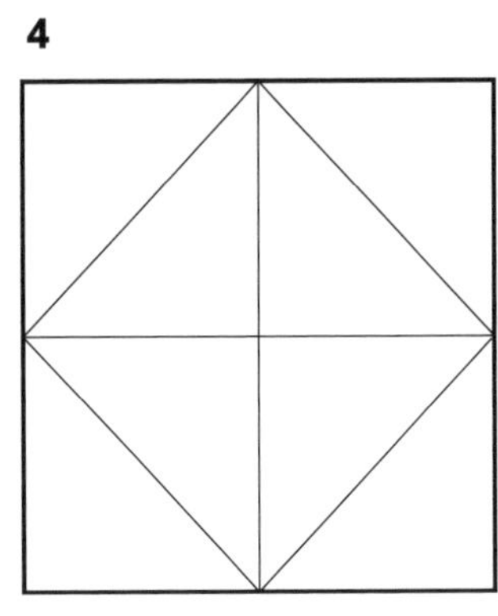

5

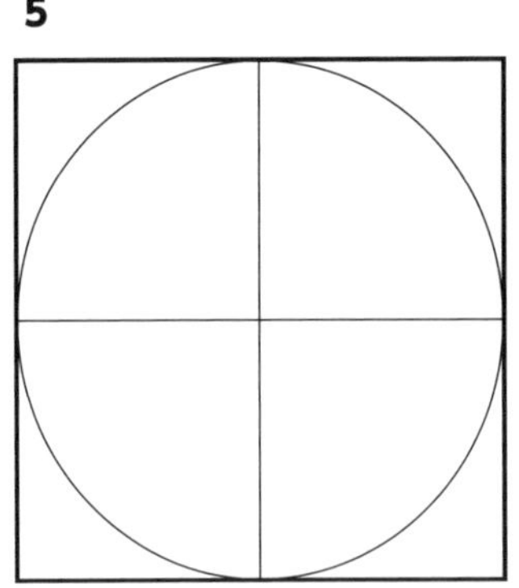

解説　正解　**3**

動点ＰとＱが２点間の距離aを保ちながら動くので、線分PQの中点は正方形の頂点にはこない。よって，**2**はあり得ない。

線分PQの中点をＭとおく。線分PQが図１の状態から距離aを保ちながら、右方向に動くとき、線分PQが、ちょうど左下の∠PRQ＝90°の直角二等辺三角形PQRの斜辺になったときを考える。PQ＝aより、QRは$\frac{\sqrt{2}}{2}a$であり、この長さは、正方形の一辺の半分である$\frac{1}{2}a$より長いので、図２のようになる。

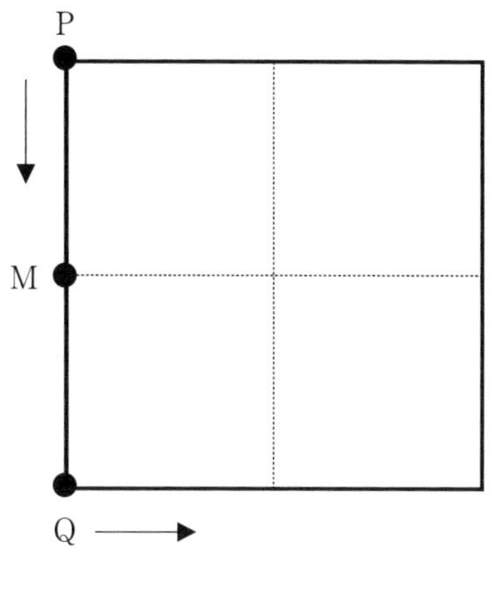

図1

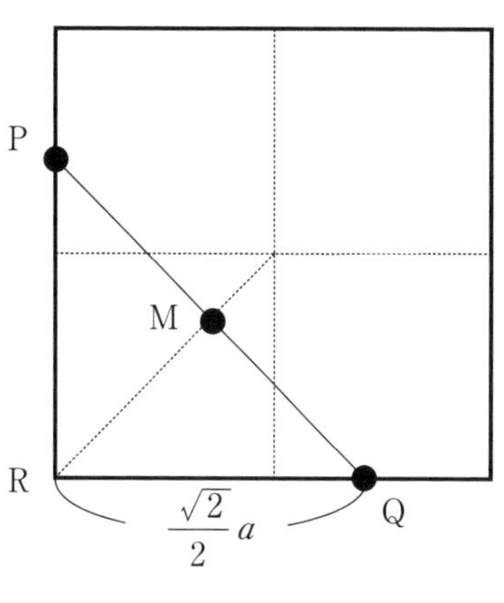

図2

図２のＭの位置から考えると、**1**、**4**、**5**は妥当ではない。
よって、消去法より正解は**3**である。

空間把握　図形の回転

2023年度 ❶ 教養 No.16

下の図のように、半径９cmの円Ｏがあり、半径３cmの円Ｐが円Ｏの外周に沿って、矢印の向きにＡの位置からＢの位置まで滑らないように回転して移動する。このとき、円Ｐの移動に必要な回転数として、最も妥当なものはどれか。

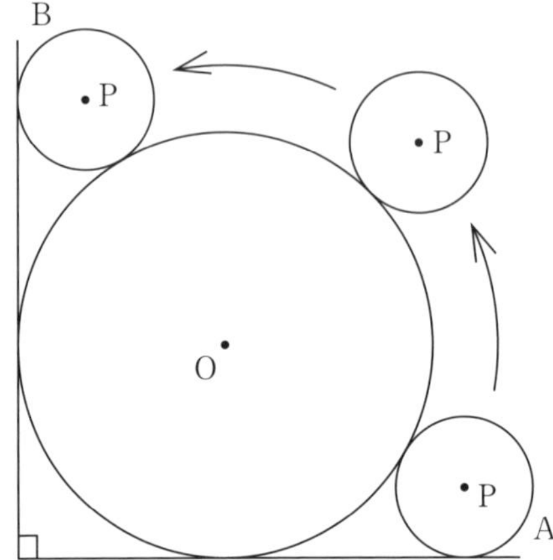

1　$\frac{2}{3}$回転

2　１回転

3　$\frac{4}{3}$回転

4　$\frac{5}{3}$回転

5　２回転

解説　正解　4　TAC生の正答率 37%

半径3cmの円Pが半径9cmの円Oの外周に沿って滑らずに1周したときの円Pの回転数は$\frac{9}{3}+1=4$[回転]である。

円PがAの位置からBの位置まで何周したかを考える。図のようにAでの円Pおよび円O、Bでの円Pおよび円Oのそれぞれの中心から接線に垂線を引き、円Pの中心から接線に対して平行線を引くと、網掛けの直角三角形が2つできる。どちらの直角三角形も斜辺の長さが9+3=12[cm]、90°を挟んだ2辺のうち短い方の辺の長さが9－3=6[cm]であるので、2辺の長さの比が2：1となる。したがって、この直角三角形は、30°、60°、90°の直角三角形となり、円Pが移動した円弧の中心角は、図より、$360°-(60+60+90)°=150°$であることがわかる。このことから、円Pは$\frac{150°}{360°}=\frac{5}{12}$[周]したことがわかる。

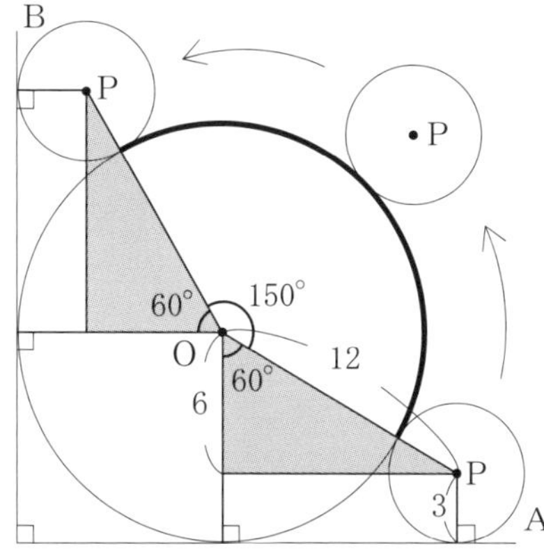

よって、円Pの回転数は$4\times\frac{5}{12}=\frac{5}{3}$[回転]となるので、正解は**4**である。

空間把握　平面構成　2023年度❷ 教養 No.15

縦の長さが6m、横の長さが8mの床に、1辺の長さが10cmの正方形のタイルを隙間なく敷き詰めた。タイルを敷き詰めた床に、1本の対角線を引いた場合、対角線が通過するタイルの枚数として、最も妥当なものはどれか。ただし、引いた対角線の幅は条件として考えないものとする。

1　100枚

2　120枚

3　140枚

4　160枚

5　180枚

解説　正解 2

縦6m、横8mの長方形の床の2辺の比は6：8＝3：4であるので、相似な図形である縦30cm、横40cmの長方形を考える。この長方形に1辺の長さが10cmの正方形のタイルを隙間なく敷き詰め、対角線を引くと、対角線が通過するタイルの枚数は6枚である（図1）。

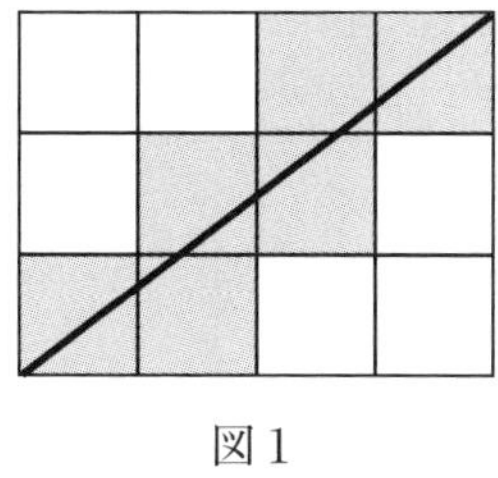

図1

縦6m、横8mの長方形の床と図1は相似であり、図1の長方形を1個と数えると、600÷30＝20、800÷40＝20より、縦横に20個ずつを並べることができる。このとき、長方形の床の対角線は図1の長方形の対角線と重なり、ちょうど図1が20個分に相当する（図2）。

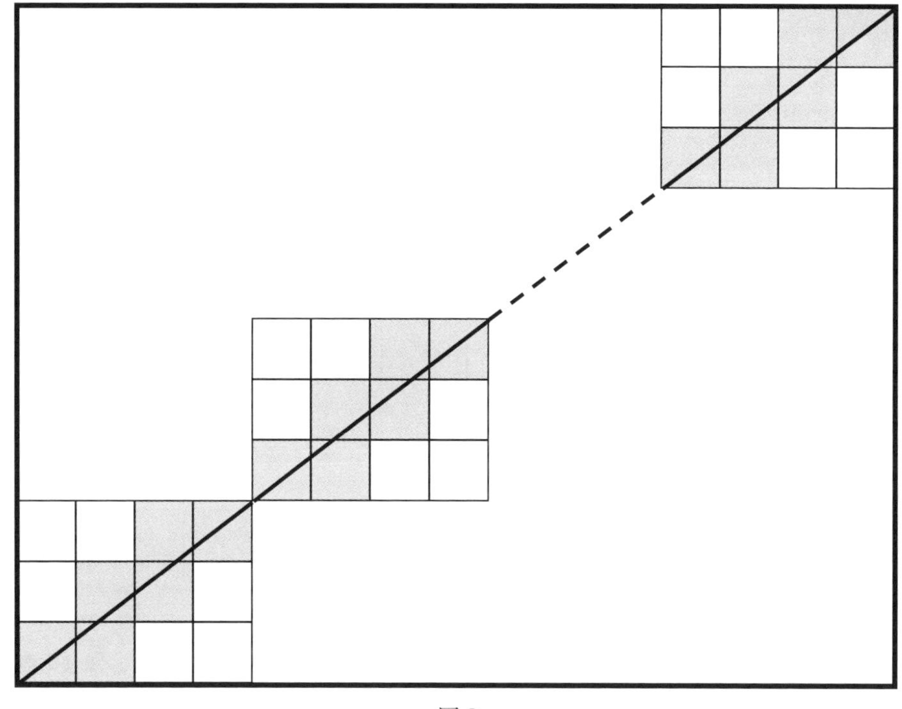

図2

よって、長方形の床の対角線が通過するタイルの枚数は、6×20＝120［枚］であるので、正解は**2**である。

正方形の折り紙が１枚あり、これを途中で開くことなく連続して５回折ってから開いたところ、下の図のような破線の折り目ができた。このとき、３回目に折ったときにできた折り目として、最も妥当なものはどれか。

1　A

2　B

3　C

4　D

5　E

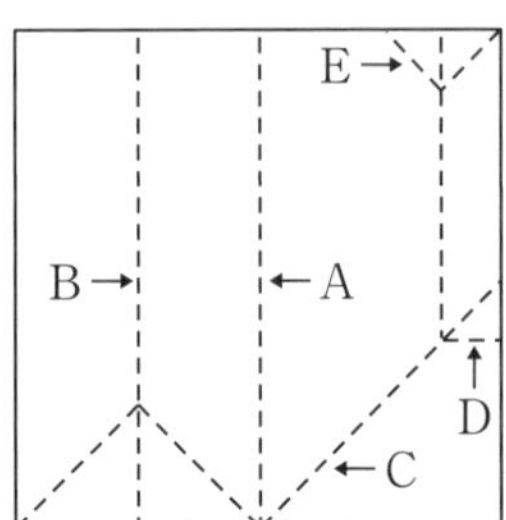

解説　正解　3

折り方は山折り、谷折りのどちらでも、折り目の付き方に変わりはない。以下では山折りで折っていく。また、説明の都合上、新たに定めた折り目や名称のない折り目を以下のようにF～Hとする。

１回目に折ったときにできる折り目は、正方形の折り紙を横切るように走るので、これに該当するのはA、B、Cである。仮に、Bより先にAで折ると、途中で開くことがないため、次にBで折り図１のような折り目Fが入る。また、Bより先にCで折ると、折る回数が５回で収まらなくなる。よって、１回目の折り目Bで山折りに折ったとき、折り紙は図２のようになる。

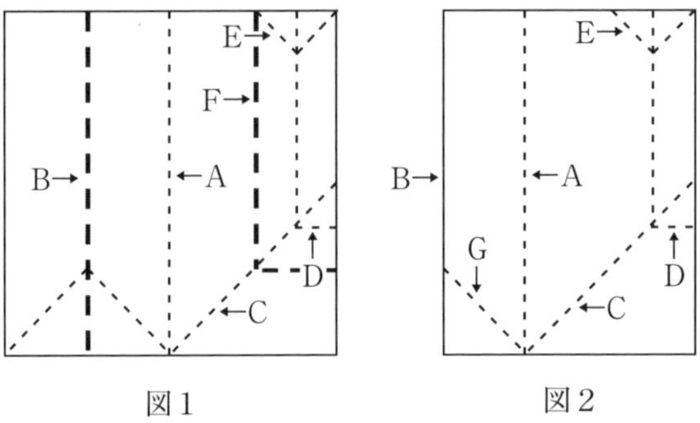

図１　　図２

２回目を折ったとき、図２の長方形を横切るように走る折り目はAかCかGだが、Aより先にCやGで折ると、これらの折り目を作るのに折る回数が５回では収まらなくなる。よって、２回目の折り目Aで山折りに折ったとき、折り紙は図３のようになる。なお、GはCの一部と重なる（これを（G）と表し、以下同様に示す）。

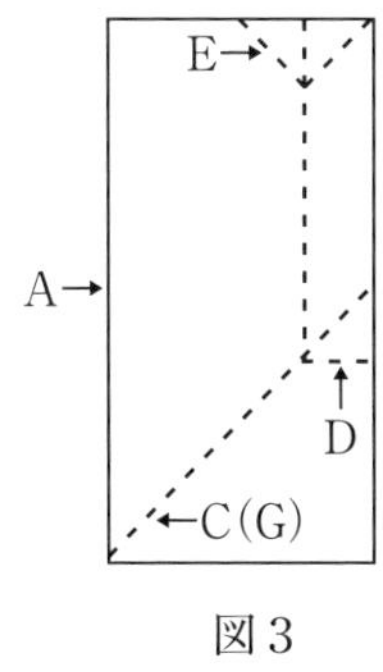

図3

3回目を折ったとき、図3の長方形を横切るように走る折り目はCしかない。よって、この時点で、正解は**3**である。

なお、3回目にCで山折りに折ったとき、折り紙は図4のようになる。4回目の折り目は、図4の台形を横切るように走る折り目で、これはHしかない。4回目にHで山折りに折ったとき、折り紙は図5のようになる。

そして、最後の5回目の折り目は残るEとなり、折り終わった最後の形は図6のようになる。

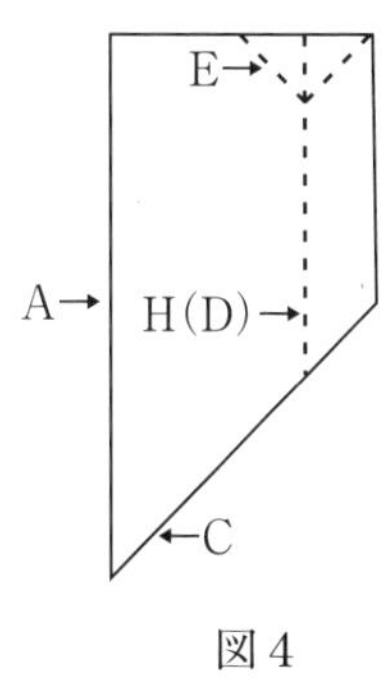

図4

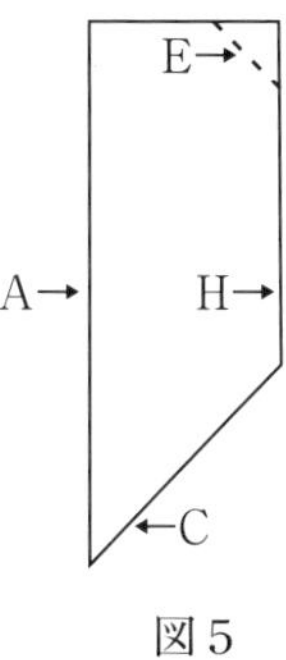

図5

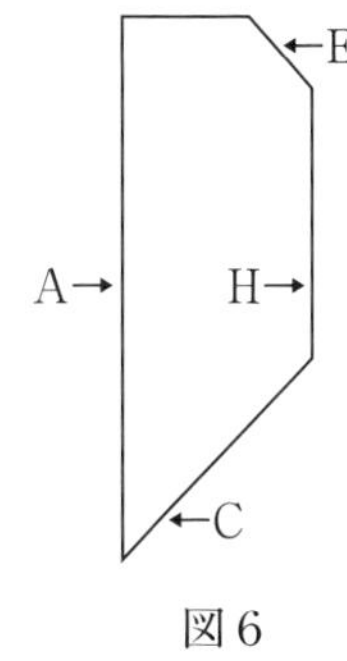

図6

図１の図形Ａ～Ｃと、図２の図形Ｄ～Ｈから２種類を選び、合計５種類を隙間なく敷き詰めて、市松模様（黒と白の正方形を互い違いに碁盤目状に並べた模様）の正方形を作る。このとき、Ｄ～Ｈのうちで使用する２種類の図形の組合せとして、最も妥当なものはどれか。ただし、図形は１回のみ使用するものとし、裏返したり重ね合わせたりしないものとする。

図１

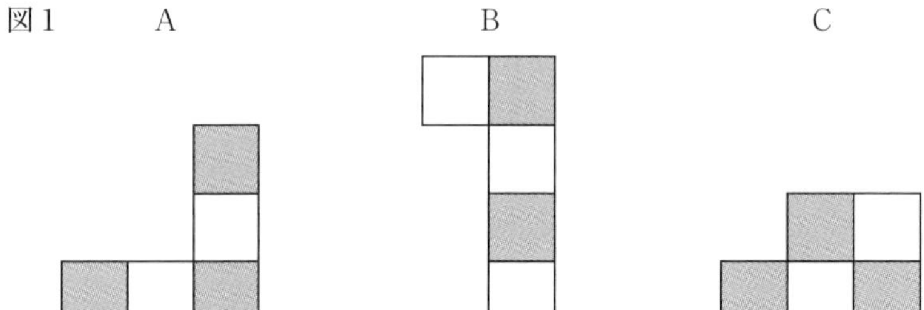

図２

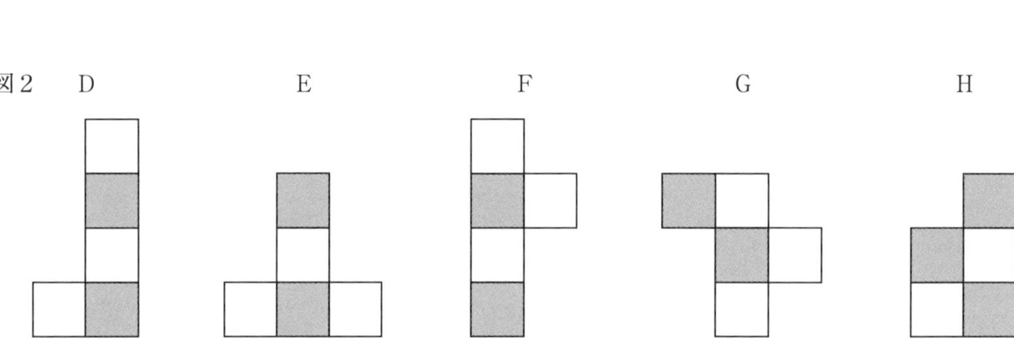

1　Ｄ、Ｅ

2　Ｅ、Ｆ

3　Ｆ、Ｇ

4　Ｇ、Ｈ

5　Ｄ、Ｈ

解説　正解　4

TAC生の正答率　40%

すべての図形において、小さな正方形の個数は５個であるので、５種類の図形を使ってできる正方形は5×5＝25（個）の小さな正方形で構成されている。25個の小さな正方形の黒と白の内訳は、(i)黒が13個、白が12個の場合、(ii)黒が12個、白が13個の場合があるので、場合分けして考える。

(i)　黒が13個、白が12個の場合

特徴的な図形のＢの配置は次の図１～図４のように４通りある（なお、回転させて同じになるものは同一とする）。

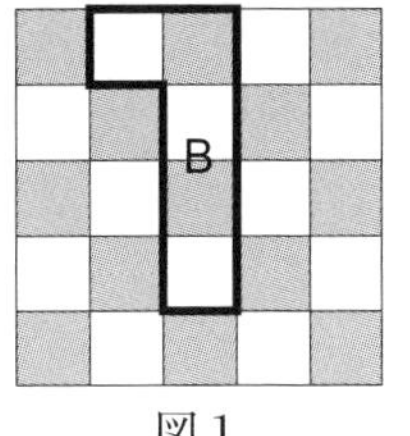

図１

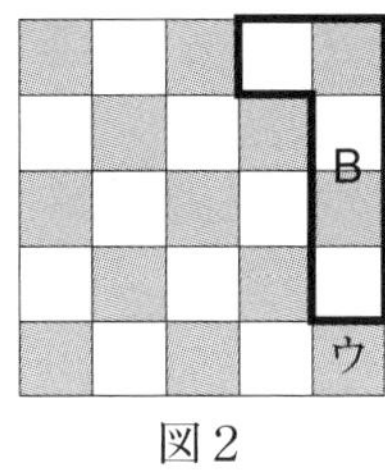

図２

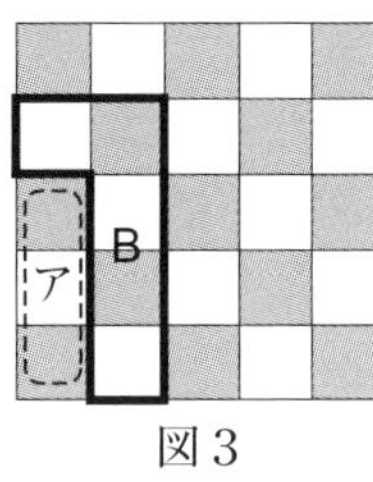

図３

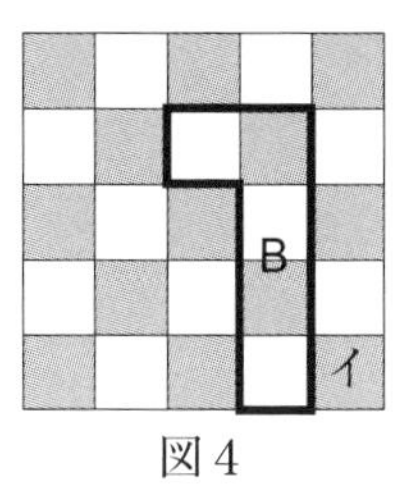

図４

図１に対して、Ｂの左上側を埋めることができる図形はＣであり、さらに、左下側を埋めることができる図形はＨであるが、この場合、Ａを配置できる場所がない（図１－１）。また、図３のア、図４のイを埋める図形はない。よって、Ｂの配置は図２となる。

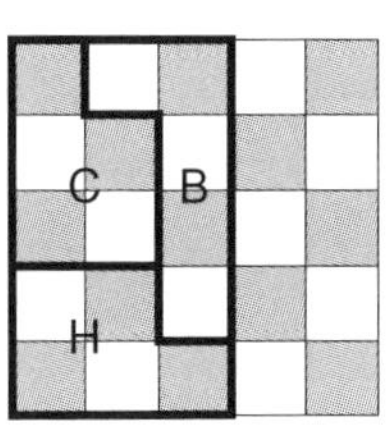

図１－１

図２のウを埋めることができる図形はＡ、Ｆ、Ｇ、Ｈがあり、図２－１から図２－４である。

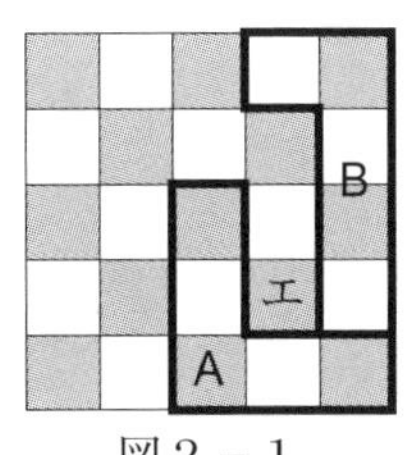

図２－１

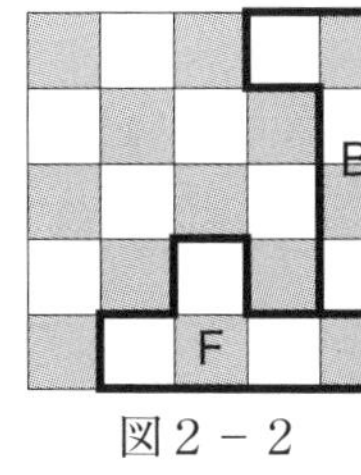

図２－２

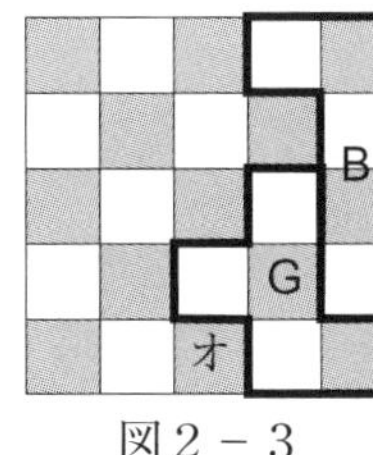

図２－３

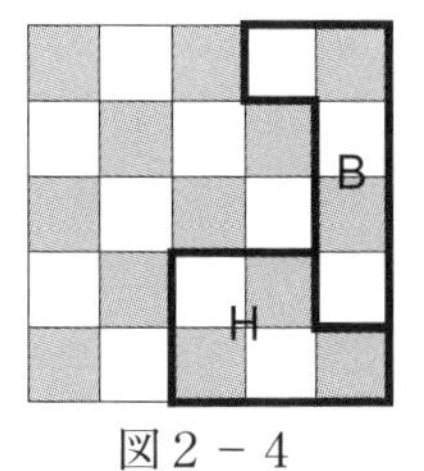

図２－４

図２－１ではエを埋める図形はない。図２－２では、Ｆの左側にＨ、右上側にＣを配置することができるが、Ａを配置できる場所がない（図２－２－１）。図２－４では、Ｈの上側にＣを配置することはできるが、Ａを配置できる場所がない（図２－４－１）。よって、ウを埋めることができる図形はＧとなる。

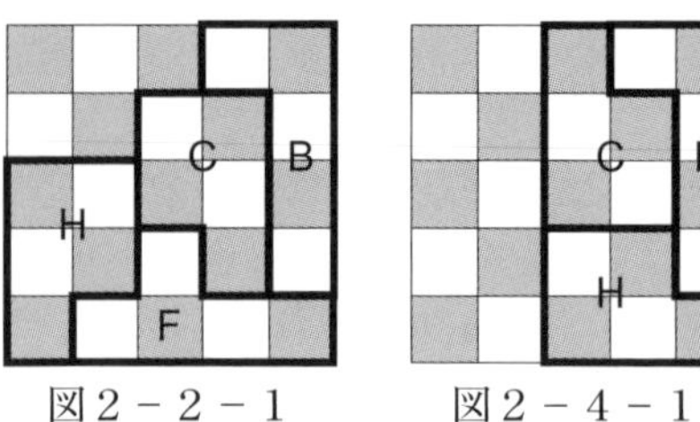

図２－２－１　　図２－４－１

図２－３のオを埋めることができる図形はA、Hがあり、図２－３－１、図２－３－２である。図２－３－１において、カを埋めることができる図形はCであるが、図２－３－３のように中央部分を埋める図形がない。図２－３－２において、残りの部分をAとCで埋めると図２－３－４となり、特に矛盾しない。

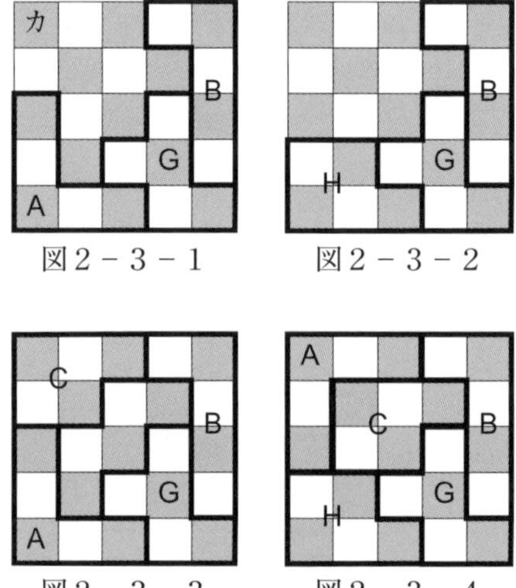

図２－３－１　　図２－３－２

図２－３－３　　図２－３－４

よって、図２－３－４より、この時点で、使用する２種類の図形はGとHであるので、正解は**4**である。

(ii)　黒が12個、白が13個の場合

特徴的な図形のBの配置は次の図５～図８のように４通りある（なお、回転させて同じになるものは同一とする）。

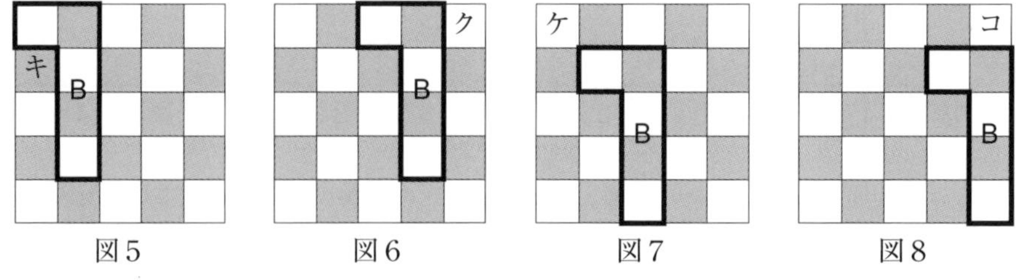

図５　　図６　　図７　　図８

しかし、図５のキ、図６のク、図７のケ、図８のコを埋める図形はない。よって、この場合はあり得ない。

下図のひし形の中にある平行四辺形の数として、最も妥当なのはどれか。

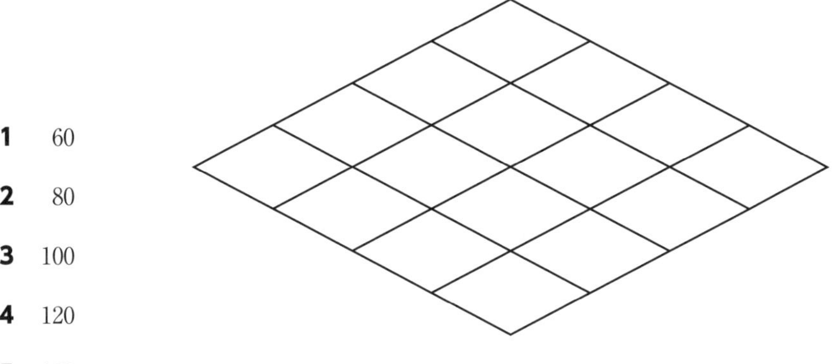

1　60

2　80

3　100

4　120

5　160

解説　正解　3

平行四辺形は２組の対辺がいずれも平行であればよいから、下図のＡ～Ｅの５本のうち２本で１組の対辺、①～⑤の５本のうち２本でもう１組の対辺になるように４本を選べば、必ず平行四辺形ができる。

Ａ～Ｅの５本のうち２本を選ぶ方法は${}_5C_2$＝10［通り］、①～⑤の５本のうち２本を選ぶ方法も${}_5C_2$＝10［通り］であるから、４本の選び方は10×10＝100［通り］となる。

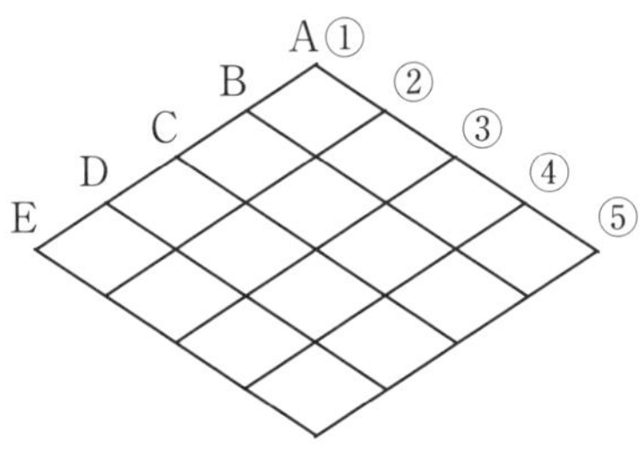

したがって、正解は**3**である。

空間把握　折り紙

2022年度 ❷ 教養 No.13

Aの文字が書かれた長方形の紙を下の図のように順に３回折りたたむ。この紙を広げたときの折り目の様子として、最も妥当なのはどれか。ただし、破線を谷折り、実線を山折りとする。

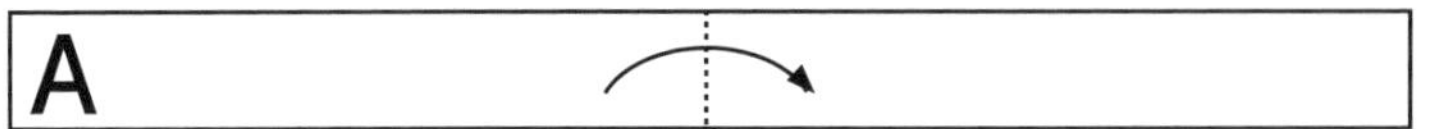

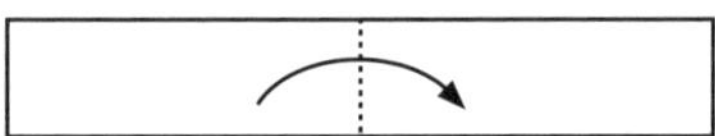

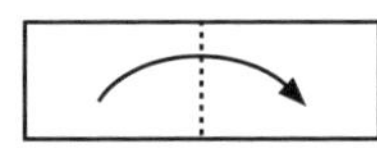

1 A

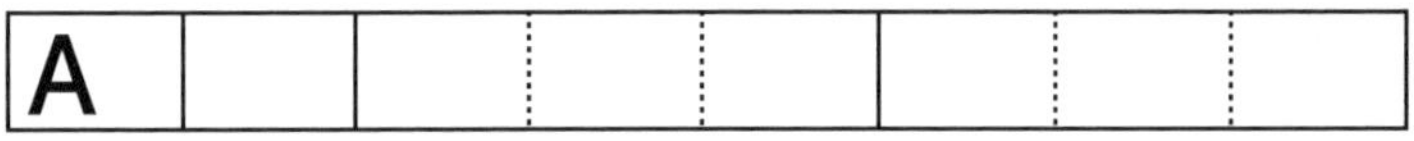

2 A

3 A

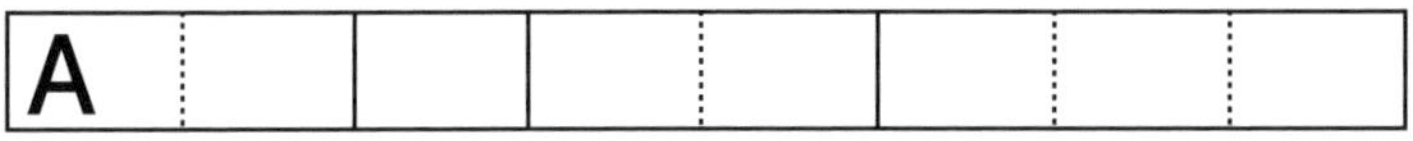

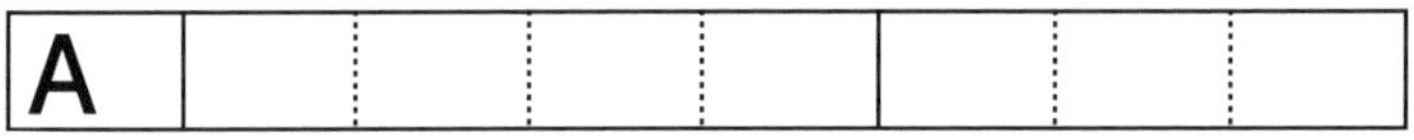

4

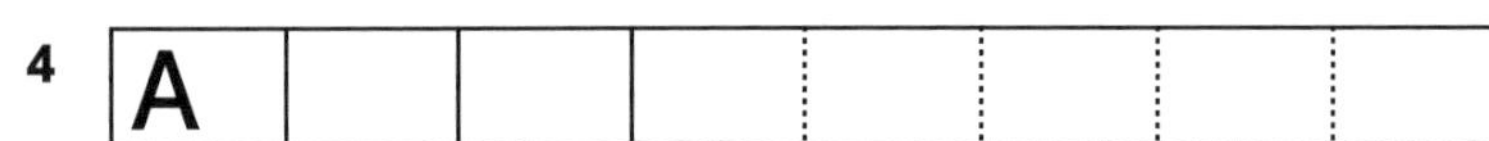

5

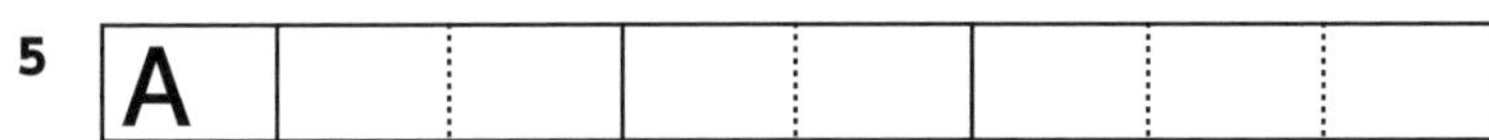

解説　　正解　1

折り目アで谷折りをしているので、アで左側に紙を開くと、アは破線となる。アに対して左側の紙にできる折り目ウは、折り目イと逆の山折りとなるので実線となる（図1）。

折り目エで谷折りをしているので、エで左側に紙を開くと、エは破線となる。エに対して左側の紙にできる折り目オ、カ、キは、折り目ウ、ア、イとそれぞれ逆になるので、オは破線、カは実線、キは実線となる（図2）。

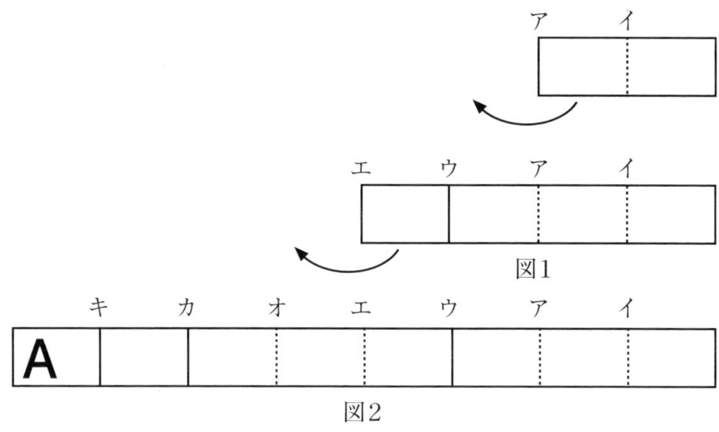

図1
図2

よって、正解は**1**である。

空間把握　位相

2020年度 ❶ 教養 No.13

図Ⅰは、大きさの等しい正方形12枚を並べた図形である。この図形においては、図Ⅱのように、1枚の正方形からスタートして、辺で隣り合う正方形に移動し、すべての正方形を1回ずつ通過して最初の正方形に戻ることが可能である。このように、1枚の正方形からスタートして、辺で隣り合う正方形に移動し、すべての正方形を1回ずつ通過して最初の正方形に戻ることが可能な図形として、最も妥当なのはどれか。

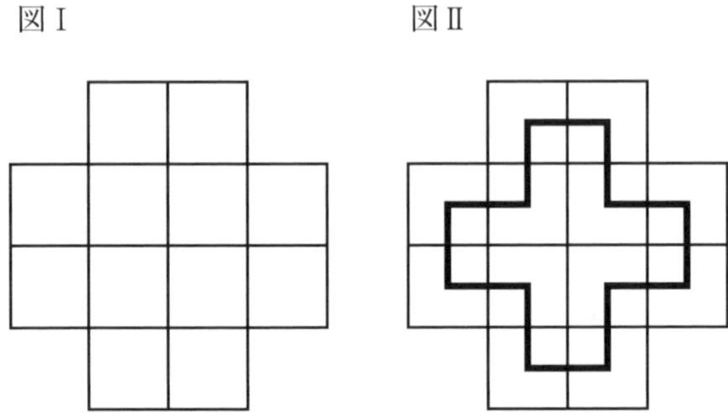

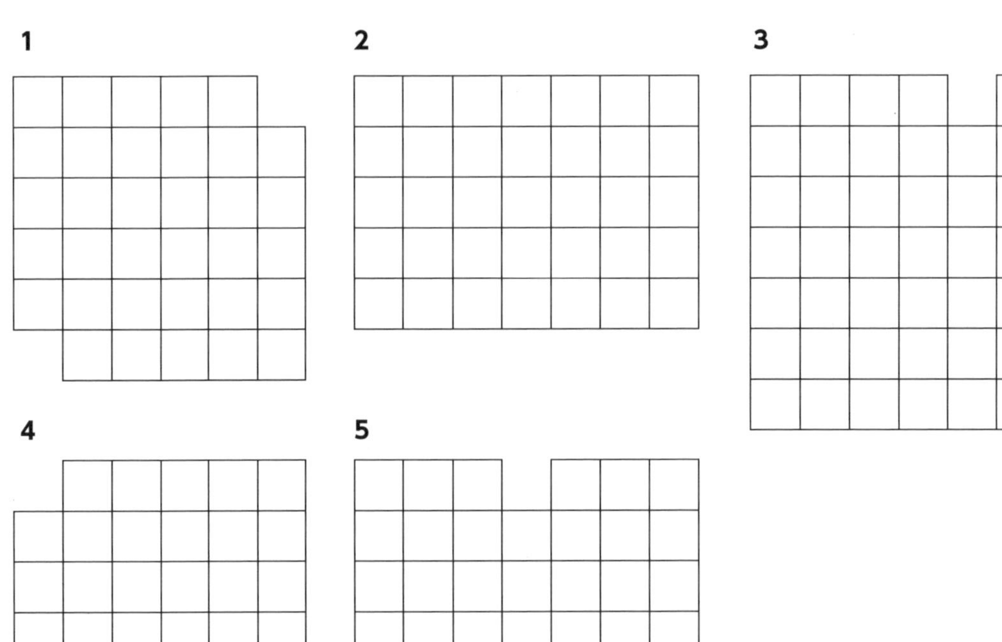

解説　正解　3

TAC生の正答率 70%

白と黒の色を用意し、辺で隣り合う面を異なる色で塗る。この場合、「辺で隣り合う正方形に移動」するということは、異なる色の面に移動することだから、「辺で隣り合う正方形に移動し、すべての正方形を１回ずつ通過して最初の正方形に戻る」条件を満たすには、白と黒が同数ずつ塗られている必要がある。

2と**4**では正方形が35枚で奇数なので、２色が同数にはならない。

1と**5**では１色が18枚、もう１色が16枚となるので２色が同数ではない。

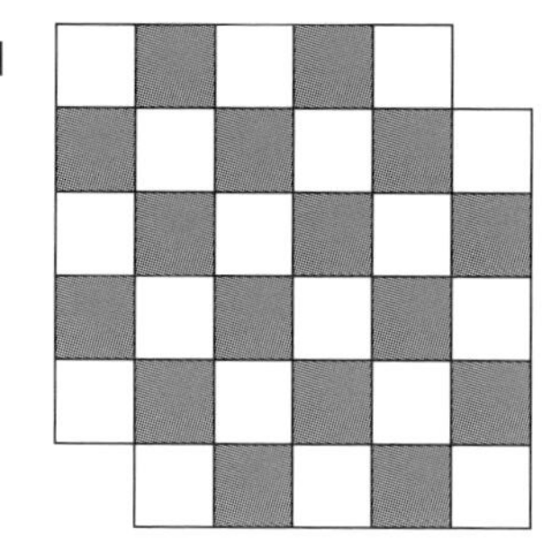

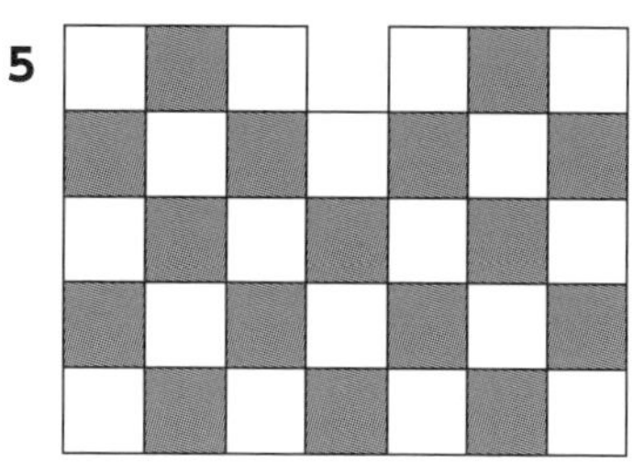

よって、消去法より正解は**3**である。なお、通過の仕方の一例を挙げる。

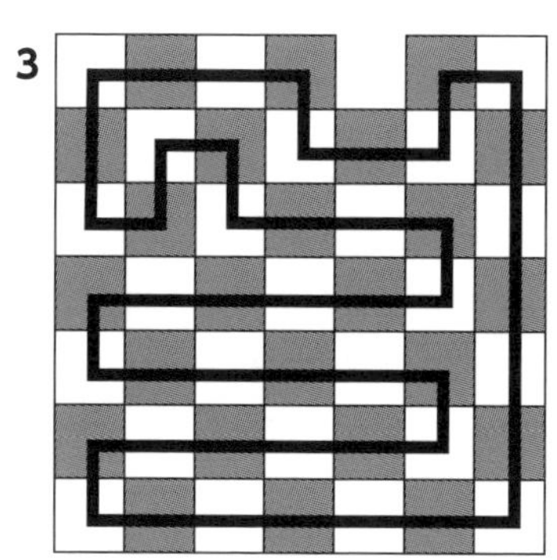

現代文
英文
判断推理
空間把握
数的推理
資料解釈
法律
政治
経済

点Ｐからすべての交点を１回ずつ通って再び点Ｐに戻る経路が存在しないものとして、最も妥当なのはどれか。

1 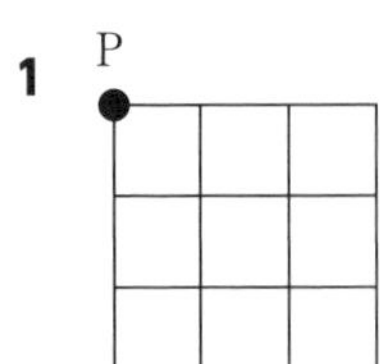

2 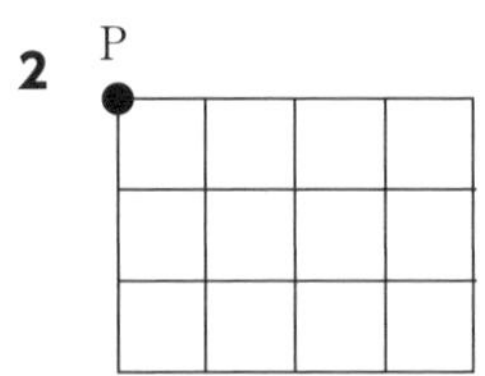

3 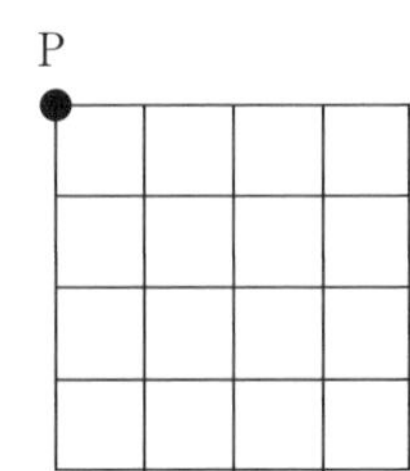

4 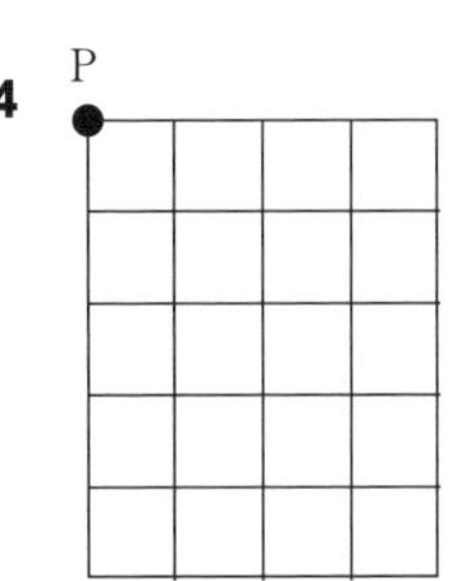

5 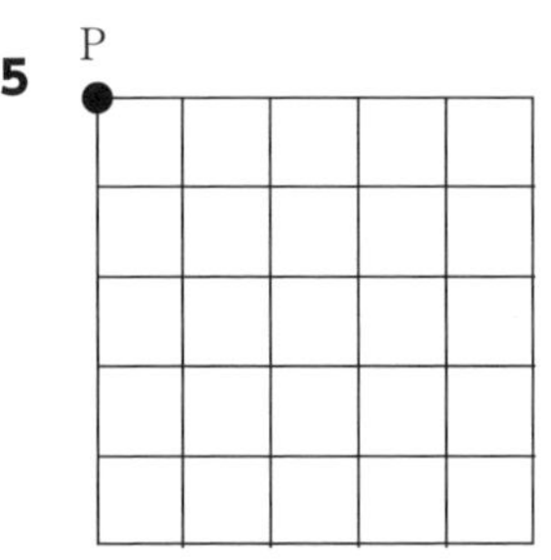

解説　正解　3

TAC生の正答率　69%

点Ｐからスタートして、戻ってくるときは行きとは別の線を使って戻ってくるので、行って戻ってくるには、計２本の線が必要となる。つまり、点Ｐからスタートしてすべての交点を１回ずつ通って再び点Ｐに戻ってくるには、縦と横の少なくともどちらかの辺の本数が偶数本でなければならない。各選択肢の縦と横の辺の本数を数えると、**1**は（縦，横）=（４，４）、**2**は（縦，横）=（５，４）、**3**は（縦，横）=（５，５）、**4**は（縦，横）=（５，６）、**5**は（縦，横）=（６，６）であるから、ともに奇数本である**3**が不適となる。

よって、正解は**3**である。なお、**3**以外は次のような経路で題意を満たす。

1 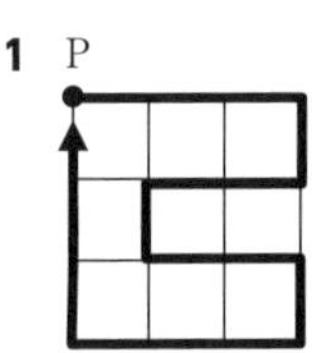

2 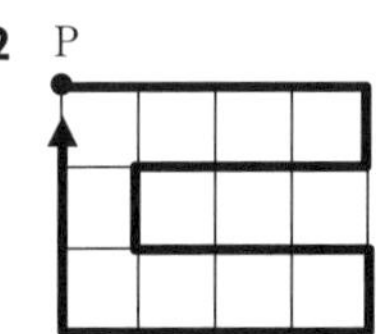

4 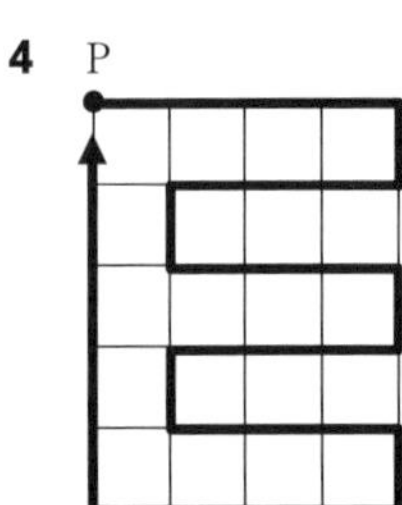

5 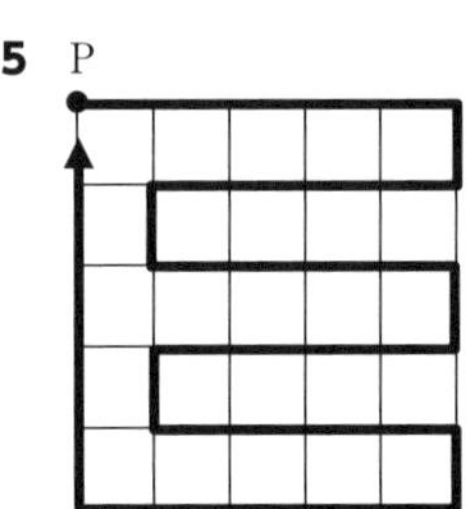

年齢算

現在の父親の年齢は、息子の年齢の３倍より２少ない。７年前の父親の年齢は、７年前の息子の年齢の５倍より２多かった。現在の父親の年齢として、最も妥当なのはどれか。

1　32歳

2　34歳

3　36歳

4　38歳

5　40歳

解説　正解　2

現在の息子の年齢をx[歳]とおくと、父親の年齢は$3x-2$[歳]とおける。このとき、７年前の息子の年齢は$x-7$[歳]、父親の年齢は$3x-9$[歳]となる。７年前の父親の年齢は、７年前の息子の年齢の５倍より２多かったことより、$3x-9=(x-7)\times5+2$が成り立ち、これを解くと$x=12$となる。

したがって、現在の父親の年齢は$3\times12-2=34$[歳]となるので、正解は**2**である。

数的推理　不定方程式

2021年度
教養 No.18

1桁の異なる整数A～Eについて、次のア～エのことがわかっているとき、A+C+Dの値として、最も妥当なのはどれか。

ア　$A+B=E$
イ　$E=2D$
ウ　$A+D=C$
エ　$2B-C=A$

1　14

2　16

3　18

4　19

5　20

解説　正解　1

TAC生の正答率　48%

1桁の異なる整数を1～9の自然数として考える。求める値はA+C+Dで、条件ウより、$A+D=C$なので、$A+C+D=C+C=2C$を求めることと同じである。

条件アに条件イを代入すると、

$$A+B=2D \quad \cdots\cdots①$$

となり、条件エを変形すると、

$$B=\frac{A+C}{2} \quad \cdots\cdots②$$

条件ウを変形すると、

$$D=C-A \quad \cdots\cdots③$$

となる。②、③を①に代入すると、

$$A+\frac{A+C}{2}=2(C-A)$$

で、展開して整理すると、$7A=3C$となり、Cは7の倍数とわかる。Cは1桁の整数なので、$C=7$と決まる。

よって、

$$A+C+D=2C=2\times7=14$$

なので、正解は**1**である。なお、$7A=3C=21$より$A=3$となり、$(A, C)=(3, 7)$を②に代入して$B=\frac{3+7}{2}=5$、③に代入して$D=7-3=4$、条件イより、$E=2\times4=8$となる。

数的推理　割合　2023年度❷ 教養 No.20

ある商品を400個仕入れ、原価の２割の利益を見込んだ定価を付けて販売した。しかし、全部を販売することはできなかったので、売れ残った商品は定価の半額で販売し、全部売り切った。このときの利益が仕入れ総額の５％であったとすると、定価の半額で販売した商品の個数として、最も妥当なものはどれか。

1　80個

2　100個

3　120個

4　140個

5　160個

解説　正解　2

価格についての値がまったくないので、具体的に１個の原価を100円と設定して考える。このとき、２割の利益を見込んで定価をつけたので、１個当たりの利益は$100\times0.2=20$[円]より、１個の定価は$100+20=120$[円]である。また、売れ残った商品の価格は定価の半額であったので、１個につき$120\div2=60$[円]となる。さらに、利益は仕入れ総額である$100\times400=40000$[円]の５％であったので、$40000\times0.05=2000$[円]である。

定価の半額で販売した商品の個数をx[個]とおくと、定価で販売した$(400-x)$[個]の商品からは、１個当たり20円の利益が出るので$20\times(400-x)$[円]の利益となる。しかし、定価の半額で販売した商品からは１個当たり$100-60=40$[円]の損失が出るので、x[個]で$40x$[円]の損失となる。

よって、最終的な利益は、$20\times(400-x)-40x$[円]となり、これが前述の2000円と等しいので、$20\times(400-x)-40x=2000$が成り立ち、これを解けば、$x=100$[個]となる。

したがって、正解は**2**である。

数的推理　割合

濃度の差が４％である食塩水A300ｇと食塩水B500ｇを混ぜ合わせると濃度が9.5％になるとき、食塩水Aの濃度として、最も妥当なのはどれか。

1　６％

2　８％

3　10％

4　12％

5　14％

解説　正解 4

食塩水AとBは、どちらの食塩水の方が、濃度が高いのかは不明であるので、場合分けして考える。

(i) 食塩水Aの濃度の方が食塩水Bの濃度より高い場合

食塩水Aの濃度をx[%]とすると、濃度の差が4%であるので、食塩水Bの濃度は$(x-4)$[%]と表すことができる。よって、それぞれの食塩水に含まれている食塩の重さは次のようになる。

	A	B	混合後
濃度(%)	x	$x-4$	9.5
食塩水(g)	300	500	800
食塩(g)	$\frac{x\times300}{100}$	$\frac{(x-4)\times500}{100}$	$\frac{9.5\times800}{100}$

混ぜる前と混ぜた後の食塩の重さは変わらないので、$\frac{x\times300}{100}+\frac{(x-4)\times500}{100}=\frac{9.5\times800}{100}$が成り立つ。整理すると、$3x+5(x-4)=76 \Leftrightarrow 8x=96$となり、$x=12\%$となる。

よって、選択肢より、この時点で正解は**4**である。

(ii) 食塩水Bの濃度の方が食塩水Aの濃度より高い場合

食塩水Aの濃度をx%とすると、濃度の差が4%であるので、食塩水Bの濃度は$(x+4)$%と表すことができる。よって、それぞれの食塩水に含まれている食塩の重さは次のようになる。

	A	B	混合後
濃度(%)	x	$x+4$	9.5
食塩水(g)	300	500	800
食塩(g)	$\frac{x\times300}{100}$	$\frac{(x+4)\times500}{100}$	$\frac{9.5\times800}{100}$

混ぜる前と混ぜた後の食塩の重さは変わらないので、$\frac{x\times300}{100}+\frac{(x+4)\times500}{100}=\frac{9.5\times800}{100}$が成り立つ。整理すると、$3x+5(x+4)=76 \Leftrightarrow 8x=56$となり、$x=7\%$となる。

数的推理　割合　2020年度 ❷ 教養 No.16

容器Xに入っている砂糖を、次のような手順で4つの容器A、B、C、Dに分けた。まず、容器Aに砂糖全体の$\frac{1}{4}$を入れ、容器Bにはその残りの$\frac{1}{3}$と20gを入れ、容器Cにはさらに残りの$\frac{2}{5}$と30gを入れ、容器Dには残っている砂糖をすべて入れた。この結果、容器Bと容器Dに入っている砂糖の量の和は、最初に容器Xに入っていた砂糖の量の$\frac{1}{2}$となった。このとき、容器Cと容器Dに入れた砂糖の量の差として、最も妥当なのはどれか。

1　10g

2　15g

3　20g

4　25g

5　30g

解説　正解　3

容器Xに入っている砂糖全体の量をx[g]とする。容器Aに入れた砂糖の量は$\frac{1}{4}x$[g]である。残りの砂糖の量は、

$$x-\frac{1}{4}x=\frac{3}{4}x[\mathrm{g}]$$

だから、容器Bに入れた砂糖の量は、

$$\frac{3}{4}x\times\frac{1}{3}+20=\frac{1}{4}x+20[\mathrm{g}]$$

である。残りの砂糖の量は、

$$\frac{3}{4}x-\left(\frac{1}{4}x+20\right)=\frac{1}{2}x-20[\mathrm{g}]$$

だから、容器Cに入れた砂糖の量は、

$$\left(\frac{1}{2}x-20\right)\times\frac{2}{5}+30=\frac{1}{5}x+22[\mathrm{g}]$$

である。容器Dに入れた砂糖の量は残り全部だから、

$$\left(\frac{1}{2}x-20\right)-\left(\frac{1}{5}x+22\right)=\frac{3}{10}x-42[\mathrm{g}]$$

である。

容器Bと容器Dに入っている砂糖の量の和が最初に容器Xに入っていた砂糖の量の$\frac{1}{2}$であることから、

$$\left(\frac{1}{4}x+20\right)+\left(\frac{3}{10}x-42\right)=\frac{1}{2}x$$

が成り立つ。両辺に20をかけて分母を払うと、

$$5x+400+6x-840=10x$$

となり、これを解くと$x=440$[g]となる。

よって、容器Cに入れた砂糖の量は、

$$\frac{1}{5}\times440+22=110[\mathrm{g}]$$

容器Dに入れた砂糖の量は、

$$\frac{3}{10}\times440-42=90[\mathrm{g}]$$

だから、その差は$110-90=20$[g]である。

したがって、正解は**3**である。

数的推理 割合

2019年度 ❷ 教養 No.15

定価で売ると１個につき400円の利益が出る商品がある。この商品を定価の10％引きで11個売ったときの利益は、定価の５％引きで６個売ったときの利益に等しい。この商品の定価として、最も妥当なのはどれか。ただし、消費税は考えないものとする。

1　2,100円

2　2,200円

3　2,300円

4　2,400円

5　2,500円

解説　正解　5

商品の原価を１個x［円］とする。定価で売ると400円の利益が出ることから、定価は１個$x+400$［円］と表せる。利益＝売上総額－仕入総額であるので、定価の10％引きで11個売ったときの利益は、$(x+400)\times\frac{9}{10}\times11-x\times11$［円］であり、定価の５％引きで６個売ったときの利益は、$(x+400)\times\frac{95}{100}\times6-x\times6$［円］となる。これらが等しいので、$(x+400)\times\frac{9}{10}\times11-x\times11=(x+400)\times\frac{95}{100}\times6-x\times6$が成り立ち、整理すると$\left(-\frac{1}{10}x+360\right)\times11=\left(-\frac{5}{100}x+380\right)\times6$で、これを解くと$x=2100$となる。

よって、定価は$2100+400=2500$［円］となるので、正解は**5**である。

数的推理　割合

2019年度 ❶ 教養 No.16

AとBがテストを受けたとき、BはAの２倍より10問少なく解答し、正答数はBのほうがAより10問多かった。また、このときの正答率はAは８割、Bは６割であった。Aの正答数として、最も妥当なのはどれか。

1　24問

2　32問

3　40問

4　48問

5　56問

解説　正解　2

TAC生の正答率　55%

Aの解答数をx[問]とおくと、Bの解答数は（$2x-10$）[問]となる。また、Aの正答数をy[問]とおくと、Bの正答数は（$y+10$）[問]となる。

Aの正答率は８割、Bの正答率は６割であるので、次の２式が成り立つ。

$$\frac{y}{x}\times 10=8 \quad \cdots\cdots①$$

$$\frac{y+10}{2x-10}\times 10=6 \quad \cdots\cdots②$$

①の両辺にxをかけて整理すると、

$$5y=4x \quad \cdots\cdots③$$

となる。また、②の両辺に$2x-10$をかけて整理すると、

$$5y=6x-80 \quad \cdots\cdots④$$

となる。③を④に代入すると$4x=6x-80$となり、これを解くと$x=40$となる。$x=40$を③に代入すると、

$$y=32[問]$$

となる。

したがって、正解は**2**である。

数的推理　割合

2018年度 ❶ 教養 No.17

ある商品を定価の８％引きで売ったところ、原価の15％の利益になった。このとき、定価は原価の何％の利益を見込んでつけていたか、その割合として、最も妥当なのはどれか。

1　21％

2　22％

3　23％

4　24％

5　25％

解説　正解　5

TAC生の正答率 56%

この商品の原価を100円とおき、定価をx[円]とおく。このとき、定価の８％引きは$x\times(1-0.08)$[円]…①であり、これにより原価の15%の利益をつけたので、①は115円であることがわかる。したがって、$x\times(1-0.08)=115$が成り立ち、これを解けば、$x=125$[円]となる。

定価が125円ということから、原価100円に対し、25円の利益を乗せたことがわかり、原価に対し25%の利益を見込んだことがわかる。よって、正解は**5**である。

ある学年でA組24人、B組16人、計40人の身長を調べた。A組の平均身長は、A組とB組を合わせた全体の平均身長より4cm低かった。このとき、B組の平均身長と、A組の平均身長との差として、最も妥当なのはどれか。

1　9cm

2　10cm

3　11cm

4　12cm

5　13cm

解説　**正解　2**　TAC生の正答率 46%

A組とB組を合わせた全体の平均身長をx[cm]とおくと、A組の平均身長は（$x-4$）[cm]となり、さらにB組の平均身長をy[cm]とおく。

A組の人数は24人、平均身長は（$x-4$）[cm]であるので、A組の身長の合計は、$24\times(x-4)$[cm]であり、B組の人数は16人、平均身長はy[cm]であるので、B組の身長の合計は、$16\times y$[cm]である。さらに、A組とB組を合わせた全体の人数は40人、平均身長はx[cm]であるので、全体の身長の合計は、$40\times x$[cm]である。よって、次の式が成り立つ。

$$24\times(x-4)+16\times y=40\times x$$

上の式を整理すると、$y-x=6$となり、B組の平均身長は、$x+6$[cm]となるので、平均身長の差は、

$$x+6-(x-4)=10[\mathrm{cm}]$$

となる。

よって、正解は**2**である。

数的推理　速さ

2023年度❷ 教養 No.19

Aは、午前８時50分にＰ山の麓から頂上に向かって時速3.6kmで登山道を登り始め、頂上までの距離の中間地点から先は時速３kmで登って頂上に着いた。頂上で１時間休憩してから、登りと同じ登山道を時速５kmで下り、午後３時54分に麓へ戻った。Aが登りにかかった時間として、最も妥当なものはどれか。ただし、動いている時の速さはそれぞれ一定とする。

1　３時間30分

2　３時間40分

3　３時間50分

4　４時間00分

5　４時間10分

解説　正解　2

条件より、時速3.6kmで登った距離と時速３kmで登った距離をそれぞれx[km]とおくと、Ｐ山の麓から頂上までの距離は$2x$[km]となる。よって、登りにかかった時間は$\frac{x}{3.6}+\frac{x}{3}$[時間]、下りにかかった時間は$\frac{2x}{5}$[時間]となる。また、全所要時間は７時間４分であり、時間に直すと４分は$\frac{4}{60}=\frac{1}{15}$[時間]であるので、$7\frac{1}{15}$時間である。この時間の合計を使って式を立てると、$\frac{x}{3.6}+\frac{x}{3}+1+\frac{2x}{5}=7\frac{1}{15}$が成り立ち、$x$について解く。

上の式を$\frac{x}{3.6}+\frac{x}{3}+\frac{2x}{5}=\frac{91}{15}$と整理して、左辺を90で通分すると、$\frac{25+30+36}{90}x=\frac{91}{15}$となる。そして、左辺を整理すると、$\frac{91}{90}x=\frac{91}{15}$となるので、$x=\frac{91}{15}\times\frac{90}{91}=6$…①となる。

登りにかかった時間は、$\frac{x}{3.6}+\frac{x}{3}=\frac{25+30}{90}x$[時間]であるので、これに①を代入すると、$\frac{25+30}{90}\times 6=\frac{11}{3}=3\frac{2}{3}$[時間]である。$\frac{2}{3}$時間を分に直すと$\frac{2}{3}\times 60=40$[分]であるので、登りにかかった時間は３時間40分となる。

よって、正解は**2**である。

数的推理	速さ	2021年度 教養 No.17

Aさんは、１階から２階にエスカレーターで昇り、その後、２階から３階まで階段で昇った。２階にいた時間は２分、Aさんの階段を昇る速度は、7.2km/時、エスカレーターに乗ったAさんの速度は1.8km/時のとき、Aさんが１階でエスカレーターに乗ってから３階に到着するまでにかかった時間として、最も妥当なのはどれか。ただし、エスカレーターと階段の長さは、それぞれ60mとする。

1　３分45秒

2　４分20秒

3　４分30秒

4　５分10秒

5　５分20秒

解説　**正解　3**　TAC生の正答率 77%

7.2km/時、1.8km/時をそれぞれ分速にすると、7.2km/時＝120m/分、1.8km/時＝30m/分となる。エスカレーターの長さ60mを速度30m/分で昇るので、かかった時間は60÷30＝2［分］となり、階段の長さ60mを速度120m/分で昇るので、かかった時間は60÷120＝0.5［分］となる。

よって、２階にいた時間の２分も考慮すると、かかった時間の合計は、

2＋2＋0.5＝4.5［分］

となり、正解は**3**である。

数的推理　旅人算

2022年度 ❶
教養 No.15

一周が1,400mの池の周りをＡとＢが同じ地点から、Ａは時計回りに分速80mで歩き始め、Ｂは反時計回りに分速120mの自転車で出発した。二人がすれ違うたびにＢだけがその場で５分休むものとすると、ＡとＢが最初の出発点を同時に出発して３回目のすれ違いが起こるまでに要する時間として、最も妥当なのはどれか。ただし、ＡとＢが動いているときの速さは一定とする。

1　17分

2　22分

3　27分

4　32分

5　37分

解説　正解　3

TAC生の正答率　59%

ＡとＢが出発して１回目にすれ違うまでの時間をa[分]とおくと、２人がa[分]で進んだ距離の合計は1400mであるから、$80a+120a=1400$が成り立ち、これを解くと、$a=7$[分]となる。その後Ａは、Ｂが休んでいる５分の間に$80\times5=400$[m]進むので、Ｂが再出発するときの２人の隔たりは$1400-400=1000$[m]となる。よって、Ｂが再出発してからＡとＢが２回目にすれ違うまでの時間をb[分]とおくと、２人がb[分]で進んだ距離の合計は1000mであるから、$80b+120b=1000$が成り立ち、これを解くと、$b=5$[分]となる。同様に、Ｂが再出発してからＡとＢが３回目にすれ違うまでの時間も５分であるので、ＡとＢが最初の出発点を同時に出発して３回目のすれ違いが起こるまでの時間は、$7+5+5+5+5=27$[分]となる。

したがって、正解は**3**である。

数的推理	旅人算	2020年度 ❶ 教養 No.16

Ｐ地点とＱ地点は直線の１本道で結ばれている。ＡはＰ地点からＱ地点に向かって、ＢはＱ地点からＰ地点に向かって、同時に歩き始めた。Ａ、Ｂはそれぞれ一定の速さで止まることなく歩き続け、ＡはＢとすれ違ってから16分後にＱ地点に到着し、ＢはＡとすれ違ってから36分後にＰ地点に到着した。このとき、２人が歩き始めてからすれ違うまでの時間として、最も妥当なのはどれか。

1　24分

2　30分

3　36分

4　42分

5　48分

解説　**正解　1**　TAC生の正答率　54%

Ａ、Ｂの２人の移動の状況をダイヤグラムで表す。２人が歩き始めてからすれ違うまでの時間をt［分］とすると、次のようになる。

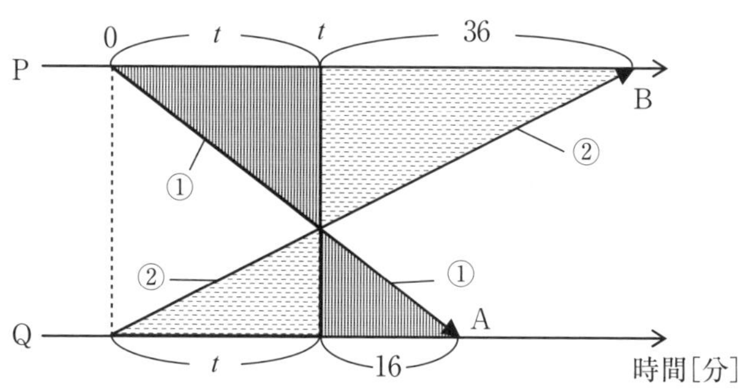

図において、①で示された２つの三角形は相似であり、相似比はt：16である。また、②で示された２つの三角形も相似であり、相似比は36：tである。t分後の部分の縦線は、①、②共通の辺であるから、２組の相似比は等しいことになる。

よって、t：16＝36：tが成り立ち、これを解くとt＝24［分］となるから、正解は**1**である。

数的推理　旅人算

2019年度❷
教養 No.16

1.2km離れた直線XY間を、AはX地点、BはY地点を同時に出発して、Aは毎分80mで、Bは毎分100mで往復した。出発してから2人が2度目にすれ違った地点として、最も妥当なのはどれか。

1　X地点から200m

2　X地点から400m

3　X地点から600m

4　Y地点から200m

5　Y地点から400m

解説　**正解　5**

下図のように、A、Bが同時に出発してから２度目にすれ違うまでに、２人が移動した距離の合計は、片道分×3、すなわち、1.2×3＝3.6[km]＝3600[m]となる。出発してから２度目にすれ違うまでの時間をx[分]とすると、Aの移動距離は80×x＝80x[m]、Bの移動距離は100×x＝100x[m]であり、この距離の合計が3600mであるから、80x＋100x＝3600が成り立つ。これを解くとx＝20[分]で、Aの移動距離は80×20＝1600[m]であるから、X地点を出発したAは、1200m進んでY地点で折り返し、さらに400m進んだ地点でBと２度目にすれ違ったことになる。

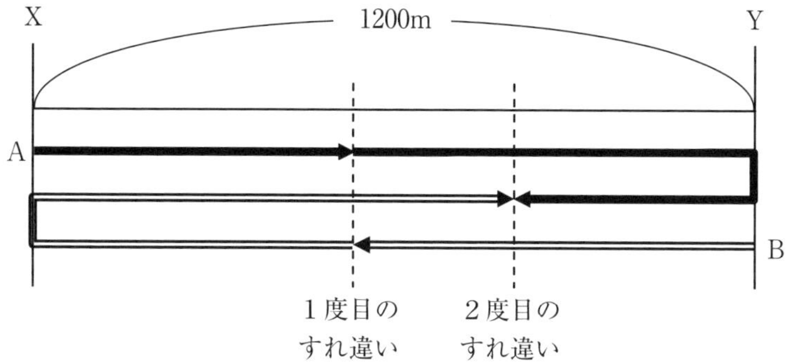

したがって、正解は**5**である。

数的推理　流水算

一定の速さで流れている川の下流にあるＡ地点から、24km上流にあるＢ地点まで、普段は２時間かかる船がある。ある日、途中で船のエンジンが30分間停止してしまい、その間船は下流へ流されていたので、Ａ地点からＢ地点まで２時間40分かかった。この川の流れの速さとして、最も妥当なものはどれか。ただし、船が下流へ流される速さは川の流れの速さに等しく、船の進む速さ、川の流れの速さはそれぞれ一定とする。

1　時速１km

2　時速２km

3　時速３km

4　時速４km

5　時速５km

解説　正解　4

TAC生の正答率　51%

船の進む速さをx[km/時]、川の流れの速さをy[km/時]とおくと、上りの速さは（$x-y$）[km/時]と表すことができる。そして、船で24km上流にあるＢ地点まで、普段は２時間かかるので、上りの速さは$\frac{24}{2}=12$[km/時]となり、$x-y=12$…①が成り立つ。

ある日の状況を図に整理すると次のようになる。

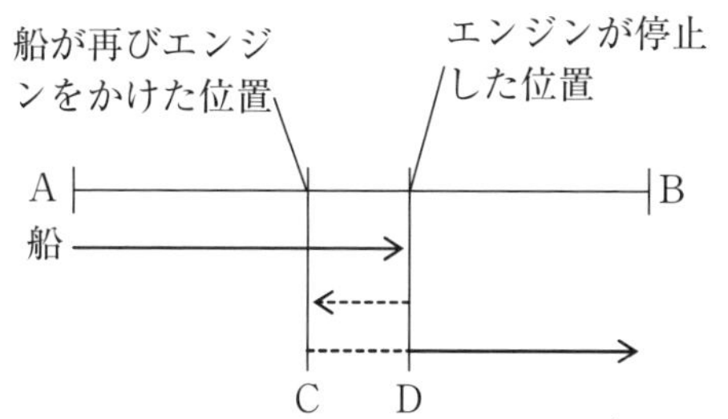

CD間：船が流された距離

エンジンが30分間停止したために２時間40分かかったので、普段より40分多くかかってＢ地点に到着したことわかる。この40分間の内訳は、エンジンが停止して船が下流に流された時間が30分、再びエンジンをかけて船をＢ地点に向けて進めた時間が10分間である。そして、この２つの移動は、上の図でのCD間の移動である。よって、船が下流に流された距離は、時間が$\frac{30}{60}=\frac{1}{2}$[時間]で、川の流れの速さが$y$[km/時]であるので、$\frac{1}{2}y$[km]である。また、再びエンジンをかけて船をＢ地点に向けて進めた距離は、時間が$\frac{10}{60}=\frac{1}{6}$[時間]で、上りの速さは($x-y$)[km/時]であるので、$\frac{1}{6}\times(x-y)$[km]となる。この２つの距離は等しいことより、$\frac{1}{2}y=\frac{1}{6}\times(x-y)$…②が成り立つ。

①を②に代入すると、$\frac{1}{2}y=\frac{1}{6}\times12$より、$y=4$[km/時]となり、正解は**4**である。

数的推理　仕事算

2022年度 ❶
教養 No.18

ある広場の草刈りをするのに大人４人では３時間、子供６人では８時間がかかる。大人３人と子供４人でこの広場の草刈りをしたとき、すべての作業が終了するまでに要する時間として、最も妥当なのはどれか。

1　３時間

2　４時間

3　５時間

4　６時間

5　７時間

解説　正解　1

TAC生の正答率 56%

全体の仕事量を１とおく。大人４人で３時間かかるので、大人１人で１時間あたり$\frac{1}{12}$の仕事量となり、子供６人で８時間かかるので、子供１人で１時間あたり$\frac{1}{48}$の仕事量となる。

大人３人と子供４人で作業を行う場合、$\frac{1}{12}\times3+\frac{1}{48}\times4=\frac{1}{3}$より、１時間あたり$\frac{1}{3}$の仕事量となり、すべての作業を終了するのに$1\div\frac{1}{3}=3$より、３時間かかる。

よって、正解は**1**である。

数的推理	ニュートン算	2023年度 ❶ 教養 No.20

ある行政機関の窓口では、午前9時ちょうどに受付を開始する。受付開始までに行列を作って待っている人数は毎朝一定であり、さらに毎分新たに到着して行列に並ぶ人数も一定であることがわかっている。いま、午前9時ちょうどに受付窓口を3つ設けると行列は120分でなくなり、受付窓口を4つ設けると40分で行列がなくなるという。このとき、受付窓口を5つ設けた場合、行列がなくなるまでにかかる時間として、最も妥当なものはどれか。ただし、どの窓口を利用しても一人当たりの受付にかかる時間は一定とする。

1　16分

2　18分

3　20分

4　22分

5　24分

解説　正解　**5**　TAC生の正答率　45%

受付開始までに行列を作って待っている人数をa[人]、毎分新たに到着して行列に並ぶ人数をx[人]、毎分1つの受付窓口で受付を済ませる人数をy[人]とおく。

受付窓口を3つ設けると行列は120分でなくなるので、受付窓口に並ぶ人数は$(a+120x)$[人]、3つの受付窓口で受付を済ませる人数は$(3\times120y)$[人]である。これらの人数は等しいので、$a+120x=3\times120y \Leftrightarrow a+120x=360y$…①が成り立つ。

また、受付窓口を4つ設けると行列が40分でなくなるので、受付窓口に並ぶ人数は$(a+40x)$[人]、4つの受付窓口で受付を済ませる人数は$(4\times40y)$[人]である。これらの人数は等しいので、$a+40x=4\times40y \Leftrightarrow a+40x=160y$…②が成り立つ。

さらに、受付窓口を5つ設けると行列がt[分]でなくなるとすると、受付窓口に並ぶ人数は$(a+tx)$[人]、5つの受付窓口で受付を済ませる人数は$(5\times ty)$[人]である。これらの人数は等しいので、$a+tx=5\times ty \Leftrightarrow a+tx=5ty$…③が成り立つ。

①－②より、aを消去すると、$80x=200y \Leftrightarrow 2x=5y \Leftrightarrow y=\frac{2}{5}x$…④となり、④を②に代入すると、$a+40x=160\times\frac{2}{5}x \Leftrightarrow a=24x$…⑤となる。

次に④と⑤を③に代入すると、$24x+tx=5t\times\frac{2}{5}x \Leftrightarrow tx=24x$となり、$x\neq0$より、両辺を$x$で割ると、$t=24$[分]となる。

よって、正解は**5**である。

ある２つの自然数の積は1000以下で、それぞれの２乗の差が319であった。この２つの自然数のうち、大きい方の数として、最も妥当なものはどれか。

1 14

2 16

3 18

4 20

5 22

解説　正解 4

２つの自然数をx、y（ただし、$x>y$）とする。

条件より、$xy \leqq 1000$…①、$x^2-y^2=319$…②と表されるが、②を変形すると、$(x-y)(x+y)=11\times 29$となる。11と29が素数であるから、319の約数は$2\times 2=4$[個]あり、それは１、11、29、319である。$x-y<x+y$に注意すると、自然数の組（$x-y$, $x+y$）は（1, 319）、（11, 29）の２組である。

$(x-y, x+y)=(1, 319)$のとき、連立方程式を解くと、$x=160$、$y=159$であるが、①を満たさず不適である。

$(x-y, x+y)=(11, 29)$のとき、連立方程式を解くと、$x=20$、$y=9$であり、①を満たす。

よって、大きい方の数xは20であるから、正解は**4**である。

整数

自然数xは、23を加えると29の倍数となり、29を加えると23の倍数となる最小の数である。この自然数xを6で割った余りとして、最も妥当なのはどれか。

1　1

2　2

3　3

4　4

5　5

解説　正解　3

xは23を加えると29の倍数となるから、

$x+23=29\times a$　……①（aは正の整数）

と表せる。また、xは29を加えると23の倍数となるから、

$x+29=23\times b$　……②（bは正の整数）

と表せる。ともに23と29が使われ、$23+29=52$であることを踏まえると、①の両辺に29を足すと、

$x+23+29=29a+29 \Leftrightarrow x+52=29\times(a+1)$　……①′（aは正の整数）

②の両辺に23を足すと、

$x+29+23=23b+23 \Leftrightarrow x+52=23\times(b+1)$　……②′（bは正の整数）

と表せる。①′、②′より、$x+52$は23および29の倍数となるから、23と29の最小公倍数の667を用いて、

$x+52=667\times c$（cは正の整数）

と表せる。xの最小値は$c=1$のときの$x=615$である。

よって、$615\div 6=102$余り3であるから、正解は**3**である。

数的推理　整数

2020年度 ❶ 教養 No.15

4個の自然数a、b、c、dがあり、$a>b>c>d$である。この4個の自然数から2個を選んでその和を取ると、最大の数は178、2番目に大きい数は171、3番目に大きい数は165となり，最小の数は145である。このとき、自然数dの値として、最も妥当なのはどれか。

1　65

2　66

3　67

4　68

5　69

解説　正解　2

TAC生の正答率 51%

2個の和で最大の数となるのは$a+b$だから、$a+b=178$…①、2番目に大きい数となるのは$a+c$だから、$a+c=171$…②、最小の数は$c+d$だから、$c+d=145$…③となる。3番目に大きい数は$a+d$と$b+c$の2パターンがあるので、場合分けで考える。

(i)　3番目に大きい数が$a+d$の場合

$a+d=165$…④となる。また、②－③より$a-d=26$…⑤となる。④と⑤を連立させて解くと、$a=95.5$、$d=69.5$となるが、自然数ではないので不適である。

(ii)　3番目に大きい数が$b+c$の場合

$b+c=165$…⑥となる。また、①－②より$b-c=7$…⑦となる。⑥と⑦を連立させて解くと、$b=86$、$c=79$となり、①、③に代入して$a=92$、$d=66$となる。

よって、正解は**2**である。

連続する３つの２桁の自然数a、b、cがある。$a^2+b^2+c^2$の一の位が２となるa、b、cの組合せの数として、最も妥当なのはどれか。

1　７通り

2　８通り

3　９通り

4　10通り

5　11通り

解説　正解　2

TAC生の正答率 47%

a、b、cは連続する３整数なので、$a=n-1$、$b=n$、$c=n+1$とおく。$a^2+b^2+c^2=3n^2+2$より、この数の一の位が２ということは、$3n^2$の一の位が０である。したがって、nは10の倍数となる。

nは２桁の数なので、$n=10$、20、30、40、50、60、70、80、90が考えられるが、$n=10$のとき、$a=10-1=9$でaが１桁の数になってしまう。

よって、$n=20$、30、40、50、60、70、80、90の８通りであるので、正解は**2**である。

数的推理　剰余

2022年度 ❶
教養 No.17

1から300までの整数のうち、3で割ると1余り、4で割ると割り切れ、5で割ると2余る整数をすべて足し合わせた値として、最も妥当なのはどれか。

1　800

2　820

3　840

4　860

5　880

解説　正解　4

TAC生の正答率　50%

題意を満たすような整数をnとおく($1 \leqq n \leqq 300$)。「3で割ると1余る」ので、商をaとおくと$n=3a+1$…①と表せる。同様に、「4で割ると割り切れ」、「5で割ると2余る」もそれぞれ商をb、cとおいて表すと、$n=4b$…②、$n=5c+2$…③と表せる。①、②、③それぞれの両辺に、ある共通の数を足して、3の倍数、4の倍数、5の倍数にすることを考える。例えば、③の両辺に3を足すと、③は$n=5c+5=5(c+1)$となって5の倍数となるが、①や②に3を足しても、3の倍数や4の倍数にならないので、不適である。このように考えていくと、①、②、③それぞれの両辺に8を足すと、①は$n+8=3a+9=3(a+3)$、②は$n+8=4(b+2)$、③は$n+8=5(c+2)$となり、$n+8$は3の倍数かつ4の倍数かつ5の倍数となるので、$n+8$は60の倍数となる。よって、$n=(60の倍数)-8$となり、nは1から300までの整数だから、52、112、172、232、292の5つとなる。

したがって、$52+112+172+232+292=860$となるので、正解は**4**である。

$\frac{1}{3}$という分数を小数に変換すると、1÷3＝0.333…となり、小数第1位から3が循環する。これを、$\frac{1}{3}=0.\dot{3}$と表す。同様に、$\frac{4}{33}$は4÷33＝0.121212…より、$\frac{4}{33}=0.\dot{1}\dot{2}$、$\frac{4}{165}$は4÷165＝0.0242424…より、$\frac{4}{165}=0.0\dot{2}\dot{4}$で表される。循環小数0.135135135…＝$0.\dot{1}3\dot{5}=\frac{q}{p}$であるとき、$p+q$の値として、最も妥当なものはどれか。ただし、$\frac{q}{p}$は既約分数である。

1 39

2 40

3 41

4 42

5 43

解説　正解　4

TAC生の正答率 35%

X＝0.135135135135…(①) とおく。この式の両辺を1000倍すると、1000X＝135.135135135…(②)となる。ここで、②－①をすると、次のようになる。

$$\begin{array}{rl} 1000X = & 135.135135135\cdots(②) \\ -\quad X = & 0.135135135135\cdots(①) \\ \hline 999X = & 135 \end{array}$$

よって、$X=\frac{135}{999}=\frac{5}{37}$となる。$X=\frac{q}{p}$より、$p+q=37+5=42$であるので、正解は**4**である。

数的推理　規則性

2022年度 ❷ 教養 No.18

次のような数列がある。

1，2，4，7，11，16，…，

この数列において、第100項の数として、最も妥当なのはどれか。

1　4949

2　4950

3　4951

4　5050

5　5051

解説　正解　3

この数列は、次のように差をとると、差は1ずつ増えている。

1，2，4，7，11，16，…
+1　+2　+3　+4　+5

例えば、第5項の11は、初項とこれらの差を用いて表すと、$1+(1+2+3+4)=11$と表すことができ、同様にして、第6項の16は、$1+(1+2+3+4+5)=16$と表すことができる。つまり、第n項の数は、$1+\{1+2+3+4+5+\cdots+(n-1)\}$と表すことができるので、第100項の数は、$1+(1+2+3+4+5+\cdots+99)$と表すことができる。

よって、$1+(1+2+3+4+5+\cdots+99)=1+\dfrac{(1+99)\times 99}{2}=1+4950=4951$となるので、正解は**3**である。

１から200までの自然数のうち、５で割り切れない自然数をすべて足した数として、最も妥当なのはどれか。

1　15,000

2　16,000

3　17,000

4　18,000

5　19,000

解説　正解　2

TAC生の正答率　70%

１から200までの自然数のうち、５で割り切れない自然数をすべて足した数は、（１から200までの自然数の和）－（１から200までの自然数で、５で割り切れるものの和）で求められる。

１から200までの自然数の総和は、初項１、末項200、項数200の等差数列の総和となるから、(1＋200)×200÷2＝20100である。（５で割り切れる数）＝（５の倍数）で、１から200までに５の倍数は200÷5＝40[個]あり、最初の数は５、最後の数は5×40＝200である。よって、１から200までの自然数で、５で割り切れるものの総和は、初項５、末項200、項数40の等差数列の総和となるから、(5＋200)×40÷2＝4100である。

したがって、求める値は20100－4100＝16000となるので、正解は**2**である。

数的推理 規則性

2018年度 ❷ 教養 No.15

$7^{17}+3^{25}$の一の位の数として、最も妥当なのはどれか。

1 0

2 2

3 4

4 6

5 8

解説 正解 1

7の累乗の積は、$7^1=7$、$7^2=49$、$7^3=343$、$7^4=2401$、$7^5=16807$、$7^6=117649$、…、となり、設問で問われている一の位に注目すると、（7→9→3→1）→（7→9→…）→…、と繰り返していることがわかる。よって、7を17回かけた場合、17÷4＝4余り1より、（7→9→3→1）が4セットのあと、→7、となるので、7^{17}の一の位は7である。

3の累乗の積は、$3^1=3$、$3^2=9$、$3^3=27$、$3^4=81$、$3^5=243$、$3^6=729$、…、となり、設問で問われている一の位に注目すると、（3→9→7→1）→（3→9→…）→…、と繰り返していることがわかる。よって、3を25回かけた場合、25÷4＝6余り1より、（3→9→7→1）が6セットのあと、→3、となるので、3^{25}の一の位は3である。

したがって、一の位が7の数と一の位が3の数を足したときの一の位は7＋3＝10より0となるので、正解は**1**である。

N進法

5進法で表すと4abとなる数は6進法で表すとb5aとなる。この数を8進法で表したものとして、最も妥当なのはどれか。

1 124

2 126

3 144

4 146

5 164

解説　正解 4

TAC生の正答率 52%

5進法で4abとなる数を10進法で表すと、$4\times5^2+a\times5+b=5a+b+100$…①となり、6進法でb5aとなる数を10進法で表すと、$b\times6^2+5\times6+a=a+36b+30$…②となる。①＝②より、$5a+b+100=a+36b+30$となり、整理すると、$4a=35b-70$…③となる。③の右辺を35でくくると$4a=35(b-2)$で、aは35の倍数となり、5進法で4abということは、aは4以下の数となる。よって、aは35の倍数で4以下の数であるので、$a=0$となる。③に代入して、$b=2$となるので、5進法で402となる数であることがわかり、これを10進法で表すと、①に$a=0$、$b=2$を代入して102となる。102を8進法で表すと、以下のような計算をして、146となる。

```
8) 1 0 2
8)   1 2 … 6
       1 … 4
```

したがって、正解は**4**である。

数的推理　N進法

2018年度 ❶
教養 No.15

5進法で表された数2222と3進法で表された数2222との差を6進法で表した数として、最も妥当なのはどれか。

1 542

2 1024

3 1104

4 1142

5 1201

解説　正解 2

TAC生の正答率 86%

5進法で表された数2222を10進法に直すと、$2222_{(5)}=5^3\times2+5^2\times2+5^1\times2+5^0\times2=312$となる。

3進法で表された数2222を10進法に直すと、$2222_{(3)}=3^3\times2+3^2\times2+3^1\times2+3^0\times2=80$となる。

これら2数の差を10進法で表せば、$312-80=232$である。これを6進法で表すには、下のような計算をすればよい。下図の矢印の順に数字を読み取れば、$232=1024_{(6)}$となる。よって、正解は**2**である。

```
6) 232
6)  38 … 4 ↑
6)   6 … 2
     1 … 0
```

数的推理　覆面算

次の計算式のA～Eには、それぞれ0～9のうち異なる整数が当てはまる。Bに当てはまる整数として、最も妥当なのはどれか。ただし、同一の記号には同一の整数が当てはまるものとする。

```
   ABCD
+  DABE
-------
  DECAD
```

1　1

2　3

3　5

4　7

5　9

解説　正解　3

TAC生の正答率　69%

一の位に着目すれば、D＋E＝DよりE＝0である。

1桁の2数の和は大きくても18なので、合計の万の位に着目すれば、D＝1に決まる。千の位の和が10になるが、繰り上がりまで考えるとA＋1＝10または1＋A＋1＝10より、A＝9または8である。これで場合分けする。

(i)　A＝8のとき

```
  8BC1
+ 18B0
------
 10C81
```

十の位より、C＋B＝8または18だが、18だと、B、Cがともに9となり、B、Cが異なることに反する。よって、C＋B＝8（①）である。B＋8＝10＋C（②）より、①と②を連立すれば、B＝5、C＝3となり、問題の計算に矛盾しない。

(ii)　A＝9のとき

```
  9BC1
+ 19B0
------
 10C91
```

十の位より、C＋B＝9または19だが、1桁の2数の和は大きくても18なので、C＋B＝9（③）である。B＋9＝C（④）より、③と④を連立すれば、B＝0、C＝9となり、BとEが一致し、B、Eが異なることに反する。

以上より、A＝8、B＝5、C＝3、D＝1、E＝0となるので、正解は**3**である。

数的推理　場合の数

2022年度❷
教養 No.17

あるインターネットサイトの会員登録のパスワードは0～9のうち異なる4つの数を組み合わせてできる4桁の数でなければならない。このサイトの会員であるAさんは、現在使用しているパスワードを変更することにした。新しいパスワードには現在使用している4つの数のうち少なくとも1つは同じ数を使いたい。このとき考えられる新しいパスワードの場合の数として、最も妥当なのはどれか。ただし、パスワードの千の位にも0を使えるものとする。

1　4678通り

2　4679通り

3　4680通り

4　4681通り

5　4682通り

解説　正解　2

0～9のうち異なる4つの数を組み合わせてできる4桁の数の並び方の総数は、${}_{10}P_4=10\times9\times8\times7=5040$［通り］である。「4つの数のうち少なくとも1つは同じ数を使った場合の4桁の数の並び方」に該当しないのは、「4つの数とはすべて異なる数を使った場合の4桁の数の並び方」である。

したがって、該当しない並び方の数は、使っていない6つの数から4つの数を選んで並べればよいので、${}_6P_4=6\times5\times4\times3=360$［通り］である。また、現在のパスワードの4桁は使わないので、この1通りもすべての並び方から除かなければならない。

よって、求める場合の数は、$5040-360-1=4679$［通り］となるので、正解は**2**である。

1から9までの整数から、異なる4個を選んで組をつくるとき、その中に偶数も奇数も含まれる場合の数として、最も妥当なのはどれか。

1 118通り

2 120通り

3 122通り

4 124通り

5 126通り

解説　正解　2

1～9のうち、偶数は（2，4，6，8）の4個、奇数は（1，3，5，7，9）の5個ある。異なる4個を選んだときに偶数も奇数も含まれる選び方の余事象は、「偶数のみまたは奇数のみが含まれる選び方」であるから、求める場合の数は、すべての選び方の総数から余事象となる選び方の総数を引けば求められる。

9個の数字から4個を選ぶすべての選び方は${}_9C_4=126$[通り]で、余事象となる選び方は、①偶数のみ4個を選ぶのが、4個の偶数から4個を選ぶから${}_4C_4=1$[通り]、②奇数のみ4個を選ぶのが、5個の奇数から4個を選ぶから${}_5C_4=5$[通り]である。

したがって、求める場合の数は$126-(1+5)=120$[通り]であるから、正解は**2**である。

数的推理 確率

2023年度 ❷ 教養 No.22

10本の中に3本の当たりが含まれているくじを、10人が順番に1本ずつ引くことになった。3本目の当たりくじが引かれた時点でくじ引きは終了するものとすると、5番目の者がくじを引くことができる確率として、最も妥当なものはどれか。ただし、引いたくじは元に戻さないものとする。

1 $\frac{19}{20}$

2 $\frac{23}{24}$

3 $\frac{24}{25}$

4 $\frac{29}{30}$

5 $\frac{35}{36}$

解説　正解　4

「5番目の者がくじを引くことができる確率」の余事象の確率は「5番目の者がくじを引くことができない確率」である。

5番目の者がくじを引くことができない場合には、(i)1～3番目の者が全員当たりくじを引いた場合と、(ii)4番目の者が3本目の当たりくじを引いた場合がある。よって、場合分けして考える。

(i)　1～3番目の者が全員当たりくじを引いた場合

1番目の者が当たりくじを引く確率は$\frac{3}{10}$、2番目の者が当たりくじを引く確率は$\frac{2}{9}$、3番目の者が当たりくじを引く確率は$\frac{1}{8}$である。よって、この場合の確率は$\frac{3}{10}\times\frac{2}{9}\times\frac{1}{8}=\frac{1}{120}$である。

(ii)　4番目の者が3本目の当たりくじを引いた場合

例えば、1番目の者が当たりくじを引く確率は$\frac{3}{10}$、2番目の者が当たりくじを引く確率は$\frac{2}{9}$、3番目の者がはずれくじを引く確率は$\frac{7}{8}$、4番目の者が当たりくじを引く確率は$\frac{1}{7}$である。よって、この順番での引き方の確率は$\frac{3}{10}\times\frac{2}{9}\times\frac{7}{8}\times\frac{1}{7}=\frac{1}{120}$である。そして、引き方のすべて順番は1～3番目の3人のうち2人が当たりくじを引けばよいので、${}_3C_2=3$[通り]あり、この場合の確率は$\frac{1}{120}\times3=\frac{3}{120}$である。

よって、5番目の者がくじを引くことができない確率は$\frac{1}{120}+\frac{3}{120}=\frac{1}{30}$であるので、5番目の者がくじを引くことができる確率は$1-\frac{1}{30}=\frac{29}{30}$となる。

したがって、正解は**4**である。

数的推理　確率

2023年度 ❶ 教養 No.22

A組の候補者6名、B組の候補者6名の計12名の中から、3名の代表を選ぶ。このとき、選ばれた3名の中に、A組の候補者が少なくとも1名含まれる確率として、最も妥当なものはどれか。

1 $\frac{17}{21}$

2 $\frac{19}{22}$

3 $\frac{19}{21}$

4 $\frac{10}{11}$

5 $\frac{11}{12}$

解説　正解　4

TAC生の正答率 74%

「選ばれた3名の中に、A組の候補者が少なくとも1名含まれる」の余事象は「選ばれた3名の中に、A組の候補者が1名もいない」つまり、「3名すべてがB組の候補者」である。そこで、余事象の確率を求める。

3名の代表のすべての選び方は、12名から3名を選べばよいので、${}_{12}C_3=\frac{12\times11\times10}{3\times2\times1}=220$［通り］である。3名すべてがB組の候補者である選び方は、B組の候補者6名から3名を選べばよいので、${}_{6}C_3=\frac{6\times5\times4}{3\times2\times1}=20$［通り］である。よって、余事象の確率は$\frac{20}{220}=\frac{1}{11}$である。

以上より、求める確率は$1-\frac{1}{11}=\frac{10}{11}$となるので、正解は**4**である。

確率

箱の中に、１という数字の書かれたカードが３枚、２という数字が書かれたカードが３枚、３という数字が書かれたカードが４枚、合計10枚入っている。この箱の中から同時に３枚のカードを取り出すとき、３枚とも数字が異なっているか、１枚だけ数字が異なっている確率として、最も妥当なのはどれか。

1 $\frac{3}{4}$

2 $\frac{4}{5}$

3 $\frac{17}{20}$

4 $\frac{9}{10}$

5 $\frac{19}{20}$

解説　正解　**5**

10枚のカードから同時に３枚のカードを取り出す方法は全部で${}_{10}C_3=120$[通り]ある。３枚の数字の同異について、①３枚とも同じ数字、②２枚が同じで１枚だけ異なる数字、③３枚とも異なる数字、の３パターンがあり、本問では②＋③が求める事象、①が余事象となる。

余事象の「３枚とも同じ数字」になる確率を求める。３枚とも１のカードを取り出す方法は${}_3C_3=1$[通り]、３枚とも２のカードを取り出す方法は${}_3C_3=1$[通り]、３枚とも３のカードを取り出す方法は${}_4C_3=4$[通り]だから、３枚とも同じ数字のカードを取り出す方法は全部で$1+1+4=6$[通り]であり、その確率は$\frac{6}{120}=\frac{1}{20}$である。

よって、求める確率は$1-\frac{1}{20}=\frac{19}{20}$となるので、正解は**5**である。

数的推理　確率

2019年度 ❷
教養 No.18

正六面体のサイコロを３つ同時に投げたとき、３つのサイコロの出た目のうち最も大きな数が４である確率として、最も妥当なのはどれか。

1 $\frac{7}{216}$

2 $\frac{17}{216}$

3 $\frac{1}{8}$

4 $\frac{37}{216}$

5 $\frac{47}{216}$

解説　正解　4

３つのサイコロの目のうち最大値が４になる確率は、（最大値が４以下になる確率）−（最大値が３以下になる確率）で求められる。

最大値が４以下になる確率は、３つのサイコロの出た目がすべて４以下である確率だから、$\left(\frac{4}{6}\right)^3=\frac{64}{216}$であり、最大値が３以下になる確率は、３つのサイコロの出た目がすべて３以下である確率だから、$\left(\frac{3}{6}\right)^3=\frac{27}{216}$である。

したがって、最大値が４になる確率は$\frac{64}{216}-\frac{27}{216}=\frac{37}{216}$であるので、正解は**4**である。

コインを５回投げたとき、表が２回、裏が３回出る確率として、最も妥当なのはどれか。

1 $\frac{3}{5}$

2 $\frac{5}{8}$

3 $\frac{5}{16}$

4 $\frac{3}{10}$

5 $\frac{3}{32}$

解説　正解　**3**　TAC生の正答率 84%

１枚のコインの表、裏が出る確率は、それぞれ$\frac{1}{2}$である。よって、コインを５回投げたときの出方を１回目に表、２回目に表、３回目に裏、４回目に裏、５回目に裏とすると、この場合の確率は$\frac{1}{2}\times\frac{1}{2}\times\frac{1}{2}\times\frac{1}{2}\times\frac{1}{2}=\frac{1}{32}$となる。さらに、５回のうち、どの２回が表になるかの組合せは、${}_5C_2=10$［通り］あるので、求める確率は$\frac{1}{32}\times10=\frac{5}{16}$となる。

よって、正解は**3**である。

数的推理　平面図形　2023年度 ❶ 教養 No.21

下の図は、台形ABCDの内部に、頂点A、B、Cを中心とする半径の等しい扇形を入れたものである。AB＝10cm、CD＝8cm、DA＝6cmのとき、図の斜線部分の面積として、最も妥当なものはどれか。

1 $\left(64-\frac{75}{4}\pi\right)$ cm^2

2 $(72-18\pi)$ cm^2

3 $\left(72-\frac{75}{4}\pi\right)$ cm^2

4 $\left(76-\frac{75}{4}\pi\right)$ cm^2

5 $(76-18\pi)$ cm^2

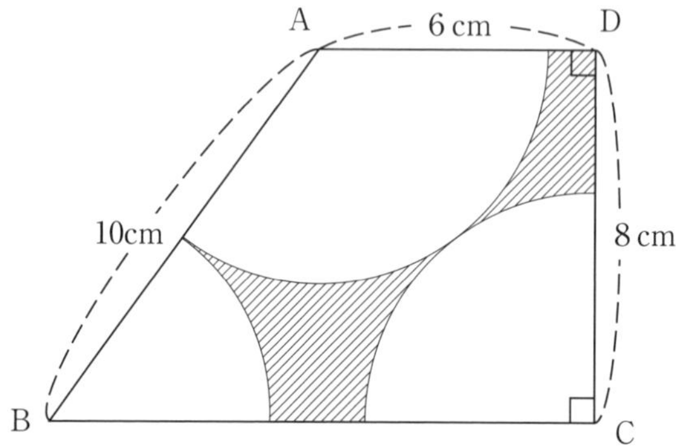

解説　正解　3

TAC生の正答率　55%

ADの延長線に頂点Bから引いた垂線との交点をEとおくと、三平方の定理より、$AE^2=10^2-8^2=36$となり、AE＞0より、AE＝6[cm]となる。よって、AD＝AEより、長方形BCDEは、頂点Aに対して左右対称の図形となる（図1）。

まず、台形ABCDの面積は、長方形BCDEの面積から直角三角形ABEの面積を引けばよいので、(台形ABCDの面積)＝$\{(6+6)\times 8\}-\left(6\times 8\times\frac{1}{2}\right)=96-24=72$[cm^2]となる。

また、辺ABに着目すると、扇形はすべて半径が等しく、10cmは直径に等しいので、扇形の半径は$10\div 2=5$[cm]であることがわかる。

さらに、網掛けの2つの扇形に着目すると、この2つの扇形の半径はいずれも5cmであり、∠EABと∠CBAは錯角であるので、面積が等しいことがわかる。よって、等積変形をすると、図2のようになり、扇形の合計は半円＋$\frac{1}{4}$円＝$\frac{3}{4}$円であるので、その面積は$\pi\times 5^2\times\frac{3}{4}=\frac{75}{4}\pi$[cm^2]となる。

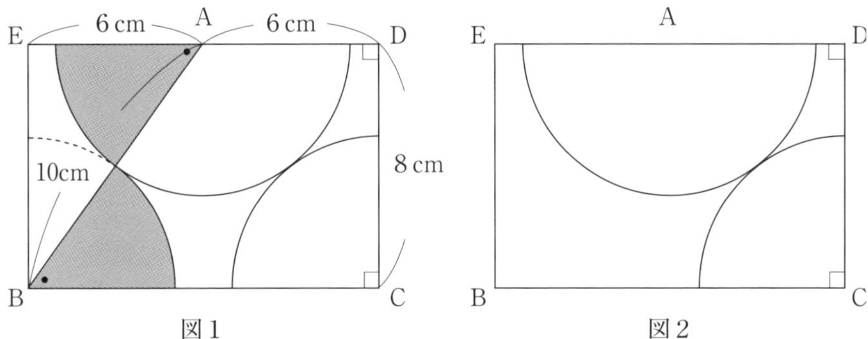

図1　図2

よって、斜線部分の面積は$\left(72-\frac{75}{4}\pi\right)$[cm^2]であるので、正解は**3**である。

数的推理 平面図形

2021年度
教養 No.16

次の図のように、半径２の円Ｐと半径１の円Ｑが点Ａで接している。直線Ｌは２つの円とそれぞれ点Ｂ、点Ｃで接し、直線Mは２つの円と点Ａで接している。２つの直線Ｌ、Ｍの交点を点Ｄとするとき、四角形PADBの面積として、最も妥当なのはどれか。

1 $2\sqrt{2}$

2 $2\sqrt{3}$

3 $2\sqrt{5}$

4 $3\sqrt{2}$

5 $3\sqrt{3}$

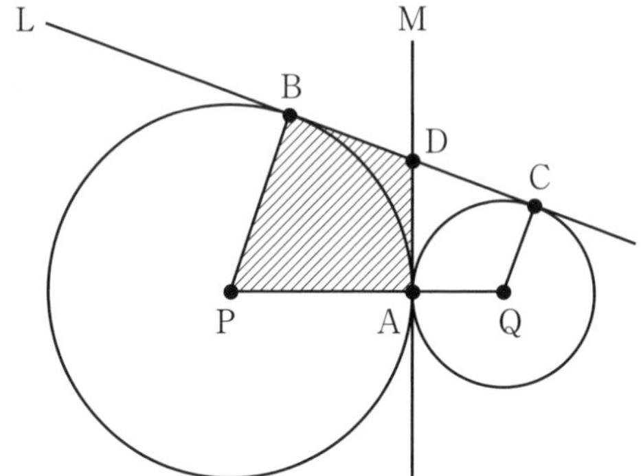

解説　正解　1　　TAC生の正答率 16%

接点と中心を結んだ線分（半径）は接線と直交するので、

$\angle PBC = \angle QCB = \angle DAP = 90°$

となる。点Qから線分BPに垂線を下ろし、交点をHとする。図１の直角三角形HPQについて、

$PQ = 2 + 1 = 3$

$HP = BP - BH = BP - CQ = 2 - 1 = 1$

なので、三平方の定理を用いて、

$HQ^2 = 3^2 - 1^2 = 8$

より、$HQ = 2\sqrt{2}$となる。四角形BHQCは長方形より、$BC = HQ = 2\sqrt{2}$となり、また、円外の点Dから引いた２接線の接点までの長さは等しいので、

$DA = DB = DC$

となる。図２の△BPDの面積について、

$BD = BC \div 2 = \sqrt{2}$

となり、△BPDの面積は、

$\frac{1}{2} \times \sqrt{2} \times 2 = \sqrt{2}$

となる。△BPDと△APDは３辺の長さがそれぞれ等しいので合同となり、求める四角形PADBの面積は△BPDの面積の２倍となるので、

（四角形PADBの面積）$= \sqrt{2} \times 2 = 2\sqrt{2}$

となる。

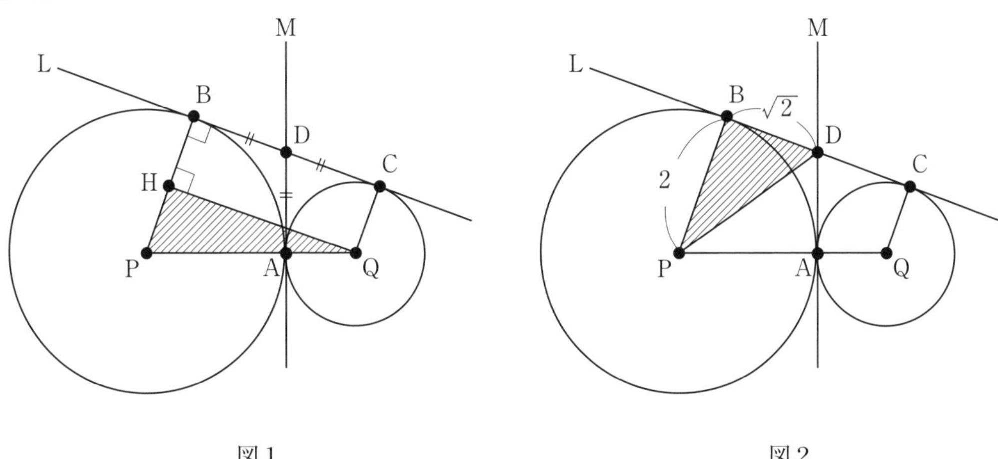

図１　　図２

よって、正解は**1**である。

数的推理 平面図形

2020年度❷ 教養 No.17

下の図のような半径6cmの半円Oがあり、点A～Eは半円の弧を6等分している。このとき、斜線部分の面積として、最も妥当なのはどれか。

1 $(6\pi-12)\text{cm}^2$

2 $(6\pi-18)\text{cm}^2$

3 $(8\pi-16)\text{cm}^2$

4 $(9\pi-12)\text{cm}^2$

5 $(9\pi-18)\text{cm}^2$

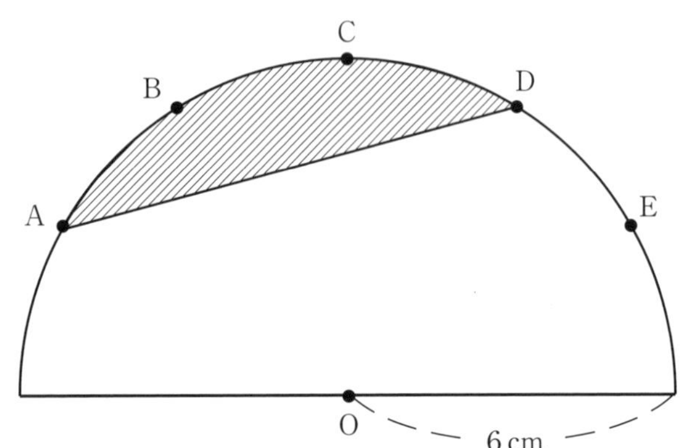

解説 正解 5

半円の中心角は180°で、点A～Eは半円の弧を6等分しているから、中心角も6等分される。よって、次の図のように、AOとDOを結んで扇形OADを作ると、その中心角は180÷6×3＝90°となる。

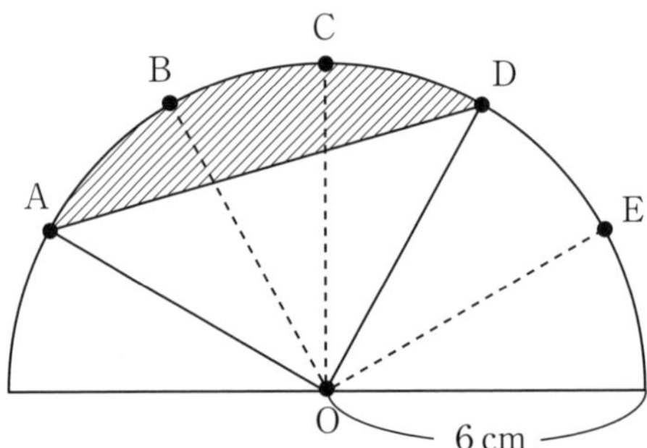

求める部分は扇形OADから直角三角形OADを引いた残りであるから、その面積は、

$$6^2\times\pi\times\frac{90}{360}-\frac{1}{2}\times6\times6=9\pi-18[\text{cm}^2]$$

となる。

したがって、正解は**5**である。

下の図のように、円Oの円周上に4点、A、B、C、Dがある。点Aと点B、点Cと点Dを結び、その延長線上の交点を点Pとすると、PA＝5cm、PC＝CD＝6cmとなった。このとき、ABの長さとして、最も妥当なのはどれか。

1　8.2cm

2　8.6cm

3　9.0cm

4　9.4cm

5　9.8cm

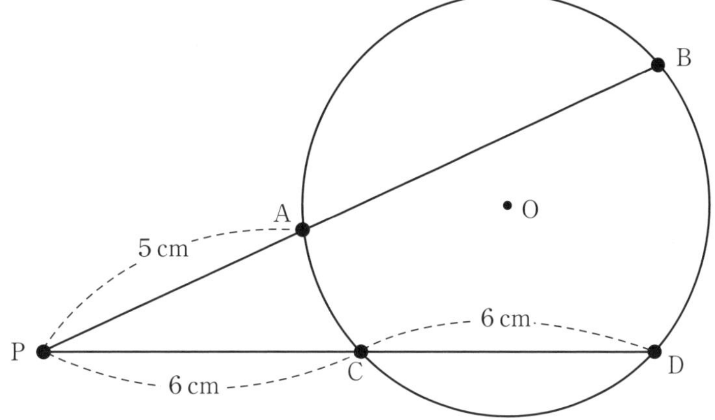

解説　**正解　4**　TAC生の正答率　39%

点B、Dおよび点A、Cをそれぞれ結ぶと、内接四角形ACDBができる。内接四角形の性質より∠BAC＋∠BDC＝180°、直線にできた角だから∠BAC＋∠CAP＝180°より、∠BDC＝∠CAPとなる。このことと、∠Pが共通していることから、△PACと△PDBは相似の関係になる。

対応する辺の比は等しいから、ABの長さをxとおくと5：(6＋6)＝6：(5＋x)が成り立ち、これを整理すると25＋5x＝72で、解くとx＝9.4[cm]となる。

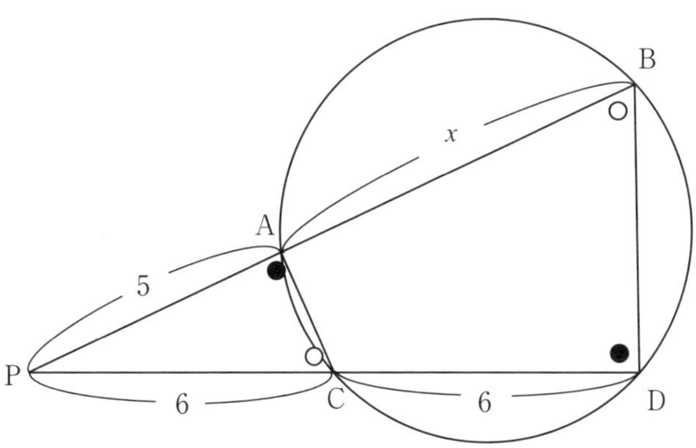

よって、正解は**4**である。

数的推理　平面図形

2019年度 ❷ 教養 No.17

下の図のように、１辺が２の正方形を45°回転させた。斜線部分の面積として、最も妥当なのはどれか。

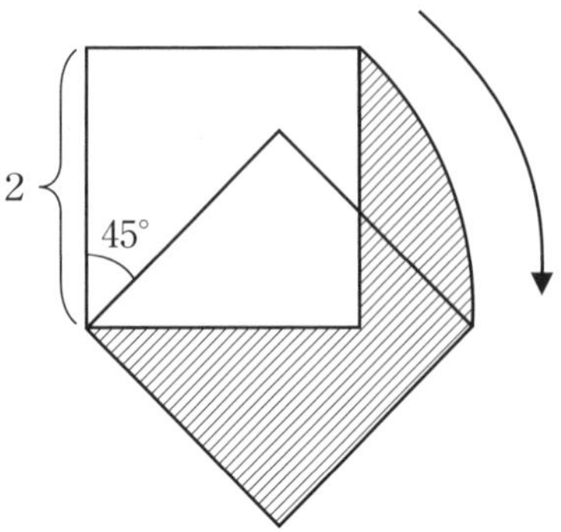

1　π

2　$2+\pi$

3　2π

4　$2+2\pi$

5　3π

解説　正解　1

図の点線を補助線として引くと、求める斜線部の面積は①と②の和となる。②は１辺２の正方形を対角線で分けた直角二等辺三角形であり、③の面積と等しいから、①＋②＝①＋③である。①＋③は、正方形の対角線となる$2\sqrt{2}$が半径で、中心角が45°のおうぎ形だから、その面積は、$(2\sqrt{2})^2 \times \pi \times \frac{45}{360} = \pi$となる。

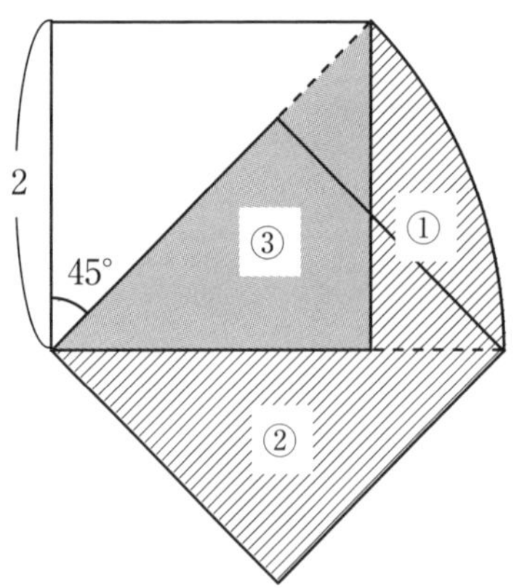

したがって、正解は**1**である。

半径6cm、中心Oの円と半径3cm、中心O′の円がある。直線ABは2つの円の共通接線で、A、Bは接点である。中心Oと中心O′を直線で結ぶ線分OO′＝13cmであるとき、線分ABの長さとして、最も妥当なのはどれか。

1 $\sqrt{82}$

2 $2\sqrt{21}$

3 $\sqrt{86}$

4 $2\sqrt{22}$

5 $3\sqrt{10}$

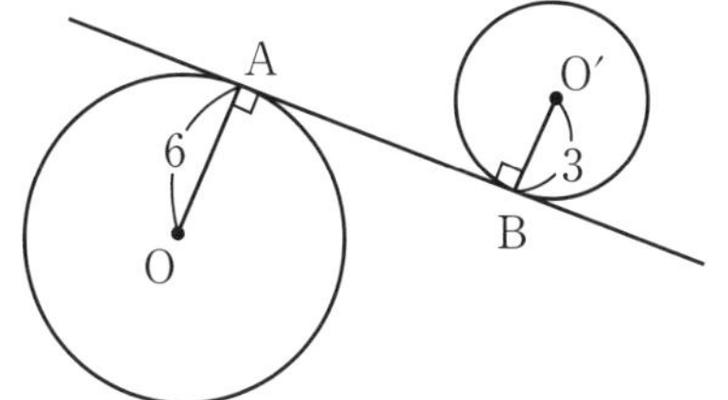

解説　正解　4

ABとOO′の交点をMとする。∠OAM＝∠O′BM＝90[°]、∠AMO＝∠BMO′より、△AOMと△BO′Mは相似である。相似比は、AO：BO′＝6：3＝2：1である。OO′＝13[cm]、OM：MO′＝2：1より、$O'M=\frac{13}{3}$[cm]となる。MBの長さをx[cm]とおくと、△BO′Mの三平方の定理より$3^2+x^2=\left(\frac{13}{3}\right)^2$となり、整理すると$x^2=\frac{169}{9}-9=\frac{88}{9}$で、$x>0$より$x=\sqrt{\frac{88}{9}}=\frac{2\sqrt{22}}{3}$となる。△AOMと△BO′Mの相似比は2：1であるから、AM＝2×MBであり、$AM=2\times\frac{2\sqrt{22}}{3}=\frac{4\sqrt{22}}{3}$となる。

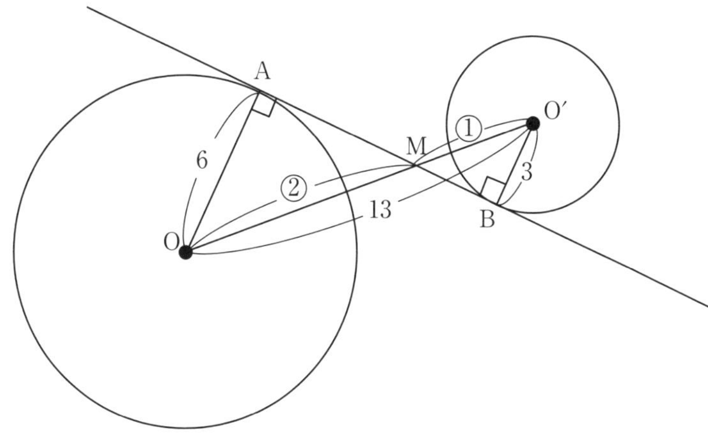

したがって、$AB=AM+MB=\frac{4\sqrt{22}}{3}+\frac{2\sqrt{22}}{3}=2\sqrt{22}$となるから、正解は**4**である。

数的推理　立体図形

下の図のような台形を、直線lを軸として1回転させたときにできる立体の体積として、最も妥当なものはどれか。

1　76π

2　77π

3　78π

4　79π

5　80π

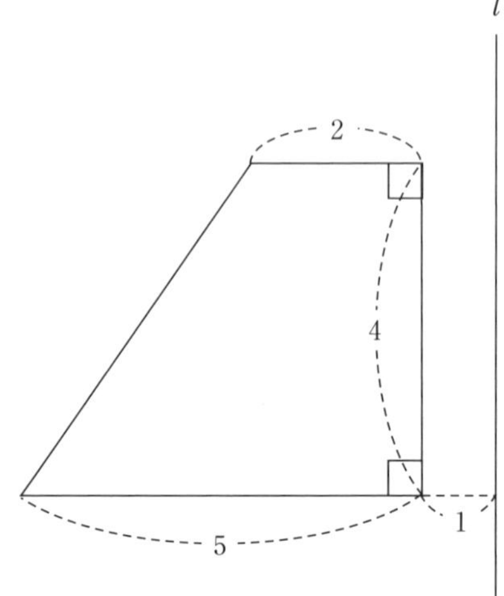

解説　正解　5

台形によってできる回転体の体積は、△ACDによってできる円錐の体積から△ABEによってできる円錐の体積と短辺1、長辺4の（色付きの）長方形によってできる円柱の体積を引くことで求めることができる。

ABの長さを求める。AB=xとおくと、△ACDと△ABEは相似な三角形であるので、3：6=x：x+4が成り立つ。6×x=3×（x+4）より、x=4となる。

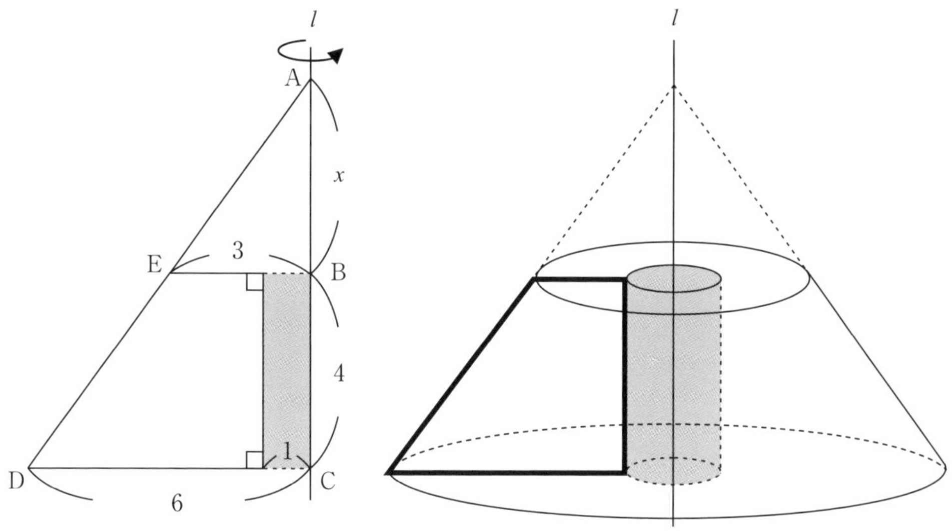

したがって、求める回転体の体積は、$\pi\times6^2\times8\times\frac{1}{3}-\pi\times3^2\times4\times\frac{1}{3}-\pi\times1^2\times4=96\pi-12\pi-4\pi=80\pi$となる。

よって、正解は**5**である。

数的推理 立体図形

下の図のような立方体ABCD－EFGHがある。この立方体から各面の対角線を辺とする正四面体BDEGをとりだす。このとき、立方体ABCD－EFGHの体積を１としたときの正四面体BDEGの体積の値として、最も妥当なのはどれか。

1 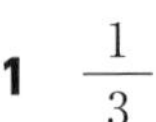 $\frac{1}{3}$

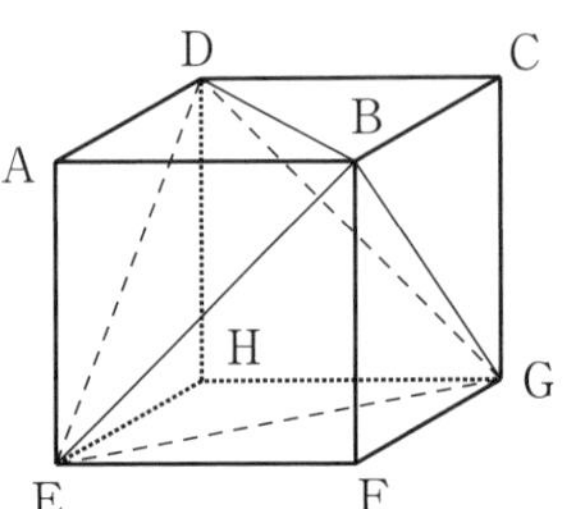

2 $\frac{1}{4}$

3 $\frac{1}{5}$

4 $\frac{1}{6}$

5 $\frac{1}{8}$

解説　正解　1

立方体に対して図のような網掛けの四面体が４つできるので、正四面体BDEGの体積は立方体の体積から四面体の体積を４つ引くことで求めることができる。

まず、立方体の体積は１であるので、１辺の長さは１である。よって、四面体ABDEの体積は、底面の△ABDの面積は$1\times1\times\frac{1}{2}=\frac{1}{2}$、高さAEは１であるので、$\frac{1}{2}\times1\times\frac{1}{3}=\frac{1}{6}$である。

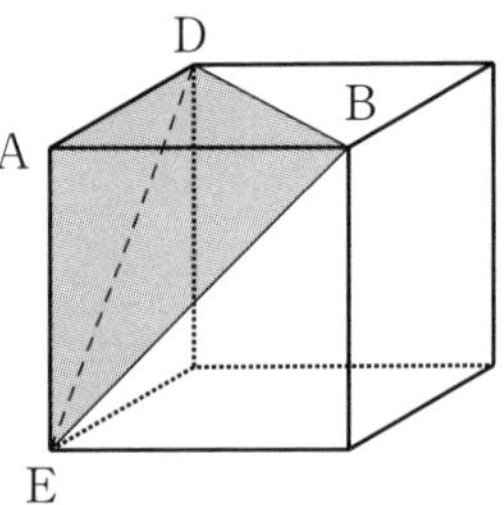

よって、求める正四面体BDEGの体積は、$1-\frac{1}{6}\times4=\frac{1}{3}$であるので、正解は**1**である。

下の図のような、辺ABの長さと辺ADの長さの比が1：2である長方形ABCDの紙が２枚ある。この紙を１枚ずつ丸めて、２種類の円柱を作った。辺ABと辺DCが一致する円柱Xと、辺ADと辺BCが一致する円柱Yの体積比として、最も妥当なのはどれか。

　円柱X：円柱Y

1　1　：　1

2　1　：　2

3　1　：　4

4　2　：　1

5　4　：　1

解説　正解　4

TAC生の正答率　40%

AB＝1、AD＝2としても一般性を失わない。円柱X、Yの底面の半径をそれぞれx、yとする。

円柱Xについて、底面の円周＝ADなので$2\pi x=2$より、$x=\frac{1}{\pi}$となる。したがって、Xの体積は$\pi x^2\times 1=\frac{1}{\pi}$となる。

円柱Yについて、底面の円周＝ABなので$2\pi y=1$より、$y=\frac{1}{2\pi}$となる。したがって、Yの体積は$\pi y^2\times 2=\frac{1}{2\pi}$となる。

よって、円柱XとYの体積比は$\frac{1}{\pi}:\frac{1}{2\pi}=2:1$となり、正解は**4**である。

次の図のように、全ての辺の長さがaの正四角すいのすべての面に球が内接しているとき、この球の半径として、最も妥当なのはどれか。

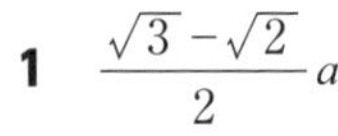

1 $\dfrac{\sqrt{3}-\sqrt{2}}{2}a$

2 $\dfrac{\sqrt{6}-\sqrt{3}}{4}a$

3 $\dfrac{\sqrt{6}-\sqrt{2}}{4}a$

4 $\dfrac{\sqrt{6}-\sqrt{3}}{2}a$

5 $\dfrac{\sqrt{6}-\sqrt{2}}{2}a$

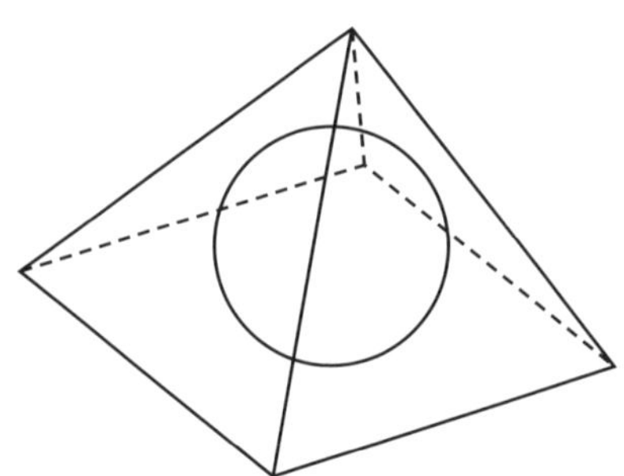

解説　正解　3　　TAC生の正答率 26%

図１のように正四角錐の頂点に名前をつける。底面ABCDは正方形でOA＝OB＝OC＝ODだから、Oから底面に下ろした垂線と底面の交点をHとすると、Hは正方形の重心であり、内接球はHで底面と接する。また、AB、DCの中点をそれぞれM、Nとすると、Hは重心だからMN上にあり、３点O、M、Nで正四角錐を切断すると、断面図は図２のようになる。図２の円は内接球の中心を通るように切断した切り口だから、内接球の半径と図２の内接円の半径は等しくなる。

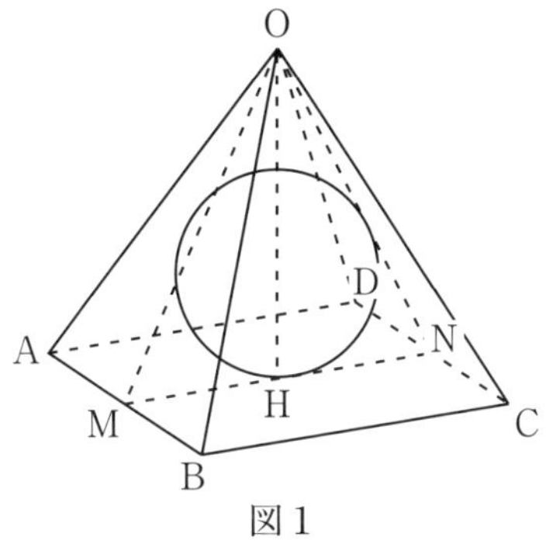

図１

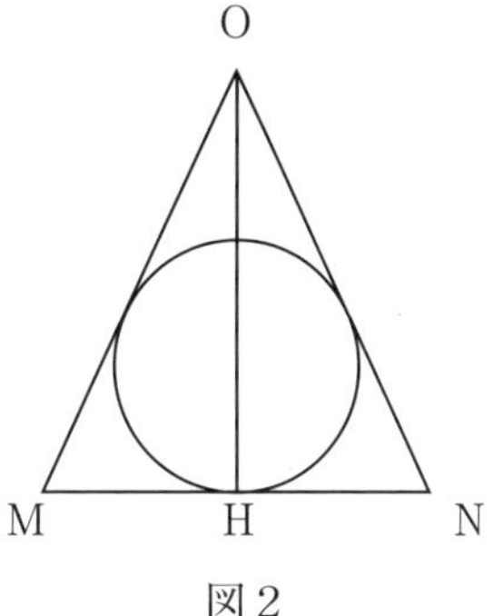

図２

図１の△OMAは内角が30°、60°、90°の直角三角形なので、AM：OM＝1：$\sqrt{3}$より、

$$OM=\sqrt{3}AM=\sqrt{3}\times\frac{1}{2}a=\frac{\sqrt{3}}{2}a$$

となる。同様に$ON=\frac{\sqrt{3}}{2}a$となるから、図２の△OMNは二等辺三角形となる。OHの長さを求めると、図２の△OMHは$OM=\frac{\sqrt{3}}{2}a$、$MH=\frac{1}{2}MN=\frac{1}{2}a$の直角三角形なので、三平方の定理を用いて、$OH^2=OM^2-MH^2$より、

$$OH^2=\left(\frac{\sqrt{3}}{2}a\right)^2-\left(\frac{1}{2}a\right)^2=\frac{1}{2}a^2$$

となり、$OH=\frac{\sqrt{2}}{2}a$となる。三角形の面積と内接円の半径の公式$S=\frac{1}{2}\times r\times(a+b+c)$（ただし、$S$は三角形の面積、$r$は内接円の半径、$a$、$b$、$c$はそれぞれの辺の長さ）に当てはめると、

$$\frac{1}{2}\times a\times\frac{\sqrt{2}}{2}a=\frac{1}{2}\times r\times\left(\frac{\sqrt{3}}{2}a+\frac{\sqrt{3}}{2}a+a\right)$$

$$\frac{\sqrt{2}}{4}a^2=\frac{1}{2}\times r\times(\sqrt{3}+1)a$$

$$\frac{\sqrt{2}}{2}a=r\times(\sqrt{3}+1)$$

が成り立ち、これを解くと、

$$r=\frac{\sqrt{2}a}{2}\times\frac{1}{\sqrt{3}+1}=\frac{\sqrt{2}a}{2}\times\frac{1}{\sqrt{3}+1}\times\frac{\sqrt{3}-1}{\sqrt{3}-1}=\frac{\sqrt{2}a}{2}\times\frac{\sqrt{3}-1}{2}=\frac{\sqrt{6}-\sqrt{2}}{4}a$$

となる。よって、正解は**3**である。

数的推理　立体図形　2018年度 ❶ 教養 No.18

下の図のような、底面の半径が4cm、母線の長さが12cmの円すいがある。底面の円周上の点Aから側面を一周する線を引いたとき、その最短の長さとして、最も妥当なのはどれか。

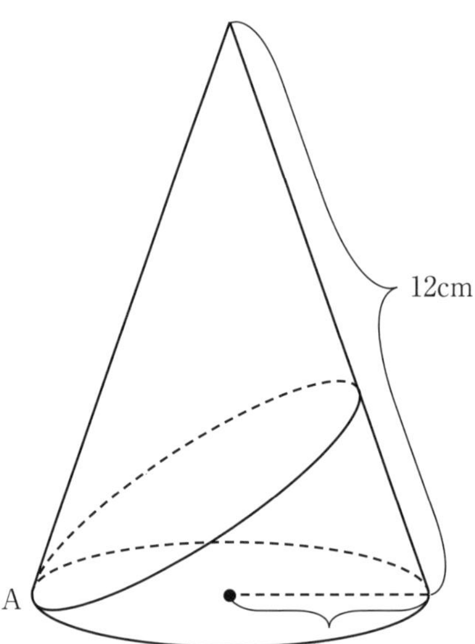

1　$6\sqrt{2}$cm

2　$6\sqrt{3}$cm

3　$12\sqrt{2}$cm

4　$12\sqrt{3}$cm

5　$16\sqrt{2}$cm

解説　**正解　4**　TAC生の正答率 48%

円すいの展開図は次のようになり、最短距離は展開図上において、直線AAとなる。よって、この直線AAの長さを求めればよい。

底面の円の円周の長さは$2\pi\times4=8\pi$[cm]であり、OAを半径とする円周の長さは$2\pi\times12=24\pi$[cm]である。弧AAの長さは、底面の円の円周の長さに等しいので、弧AAの長さは8π[cm]である。よって、弧AAの長さは24π[cm]の$\frac{1}{3}$に相当するので、中心角は120°となる。△OAAは二等辺三角形であるので、角の二等分線と中線と高さが一致し、角の二等分線を引くと、△OAHは内角が30°、60°、90°の直角三角形となり、OA：AH＝2：$\sqrt{3}$となる。OA＝12[cm]より、AH＝$6\sqrt{3}$[cm]となり、直線AA＝$2\times6\sqrt{3}=12\sqrt{3}$[cm]となる。

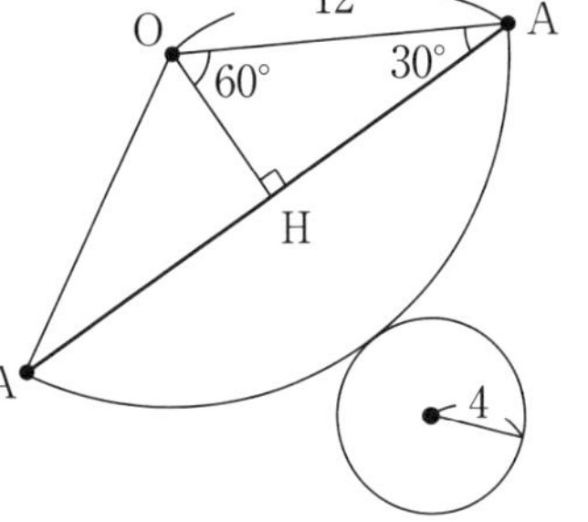

よって、正解は**4**となる。

資料解釈 実数の表

2023年度 ❷ 教養 No.23

下の資料は、アジア各国の人口の推移をまとめたものである。この資料から判断できることとして、最も妥当なものはどれか。

アジア各国の人口の推移

	2016年	2017年	2018年	2019年	2020年	2021年
中国	1,382,323	1,409,517	1,415,056	1,421,864	1,424,930	1,425,893
インド	1,326,802	1,339,180	1,354,052	1,383,112	1,396,387	1,407,564
インドネシア	260,581	263,991	266,795	269,583	271,858	273,753
パキスタン	192,827	197,016	212,228	223,293	227,197	231,402
バングラデシュ	157,977	159,685	161,377	163,046	164,689	166,303
フィリピン	102,250	104,918	106,512	110,381	112,191	113,880
世界総計	7,432,663	7,550,260	7,632,820	7,713,470	7,794,800	7,909,300

（千人）

1　2016年のパキスタンの人口を100とする指数で表すと、2021年のパキスタンの人口の指数は125を超えている。

2　2020年の人口の対前年増加率が最も大きいのはバングラデシュである。

3　2016年から2021年までの期間で、パキスタンの人口がフィリピンの人口の2.5倍を超えている年がある。

4　2017年から2021年までの期間で、インドネシアの平均人口増加数は約300万人である。

5　2016年から2021年までの期間で、中国とインドの人口の合計が世界総計の40％を超えた年はない。

解説　正解　5

1 × パキスタンの人口について、2016年を100とする指数で表すと、2021年の指数が125を超えているということは、2021年の人口が2016年の人口の1.25倍を超えているということと同じである。2016年の人口は192,827［千人］であり、この半分の96,413.5が0.5倍に相当し、さらにこの半分の48,206.75が0.25倍に相当する。したがって、192,827［千人］の1.25倍は192,827＋48,206.75≒241,000［千人］であるので、2021年の人口である231,402［千人］が2016年の人口の1.25倍を超えてはいない。

2 × 2020年の人口の対前年増加率は$\frac{\text{対前年増加量}}{\text{2019年の人口}}$で求めることができる。2020年のバングラデシュの人口は2019年に対して164,689－163,046＝1,643［千人］増加しているので、$\frac{1,643}{163,046}$となる。フィリピンに着目すると、2020年のフィリピンの人口は2019年に対して112,191－110,381＝1,810［千人］増加しているので、$\frac{1,810}{110,381}$となる。分数をバングラデシュからフィリピンに見ると、分子は増加し分母は減少しているので、$\frac{1,643}{163,046}<\frac{1,810}{110,381}$となる。よって、2020年の人口の対前年増加率が最も大きいのはバングラデシュではない。

3 × 2016年から2021年のフィリピンの人口はすべて100,000［千人］を超えており、その2.5倍は250,000［千人］を超えている。一方、同じ期間でのパキスタンの人口はすべて250,000［千人］を超えていない。よって、この期間でパキスタンの人口がフィリピンの人口の2.5倍を超えている年はない。

4 × インドネシアの５年間の平均人口増加数が約3,000千人ということは、５年間の人口増加数の合計が約3,000×5＝15,000［千人］ということと同じである。インドネシアの人口は2016年から2021年まで毎年増加しているので、５年間の人口増加数の合計は273,753－260,581＝13,172［千人］である。よって、５年間の人口増加数の合計は約15,000千人ではない。

5 ○ 2016年～2021年の世界総計はすべて7,430,000［千人］を超えており、その40％は743,000×4＝2,972,000［千人］を超えている。一方、中国とインドの人口の合計は、最も多い年でも2021年の1,425,893＋1,407,564＝2,833,457［千人］であり2,972,000［千人］を超えていない。よって、この期間で中国とインドの人口の合計が世界総計の40％を超えている年はない。

資料解釈　実数の表

下の資料は、５か国の輸入貿易額の推移をまとめたものである。この資料から判断できることとして、最も妥当なものはどれか。

５か国の輸入貿易額の推移

国　名	2016年	2017年	2018年	2019年	2020年
アメリカ	2,250,154	2,339,600	2,537,700	2,497,500	2,334,330
中　国	1,589,463	1,840,492	2,132,776	2,078,409	2,055,612
ドイツ	1,056,495	1,162,892	1,284,349	1,233,989	1,170,726
日　本	607,602	671,921	748,526	721,078	634,431
韓　国	406,186	478,478	535,052	503,324	471,115

（単位　百万ドル）

1　2016年から2020年までの期間で、輸入貿易額の合計を見ると、ドイツと日本の差は約１兆6,000億ドルである。

2　2016年の韓国の輸入貿易額を100とする指数で表すと、2020年は120を上回っている。

3　2016年から2020年までの期間で、アメリカと中国の輸入貿易額の差が最も大きいのは、2017年である。

4　2016年から2020年までのいずれの年においても、アメリカの輸入貿易額は韓国の輸入貿易額の４倍を超えている。

5　2016年から2020年までの期間で、５か国の輸入貿易額の合計が最も大きいのは、2019年である。

解説　正解　4　TAC生の正答率 85%

1 ✕ ドイツと日本のそれぞれの5年間の輸入貿易額の合計を概算すると、ドイツは、1,056,000＋1,163,000＋1,284,000＋1,234,000＋1,171,000＝5,908,000［百万ドル］、日本は608,000＋672,000＋749,000＋721,000＋634,000＝3,384,000［百万ドル］である。5,908,000－3,384,00＝2,524,000［百万ドル］＝2兆5,240［億ドル］であるので、差は約1兆6,000億ドルではない。

2 ✕ 基準を100としたときの指数が120を上回っているということは、基準の120％を上回っているということと同じである。2016年の韓国の輸入貿易額は406,186百万ドルであり、2020年のそれは471,115百万ドルである。406,186の120％は、約406,186＋40,619×2＝487,424［百万ドル］＞471,115［百万ドル］より、2020年は120％を上回っていない。

3 ✕ アメリカと中国の輸入貿易額の差について概算すると、2017年は2,340,000－1,840,000＝500,000［百万ドル］であり、2016年に着目すると、2,250,000－1,589,000＝661,000［百万ドル］である。よって、貿易額の差が最も大きいのは2017年ではない。

4 ○ 各年のアメリカの輸入貿易額と韓国の輸入貿易額の4倍を比較すると、次のようになる。

年	アメリカの額		韓国の額×4
2016年	2,250,154	＞	406,186×4
2017年	2,339,600	＞	478,478×4
2018年	2,537,700	＞	535,052×4
2019年	2,497,500	＞	503,324×4
2020年	2,334,330	＞	471,115×4

表より、いずれの年においても、アメリカの輸入貿易額は韓国の輸入貿易額の4倍を超えている。

5 ✕ 2019年と2018年を比較すると、5か国のいずれの国も輸入貿易額は2019年より2018年の方が大きいので、5か国の輸入貿易額の合計は、2018年の方が大きい。よって、5か国の輸入貿易額の合計が最も大きいのは2019年ではない。

資料解釈　実数の表

2022年度 ❷ 教養 No.20

下の資料は、ある県の農業生産額を品目別にまとめたものである。この資料から判断できることとして、最も妥当なのはどれか。

品　目	生産額
野　菜	453
肉用牛	254
果　実	146
豚	127
米	116
いも類	105
花　き	74
ブロイラー	70
生　乳	50
鶏　卵	44
工芸農作物	40
その他	33

（単位：億円）

1 果実の生産額は、農業生産額全体の10％を超えている。

2 工芸農作物の生産額は、農業生産額全体の３％を超えている。

3 野菜と肉用牛の生産額の合計は、農業生産額全体の50％を超えていない。

4 食肉（肉用牛・豚・ブロイラー）の生産額の中に占める豚の生産額の割合は、30％を超えている。

5 食肉（肉用牛・豚・ブロイラー）の生産額の合計は、農業生産額全体の30％を超えている。

解説　正解　3

1 ×　農業生産額全体は、453＋254＋146＋127＋116＋105＋74＋70＋50＋44＋40＋33＝1,512［億円］で、1,512億円の10％は151.2億円である。果実の生産額は146億円であり、151.2億円を超えていない。よって、果実の生産額は、農業生産額全体の10％を超えていない。

2 ×　農業生産額全体は1,512億円で、1,512億円の３％は約15×3＝45［億円］である。工芸農作物の生産額は40億円であり、45億円を超えていない。よって、工芸農作物は、農業生産額全体の３％を超えていない。

3 ○　農業生産額全体は1,512億円で、1,512億円の50％は1,512÷2＝756［億円］である。野菜と肉用牛の生産額の合計は453＋254＝707［億円］であり、756億円を超えていない。よって、野菜と肉用牛の生産額の合計は、農業生産額全体の50％を超えていない。

4 ×　食肉（肉用牛・豚・ブロイラー）の生産額は254＋127＋70＝451［億円］で、451億円の30％は約45×3＝135［億円］である。豚の生産額は127億円であり、135億円を超えていない。よって、食肉の生産額の中に占める豚のそれの割合は30％を超えていない。

5 ×　農業生産額全体は1,512億円で、1,512億円の30％は約151×3＝453［億円］である。食肉の生産額は451億円であり、453億円を超えていない。よって、食肉の生産額は農業生産額全体の30％を超えていない。

資料解釈 実数の表

2022年度 ❷ 教養 No.22

下の資料は、日本における、令和元年～令和２年に起こった火災についてまとめたものである。この資料から判断できることとして、最も妥当なのはどれか。

	令和元年	令和２年
総出火件数	37,683	34,691
建物火災	21,003	19,365
うち住宅火災	10,784	10,564
林野火災	1,391	1,239
車両火災	3,585	3,466
船舶火災	69	78
航空機火災	1	0
その他火災	11,634	10,543
原因別出火件数		
放火・放火疑い合計	4,567	4,052
うち放火	2,757	2,497
うち放火疑い	1,810	1,555
たばこ	3,581	3,104
たき火	2,930	2,824
こんろ	2,918	2,792

（単位：件）

1　総出火件数において、令和２年は令和元年と比べて10%以上減少している。

2　建物火災における住宅火災の割合は令和元年、令和２年ともに50%を超えている。

3　林野火災と車両火災において、令和元年に対する令和２年の減少率が大きいのは車両火災である。

4　原因別出火件数において、令和元年に対する令和２年の減少率は、放火疑いよりも放火の方が大きい。

5　原因別出火件数において、たばこ、たき火及びこんろのうち、令和元年に対する令和２年の減少率が最も大きいのはこんろである。

解説　**正解　2**

1　×　総出火件数において、令和元年は37,683件、令和２年は34,691件より、減少量は37,683－34,691＝2,992［件］である。37,683件の10％は約3,768件で、2,992件は3,768件を超えていない。よって、令和２年は令和元年と比べて10％以上減少していない。

2　○　令和元年の建物火災は21,003件で、21,003件の50％は21,003÷2≒10,502［件］である。住宅火災は10,784件であるので、10,502件を超えている。令和２年の建物火災は19,365件で、19,365件の50％は19,365÷2≒9,683［件］である。住宅火災は10,564件であるので、9,683件を超えている。よって、建物火災における住宅火災の割合は、令和元年、令和２年ともに50％を超えている。

3　×　林野火災において、令和元年は1,391件、令和２年は1,239件より、減少量は1,391－1,239＝152［件］である。1,391の10％は約139であるので、減少率は10％以上である。一方、車両火災において、令和元年は3,585件、令和２年は3,466件より、減少量は3,585－3,466＝119である。3,585件の10％は約359件であるので、減少率は10％未満である。よって、減少率が大きいのは車両火災ではない。

4　×　放火疑いにおいて、令和元年は1,810件、令和２年は1,555件より、減少量は1,810－1,555＝255［件］である。1,810の10％は181であるので、減少率は10％以上である。一方、放火において、令和元年は2,757件、令和２年は2,497件より、減少量は2,757－2,497＝260である。2,757件の10％は約276件であるので、減少率は10％未満である。よって、減少率は放火疑いよりも放火の方が大きくない。

5　×　こんろにおいて、令和元年は2,918件、令和２年は2,792件より、減少量は2,918－2,792＝126［件］である。2,918件の１％は約29であるので、減少率は５％未満である。一方、たばこに着目すると、令和元年は3,581件、令和２年は3,104件より、減少量は3,581－3,104＝477［件］である。3,581の10％は約358であるので、減少率は10％以上である。よって、減少率が最も大きいのはこんろではない。

資料解釈　実数の表

2022年度 ❶ 教養 No.22

下の資料は、勤労者世帯の収支の推移をまとめたものである。この資料から判断できることとして、最も妥当なのはどれか。

勤労者世帯の収支の推移（月平均）

	世帯人員（人）	実収入（千円）	可処分所得（千円）	消費支出（千円）	金融資産純増（千円）
2013年	3.4	523.6	426.1	319.2	74.8
2014年	3.4	519.8	423.5	318.8	78.1
2015年	3.4	525.7	427.3	315.4	85.1
2016年	3.4	527.0	428.7	309.6	92.4
2017年	3.4	533.8	434.4	313.1	97.9
2018年	3.3	558.7	455.1	315.3	123.0

1　可処分所得を100としたときの金融資産純増の値では、2013年の方が2014年より小さい。

2　2018年の世帯一人当たりの可処分所得は、14万円を上回っている。

3　2013年から2018年までの期間で、黒字額（可処分所得－消費支出）が最も小さいのは2017年である。

4　2013年から2018年までの期間における金融資産純増の平均額は、９万円を下回っている。

5　2013年から2018年までの期間で、実収入から可処分所得を引いた値は、毎年増加している。

解説　正解　1　　TAC生の正答率 59%

1 ○　可処分所得を100としたときの金融資産純増の値は$\frac{金融資産純増}{可処分所得}$×100で求めることができる。2013年の可処分所得を100としたときの金融資産純増の値は$\frac{74.8}{426.1}$×100で、2014年のそれの値は$\frac{78.1}{423.5}$×100となる。2013年の方が2014年より、分子が小さく分母が大きいので、分数の値は小さい。よって、2013年の方が2014年より小さい。

2 ×　世帯一人当たりの可処分所得は$\frac{可処分所得}{世帯人数}$で求めることができる。2018年のそれは$\frac{455.1}{3.3}$≒138［千円］＝13.8［万円］となり、14万円を上回ってはいない。

3 ×　2017年より2013年の方が可処分所得が小さく消費支出が大きいので、黒字額（可処分所得－消費支出）は小さくなる。よって、最も小さいのは2017年ではない。

4 ×　2013年から2018年までの期間における金融資産純増の平均額が９万円を下回っているということは、2013年から2018年までの期間における金融資産純増の合計額が54万円を下回っているということと同じである。2013年から2018年までの期間における金融資産純増の合計額は、小さく見積もっても74＋78＋85＋92＋97＋123＝549［千円］＝54.9［万円］であるから、54万円を下回っていない。

5 ×　2013年の実収入から可処分所得を引いた値は523.6－426.1＝97.5で、2014年のそれは519.8－423.5＝96.3であるから、毎年増加してはいない。

下の表は、家具製造業についてまとめたものである。この表から判断できるア～ウの記述の正誤の組合せとして、最も妥当なのはどれか。

木製家具製造業

	事業所数（件）	従業者数（人）	製造品出荷額（百万円）
2005年	8,030	64,781	990,568
2010年	7,868	57,402	764,598
2015年	6,528	52,291	765,190

金属製家具製造業

	事業所数（件）	従業者数（人）	製造品出荷額（百万円）
2005年	974	24,227	477,753
2010年	838	15,956	329,716
2015年	717	18,157	472,395

ア　事業所一件当たりの製造品出荷額が最も多いのは、2005年の金属製家具製造業である。
イ　事業所一件当たりの従業者数が最も少ないのは、2010年の木製家具製造業である。
ウ　事業所一件当たりの従業者数において、金属製家具製造業の従業者数は、どの調査年次においても木製家具製造業の従業者数の４倍以上である。

	ア	イ	ウ
1	誤	正	正
2	正	誤	正
3	誤	正	誤
4	正	正	誤
5	正	誤	誤

解説　正解 3　TAC生の正答率 69%

ア　×　事業所一件当たりの製造品出荷額は$\frac{製造品出荷額}{事業所数}$で求めることができる。2005年の金属製家具製造業のそれは、$\frac{477,753}{974}$で、2015年の金属製家具製造業のそれは、$\frac{472,395}{717}$である。$\frac{477,753}{974}<\frac{487,000}{974}=500$、$\frac{472,395}{717}>\frac{358,500}{717}=500$より、最も多いのは2005年の金属製家具製造業ではない。

イ　○　事業所一件当たりの従業者数は$\frac{従業者数}{事業所数}$で求めることができる。木製家具製造業の事業所数をそれぞれ10倍すると、どれも（事業所数）×10＞(従業者数）となり、$\frac{従業者数}{(事業所数)\times 10}<1$となる。同様に金属製家具製造業の事業所数をそれぞれ10倍すると、どれも（事業所数）×10＜(従業者数）となり、$\frac{従業者数}{(事業所数)\times 10}>1$となる。よって、金属製家具製造業のそれが最小にはなりえない。木製家具製造業の2005年は$\frac{64,781}{8,030}>\frac{64,240}{8,030}=8$、2010年は$\frac{57,402}{7,868}<\frac{62,944}{7,868}=8$、2015年は$\frac{52,291}{6,528}>\frac{52,224}{6,528}=8$なので、2010年の木製家具製造業が最も少ない。

ウ　×　金属製家具製造業の2005年は$\frac{24,227}{974}<\frac{24,350}{974}=25$となり、木製家具製造業の2005年の4倍は、イで求めた数値を4倍すると、$\frac{64,781}{8,030}\times 4>32$となる。よって、(金属製家具製造業の2005年)＜(木製家具製造業の2005年の4倍）となり、どの調査年次においても4倍以上ではない。

以上より、正解は**3**である。

資料解釈　実数のグラフ

2023年度❷ 教養 No.25

下の資料は、５か国における海外旅行収入額の推移をまとめたものである。この資料から判断できることとして、最も妥当なものはどれか。

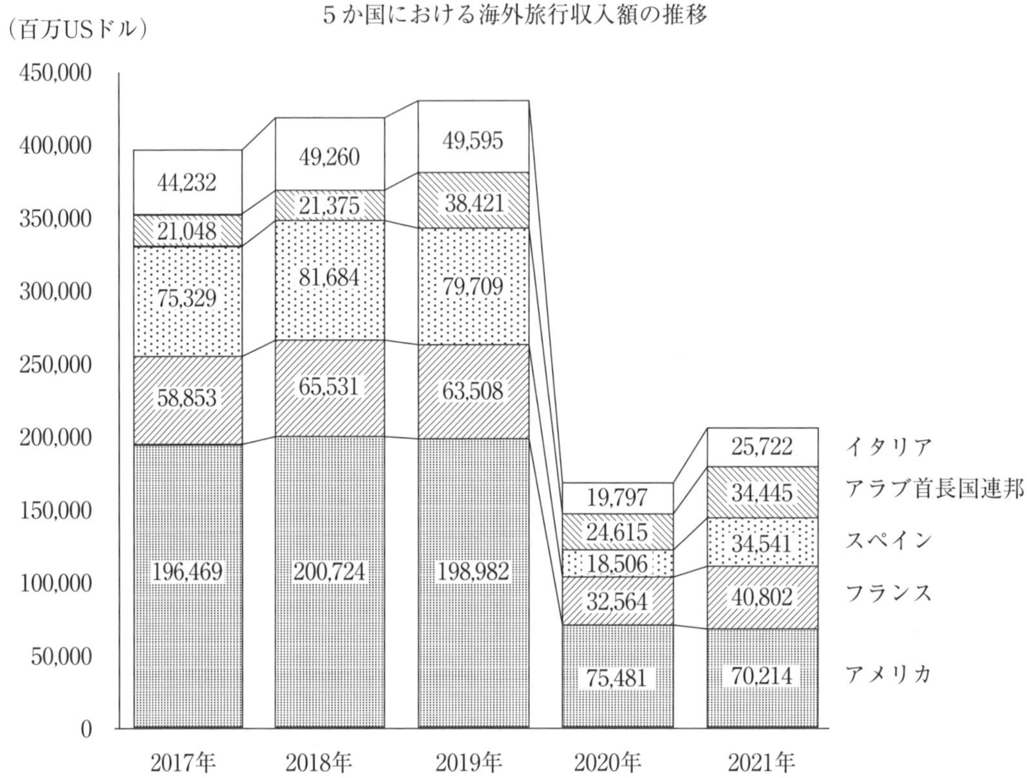

1　2017年から2021年までのいずれの年も、海外旅行収入額合計に占めるアメリカの割合は、50%を超えている。

2　2017年の海外旅行収入額に対する2019年の海外旅行収入額の増加率が最も大きいのは、イタリアである。

3　2017年から2021年までの期間で、フランスとスペインの海外旅行収入額の合計が、最も大きいのは2019年である。

4　2020年のアメリカの海外旅行収入額は、2019年と比べると60%を超える減少となっている。

5　2017年から2021年までの期間で、アラブ首長国連邦の１年当たり平均海外旅行収入額は、27,000百万USドルを下回っている。

解説　正解　4

1 × 棒グラフの高さは5か国における海外旅行収入額の合計を表しており、この合計に占めるアメリカの割合が50%を超えているときは、アメリカの海外旅行収入額の2倍が5か国における海外旅行収入額の合計を超えている。よって、このようでない年を探してみると、2021年に着目できる。2021年の海外旅行収入額の合計は約200,000百万USドルで、アメリカの海外旅行収入額の2倍は70,214×2＝140,428［百万USドル］であるので、確かに合計を超えてはいない。

2 × 2017年の海外旅行収入額に対する2019年の海外旅行収入額の増加率は $\dfrac{\text{2017年に対する2019年の海外旅行収入の増加額}}{\text{2017年の海外旅行収入額}}$ で求めることができる。イタリアの増加額は49,595－44,232＝5,363［百万USドル］であるので、増加率は $\dfrac{5{,}363}{44{,}232}$ である。一方、アラブ首長国連邦の増加額は38,421－21,048＝17,373［百万USドル］であるので、増加率は $\dfrac{17{,}373}{21{,}048}$ である。分数をイタリアからアラブ首長国連邦に見ると、分子は増加し分母は減少しているので、$\dfrac{5{,}363}{44{,}232}<\dfrac{17{,}373}{21{,}048}$ となる。よって、2017年の海外旅行収入額に対する2019年の海外旅行収入額の増加率が最も大きいのは、イタリアではない。

3 × 2018年の海外旅行収入額についてみると、フランスもスペインも2019年より大きい。よって、合計も2019年より大きくなるから、フランスとスペインの海外旅行収入額の合計が最も大きいのは2019年ではない。

4 ○ 2020年のアメリカの海外旅行収入額は2019年に対し198,982－72,481＝126,501［百万USドル］の減少である。2019年のアメリカの海外旅行収入額の10%の値は約19,898百万USドルであるので、60%の値は約19,898×6＝119,388［百万USドル］である。よって、2020年のアメリカの海外旅行収入額は2019年と比べると60%を超える減少となっている。

5 × 2017年から2021年までのアラブ首長国連邦の1年当たりの平均海外旅行収入額が27,000百万USドルを下回っているということは、この5年間の同国の海外収入額の合計が27,000×5＝135,000［百万USドル］を下回っているということと同じである。5年間の合計は21,048＋21,375＋38,421＋24,615＋34,445＝139,904［百万USドル］であるので、135,000百万USドルを下回っていない。

資料解釈 実数のグラフ

2023年度❶ 教養 No.25

下の資料は、単身世帯の消費支出内訳をまとめたものである。この資料から判断できることとして、最も妥当なものはどれか。

1　2017年から2021年までの期間で、消費支出全体に占める食料の割合は、いずれの年も30%を超えている。

2　2017年から2021年までの期間で、交通・通信と教養・娯楽の支出額の差が最も小さいのは、2021年である。

3　2017年から2021年までの期間で、交際費と光熱・水道の支出額の和が最も大きいのは、2017年である。

4　その他の中で最も支出額が大きいのは、家事用品である。

5　2017年から2021年までの期間で、住居の支出額が光熱・水道の支出額の２倍を超えている年がある。

解説　正解　3　TAC生の正答率 81%

1 × 2017年に着目すると、グラフより消費支出全体は、約160,000円であり、160,000の30％は16,000×3＝48,000［円］である。この年の食料の支出額は39,649円であるので、消費支出全体に占める食料の割合は30％を超えていない。したがって、2017年は30％を超えていない。

2 × 交通・通信と教養・娯楽の支出額の差について、2021年は18,819－17,082＝1,737［円］である。2017年に着目すると、差は18,825－18,433＝392［円］であるので、差が最も小さいのは2021年ではない。

3 ○ 各年の交際費と光熱・水道の支出額の和を概算すると次のようになる。

年	交際費［円］	光熱・水道［円］	支出額の和［円］
2017年	15,800	11,400	27,200円
2018年	14,900	11,800	26,700円
2019年	14,700	11,700	26,400円
2020年	12,900	11,700	24,600円
2021年	12,900	11,400	24,300円

表より、交際費と光熱・水道の支出額の和が最も大きいのは2017年である。

4 × その他の内訳が不明であるので、家事用品の支出額が最も大きいかどうかはわからない。

5 × 各年の住居の支出額と光熱・水道の支出額の２倍を比較すると、次のようになる。

年	住居［円］		光熱・水道×2［円］
2017年	20,680	<	11,380×2
2018年	22,645	<	11,847×2
2019年	20,847	<	11,652×2
2020年	20,948	<	11,686×2
2021年	22,117	<	11,358×2

表より、住居の支出額が光熱・水道の支出額の２倍を超えている年はない。

資料解釈　実数のグラフ　2022年度❷ 教養 No.23

下の資料は、A大学と全国の留学生の出身地の推移をまとめたものである。この資料から判断できることとして、最も妥当なのはどれか。

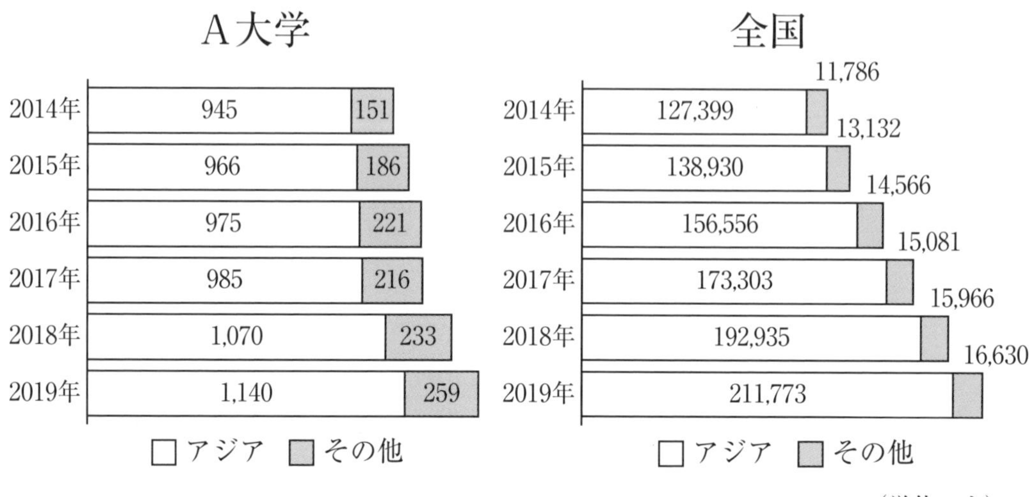

（単位：人）

1　2014年から2019年までの期間で、A大学の留学生のうちアジア出身の留学生が占める割合が最も高いのは、2019年である。

2　2014年から2019年までの期間で、全国の留学生のうちアジア出身の留学生が占める割合は90%を超えている。

3　全国のアジア出身の留学生に対するA大学のアジア出身の留学生の割合は、2019年の方が2014年より高い。

4　2014年から2019年までの期間で、A大学の留学生のうちアジア出身の留学生の対前年増加率が最も高いのは、2019年である。

5　全国の留学生のうちアジア出身の留学生の割合は、2017年から2019年にかけて減少し続けている。

解説　正解　2

1　×　A大学において、留学生のうちアジア出身の留学生が占める割合は$\frac{\text{アジア出身の留学生}}{\text{留学生全体}}$で求めることができる。2019年の値は$\frac{1,140}{1,140+259}=\frac{1,140}{1,399}$であり、2014年の値は$\frac{945}{945+151}=\frac{945}{1,096}$である。$\frac{1,140}{1,399}$と$\frac{945}{1,096}$を比べると、分母は1,096→1,399より303増加し、1,096の10%は約110であるので、増加率は30%弱である。一方、分子は945→1,140より195増加し、945の10%は約

95であるので、増加率は20％強である。よって、$\frac{1{,}140}{1{,}399}<\frac{945}{1{,}096}$であるので、割合が最も高いのは2019年ではない。

2　○　全国の留学生のうちアジア出身の留学生が占める割合が90％を超えているということは、全国の留学生のうちその他出身の留学生が占める割合が10％を超えていないということと同じである。そして、$\frac{\text{その他出身の留学生}}{\text{アジア出身の留学生}}$が10％未満、すなわち、その他出身の留学生がアジア出身の留学生の10％未満であれば、留学生のうちその他出身の留学生が占める割合が10％を超えていないことがいえる。各年のその他出身の留学生とアジア出身の留学生の10％を比べると次のようになる。

	その他出身［人］		アジア出身の10％［人］
2014年	11,786	＜	127,399×0.1≒12,740
2015年	13,132	＜	138,930×0.1≒13,893
2016年	14,566	＜	156,556×0.1≒15,656
2017年	15,081	＜	173,303×0.1≒17,330
2018年	15,966	＜	192,935×0.1≒19,294
2019年	16,630	＜	211,773×0.1≒21,177

よって、いずれの年もその他出身の留学生はアジア出身の留学生の10％未満である。

3　×　全国のアジア出身の留学生に対するA大学のアジア出身の留学生の割合は$\frac{\text{A大学のアジア出身の留学生}}{\text{全国のアジア出身の留学生}}$で求めることができる。2019年の値は$\frac{1{,}140}{211{,}773}$、2014年の値は$\frac{945}{127{,}399}$である。$\frac{1{,}140}{211{,}773}$と$\frac{1{,}140}{1{,}140\times150}=\frac{1{,}140}{171{,}000}=\frac{1}{150}$を比べると$\frac{1{,}140}{211{,}773}$は$\frac{1}{150}$より小さい。$\frac{945}{127{,}399}$と$\frac{945}{945\times150}=\frac{945}{141{,}750}=\frac{1}{150}$を比べると、$\frac{945}{127{,}399}$は$\frac{1}{150}$より大きい。よって、$\frac{1{,}140}{211{,}773}<\frac{945}{127{,}399}$であるので、割合は2019年の方が2014年より高くはない。

4　×　2019年のA大学のアジア出身の留学生の対前年増加率は、2018年が1,070人、2019年が1,140人より、増加人数は70人で、1,070の１％は約11だから増加率は７％未満である。2018年の対前年増加率に着目すると、2017年が985人、2018年が1,070人より、増加人数は85人で、985の１％は約10だから増加率は７％以上である。よって、対前年増加率が最も高いのは2019年ではない。

5　×　全国において、留学生のうちアジア出身の留学生の割合は$\frac{\text{アジア出身の留学生}}{\text{留学生全体}}$で求めることができる。2017年の値は$\frac{173{,}303}{188{,}384}\fallingdotseq0.920$、2018年の値は$\frac{192{,}935}{208{,}901}\fallingdotseq0.924$、2019年の値は$\frac{211{,}773}{228{,}403}\fallingdotseq0.927$となるので、減少し続けていない。

資料解釈　実数のグラフ

2021年度 教養 No.19

下のグラフは、平成19年度から平成28年度の自動車・同附属品製造業における特定目的別研究費の推移についてまとめたものである。このグラフから判断できることとして、最も妥当なのはどれか。

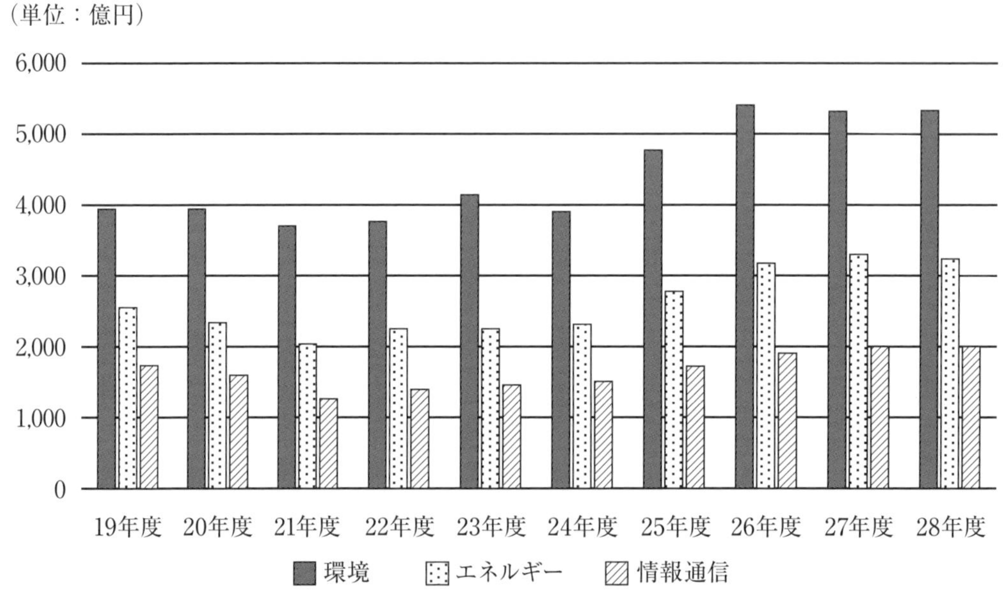

1　エネルギーと情報通信の研究費を合わせた額が、環境の研究費の額を超えた年度はない。

2　平成19年度に比べて平成28年度は、グラフ中の３つの研究費を合わせた額が４割以上増加している。

3　環境の研究費がエネルギーの研究費の２倍を超えた年度はあるが、情報通信の研究費の３倍を超えた年度はない。

4　グラフ中の３つの研究費を合わせた額が、１兆円を超えた年度はない。

5　環境の研究費が最も少なかった年度と最も多かった年度を比較すると、３割以上増えている。

解説　**正解　5**　TAC生の正答率　86%

1　×　平成19年度をみると、環境の研究費は約4,000億円、エネルギーの研究費は約2,500億円、情報通信の研究費は約1,800億円より、エネルギーと情報通信の研究費の合計は2,500＋1,800＝4,300［億円］となるので、環境の研究費を超えている。

2　×　平成19年度の３つの研究費の合計は、**1**の解説より4,000＋2,500＋1,800＝8,300［億円］で、平成28年度の環境、エネルギー、情報通信の研究費はそれぞれ約5,300億円、3,200億円、2,000億円なので、３つの合計は5,300＋3,200＋2,000＝10,500［億円］となる。平成19年度の４割増は8,300×1.4＝8,300＋830×4＝11,620［億円］なので、平成28年度は平成19年度の４割以上増加してはいない。

3　×　平成19、20、21、22、24年度のエネルギーの研究費をみると、どの年度も2,000億円を超えているが、環境の研究費は4,000億円を超えていない。同様に、平成26、27、28年度のエネルギーの研究費はどの年度も3,000億円を超えているが、環境の研究費は6,000億円を超えていない。平成23年度については、環境の研究費は約4,100億円、エネルギーの研究費は約2,200億円なので２倍を超えておらず、平成25年度については、エネルギーの研究費を少なくみても2,500億円は超えているが、環境の研究費は5,000億円を超えていない。よって、どの年度においても環境の研究費がエネルギーの研究費の２倍を超えていない。

4　×　平成28年度の３つの研究費の合計は、**2**の解説より10,500億円なので、１兆円（＝10,000億円）を超えている。

5　○　環境の研究費が最も少なかったのは平成21年度の約3,700億円、最も多かったのは平成26年度の約5,300億円である。平成21年度の３割増は3,700×1.3＝3,700＋370×3＝4,810［億円］なので、平成26年度は平成21年度の３割以上増えている。

資料解釈 総数と構成比の表

2023年度❷ 教養 No.24

下の資料は、日本における主な石炭輸入先の推移をまとめたものである。この資料から判断できることとして、最も妥当なものはどれか。

日本における主な石炭輸入先の推移

		2016年	2017年	2018年	2019年	2020年	2021年
総輸入量(千t)		189,732	192,839	189,320	186,178	173,730	182,604
構成比(%)	オーストラリア	64.0	61.8	61.3	58.7	59.6	65.4
	インドネシア	17.1	16.6	15.2	15.1	15.9	12.4
	ロシア	9.5	9.4	9.9	10.8	12.5	10.8
	カナダ	4.4	4.4	4.6	5.5	5.2	4.2
	アメリカ	2.5	4.2	6.1	7.1	5.4	5.3
	中国	1.3	1.3	1.0	1.0	0.5	0.4

1　2017年から2021年までのいずれの年も、オーストラリアからの石炭輸入量は、前年を下回っている。

2　2016年から2021年までの期間で、カナダからの石炭輸入量は、年平均で6,500千t未満である。

3　2016年から2021年までの期間で、オーストラリアからの石炭輸入量がアメリカからの石炭輸入量の30倍を超えている年がある。

4　2016年から2021年までの期間で、インドネシアからの石炭輸入額が最も大きいのは2016年である。

5　2016年から2021年までのいずれの年も、ロシアと中国からの石炭輸入量の合計は、総輸入量の10%を超えている。

解説　正解　5

1　×　オーストラリアからの石炭輸入量は、2020年が173,730×59.6％［千t］、2021年が182,604×65.4％［千t］であるが、2021年は2020年より総輸入量も構成比も大きいので、2021年は2020年を下回ってはいない。

2　×　2016年から2021年の総輸入量はすべて170,000［千t］を上回っており、また、カナダの構成比はすべて４％を上回っている。よって、カナダからの石炭輸入量はすべて170,000×4％＝1,700×4＝6,800［千t］を上回っている。以上より、年平均も6,800［千t］を上回っており、6,500千t未満ではない。

3　×　同年のオーストラリアとアメリカの石炭輸入量の比較であるので、総輸入量は同じである。よって、２国の構成比のみの比較で石炭輸入量の大小を判断できる。2016年から2021年のアメリカの構成比はすべて2.4％を超えており、その30倍は2.4×30＝72％を超えている。一方、同じ期間でのオーストラリアの構成比は72％を超えていない。よって、この期間でオーストラリアからの石炭輸入量がアメリカからのそれの30倍を超えている年はない。

4　×　インドネシアからの石炭輸入額については記載がないのでわからない。

5　○　ロシアと中国からの石炭輸入量の合計が総輸入量に占める割合は、ロシアと中国からの石炭輸入量の構成比の合計である。2016年から2021年のロシアと中国からの石炭輸入量の構成比の合計は、2016年から2018年は10.8％、10.7％、10.9％であり、2019年から2021年はロシアだけで10.8％、12.5％、10.8％と10％を超えている。よって、この期間でロシアと中国からの石炭輸入量の合計は、総輸入量の10％を超えている。

資料解釈　総数と構成比の表

下の資料は、A県とB県の人口及び運転免許保有者の推移をまとめたものである。この資料から判断できることとして、最も妥当なものはどれか。

人口及び運転免許保有者の推移

	A県			B県		
	人口（人）	男性の運転免許保有者（人）	運転免許保有者に占める女性の割合（%）	人口（人）	男性の運転免許保有者（人）	運転免許保有者に占める女性の割合（%）
2016年	4,426,445	1,593,489	41.23	7,410,797	2,741,995	39.27
2017年	4,432,702	1,595,772	41.35	7,422,079	2,761,014	39.40
2018年	4,439,798	1,602,769	41.67	7,434,427	2,780,476	39.63
2019年	4,447,074	1,609,841	41.75	7,448,636	2,789,514	40.04
2020年	4,517,217	1,648,784	42.28	7,460,572	2,797,714	40.28
2021年	4,576,258	1,688,640	42.64	7,484,031	2,828,953	40.64

1　2021年の女性の運転免許保有者は、B県の方がA県より80万人以上多い。

2　2016年から2021年までの期間で、A県の男性人口に占める男性の運転免許保有者割合は毎年増加している。

3　2016年のA県の運転免許保有者を見ると、男性は女性の1.5倍を超えている。

4　2016年から2021年までの期間で、B県の女性人口に占める女性の運転免許保有者割合は毎年増加している。

5　2017年から2021年までの期間で、女性の運転免許保有者はA県、B県のいずれも増加している。

解説　正解　5　TAC生の正答率 59%

男性の運転免許保有者＝(運転免許保有者)×(運転免許保有者に占める男性の割合)と表すことができる。式変形をすると、運転免許保有者＝$\dfrac{\text{男性の運転免許保有者}}{\text{運転免許保有者に占める男性の割合[\%]}}$となり、運転免許保有者に占める男性の割合[%]＝100－(運転免許保有者に占める女性の割合)であるので、運転免許保有者＝$\dfrac{\text{男性の運転免許保有者}}{100-\text{(運転免許保有者に占める女性の割合)[\%]}}$で求めることができる。したがって、女性の運転免許保有者＝(運転免許保有者)×(運転免許保有者に占める女性の割合)と表すことができ、女性の運転免許保有者＝$\dfrac{\text{男性の運転免許保有者}}{100-\text{(運転免許保有者に占める女性の割合)[\%]}}$×(運転免許保有者に占める女性の割合)で求めることができる。

1 ×　上記の式より、2021年の女性の運転免許保有者は、A県が$\dfrac{1{,}688{,}640}{(100-42.64)\%}\times 42.64\%$、B県が$\dfrac{2{,}828{,}953}{(100-40.64)\%}\times 40.64\%$である。実際に計算すると、A県は約1,255,293人、B県は約1,936,803人であり、差は1,936,803－1,255,293＝681,510[人]となり、B県の方がA県より80万人以上多くない。

2 ×　表中の数値だけでは男性の人口を求めることはできないので、男性の人口に占める男性の運転免許保有者割合はわからない。

3 ×　女性の運転免許保有者＝（運転免許保有者）×（運転免許保有者に占める女性の割合）、男性の運転免許保有者＝（運転免許保有者）×（運転免許保有者に占める男性の割合）である。同年同県であれば、この２式の運転免許保有者は同じ数値であるので、大小関係の判断は、運転免許保有者に占める女性の割合と男性の割合を比べればよい。よって、2016年のA県では、女性の割合は41.23％、男性の割合は100－41.23＝58.77％であり、41.23×1.5＝61.845％であるので、男性の割合は女性の割合の1.5倍を超えていない。

4 ×　表中の数値だけでは女性の人口を求めることはできないので、女性の人口に占める女性の運転免許保有者割合はわからない。

5 ○　女性の運転免許保有者は（運転免許保有者）×（運転免許保有者に占める女性の割合）で求めることができ、表より、運転免許保有者に占める女性の割合は、A県、B県ともに年々増加している。このことから、運転免許保有者に占める男性の割合は、A県、B県ともに年々減少しており、加えて、表より、男性の運転免許保有者は、A県、B県ともに年々増加している。よって、運転免許保有者は$\dfrac{\text{男性の運転免許保有者}}{\text{運転免許保有者に占める男性の割合[\%]}}$で求めることができ、A県、B県ともに分数の分子は年々増加、分母は年々減少であるので、分数の値は年々増加していることがわかる。したがって、運転免許保有者、運転免許保有者に占める女性の割合はA県、B県ともに年々増加しているので、女性の運転免許保有者は年々増加している。

資料解釈　総数と構成比のグラフ

2023年度 ❶ 教養 No.26

下の資料は、6か国のサバ漁獲量及び6か国のサバ漁獲量の合計が世界のサバ漁獲量の合計に占める割合（構成比）の推移をまとめたものである。この資料から判断できることとして、最も妥当なものはどれか。

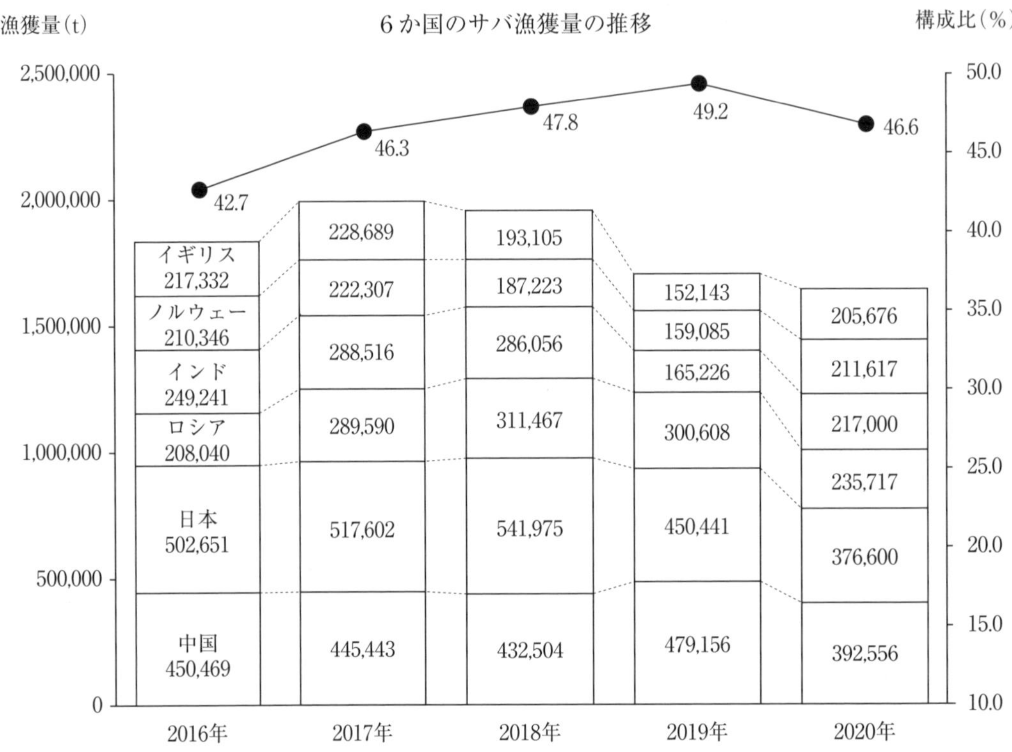

1　日本の2016年のサバ漁獲量に対する2020年のサバ漁獲量の減少率は、20％を超えている。

2　2017年の世界のサバ漁獲量の合計は、約3,600,000tである。

3　2016年のサバ漁獲量に対する2019年のサバ漁獲量の減少率が最も大きいのは、イギリスである。

4　世界のサバ漁獲量の合計は、2017年から2019年まで、いずれも前年より増加している。

5　2017年から2020年までの期間で、ロシアのサバ漁獲量が前年より減少している年は、インドのサバ漁獲量も前年より減少している。

解説　正解　1　TAC生の正答率 76%

（世界のサバ漁獲量の合計）×（6か国のサバ漁獲量の構成比）=（6か国のサバ漁獲量の合計）より、

$$（世界のサバ漁獲量の合計）=\frac{6か国のサバ漁獲量の合計}{6か国のサバ漁獲量の構成比}$$ （…①）で求めることができる。

1　○　日本のサバ漁獲量は、2016年が502,651t、2020年が376,600tであり、減少量は502,651－376,600＝126,051［t］である。502,651tの20％は約50,265×2＝100,530［t］であるので、減少率は20％を超えている。

2　×　世界のサバ漁獲量の合計は①で求めることができる。グラフより2017年の6か国のサバ漁獲量の合計は、約2,000,000tであり、6か国のサバ漁獲量の構成比は約46％であるので、世界のサバ漁獲量の合計は$\frac{2,000,000}{0.46}$＞4,000,000［t］である。よって、約3,600,000tではない。

3　×　イギリスのサバ漁獲量は、2016年が217,332t、2019年が152,143tであり、減少量は217,332－152,143＝65,189［t］である。217,332tの10％は約21,733tであるので、30％は21,733×3＝65,199［t］より減少率は30％程度である。インドに着目すると、サバの漁獲量は、2016年が249,241t、2019年が165,226tであり、減少量は249,241－165,226＝84,015［t］である。249,241tの10％は約24,924tであるので、30％は24,924×3＝74,772［t］より減少率は30％以上である。よって、減少率が最も大きいのはイギリスではない。

4　×　世界のサバ漁獲量の合計は①で求めることができる。グラフより2018年から2019年を見ると、分子の6か国のサバの漁獲量の合計は減少しており、分母の6か国のサバ漁獲量の構成比は増加している。よって、世界のサバ漁獲量の合計は（2018年）＞（2019年）となり、2019年は前年より増加していない。

5　×　2020年を見ると、ロシアのサバ漁獲量は前年より減少しているが、インドのそれは前年より減少していない。

資料解釈　指数の表

2020年度 ❷
教養 No.20

下の表は、DAC主要加盟国のODA（政府開発援助）額の推移を、DAC加盟国のODA総額に対する割合としてまとめたものである。この表から判断できることとして、最も妥当なのはどれか。

DAC主要加盟国のODA（政府開発援助）の推移

	2014年	2015年	2016年	2017年	2018年
日本	6.75	7.00	7.19	7.79	9.26
アメリカ合衆国	24.12	23.55	23.75	23.60	22.39
イギリス	14.07	14.10	12.46	12.30	12.68
フランス	7.74	6.87	6.64	7.70	7.94
ドイツ	12.07	13.64	17.07	16.99	16.33
オランダ	4.06	4.35	3.43	3.37	3.67
DAC加盟国計	100.00	100.00	100.00	100.00	100.00

（単位：%）

1　2014年から2018年までの間で、アメリカ合衆国のODA額が最も少ないのは、2018年である。

2　2018年におけるイギリスのODA額は、2014年のODA額より約10%減少している。

3　2014年から2018年までの累計を比較すると、ドイツのODA額はイギリスのODA額より多い。

4　2017年における日本のODA額は、2014年におけるフランスのODA額より多い。

5　2014年から2018年までの累計を比較すると、フランスのODA額はオランダのODA額より多い。

解説　正解　5

1　×　各年度の全体のODA額が不明なので、異なる年度のODA額を比較することはできない。

2　×　各年度の全体のODA額が不明なので、異なる年度のODA額を比較することはできない。

3　×　各年度の全体のODA額が不明なので、異なる年度のODA額を足すことはできない。よって、累計を比較することもできない。

4　×　各年度の全体のODA額が不明なので、異なる年度のODA額を比較することはできない。

5　○　各年度の全体のODA額が不明なので、異なる年度のODA額を足すことはできないが、同一年度のODA額は、割合で比較できる。2014年から2018年のすべての年度において、フランスの割合はオランダの割合を上回っているので、ODA額もフランスの方が多い。よって、累計でもフランスの方が多い。

資料解釈 実数と増減率の表

2022年度 ❶ 教養 No.19

下の資料は、2010年～2020年の世界各国の人口及び人口増加率をまとめたものである。この資料から判断できることとして、最も妥当なのはどれか。ただし、資料中の2010年～2015年の人口増加率は、2010年の人口に対する2015年の人口の増加率を表し、2015年～2020年の人口増加率は、2015年の人口に対する2020年の人口の増加率を表している。

	人口（百万人）	人口増加率（%）	
	2010年	2010年～2015年	2015年～2020年
中国	1,369	2.8	2.3
インド	1,234	6.1	5.3
アメリカ	309	3.8	3.2
インドネシア	242	6.8	5.9
ブラジル	196	4.5	4.0
パキスタン	179	11.1	10.8
ナイジェリア	159	14.3	13.8
バングラデシュ	148	5.9	5.4
ロシア	143	1.0	0.7
メキシコ	114	6.8	5.8
世界	6,957	6.1	5.6

1　世界の人口は、2015年時点で75億人を超え、2020年時点では80億人を超えている。

2　2010年に比べて2020年の世界の人口に占める中国の人口割合は、増加している。

3　2010年に比べて2020年の人口が最も増えた国はインドである。

4　2015年の世界の人口に占める中国とインドの２か国を合わせた人口割合は、45%を超えている。

5　2010年のブラジルの人口を100としたとき、2015年のブラジルの人口は104.5、2020年のブラジルの人口は104で、2010年のアメリカの人口は150を超えていない。

解説　正解　3　TAC生の正答率　64%

1 × 2015年の世界の人口は、2010年に対しての人口増加率が6.1%より、6,957×1.061[百万人]で求めることができる。大きく見積もっても$6{,}957\times1.061<7{,}000\times1.065=7{,}455$[百万人]=74.55[億人]より、75億人を超えていない。

2 × 世界の人口に占める中国の人口割合は$\frac{中国の人口}{世界の人口}$で求めることができるので、2010年のそれは$\frac{1{,}369}{6{,}957}$であり、2020年のそれは$\frac{1{,}369\times1.028\times1.023}{6{,}957\times1.061\times1.056}$となる。$\frac{1{,}369}{6{,}957}$が共通しているので、$\frac{1.028\times1.023}{1.061\times1.056}$の部分に着目すればよい。$\frac{1.028\times1.023}{1.061\times1.056}$は分子より分母の方が大きいので、1より小さくなり、2020年の割合の方が小さくなる。よって、2010年に比べて2020年の世界の人口に占める中国の人口割合は、増加してはいない。

3 ○ 求める値は、2010年に対する2020年の人口増加量である。人口増加量は人口×人口増加率で求めることができ、中国とインドの2010年の人口は、表中の他の国と比べて4倍から10倍近く多いので、中国とインドに着目する。中国とインドは2010年の人口が同じぐらいで人口増加率がインドの方が2倍近く大きいので、インドの方が人口増加量は大きくなる。インドの2020年の人口は、$1{,}234\times1.061\times1.053\fallingdotseq1{,}379$[百万人]となり、人口増加量は$1{,}379-1{,}234=145$[百万人]となる。中国とインド以外の国の2010年の人口を大きく見積もって310百万人とし、2010年～2015年、2015年～2020年の人口増加率を大きく見積もって15%ずつとする。2020年の中国とインド以外の国の人口の最大値は、$310\times1.15\times1.15\fallingdotseq410$[百万人]となり、人口増加量は$410-310=100$[百万人]となる。よって、大きく見積もっても145百万人を超えないので、2010年に比べて2020年の人口が最も増えた国はインドである。

4 × 2015年の世界の人口に占める中国とインドの2か国を合わせた人口割合は$\frac{2015年の中国の人口+2015年のインドの人口}{2015年の世界の人口}$で求められるので、$\frac{1{,}369\times1.028+1{,}234\times1.061}{6{,}957\times1.061}$となる。大きく見積もっても、$\frac{1{,}369\times1.028+1{,}234\times1.061}{6{,}957\times1.061}<\frac{1{,}400\times1.1+1{,}300\times1.1}{6{,}900\times1}=\frac{2{,}700\times1.1}{6{,}900}=\frac{297}{690}<45\%\left(\frac{310.5}{690}\right)$より、45%を超えていない。

5 × 2010年のブラジルの人口を100とすると、2020年の人口は近似法を用いて、$100+4.5+4.0=108.5$となるので、2020年のブラジルの人口は104ではない。

資料解釈　単位量当たりの資料

2023年度 ❷ 教養 No.26

下の資料は、業態別小売業の単位当たりの年間販売額をまとめたものである。この資料から判断できることとして、最も妥当なものはどれか。

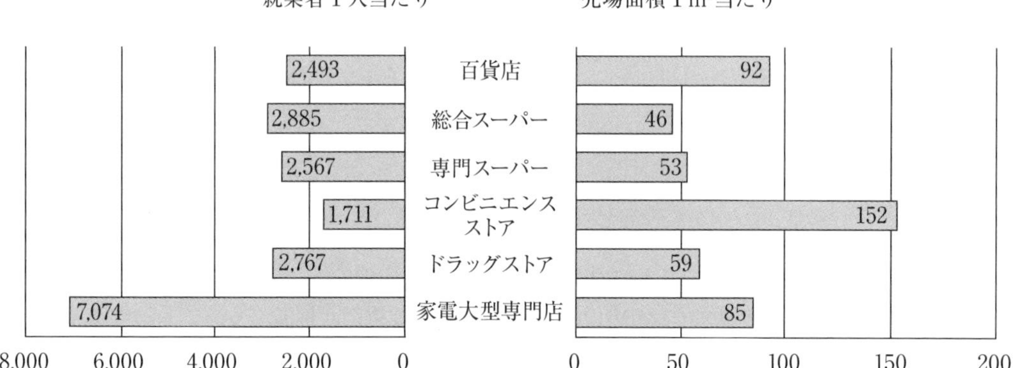

1　就業者１人当たりの売場面積が最も広い業態は、家電大型専門店である。

2　年間販売額が最も多い業態は、コンビニエンスストアである。

3　就業者数が最も多い業態は、総合スーパーである。

4　売場面積１m²当たりの就業者数が最も多い業態は、専門スーパーである。

5　１店舗当たりの就業者数が最も多い業態は、百貨店である。

解説　正解 1

就業者1人当たりの年間販売額は$\frac{年間販売額}{就業者数}$、売場面積1 m²当たりの年間販売額は$\frac{年間販売額}{売場面積}$である。

1 ○　就業者1人当たりの売場面積は$\frac{年間販売額}{就業者数} \div \frac{年間販売額}{売場面積} = \frac{就業者1人当たりの年間販売額}{売場面積1\,m^2当たりの年間販売額}$で計算できる。この値については、家電大型専門店が$\frac{7{,}074}{85}$であり、他の業態別小売業は、百貨店が$\frac{2{,}493}{92}$、総合スーパーが$\frac{2{,}885}{46}$、専門スーパーが$\frac{2{,}567}{53}$、コンビニエンスストアが$\frac{1{,}771}{152}$、ドラッグストアが$\frac{2{,}767}{59}$である。家電大型専門店の$\frac{7{,}074}{85}$と他の業態別小売業の中で最も大きな（分子が最も大きく、分母が最も小さい）総合スーパーの$\frac{2{,}885}{46}$を比較する。総合スーパーから家電大型専門店を見ると、分子は2倍以上、分母は2倍未満であるので、$\frac{7{,}074}{85} > \frac{2{,}885}{46}$である。よって、就業者1人当たりの売場面積で最大なのは家電大型専門店である。

2 ×　年間販売額は、就業者数、売場面積の値が不明なので求めることができない。

3 ×　就業者数は、年間販売額、売場面積の値が不明なので求めることができない。

4 ×　売場面積1 m²当たりの就業者数は$\frac{年間販売額}{売場面積} \div \frac{年間販売額}{就業者数} = \frac{売場面積1\,m^2当たりの年間販売額}{就業者1人当たりの年間販売額}$で計算できる。この値については、百貨店が$\frac{92}{2{,}493}$、総合スーパーが$\frac{46}{2{,}885}$、専門スーパーが$\frac{53}{2{,}567}$、コンビニエンスストアが$\frac{152}{1{,}771}$、ドラッグストアが$\frac{59}{2{,}767}$、家電大型専門店が$\frac{85}{7{,}074}$であり、分子が最も大きく、分母が最も小さいコンビニエンスストアが最大である。よって、売場面積1 m²当たりの就業者数が最も多い業態は専門スーパーではない。

5 ×　店舗数に関する値が与えられていないので、1店舗当たりの就業者数を求めることも、比較することもできない。

資料解釈　相関図

2023年度❷ 教養 No.27

下の資料は、主要国における人口１万人当たりの医師数及び病床数をまとめたものである。この資料から判断できることとして、最も妥当なものはどれか。

主要国における人口１万人当たりの医師数及び病床数

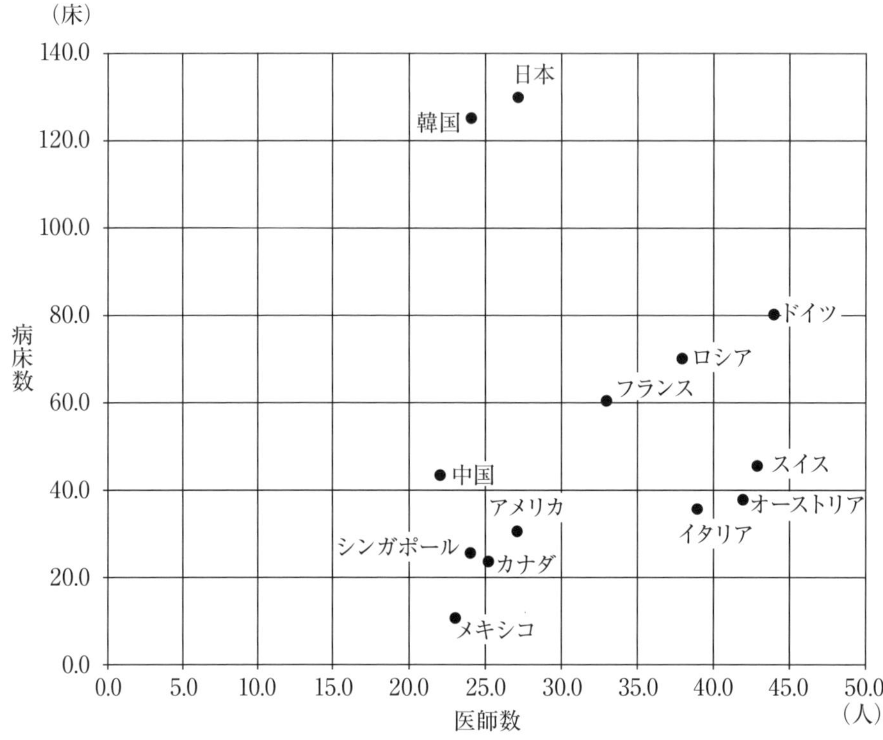

1　１病床当たりの医師数が最も多いのは韓国である。

2　フランスの医師１人当たりの病床数は、イタリアの医師１人当たりの病床数より多い。

3　医師数が最も多いのはアメリカである。

4　メキシコの医師１人当たりの病床数は、約2.5床である。

5　スイスの医師１人当たりの病床数は、中国の医師１人当たりの病床数の約２倍である。

解説　正解　2

1　×　１病床当たりの医師数は$\frac{医師数}{病床数}$であり、これは相関図の原点と打点を結ぶ直線の「傾き」の逆数である。１病床当たりの医師数が最も多い国は、「傾き」が最も小さくなる国であり、これは韓国ではない。

2 ○ 医師１人当たりの病床数は$\frac{病床数}{医師数}$であり、これは相関図の原点と打点を結ぶ直線の「傾き」である。傾きを見れば、フランスの方がイタリアより大きい。

3 × 与えられたデータは人口１万人当たりの医師数及び病床数であり、各国の人口が与えられておらず、医師数そのものを比較することはできない。

4 × １人当たりの病床数が約2.5床であるとは、傾きが約$\frac{5}{2}$であるのと同じことである。下図よりメキシコの傾きは約$\frac{5}{2}$ではない。

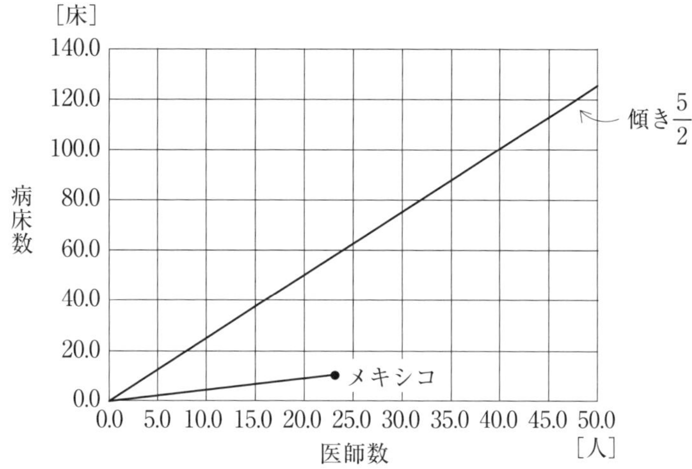

5 × 医師１人当たりの病床数は、相関図での傾きであり、下図よりスイスの傾きは中国の傾きより小さいので、スイスの傾きは中国の傾きの約２倍ではない。

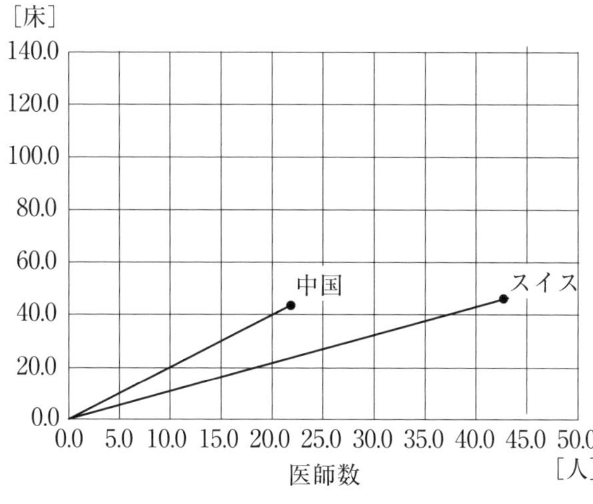

資料解釈　三角図表

下の資料は、A社～H社の従業員の年齢構成割合をまとめたものである。この資料から判断できることとして、最も妥当なものはどれか。

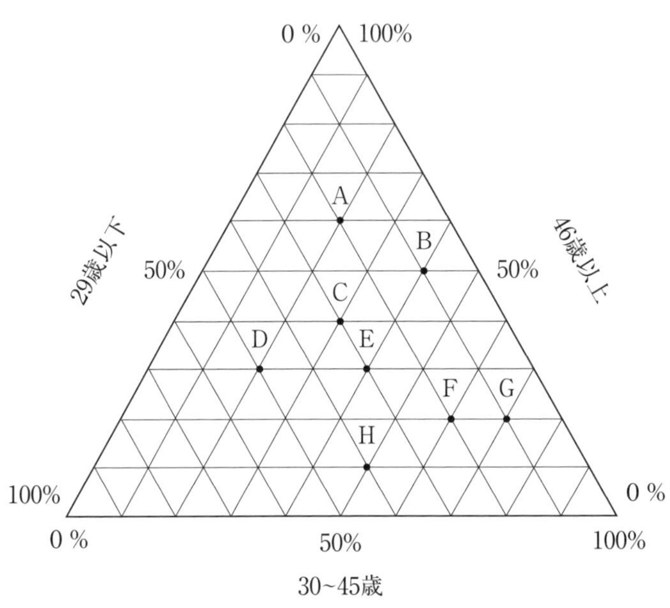

1　F社とG社は、29歳以下の従業員の占める割合が等しい。

2　B社の46歳以上の従業員が占める割合は60%である。

3　29歳以下の従業員の占める割合が最も大きいのは、H社である。

4　46歳以上の従業員数が最も多いのは、A社である。

5　E社の30～45歳の従業員が占める割合は40%である。

解説　正解　5

TAC生の正答率　41%

三角図表より、各社の３つの年齢構成割合の値は、図のように矢印の先の値を読めばよい。よって、各社の従業員の年齢構成割合は表のようになる。

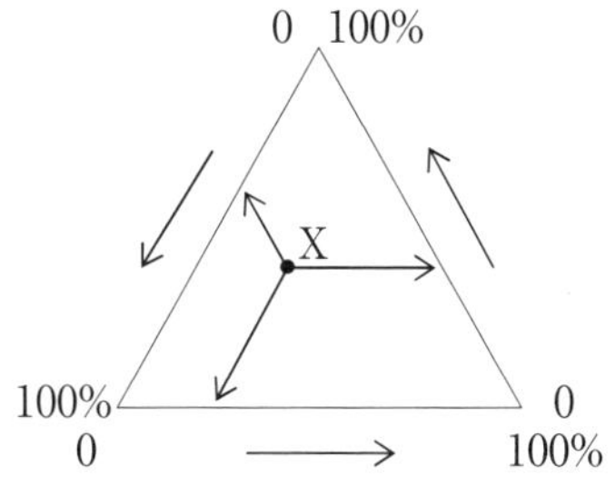

	A	B	C	D	E	F	G	H
29歳以下	20%	10%	30%	50%	30%	20%	10%	40%
30～45歳	20%	40%	30%	20%	40%	60%	70%	50%
46歳以上	60%	50%	40%	30%	30%	20%	20%	10%

1　×　表より、29歳以下の従業の占める割合は、Ｆ社が20%、Ｇ社が10%であるので、割合は等しくない。

2　×　表より、Ｂ社の46歳以上の従業員が占める割合は60%ではない。

3　×　表より、29歳以下の従業員の占める割合が最も大きいのはＨ社ではない。

4　×　各社の従業員の総数が書かれていないので、年齢層別の従業員数を求めることはできない。

5　○　表より、Ｅ社の30～45歳の従業員が占める割合は40%である。

法律　基本的人権

日本国憲法が定める基本的人権の保障に関する記述として、最も妥当なのはどれか。

1　思想・良心の自由も他の人権と同様に、内心にとどまる場合であっても、公共の福祉による制限を受ける。

2　憲法は政教分離原則を採用していることから、国家と宗教は完全に分離しなければならず、一切のかかわりを排除している。

3　学問の自由の内容は、学問研究の自由、研究発表の自由、義務教育の無償であり、学問的活動や成果の発表などが公権力から干渉されないように保障されている。

4　憲法は、国籍離脱の自由を認めているが、無国籍者になる自由までは認めておらず、国籍法は、外国籍の取得を日本国籍離脱の要件としている。

5　選挙権の基本原則のうち、普通選挙の原則は、財力を選挙権の要件としないことであり、平等選挙の原則は、性別を選挙権の要件としないことである。

解説　**正解　4**　TAC生の正答率 55%

1 × 「内心にとどまる場合であっても」という部分が妥当でない。思想・良心の自由は、内心にとどまる限り絶対的に保障される（日本国憲法19条）。ただし、例えば個人の思想・良心に基づいた表現活動は表現の自由（日本国憲法21条１項）の問題となり、これに対して絶対的保障が及ぶことはなく、公共の福祉による制限を受ける場合がある。

2 × 「国家と宗教は完全に分離しなければならず、一切のかかわりを排除している」という部分が妥当でない。判例は、政教分離規定（日本国憲法20条１項後段、３項、89条前段）は、国家と宗教との分離を制度的に保障することにより、間接的に信教の自由の保障を確保しようとするものであるが、国家と宗教との完全な分離を実現することは、実際上不可能に近く、分離の程度は国家と宗教の関わり合いが相当とされる限度を超えなければよいとしている。また、国の行為が世俗的な目的によるもので、特定の宗教に対する援助、助長、促進又は圧迫、干渉等になるような効果を有する行為ではない場合に、政教分離原則に違反しないとしている（最大判昭52.7.13、津地鎮祭事件）。

3 × 「義務教育の無償」という部分が妥当でない。学問の自由（日本国憲法23条）の内容は、①学問研究の自由、②研究発表の自由、③教授の自由の３つであると解されている。一方、義務教育の無償は日本国憲法26条２項後段において規定されたものであるが、判例は、この場合の無償とは「授業料を徴収しないこと」としている（最大判昭39.2.26、教科書費国庫負担請求事件）。

4 ○ 条文・通説により妥当である。国籍離脱の自由は日本国憲法22条２項により保障されているが、無国籍になる自由は認められていないと解されており、国籍法も、日本国民は、自己の志望によって外国の国籍を取得したときは、日本の国籍を失うとしている（国籍法11条１項）。

5 × 全体が妥当でない。選挙原則のうち、普通選挙とは、財力、教育、性別などを選挙の要件としない制度のことである。また、平等選挙とは、各選挙人の選挙権の価値が平等を原則とする制度である。

法律　国民の権利・義務

2021年度
教養 No.24

日本国憲法が定める国民の権利及び義務に関する記述として、最も妥当なのはどれか。

1　日本国憲法は、憲法が国民に保障する自由及び権利について、国民の不断の努力によって保持しなければならないものと規定している。

2　有罪・無罪の判断は裁判時になされるものであるから、実行の時に適法であった行為についても、裁判時の法律に違反していれば、刑事責任を問われることがありうる。

3　財産権は、国民の生活の基盤となる権利であるため、それに制限を加えることは許されず、私有財産を公共のために用いることも認められない。

4　日本国憲法は、国民の勤労の権利を保障するとともに、就業時間を週40時間以内にすることや1時間以上の休憩時間を与えることなど、勤労条件に関する基準を具体的に定めている。

5　日本国憲法は、表現の自由とともに通信の秘密も保障していることから、電話などの通信を傍受することは、いかなる犯罪の捜査のためであっても許されない。

解説　正解 1　TAC生の正答率 47%

1 ○ 条文により妥当である。この憲法が国民に保障する自由及び権利は、国民の不断の努力によって、これを保持しなければならない（憲法12条前段）。

2 × 「裁判時の法律に違反していれば、刑事責任を問われることがありうる」という部分が妥当でない。何人も、実行の時に適法であった行為については、刑事上の責任を問われない（憲法39条前段、遡及処罰の禁止）。したがって、裁判時の法律に違反しているとしても実行の時に適法な行為であれば、刑事責任を問われることはない。

3 × 「それに制限を加えることは許されず、私有財産を公共のために用いることも認められない」という部分が妥当でない。財産権の内容は、公共の福祉に適合するように、法律でこれを定めるので（憲法29条２項）、公共の福祉による制約が許容されうる。また、私有財産は、正当な補償の下に、これを公共のために用いることができる（憲法29条３項）。

4 × 「就業時間を週40時間以内にすることや１時間以上の休憩時間を与えることなど、勤労条件に関する基準を具体的に定めている」という部分が妥当でない。すべて国民は、勤労の権利を有し、義務を負うとし（憲法27条１項）、勤労の権利は保障されている。しかし、賃金、就業時間、休息その他の勤労条件に関する基準は、法律でこれを定めるとしており（憲法27条２項）、これを受けて就業時間を週40時間以内にすること（労働基準法32条１項）や１時間以上の休憩時間を与えること（労働基準法32条２項）など、勤労条件の具体的基準は労働基準法などの法律によって定められている。

5 × 「いかなる犯罪の捜査のためであっても許されない」という部分が妥当でない。集会、結社及び言論、出版その他一切の表現の自由は、これを保障する（憲法21条１項）。また、通信の秘密は、これを侵してはならない（憲法21条２項後段）。もっとも、通信の秘密の保障も絶対的なものではなく、犯罪捜査のための通信傍受に関する法律（いわゆる通信傍受法）により、厳格な要件の下で通信を傍受することは許される。

法律　国民の権利・義務

2019年度❷
教養 No.25

日本国憲法が定める国民の権利義務に関する記述として、最も妥当なのはどれか。

1　基本的人権が「侵すことのできない永久の権利」とされていることから、憲法に明記されている基本的人権に制限を加えることはできない。

2　居住・移転の自由のみならず、外国へ移住する自由や国籍を離脱する自由をも認めている。

3　人を逮捕する場合には司法官憲が発する令状がなければ逮捕されないことが規定されているため、令状なしで逮捕されることはありえない。

4　表現の自由は民主主義を支える重要な権利とされているが、人の名誉やプライバシー等を侵害するおそれがあるため、教科書検定のように行政が検閲をすることが憲法上認められている。

5　日本国憲法は、明治憲法と同様に国民の三大義務として、子どもに教育を受けさせる義務、納税の義務、憲法尊重擁護義務を規定している。

解説　正解　2

1　×「憲法に明記されている基本的人権に制限を加えることはできない」という部分が妥当でない。基本的人権は絶対無制約ではなく、公共の福祉に基づいて、制限を加えることができる（憲法12条、13条、22条１項、29条２項）。この公共の福祉とは、個々の人権の矛盾・衝突を調整する実質的公平の原理と解されている。

2　○　条文により妥当である。何人も、公共の福祉に反しない限り、居住、移転及び職業選択の自由を有する（22条１項）。さらに、何人も、外国に移住し、又は国籍を離脱する自由を侵されない（同条２項）。したがって、居住、移転の自由のみならず、外国へ移住する自由や国籍を離脱する自由をも認めているとする本記述は妥当である。

3　×「令状なしで逮捕されることはありえない」という部分が妥当でない。何人も、現行犯として逮捕される場合を除いては、権限を有する司法官憲が発し、理由となっている犯罪を明示する令状によらなければ、逮捕されない（33条）。したがって、現行犯逮捕の場合には、令状は不要である。また、罪状の重い一定の犯罪のみについて、緊急やむをえない場合に限り、逮捕後直ちに裁判官の審査を受けて逮捕状の発行を求めることを条件として逮捕を認めるという緊急逮捕も認められている（刑事訴訟法210条前段）。この緊急逮捕の制度は、憲法33条規定の趣旨に反しないとされている（最大判昭30.12.14）。

4　×「教科書検定のように行政が検閲をすることが憲法上認められている」という部分が妥当でない。憲法上、検閲は禁止されている（憲法21条２項前段）。その禁止される検閲とは、行政権が主体となって、思想内容等の表現物を対象とし、その全部又は一部の発表の禁止を目的として、対象とされる一定の表現物につき網羅的一般的に、発表前にその内容を審査した上、不適当と認めるものの発表を禁止することを、その特質として備えるものを指す（最大判昭59.12.12、税関検査事件）。したがって、行政が検閲をすることは認められていない。また、教科書検定は、検定不合格となった図書について、一般図書としての発行を何ら妨げるものではなく、発表禁止目的や発表前の審査などの特質がないため、検閲にあたらないとされている（最判平5.3.16）。

5　×　全体が妥当でない。日本国憲法における国民の三大義務は、教育の義務（26条２項）、勤労の義務（27条１項）、納税の義務（30条）である。一方、明治憲法下における国民（臣民）の三大義務は、兵役の義務（明治憲法20条）、納税の義務（21条）、教育の義務（勅令）であった。

現代文
英文
判断推理
空間把握
数的推理
資料解釈
法律
政治
経済

法律　法の下の平等

2018年度❷ 教養 No.25

日本国憲法が定める平等原則に関する記述として、最も妥当なのはどれか。

1　日本国憲法では、生まれついてのものである人種、性別、門地などによる差別は禁止しているが、自ら選択できるものである信条についての差別は禁止していない。

2　日本国憲法では、華族その他の貴族の制度は否定されてはいないが、その身分に基づいて選挙権や財産権について差別をすれば、法の下の平等の原則に違反することになる。

3　日本国憲法では、婚姻は、両性の合意のみに基づいて成立し、夫婦が同等の権利を有することを基本として、相互の協力により、維持されなければならない旨を規定している。

4　日本国憲法では、衆議院及び参議院の両議院の議員及び選挙人の資格について、財産や収入によって差別してはならないが、人種や信条において差別することは否定されない。

5　日本国憲法では、栄典の授与は何らかの特権が必ず伴う旨が規定されている。

解説　正解　3

1　×　憲法14条１項は、「すべて国民は、法の下に平等であつて、人種、信条、性別、社会的身分又は門地により、政治的、経済的又は社会的関係において、差別されない。」と規定する。したがって、人種、性別、門地による差別だけでなく、信条による差別も禁止されている。

2　×　憲法14条２項は、「華族その他の貴族の制度は、これを認めない。」と規定して、華族その他の貴族の制度を否定しているので、前半部分が妥当でない。なお、後半部分は妥当である。

3　○　憲法24条１項が、「婚姻は、両性の合意のみに基いて成立し、夫婦が同等の権利を有することを基本として、相互の協力により、維持されなければならない。」と規定する通りである。

4　×　憲法44条は、「両議院の議員及びその選挙人の資格は、法律でこれを定める。但し、人種、信条、性別、社会的身分、門地、教育、財産又は収入によつて差別してはならない。」と規定する。したがって、衆議院及び参議院の両議院の議員及び選挙人の資格について、財産や収入による差別だけでなく、人種や信条による差別も禁止されている。

5　×　憲法14条３項は、「栄誉、勲章その他の栄典の授与は、いかなる特権も伴はない。」と規定する。したがって、栄典の授与には特権が一切伴わないことになる。

法律　人身の自由

2020年度❷
教養 No.25

日本国憲法に規定するいわゆる「人身の自由（身体の自由）」に関する記述として、最も妥当なのはどれか。

1　何人も、犯罪による処罰の場合を除いては、いかなる奴隷的拘束も受けない。

2　何人も、権限を有する司法官憲が発し、かつ、理由となっている犯罪を明示する令状によらなければ、逮捕されることはない。

3　何人も、正当な理由がなければ拘禁されず、その理由は、必ず、本人及びその弁護人の出席する公開の法廷で示されなければならない。

4　刑事被告人は、すべての証人に対して審問する機会を充分に与えられ、また、公費で自己のために強制的手続により証人を求める権利を有する。

5　実行の時に適法であった行為または既に無罪とされた行為については、刑事上の責任を問われないが、同一の犯罪について、重ねて刑事上の責任を問われることはある。

解説　正解　4

1　×　「犯罪による処罰の場合を除いては」という部分が妥当でない。何人も、いかなる奴隷的拘束も受けない（憲法18条前段）。憲法上、奴隷的拘束を許容する例外は認められていない。犯罪による処罰の場合を除いては、という例外が認められるのは、その意に反する苦役に服させられないという苦役からの自由（憲法18条後段）についてである。

2　×　全体が妥当でない。日本国は、何人も、現行犯として逮捕される場合を除いては、権限を有する司法官憲が発し、かつ理由となっている犯罪を明示する令状によらなければ、逮捕されない（憲法33条、令状主義）。現行犯（現行犯人）とは、現に罪を行い、又は現に罪を行い終った者をいうところ（刑事訴訟法212条１項）、誤認逮捕のおそれが少ないため、現行犯の場合には令状がなくとも逮捕することができる。

3　×　「必ず」という部分が妥当でない。何人も、正当な理由がなければ、拘禁されず、「要求があれば」、その理由は、直ちに本人及びその弁護人の出席する公開の法廷で示されなければならない（憲法34条後段）。不法拘禁に対する保障を規定するものであるが、拘禁の理由は本人等の要求があった場合に開示される。

4　○　条文により妥当である。刑事被告人は、すべての証人に対して審問する機会を充分に与えられ、又、公費で自己のために強制的手続により証人を求める権利を有する（憲法37条２項）。

5　×　「重ねて刑事上の責任を問われることはある」という部分が妥当でない。何人も、実行の時に適法であった行為又は既に無罪とされた行為については、刑事上の責任を問われない（憲法39条前段、遡及処罰の禁止）。また、同一の犯罪について、重ねて刑事上の責任を問われない（憲法39条後段）。

法律　自由権

2023年度❷
教養 No.29

日本国憲法の自由権に関する記述として、最も妥当なものはどれか。

1　いかなる宗教団体も国から特権を受け、又は政治上の権力を行使してはならず、国及びその機関は宗教教育をしてはならないが、その他の宗教的活動をすることは許される。

2　何人も公共の福祉に反しない限り、居住、移転及び職業選択の自由を有し、また、何人も外国に移住し、又は国籍を離脱する自由を侵されない。

3　何人も権限を有する司法官憲が発し、かつ理由となっている犯罪を明示する令状によらなければ、現行犯であっても逮捕される余地はない。

4　何人もその住居、書類及び所持品について、侵入、捜索及び押収を受けることのない権利は、正当な理由に基づいて発せられ、かつ捜索する場所及び押収する物を明示する令状の有無にかかわらず、いかなる場合も侵されることはない。

5　実行の時に適法であった行為又は既に無罪とされた行為については、刑事上の責任を問われないが、同一の犯罪について重ねて刑事上の責任を問われることはある。

解説　正解　2

1　×　「その他の宗教的活動をすることは許される」という部分が妥当でない。いかなる宗教団体も、国から特権を受け、又は政治上の権力を行使してはならない（憲法20条1項後段）。また、国及びその機関は、宗教教育その他いかなる宗教的活動もしてはならない（憲法20条3項）。

2　○　条文により妥当である。憲法22条1項が、「何人も、公共の福祉に反しない限り、居住、移転及び職業選択の自由を有する。」、憲法22条2項が、「何人も、外国に移住し、又は国籍を離脱する自由を侵されない。」と規定している通りである。

3　×　「現行犯であっても逮捕される余地はない」という部分が妥当でない。何人も、現行犯として逮捕される場合を除いては、権限を有する司法官憲が発し、かつ理由となっている犯罪を明示する令状によらなければ、逮捕されない（憲法33条）。

4　×　「令状の有無にかかわらず、いかなる場合も侵されることはない」という部分が妥当でない。何人も、その住居、書類及び所持品について、侵入、捜索及び押収を受けることのない権利は、憲法第33条（逮捕）の場合を除いては、正当な理由に基づいて発せられ、かつ捜索する場所及び押収する物を明示する令状がなければ、侵されない（憲法35条1項）。

5　×　「同一の犯罪について重ねて刑事上の責任を問われることはある」という部分が妥当でない。何人も、実行の時に適法であった行為又は既に無罪とされた行為については、刑事上の責任を問われない（憲法39条前段）。また、同一の犯罪について、重ねて刑事上の責任を問われない（憲法39条後段）。

法律	国会	2022年度 ❶ 教養 No.25

日本の国会に関する記述として、最も妥当なのはどれか。

1 国会の権限として、法律の議決権や条約の締結、憲法改正の発議権などを有する。

2 衆議院が解散中に緊急の事態が生じた場合、参議院は緊急集会の開催を請求できる。

3 会期には、毎年１回召集される常会、臨時の必要に応じて召集される特別会などがある。

4 予算の審議は衆議院が先議であり、内閣不信任決議権は衆議院のみ認められる。

5 国会議員には、国会の会期中に逮捕されないという免責特権が認められている。

解説　正解　4

TAC生の正答率　48%

1 × 「条約の締結」という部分が妥当でない。法律の議決権（日本国憲法59条）、憲法改正の発議権（日本国憲法96条１項）は国会の権能であるが、条約の締結は内閣の権能である（日本国憲法73条３号本文）。国会は内閣の締結する条約について、事前に、時宜によっては事後に、その承認を与える立場である（日本国憲法73条３号但書）。

2 × 「参議院」という部分が妥当でない。衆議院が解散されたときは、参議院は同時に閉会となるが（日本国憲法54条２項本文）、その時期に国に緊急の必要が生じることもある。そのような場合に参議院の緊急集会の開催を求めることができるのは、内閣である（日本国憲法54条２項但書）。

3 × 「特別会」という部分が妥当でない。会期の種類には、常会（日本国憲法52条）、臨時会、特別会の３つがあるが、特別会とは、衆議院の解散の日から40日以内に総選挙を行い、その選挙の日から30日以内に招集された国会のことである（日本国憲法54条１項）。一方、臨時の必要に応じて招集されるのは臨時会である。臨時会は、内閣が任意に招集を決定するほか、衆議院、参議院いずれかの議院の総議員の４分の１以上の要求があれば、内閣はその招集を決定しなければならない（日本国憲法53条）。

4 ○ 条文により妥当である。予算は先に衆議院に提出しなければならない（日本国憲法60条１項）。また、内閣は、衆議院で不信任の決議案を可決し、又は信任の決議案を否決したときは、10日以内に衆議院が解散されない限り、総辞職をしなければならない（日本国憲法69条）。したがって、内閣不信任決議権は衆議院のみに認められている。

5 × 「免責特権」という部分が妥当でない。両議院の議員は、法律の定める場合を除いては、国会の会期中逮捕されず、会期前に逮捕された議員はその議院の要求があれば、会期中これを釈放しなければならないという不逮捕特権が認められている（日本国憲法50条）。なお、免責特権については、両議院の議員は、議院で行った演説、討論又は表決について、院外で責任を問われないということである（日本国憲法51条）。

法律　国会

2023年度❷ 教養 No.30

日本の国会に関する記述として、最も妥当なものはどれか。

1　大日本帝国憲法下において、帝国議会は天皇の立法権を「輔弼」するものとされ、制度としては枢密院と衆議院の二院制が採用されていた。

2　国会では衆議院の優越が認められており、衆議院で可決した法律案を参議院が否決した場合、衆議院が４分の３以上の多数で再可決すれば、法律になる。

3　衆議院は予算先議権をもつが、参議院が衆議院と異なった議決をした場合に、両院協議会を開いても意見が一致しないときや30日以内に参議院が議決しないときは、衆議院の議決が国会の議決となる。

4　国会の両議院は国政調査権をもち、証人喚問などを行うことができるが、証人喚問で偽証した場合でも罰則が与えられることはない。

5　国会議員は、任期中には逮捕されない不逮捕特権や、院外での発言や表決について院内で責任を問われない免責特権をもつ。

解説　正解　3

1　×　「輔弼」、「枢密院」という部分が妥当でない。天皇は、帝国議会の協賛をもって立法権を行う（大日本帝国憲法５条）。また、帝国議会は、貴族院、衆議院の両院をもって成立する（同憲法33条）。

2　×　「４分の３」という部分が妥当でない。衆議院で可決し、参議院でこれと異なった議決をした法律案は、衆議院で出席議員の３分の２以上の多数で再び可決したときは、法律となる（日本国憲法59条２項）。

3　○　条文により妥当である。予算は、さきに衆議院に提出しなければならない（日本国憲法60条１項、予算先議権）。そして、予算について、参議院で衆議院と異なった議決をした場合に、法律の定めるところにより、両議院の協議会を開いても意見が一致しないとき、又は参議院が、衆議院の可決した予算を受け取った後、国会休会中の期間を除いて30日以内に、議決しないときは、衆議院の議決を国会の議決とする（同憲法60条２項）。

4　×　「証人喚問で偽証した場合でも罰則が与えられることはない」という部分が妥当でない。国政調査権は両議院の権能であり、その行使に当たっては、証人の出頭及び証言並びに記録の提出を要求することができる（日本国憲法62条）。証人喚問は、議院証言法（議院における証人の宣誓及び証言等に関する法律）の規定により、国政調査権の行使として主に証人の出頭や証言を要求するもので、この法律により宣誓した証人が虚偽の陳述をしたときは、３月以上10年以下の懲役に処される（議院証言法６条）。

5　×　「任期中」、「院外」、「院内」という部分が妥当でない。両議院の議員は、法律の定める場合を除いては、国会の会期中逮捕されない（日本国憲法50条、不逮捕特権）。また、両議院の議員は、議院で行った演説、討論又は表決について、院外で責任を問われない（同憲法51条、免責特権）。

法律　国会

2021年度
教養 No.25

我が国の国会及び議院に関する記述として、最も妥当なのはどれか。

1　日本国憲法には両議院の議員の定数及び任期の定めはなく、すべて法律で定められているため、法律を改正することによって現行の定数や任期を変更することが可能である。

2　両議院の議事は、憲法に特別の定めがある場合を除いては、総議員の過半数で決し、可否同数のときは否決したものとみなされる。

3　国政調査権は両院が一致して行わなければならず、また刑事訴追のおそれがあることから証人の出頭・証言を求めることはできず、記録の提出を求めることができるにとどまる。

4　両議院は、各々その議員の資格に関する争訟を裁判する権限を有するが、議員の資格を失わせるには、出席議員の３分の２以上の多数による議決を必要とする。

5　衆議院及び参議院の会議その他の手続きや内部の規律に関する規則は、それぞれの議院のみで定めることはできず、両院一致の議決からなる法律で定める必要がある。

解説　正解 4

TAC生の正答率 73%

1　×　「及び任期の定め」、「や任期」という部分が妥当でない。憲法は、両議院の議員の定数は、法律でこれを定めるとしているが（憲法43条２項）、議員の任期については、衆議院議員につき４年（憲法45条本文）、参議院議員については６年（憲法46条）と規定している。したがって、現行の定数の変更は法律の改正によって可能であるが、任期の変更については憲法改正が必要となる。

2　×　「総議員の過半数で決し、可否同数のときは否決したものとみなされる」という部分が妥当でない。両議院の議事は、この憲法に特別の定のある場合を除いては、出席議員の過半数でこれを決し、可否同数のときは、議長の決するところによる（憲法56条２項）。

3　×　全体が妥当でない。両議院は、各々国政に関する調査を行い、これに関して、証人の出頭及び証言並びに記録の提出を要求することができる（憲法62条）。したがって、国政調査権は各議院が独自に行うことができ、証人の出頭や証言を求めることもできる。

4　○　条文により妥当である。両議院は、各々その議員の資格に関する争訟を裁判する。ただし、議員の議席を失わせるには、出席議員の３分の２以上の多数による議決を必要とする（憲法55条）。議院の自律性を尊重する趣旨から、議員の資格争訟に関する裁判はその所属する議院が行うこととされている。

5　×　「それぞれの議院のみで定めることはできず、両院一致の議決からなる法律で定める必要がある」という部分が妥当でない。両議院は、各々その会議その他の手続及び内部の規律に関する規則を定め、又、院内の秩序をみだした議員を懲罰することができる（憲法58条２項本文）。この規定を受け、衆議院においては衆議院規則が、参議院においては参議院規則がそれぞれ定められている。

国会

我が国の衆議院と参議院に関する記述として、最も妥当なのはどれか。

1 衆議院が解散されたときは、参議院は同時に閉会となるが、国に緊急の必要があるときは、参議院は、自ら緊急集会を開くことができる。

2 参議院の緊急集会において採られた措置は、臨時のものであるから、次の国会開会の後10日以内に衆議院の同意がない場合には、その効力を失う。

3 衆議院で可決し、参議院でこれと異なった議決をした法律案は、衆議院で出席議員の過半数で再び可決したときは法律となる。

4 予算案及び条約案は、先に衆議院に提出しなければならない。

5 内閣は、衆議院または参議院で不信任の決議案を可決したときは、10日以内に衆議院が解散されない限り、総辞職をしなければならない。

解説　正解 2

TAC生の正答率 62%

1 × 「参議院は、自ら緊急集会を開くことができる」という部分が妥当でない。衆議院が解散されたときは、参議院は、同時に閉会となる（憲法54条２項本文）。ただし、内閣は、国に緊急の必要があるときは、参議院の緊急集会を求めることができる（同条項但書）。したがって、前段は妥当であるが、緊急集会を召集するのは内閣であり参議院ではないので、後段は妥当でない。

2 ○ 条文により妥当である。緊急集会において採られた措置は、臨時のものであり、次の国会開会の後10日以内に、衆議院の同意がない場合には、その効力を失う（憲法54条３項）。

3 × 「衆議院で出席議員の過半数で再び可決したときは法律となる」という部分が妥当でない。衆議院で可決し、参議院でこれと異なった議決をした法律案は、衆議院で出席議員の３分の２以上の多数で再び可決したときは、法律となる（憲法59条２項）。

4 × 「及び条約案」という部分が妥当でない。予算は、先に衆議院に提出しなければならない（憲法60条１項）。しかし、条約案は、先に衆議院に提出しなければならないものとはされていない（同法61条参照）。

5 × 「または参議院」という部分が妥当でない。内閣は、衆議院で不信任の決議案を可決し、又は信任の決議案を否決したときは、10日以内に衆議院が解散されない限り、総辞職をしなければならない（憲法69条）。すなわち、内閣に衆議院の解散か総辞職かの選択を迫る法的拘束力を有しているのは、衆議院における不信任決議のみである。

法律　内閣

2020年度 ❶ 教養 No.25

我が国の内閣と内閣総理大臣に関する記述として、最も妥当なのはどれか。

1　衆議院と参議院とが、異なった国務大臣の指名の議決をした場合に、両議院の協議会を開いても意見が一致しないときは、衆議院の議決を国会の議決とする。

2　衆議院議員総選挙後に初めて国会の召集があったときは、内閣は、総辞職をしなければならない。

3　内閣総理大臣は、国務を総理する権能を有している。

4　内閣は、条約を締結することができるが、必ず事前に、国会の承認を経ることが必要となる。

5　国務大臣は、退任後であっても、内閣総理大臣の同意がなければ訴追されることはない。

解説　正解　2

TAC生の正答率　59%

1　×　「異なった国務大臣の指名の議決をした場合に」という部分が妥当でない。内閣総理大臣は、国会議員の中から国会の議決で、これを指名する（憲法67条１項前段）。ただし、衆議院と参議院とが異なった指名の議決をした場合に、法律の定めるところにより、両議院の協議会を開いても意見が一致しないとき、又は衆議院が指名の議決をした後、国会休会中の期間を除いて10日以内に、参議院が、指名の議決をしないときは、衆議院の議決を国会の議決とする（同条２項）。したがって、指名の対象は内閣総理大臣であり、国務大臣ではない。

2　○　条文により妥当である。内閣総理大臣が欠けたとき、又は衆議院議員総選挙の後に初めて国会の召集があったときは、内閣は、総辞職をしなければならない（憲法70条）。

3　×　「内閣総理大臣は」という部分が妥当でない。国務を総理する権能を有しているのは、内閣であり、内閣総理大臣ではない（憲法73条１号）。

4　×　「必ず事前に」という部分が妥当でない。条約を締結する権能を有しているのは、内閣である（憲法73条３号本文）。ただし、事前に、時宜によっては事後に、国会の承認を経ることが必要とされている（同法同条号但書）。したがって、場合によっては、国会による事後承認も可能である。

5　×　「退任後であっても」という部分が妥当でない。国務大臣は、その在任中、内閣総理大臣の同意がなければ、訴追されない（憲法75条本文）。すなわち、内閣総理大臣の同意がなければ、訴追されないのは、国務大臣の在任中に限られる。したがって、国務大臣の退任後において訴追する場合には、内閣総理大臣の同意は不要である。

日本の国会及び内閣に関する記述として、最も妥当なものはどれか。

1　内閣は国会の臨時会の召集を決定することができるが、いずれかの議院の総議員の３分の１以上の要求があれば、内閣はその召集を決定しなければならない。

2　衆議院で可決し、参議院でこれと異なった議決をした法律案は、衆議院で出席議員の過半数で再び可決したときは法律となる。

3　予算について、参議院が衆議院の可決した予算を受け取った後、国会休会中の期間を除いて60日以内に議決しないときは、衆議院の議決を国会の議決とする。

4　内閣は衆議院で不信任の決議案を可決し、または信任の決議案を否決したときは、10日以内に衆議院が解散されない限り、総辞職をしなければならない。

5　衆議院が解散されたときは、参議院は同時に閉会となるが、国に緊急の必要があるときは、参議院は自ら緊急集会を開くことができる。

解説　**正解　4**　TAC生の正答率 64%

1　×　「３分の１」という部分が妥当でない。内閣は国会の臨時会の召集を決定することができる（憲法53条前段）。いずれかの議院の総議員の４分の１以上の要求があれば、内閣は、その召集を決定しなければならない（憲法53条後段）。

2　×　「過半数」という部分が妥当でない。法律案は、憲法に特別の定めのある場合を除いては、両議院で可決したときに法律となる（憲法59条１項）。衆議院で可決し、参議院でこれと異なった議決をした法律案は、衆議院で出席議員の３分の２以上の多数で再び可決したときは、法律となる（憲法59条２項）。

3　×　「60日」という部分が妥当でない。予算について、参議院が、衆議院の可決した予算を受け取った後、国会休会中の期間を除いて30日以内に議決しないときは、衆議院の議決を国会の議決とする（憲法60条２項）。

4　○　条文により妥当である。内閣は、衆議院で不信任の決議案を可決し、又は信任の決議案を否決したときは、10日以内に衆議院が解散されない限り、総辞職をしなければならない（憲法69条）。なお、参議院による内閣不信任決議は、憲法等の法令に基づいたものではなく、法的拘束力がないので、内閣は総辞職をする必要がない。

5　×　「参議院は自ら緊急集会を開くことができる」という部分が妥当でない。衆議院が解散されたときは、参議院は、同時に閉会となる。ただし、内閣は、国に緊急の必要があるときは、参議院の緊急集会を求めることができる（憲法54条２項）。したがって、緊急集会を求めることができるのは内閣であり、参議院が自ら緊急集会を開くことはできない。

法律　裁判所

2023年度❷
教養 No.28

日本の裁判所及び裁判官に関する記述として、最も妥当なものはどれか。

1　裁判所が裁判官の全員一致で公の秩序又は善良の風俗を害するおそれがあると決した場合には、対審及び判決を公開しないで行うことができる。

2　最高裁判所は訴訟に関する手続、裁判所の内部規律及び司法事務処理に関する事項について規則を定める権限を有し、最高裁判所は下級裁判所に関する規則を定める権限を、下級裁判所に委任することはできない。

3　裁判官は裁判により心身の故障のために職務を執ることができないと決定された場合以外に、罷免されることはない。

4　最高裁判所の裁判官の任命は、その任命後初めて行われる衆議院議員総選挙または参議院議員通常選挙の際に国民の審査に付される。

5　最高裁判所は一切の法律、命令、規則又は処分が憲法に適合するかしないかを決定する権限を有する終審裁判所である。

解説　正解　5

1　×「及び判決」という部分が妥当でない。裁判所が、裁判官の全員一致で、公の秩序又は善良の風俗を害する虞があると決した場合には、対審は、公開しないでこれを行うことができる（憲法82条２項本文）。ただし、政治犯罪、出版に関する犯罪又はこの憲法第３章で保障する国民の権利が問題となっている事件の対審は、常にこれを公開しなければならない（憲法82条２項但書）。

2　×「下級裁判所に委任することはできない」という部分が妥当でない。最高裁判所は、訴訟に関する手続、弁護士、裁判所の内部規律及び司法事務処理に関する事項について、規則を定める権限を有する（憲法77条１項）。また、最高裁判所は、下級裁判所に関する規則を定める権限を、下級裁判所に委任することができる（憲法77条３項）。

3　×「罷免されることはない」という部分が妥当でない。裁判官の身分を保障するために裁判官の罷免事由は限定されており、すべての裁判官に妥当する罷免事由は、裁判により心身の故障のために職務を執ることができないとされた場合（分限裁判）と、公の弾劾（憲法64条、弾劾裁判）の場合に限られる（憲法78条前段）。さらに、最高裁判所の裁判官に限っては、国民審査によっても罷免される（憲法79条２項、３項）。

4　×「または参議院議員通常選挙」という部分が妥当でない。最高裁判所の裁判官の任命は、その任命後初めて行われる衆議院議員総選挙の際国民の審査に付し、その後10年を経過した後初めて行われる衆議院議員総選挙の際更に審査に付し、その後も同様とする（憲法79条２項）。

5　○　条文により妥当である。憲法81条が、「最高裁判所は、一切の法律、命令、規則又は処分が憲法に適合するかしないかを決定する権限を有する終審裁判所である。」と規定している通りである。

日本の裁判所に関する記述として、最も妥当なのはどれか。

1 違憲審査権は最高裁判所のみが行使できるとするのが判例である。

2 裁判官が罷免されるのは、国民審査と弾劾裁判による場合に限定されている。

3 下級裁判所の裁判官は、任期はないが、定年は70歳である。

4 最高裁判所長官は、内閣が指名し、天皇が任命する。

5 最高裁判所が法令の違憲判決を下した場合、当該法令は直ちに改廃されると日本国憲法で明記されている。

解説　**正解 4**

1 × 全体が妥当でない。判例は、裁判官が、具体的訴訟事件に法令を適用して裁判するに当り、その法令が憲法に適合するか否かを判断することは、憲法によって裁判官に課せられた職務と職権であって、このことは最高裁判所の裁判官であると下級裁判所の裁判官であるとを問わないとして、下級裁判所にも違憲審査権を認めている（最大判昭25.2.1）。

2 × 「国民審査と弾劾裁判による場合に限定されている」という部分が妥当でない。裁判官の身分保障を図るため、裁判官の罷免事由は、①心身の故障のために職務を執ることができないと決定された場合（分限裁判による罷免）、②公の弾劾による場合（弾劾裁判所の弾劾裁判）に限定されている（憲法78条前段）。そして、最高裁判所裁判官については、上記①②に加えて、③国民審査によっても罷免される場合がある（憲法79条２項、３項）。

3 × 「任期はないが、定年は70歳である」という部分が妥当でない。下級裁判所裁判官の任期は10年で、再任されることができる（憲法80条１項後段本文）。そして、法律の定める年齢に達したときに退官するとされており（憲法80条１項後段但書）、定年は、高等裁判所、地方裁判所、家庭裁判所の裁判官が65歳、簡易裁判所の裁判官が70歳である（裁判所法50条）。

4 ○ 条文によりにより妥当である。最高裁判所の長たる裁判官（最高裁判所長官）は、内閣の指名に基づいて、天皇が任命する（憲法６条２項）。なお、最高裁判所の長たる裁判官以外の裁判官（最高裁判所判事）は、内閣が任命して、天皇が認証する（憲法79条１項、７条５号）。

5 × 「当該法令は直ちに改廃されると日本国憲法で明記されている」という部分が妥当でない。本記述のような規定は憲法に存在しない。法令違憲判決の効力については、個別的効力説（通説）と一般的効力説があり、個別的効力説によれば、当該事件についてのみ当該法律の適用が排除されるにすぎないから、当該法令の効力は失われない（廃止の手続が必要となる）。これに対して、一般的効力説は、違憲と判断された法令は一般的に無効となると解することになるので、廃止の手続を経ることなく、当該法令は適用できなくなり、その存在を失うことになる。

法律　裁判所

2019年度 ❶
教養 No.24

我が国の裁判所や裁判官に関する記述として、最も妥当なのはどれか。

1　最高裁判所は長官を含めた10名の裁判官で構成されるが、最高裁判所のすべての裁判官は内閣の指名に基づき天皇が任命する。

2　下級裁判所の裁判官は、内閣が指名した者の名簿の中から天皇が任命するが、簡易裁判所については一般市民の中から選ばれた者が裁判官として登用される場合がある。

3　憲法は、すべて裁判官はその良心に従い独立してその職権を行使し、憲法及び法律にのみ拘束されると規定し、裁判官の独立を保障している。

4　明治憲法においては特別裁判所が禁止されていたが、特別な事件だけを扱う家庭裁判所があることからわかるように、現行憲法では特別裁判所の設置は禁止されていない。

5　裁判の公正さを確保するために、憲法が裁判の公開を保障していることから、判決や対審などを含む裁判が非公開とされることはない。

解説　**正解　3**　TAC生の正答率 87%

1　×　全体として妥当でない。最高裁判所は、最高裁判所長官１名とその他の最高裁判所判事14名の合計15名の裁判官で構成されている（裁判所法５条参照）。そして、最高裁判所長官は、内閣の指名に基づいて天皇が任命する（憲法６条２項）。一方、その他の最高裁判所判事は、内閣が任命する（憲法79条１項）。

2　×　全体として妥当でない。下級裁判所の裁判官は、最高裁判所が指名した者の名簿の中から、内閣が任命する（憲法80条１項前段）。そして、簡易裁判所の裁判官については、大学の法律学の教授や学識経験のある者などが登用される場合はあるが、一般市民の中から選ばれることはない（裁判所法44条、45条参照）。

3　○　憲法76条３項は、「すべて裁判官は、その良心に従ひ独立してその職権を行ひ、この憲法及び法律にのみ拘束される。」と規定する。すなわち、あらゆる圧力や干渉を排除して公正な裁判を実現するために、裁判官の独立を保障している。

4　×　明治憲法と現行憲法の記述が逆になっている点が妥当でない。明治憲法60条は、「特別裁判所ノ管轄ニ属スヘキモノハ別ニ法律ヲ以テ之ヲ定ム」と規定し、特別裁判所の設置を認めていた。しかし、現行憲法は、76条２項において「特別裁判所は、これを設置することができない。」と規定している。また、家庭裁判所は、最高裁判所を頂点として司法権を行使する通常裁判所に含まれるため、特別裁判所にはあたらない。

5　×　「判決や対審などを含む裁判が非公開とされることはない」という部分が妥当でない。裁判の対審および判決は、公開法廷で行うのが原則である（憲法82条１項）。しかし、裁判官の全員一致で、公の秩序または善良の風俗を害するおそれがあると決定した場合には、対審に限り非公開とすることができる（同条２項本文）。

法律　裁判所

2020年度 ❷
教養 No.24

我が国の最高裁判所と下級裁判所に関する記述として、最も妥当なのはどれか。

1　すべて司法権は、最高裁判所及び下級裁判所に属するが、特段の理由があれば特別裁判所を設置することができる。

2　最高裁判所は、訴訟に関する手続、裁判所の内部規律及び司法事務処理に関する事項について規則を定める権限を有し、最高裁判所は、下級裁判所に関する規則を定める権限を、下級裁判所に委任することはできない。

3　最高裁判所の裁判官の任命は、その任命後初めて行われる衆議院議員総選挙の際に国民の審査に付し、その後10年を経過した後初めて行われる衆議院議員総選挙の際に更に審査に付し、その後も同様とされる。

4　下級裁判所の裁判官は、最高裁判所によって任命され、その裁判官は、任期を10年とするが、再任されることができる。

5　裁判所が、裁判官の全員一致で、公の秩序または善良の風俗を害するおそれがあると決した場合には、対審及び判決を、公開しないで行うことができる。

解説　正解　3

1　×　「特段の理由があれば特別裁判所を設置することができる」という部分が妥当でない。特別裁判所は、これを設置することができない（憲法76条2項前段）。特別裁判所とは、司法権を行う通常裁判所の系統の外にあって、特殊の人、特殊の地域、特殊の事件だけについて裁判をする特別の系統の裁判所をいう。憲法上、特別裁判所を設置できる例外規定は置かれていない。

2　×　「下級裁判所に委任することはできない」という部分が妥当でない。最高裁判所は、訴訟に関する手続、弁護士、裁判所の内部規律及び司法事務処理に関する事項について、規則を定める権限を有する（憲法77条1項、規則制定権）。これは、三権分立の見地から裁判所の自主性を確保し、司法における最高裁判所の統制権と監督権を強化するためである。そして、最高裁判所は、下級裁判所に関する規則を定める権限を、下級裁判所に委任することができる（憲法77条3項）。下級裁判所の事情を反映させるためである。

3　○　条文により妥当である。最高裁判所の裁判官の任命は、その任命後初めて行われる衆議院議員総選挙の際国民の審査に付し、その後10年を経過した後初めて行われる衆議院議員総選挙の際更に審査に付し、その後も同様とする（憲法79条2項）。

4　×　「最高裁判所によって任命され」という部分が妥当でない。下級裁判所の裁判官は、最高裁判所の指名した者の名簿によって、内閣でこれを任命する（憲法80条1項前段）。なお、任期・再任についての記述は妥当である（憲法80条1項後段）。

5　×　「及び判決」という部分が妥当でない。裁判の対審及び判決は、公開法廷でこれを行う（憲法82条1項）。この裁判の公開原則の例外として、裁判所が、裁判官の全員一致で、公の秩序又は善良の風俗を害するおそれがあると決した場合には、「対審は」、公開しないでこれを行うことができる（憲法82条2項本文）。したがって、対審を非公開で行うことはできるが、判決については常に公開しなければならない。

法律　地方自治

2022年度 ❷
教養 No.25

日本の地方自治に関する記述として、最も妥当なのはどれか。

1　地方自治の本旨は、住民自治と団体自治の２つの要素から成り、団体自治とは、地方政治がその地域の住民の意思に基づいて行われることをいう。

2　地方自治の本旨である住民自治には自由主義的要素があり、団体自治には民主主義的要素があるといわれる。

3　地方公共団体は条例を定めることができるが、財産権は日本国憲法で保障されていることから、条例で財産権の内容を規制することは許されない。

4　地方公共団体は、自治権の１つとして課税権を有し、条例による地方税の賦課徴収は許されている。

5　日本国憲法第31条が法律の定める手続きによらなければ刑罰を科せないと規定していることから、条例違反の者に対して罰則を定めることは許されない。

解説　正解　4

1　×「地方政治がその地域の住民の意思に基づいて行われることをいう」という部分が妥当でない。本記述は、住民自治の内容である。団体自治とは、地方の政治と行政は、国から独立した団体が自らの意思により自らの責任の下でなされることをいう。

2　×「住民自治」、「団体自治」という部分が妥当でない。住民自治の内容は、地方の政治と行政が、その地域の住民の意思に基づいて自主的に行われることであり、民主主義の要請によるものである（民主主義的要素）。これに対して団体自治の内容は、**1**解説の通りであり、自由主義の要請によるものである（自由主義的要素）。

3　×「条例で財産権の内容を規制することは許されない」という部分が妥当でない。憲法29条２項は、「財産権の内容は、公共の福祉に適合するやうに、法律でこれを定める」と規定しているところ、ここにいう「法律」には条例も含まれると一般に解されている。条例は地方議会という民主的基盤に立って制定されるものである点において法律と異ならないからである。

4　〇　通説により妥当である。憲法84条の租税法律主義において、「法律」には条例も含まれると一般に解されている。地方税法３条１項も、「地方団体は、その地方税の税目、課税客体、課税標準、税率その他賦課徴収について定をするには、当該地方団体の条例によらなければならない。」と規定している。

5　×「条例違反の者に対して罰則を定めることは許されない」という部分が妥当でない。判例は、憲法31条はかならずしも刑罰がすべて法律そのもので定められなければならないとするものでなく、法律の授権によってそれ以下の法令によって定めることもできると解すべきであるとしたうえで、条例によって刑罰を定める場合には、法律の授権が相当な程度に具体的であり、限定されておればたりると解するのが正当であるとしている（最大判昭37.5.30）。

天皇に関する記述として、最も妥当なのはどれか。

1 皇室典範の定めるところにより、摂政を置いた場合でも、摂政が天皇の名で国事行為を行うことは認められていない。

2 天皇には、内閣総理大臣、国務大臣及び最高裁判所裁判官全ての任命を行う権能が与えられている。

3 天皇には、国事行為として、批准書及び法律の定めるその他の外交文書を認証する権能が与えられている。

4 天皇は、国事行為の１つとして、条約の締結をなす権能を有するが、条約の締結には国会の同意が必要とされている。

5 憲法上、国務大臣や国会議員は憲法を尊重し擁護する義務を負うが、天皇はそもそも国政に関する権能を持たないので、憲法を尊重し擁護する義務を負っていない。

解説　正解　3

1 × 皇室典範の定めるところにより摂政を置く場合、摂政は、天皇の名で国事行為（国事に関する行為）を行うことになっている（憲法５条）。つまり、摂政が天皇の名で国事行為を行うことが認められている。

2 × 天皇は、内閣総理大臣及び最高裁判所長官を任命する権能が与えられている（憲法６条１項、２項）。しかし、国務大臣の任命については、内閣総理大臣にその権能が与えられている（憲法68条１項本文）。

3 ○ 本肢の通り、批准書及び法律の定めるその他の外交文書を認証するという権能は、天皇の国事行為の一つとして与えられているものである（憲法７条８号）。

4 × 条約の締結は内閣の権能である（憲法73条３号本文）。条約の公布が天皇の国事行為である（憲法７条１号）。なお、条約の締結について国会の同意を必要とする点は妥当である（憲法73条３号但書）。

5 × 憲法99条は、「天皇又は摂政及び国務大臣、国会議員、裁判官その他の公務員は、この憲法を尊重し擁護する義務を負ふ。」と規定して、国務大臣や国会議員に限らず、天皇にも憲法尊重擁護義務を課している。

法律　民法

2019年度 ❷ 教養 No.24

我が国の民法に関する記述として、最も妥当なのはどれか。

1　我が国では、当事者間の合意と社会的に夫婦として認められる実態があれば、戸籍法上の届出がなくても婚姻が成立する事実婚主義を採用している。

2　離婚は、法律が定める要件を満たした場合に、裁判所に離婚の訴えを提起することによってのみ認められる。

3　親権は、父母の婚姻中は、父母が共同して行うのが原則であるが、父母が離婚した場合や子が嫡出でない場合は、父母のいずれか一方が行う。

4　遺言は、遺言者が遺言書を作成したときからその効力を生じるため、遺言を撤回したいときは、裁判所に許可を得ることを必要とする。

5　民法が遺言自由の原則を採用しているため、たとえば被相続人がその財産のすべてを他人へ処分してしまった場合、相続人が配偶者や子であったとしてもその財産を取り戻すことはできない。

解説　正解　3

1　×「戸籍法上の届出がなくても婚姻が成立する事実婚主義を採用している」という部分が妥当でない。婚姻は、戸籍法の定めるところにより届け出ることによって、その効力を生じる（民法739条１項）。すなわち、戸籍法上の届出が婚姻の成立要件であり、法律婚主義を採用している。したがって、事実婚主義を採用しているとはいえない。

2　×「裁判所に離婚の訴えを提起することによってのみ認められる」という部分が妥当でない。離婚は、裁判上の離婚（770条）だけでなく、協議上の離婚（763条）も認められている。

3　○　条文により妥当である。親権は、父母の婚姻中は、父母が共同して行うのが原則である（818条３項）。そして、父母が離婚した場合には、その一方を親権者と定める（819条１項、２項）。また、子が嫡出でない場合は母が親権者となるが、父が認知した子に対する親権は、父母の協議で父を親権者と定めたときに限り、父が行う（同条４項）。すなわち、子が嫡出でない場合は、父母のいずれか一方が親権者となる。

4　×「遺言を撤回したいときは、裁判所に許可を得ることを必要とする」という部分が妥当でない。遺言者は、いつでも、遺言の方式に従って、その遺言の全部又は一部を撤回することができる（1022条）。したがって、遺言の撤回に、裁判所の許可は不要である。

5　×「相続人が配偶者や子であったとしてもその財産を取り戻すことはできない」という部分が妥当でない。相続人である子や配偶者は遺留分を有する（1042条）。そして、遺留分権利者及びその承継人は、受遺者又は受贈者に対し、遺留分侵害額に相当する金銭の支払を請求することができる（1046条）。したがって、遺留分権利者である子や配偶者は、遺留分侵害額に相当する金銭の支払を請求することによって、財産を取り戻すことができる。

現代文
英文
判断推理
空間把握
数的推理
資料解釈
法律
政治
経済

法律　労働者の権利

2018年度 ❶
教養 No.26

我が国の労働者の権利に関する記述として、最も妥当なのはどれか。

1　労働者の権利として団結権、団体交渉権及び団体行動権（争議権）が保障されているが、そのうちの争議権は、日本国憲法に明記されていない。

2　労働三権を保障するために、労働基準法、労働組合法、男女雇用機会均等法のいわゆる労働三法が制定されている。

3　民間企業の労働者には団体行動権（争議権）が保障されているが、公務員は、団体行動権（争議権）が保障されていない。

4　使用者が労働組合に対して不利益な扱いをすることは禁止されているが、経費補助などを行う介入は禁止されていない。

5　政府がすすめる「働き方改革」の影響もあり、我が国の労働組合数は平成25年以降増加し続けている。

正解　3　　TAC生の正答率 79%

1　×　憲法28条は、「勤労者の団結する権利及び団体交渉その他の団体行動をする権利は、これを保障する。」としている。すなわち、憲法は、いわゆる労働三権として、団結権、団体交渉権、団体行動権（争議権）をすべて保障している。したがって、争議権も憲法に明記されているため、本肢は妥当でない。

2　×　いわゆる労働三法は、労働基準法、労働組合法、労働関係調整法という３つの法律を指す。本肢は、労働関係調整法ではなく、男女雇用機会均等法を挙げているため、妥当でない。なお、労働関係調整法は、労働関係の公正な調整を図り、労働争議を予防・解決することなどを目的とする法律である。

3　〇　公務員は、団体行動権（争議権）が保障されず、国家公務員法や地方公務員法などの法律によって、争議行為が一律に禁止されている。この点、判例は、公務員の地位の特殊性と職務の公共性に着目し、争議行為に「必要やむをえない限度の制限を加えることは、十分合理的な理由がある」として、憲法28条に違反しないとしている（全農林警職法事件、最大判昭48.4.25）。したがって、本肢は妥当である。

4　×　使用者が労働者の労働基本権を侵害する行為は、不当労働行為として禁止される（労働組合法７条）。その上で、労働組合法は、「労働組合の運営のための経費の支払につき経理上の援助を与えること」を禁止する（労働組合法７条３号）。なぜなら、使用者による経費補助は、労働組合の運営に対する使用者の支配・介入を招き、自主的な組合活動の妨げになるおそれがあるからである。したがって、本肢は妥当でない。

5　×　厚生労働省の労使関係総合調査（労働組合基礎調査）によると、労働組合数は、平成25年以降減少を続けている。正社員で組織される企業別組合とは無関係の非正規雇用が増加する一方、業績の良い企業では待遇面で従業員の不満がなく労働組合を不要とするなど、要因は様々である。したがって、本肢は妥当でない。

政治　基本的人権　2022年度 ❶ 教養 No.26

基本的人権の保障に関する記述として、最も妥当なのはどれか。

1　19世紀以前は、労働者の権利の保障や貧困などの救済を国家に求める社会権が中心であったが、20世紀に入り、個人の自由、平等を保障する自由権が保障されるようになった。

2　アメリカの独立宣言には、「権力の分立が規定されないすべての社会は、憲法をもつものではない」とする記述があり、アメリカの政治体制が厳格な三権分立になる基礎となった。

3　フランス人権宣言には、「すべての人は平等に造られ、造物主によって、一定の奪いがたい天賦の権利を付与され」とする記述があり、世界ではじめて自然権思想を明記した。

4　人間たるに値する生活を保障する生存権や労働者の団結権などの社会権に分類される権利は、ドイツのワイマール憲法において世界ではじめて規定された。

5　国連において採択された国際人権規約は、国連のすべての加盟国に対して法的拘束力を持つものであるため、我が国も規約のすべてを批准している。

解説　正解　4　TAC生の正答率 72%

1　×　自由権と社会権の順序が逆になっているため、誤り。19世紀の近代市民国家（夜警国家）では自由権が重視された。しかし、その後、貧困が社会問題として認識されるようになり、普通選挙も拡大した20世紀には社会権が保障されるようになっていった。

2　×　この記述はアメリカ独立宣言ではなく、フランス人権宣言のものであり、誤り。肢文の通り、アメリカの政治体制は厳格な三権分立を採用しているが、独立宣言や合衆国憲法などで権力分立の原理そのものの重要性について明言しているわけではない。

3　×　この記述はフランス人権宣言ではなく、アメリカ独立宣言のものであり、誤り。また、肢の「世界ではじめて自然権思想を明記した」という記述についても、思想的にはホッブズやロックなどの社会契約説においてすでに自然権の考えが示されており、不適当である。

4　○　ワイマール憲法は第一次世界大戦後のドイツ（ワイマール共和国）で制定された憲法であり、世界初となる社会権の保障のほか、国民主権、男女普通選挙、所有権の制限などが定められている。

5　×　日本は規約のすべてを批准しているわけではないので、誤り。例えば、社会権規約（A規約）に含まれるストライキ権は「留保」という形で一部認めておらず（＝日本は公務員にストライキ権なし）、自由権規約（B規約）に付属する２つの選択議定書にはいずれも未批准である。また、法的拘束力は「国連のすべての加盟国」ではなく、「締約国」に及ぶため、そこも誤りとなる。

政治　民主政治の基本原理　2021年度 教養 No.26

民主政治の基本原理に関する記述として、最も妥当なものはどれか。

1　ホッブズは『リヴァイアサン』において、人間の自然状態は、「万人の万人に対する闘争状態」に陥ってしまうことから、自然権を国家に全面委譲する社会契約を結ぶべきだと主張した。

2　ロックは『社会契約論』において、個人の自由な契約によって成立する共同社会では、その構成員の総意である一般意思が重視されると主張し、直接民主制に影響を与えた。

3　ルソーは『法の精神』の中で、国家権力の抑制と均衡をはかり、政府が権力を濫用しないために、立法・行政・司法の三権分立を主張し、近代憲法に影響を与えた。

4　クック（コーク）は、人間は自然状態でも一定の秩序はあるが、自然権を確実にするために社会契約を結び、政府が国民の権利を侵害する場合には抵抗権を行使できると主張した。

5　モンテスキューは、「国王といえども神と法のもとにある」というブラクトンの言葉を引用し、コモン・ローに従うべきであるという法の支配を主張した。

解説　正解 1　TAC生の正答率 84%

1　○　ホッブスは自然権を自己保存の権利と捉え、その全面譲渡という形で社会契約を結ぶことで強力な国家を形成し、戦争状態の回避を説いた。なお、「リヴァイアサン」は旧約聖書に出てくる巨大な怪獣の名であり、国家主権の絶対性の象徴となっている。

2　×　これは、ルソーに関する記述である。ルソーは個人の「特殊意思」やその集合である「全体意思」とは区別される「一般意思」に基づいた社会契約を主張した。

3　×　これは、モンテスキューに関する記述である。モンテスキューは、立法・司法・行政の三権の相互的な抑制と均衡（チェック・アンド・バランス）による権力濫用の防止を説いた。この三権分立の思想は、アメリカ合衆国憲法に多大な影響を与えている。

4　×　これは、ロックに関する記述である。ロックは、自然状態を一応の平和状態と見たが、自然権の信託という形の社会契約によって政府を形成し、それを確実にする必要を説いた。政府に対する抵抗権（革命権）を認めるこの主張は名誉革命を正当化し、後のアメリカ独立戦争やフランス革命へと繋がる思想となった。

5　×　これは、クック（コーク）に関する記述である。クックは16～17世紀のイギリスの法律家であり、コモン・ロー擁護の立場から王権神授説に立つ国王に対抗し、法の支配を説いた。請願という形で国民の権利を王に認めさせる1628年の権利請願の起草者としても知られる。

政治　権力分立

2020年度❷ 教養 No.26

権力分立に関する次の記述で、［A］～［D］に当てはまる語句の組合せとして、最も妥当なのはどれか。

権力分立とは、国家の権力を複数の機関に分散させ、それぞれを独立させて互いに抑制と均衡を図ることにより、権力の濫用防止を図ろうとするものである。

この点、［A］は、国家の権力を立法権と執行権・連合権（同盟権）に分け、立法権の優越を主張した。これに対して［B］は、その著書［C］の中で、国家の権力を立法・行政・司法の3つに分け、それぞれを異なる機関で運用させ、相互の抑制と均衡を図る三権分立制を説いた。［D］第16条は「権利の保障が確保されず、権力の分立が規定されないすべての社会は、憲法を持つものでない」と述べ、権力分立が近代憲法の中核をなすものであることを明らかにしている。

	A	B	C	D
1	ホッブズ	ロック	「市民政府二論」	アメリカ合衆国憲法
2	モンテスキュー	ロック	「市民政府二論」	アメリカ合衆国憲法
3	モンテスキュー	ロック	「市民政府二論」	フランス人権宣言
4	ロック	モンテスキュー	「法の精神」	アメリカ合衆国憲法
5	ロック	モンテスキュー	「法の精神」	フランス人権宣言

解説　正解　5

A 「ロック」が該当する。ロックの権力分立論では、権力は立法権・執行権（行政権）・連合権（外交権）に分けられる。中でも立法権は最も優位にあるとされ、議会によって担われることで、後者2つの権力を担う国王の専制を抑える役割を果たす。こうした構図が想定されていることから、ロックの権力分立論は二権分立とも呼ばれる。

B・C 「モンテスキュー」および「法の精神」が該当する。フランスの思想家モンテスキューは主著『法の精神』において、権力を立法権・行政権・司法権に分け、これら3つが相互に抑制と均衡（チェック・アンド・バランス）を保つことで、権力の濫用が防止されるとする三権分立を唱えた。なお、「市民政府二論」は前述のロックの著作である。

D 「フランス人権宣言」が該当する。フランス革命の勃発後間もなく国民議会によって採択されたこの宣言では、権力分立の必要が明確に示されている。「アメリカ合衆国憲法」も三権分立に基づくものとして重要だが、権力分立の原則そのものの重要性について条文で明確に述べているわけではない。

以上の組合せにより、**5**が正解となる。

政治　社会契約論

2018年度❷ 教養 No.26

イギリスの思想家ロックに関する記述で、[A]～[C]にあてはまる語句の組合せとして、最も妥当なのはどれか。

イギリスの思想家ロックによれば、人は生まれながらにして[A]をもっている。人々は契約を結んで国家をつくり、その契約に基づいて政府を組織する。そして、人々は政府を変更する権利、[B]をもつとされる。ロックはこのような社会契約の提唱の他にも、国王の権力を制約するために立法権を議会にもたせる[C]を主張している。

	A	B	C
1	抵抗権	自然権	権力分立
2	抵抗権	社会権	法治主義
3	社会権	抵抗権	法治主義
4	自然権	社会権	法治主義
5	自然権	抵抗権	権力分立

解説　正解　5

A 「自然権」が該当する。「生まれながらにして…もっている」より判断できる。自然権とは、国家以前に存在する、すべての人間が生まれながらに持っているとされる権利をいう。

B 「抵抗権」が該当する。直前の「政府を変更する権利」の言い換えであることから判断できる。抵抗権とは、政府の不当な権力行使に対して抵抗する権利であり、結果的に政府を変更することになる。

C 「権力分立」が該当する。直前の「権力を制約するため」より判断できる。具体的にはロックは、国王（執行権と連合権）と議会（立法権）との間の権力分立を重視した二権分立を主張している。

以上の組合せにより、**5**が正解となる。

政治　選挙

2023年度 ❶
教養 No.29

日本の選挙における各種原則と制度に関する記述として、最も妥当なものはどれか。

1　普通選挙とは、個人は平等であるのだから、１票の価値はすべて等しいとする原則である。

2　平等選挙とは、一定の年齢に達しさえすれば、すべての国民が選挙権を持つとする原則である。

3　小選挙区制は、狭い選挙区から１名の当選者を選出する制度であり、選挙費用がかからない、死票が少ないという長所がある。

4　大選挙区制は、広い選挙区から複数の当選者を選出する制度であり、選挙費用がかさむ、ゲリマンダーの危険性が高いという短所がある。

5　比例代表制は、得票数に比例して議席数を配分する制度であり、死票が少ないという長所がある。

解説　正解　5

TAC生の正答率　73%

1　×　普通選挙とは、一定年齢に達した全ての国民に選挙権が与えられ、特に財産や納税額などを選挙権の要件としない原則をいう。普通選挙と対になる制限選挙の場合には、財産や納税額などが選挙権の要件になる。

2　×　平等選挙とは、一人一票を基本として、その一票の価値が平等である原則をいう。平等選挙と対になる複数投票制の場合には、一人が二票以上投票できる。また、等級選挙の場合には、有権者が納税額などによって等級に分けられて、等級ごとに選挙する制度で一票の価値が異なる。

3　×　小選挙区制は、１つの選挙区から１名の当選者を選出する制度であり、制度上選挙区の広さは前提としない。選挙費用については、一概に小選挙区制と大選挙区制の違いによって明確に差が出るものではない。また、小選挙区制は死票が多いという短所がある。

4　×　大選挙区制は、１つの選挙区から２名以上の当選者を選出する制度であり、**3**と同様に制度上選挙区の広さを前提としない。また、ゲリマンダーについては選挙区における当選者の定数を変更できない小選挙区制の場合に、その危険性が高いとされている。

5　○　比例代表制は、死票が少なく、多様な利益を反映しやすいという長所を持つ。他方で、小政党も議席を得やすいことから、連立政権の破綻など政局が不安定になる可能性があることが短所として挙げられる。

日本の選挙における諸問題に関する記述として、最も妥当なのはどれか。

1　選挙区の間に議員定数の不均衡問題が生じる、いわゆる一票の格差問題については、多くの訴訟が起こされているが、最高裁判所が違憲判決を出したことはこれまで一度もない。

2　若年層を中心に政治に無関心な人々が増え、2000年以降の衆議院議員選挙及び参議院議員選挙の投票率は、前回の同選挙よりも減少の一途をたどっている。

3　候補者と一定の関係にある者が公職選挙法に反する行為をして有罪となった場合に、その候補者の当選を無効とする制度を、連座制という。

4　表現の自由の観点から、選挙運動の規制を見直すべきとの声を受け公職選挙法が改正され、インターネットを利用した選挙運動、戸別訪問や署名運動などが解禁された。

5　政治資金規正法は、選挙活動における政治資金の透明化をはかるために、企業や個人による政治家個人、政党、政治資金団体への献金を禁止している。

解説　正解　3

1　×　最高裁判所は、衆議院議員選挙の一票の格差について、違憲判決を1976年と1985年に下したことがある。なお、参議院議員選挙については、違憲状態と判示したことはあるが、違憲と判示したことはない。

2　×　2000年以降の衆議院議員選挙及び参議院議員選挙の投票率は、50％前後で推移しているが、前回の同選挙の投票率を上回った選挙もあるため「減少の一途」という点が誤り。年代別では、20代の投票率が低く、若年層における政治への無関心が見てとれる。

3　○　なお、連座制で当選無効となった者は、その選挙区における公職の選挙に５年間立候補することができない。

4　×　2013年の公職選挙法の改正では、インターネット等の普及に鑑み、選挙運動期間における候補者に関する情報の充実、有権者の政治参加の促進等を図るため、インターネット等を利用する方法による選挙運動が解禁されたが、戸別訪問や署名運動については解禁されていない。

5　×　1994年に改正された政治資金規正法では、企業や労働組合等の団体（政治団体は除く）から、政党や政党が指定する政治資金団体への献金は禁止されていない。政治家個人への企業や団体の献金は禁止されている。

政治　戦後政治史

2023年度 ❶
教養 No.30

日本の55年体制に関する記述として、最も妥当なものはどれか。

1　1955年以来、自由民主党と日本社会党の二大政党による政権交代が交互に行われてきた政治体制のことを55年体制という。

2　1955年に日本社会党が統一されたのに続いて自由民主党が成立。以後40年近く、保守と革新の二大勢力が対立してきた政治体制のことを55年体制という。

3　日本の政治史上、最も多くの政党が誕生した年が1955年であり、それ以来さまざまな政党の再編が行われてきたことを55年体制という。

4　1955年に日本社会党が分裂したことを発端として、以降、政党の統合と分離が繰り返されてきたことを55年体制という。

5　自由民主党が、結党以来55年間にわたり、与党として政治を動かしてきたことを55年体制という。

解説　正解　2

TAC生の正答率　46%

1　×　1955年に自由民主党が結成されて以降、毎回の選挙において日本社会党は自由民主党の半分程度しか議席を確保できなかったことから、「１と２分の１政党制」と呼ばれ、政権交代は起きず自由民主党による政権が続いた。

2　○　1955年、左右に分裂していた社会党が統一され日本社会党が誕生した。これに対抗するため、保守勢力が結集する保守合同により自由党と日本民主党が合流し、自由民主党（自民党）が結成された。以降、保守（自民党）と革新（社会党）が対立を続け、1993年の細川政権誕生までの自民党長期政権の時代を55年体制という。

3　×　1955年は左右に分裂していた社会党の統一や、自由党と日本民主党の保守合同に見られるように二大政党制的な体制が確立された時期であり、政党の再編が行われ続けたことを55年体制として説明することは誤りである。

4　×　1955年に左右に分裂していた社会党が統一され日本社会党が誕生した。その動きに対抗して、保守合同により自由民主党が誕生し、1955年以降、日本社会党と自由民主党の対立が続いた。

5　×　1955年以降、約38年間にわたり自由民主党による政権が続いたが、1993年の総選挙において自民党は大敗し、自民党と共産党以外の８党派による細川連立政権が誕生した。

第二次世界大戦後の国際政治に関する記述として、最も妥当なのはどれか。

1 第二次世界大戦後、アメリカとソ連を軸に東西両陣営が形成され、西側では北大西洋条約機構（NATO）が、東側ではワルシャワ条約機構という軍事同盟が結成された。

2 1960年代のキューバ危機では、アメリカと東ドイツ間の核戦争が心配されたが回避することができた。しかし、この出来事をきっかけに両国は軍拡の道を歩むことになった。

3 アフリカ諸国においてナショナリズム（民族主義）が高揚を見せたが、植民地から独立することはできず、1960年代に開かれたバンドン会議で西側陣営に属することが宣言された。

4 1990年代には、まず東西ドイツが統一され、次いでソ連が解体したことで、米ソ間の冷戦が終結に向かい、最終的にはマルタ会議で冷戦の終結が確認された。

5 1990年、クウェートをイランから解放するために、国連軍は軍事行動を起こし、湾岸戦争が勃発した。国際連合の決議に基づき国連軍が組織されたのは、これがはじめてであった。

解説　正解 1

1 ○ 北大西洋条約機構はアメリカと西欧諸国が、ワルシャワ条約機構はソ連と東欧諸国が結成した軍事同盟である。

2 × 1960年代のキューバ危機では、アメリカと「ソ連」間の核戦争が心配されたが回避することができた。そして、この出来事をきっかけに、両国間の緊張緩和（デタント）が進んだ。

3 × 1955年に開かれたバンドン会議（アジア・アフリカ会議）では、アジア・アフリカの旧植民地国が集まり、アメリカを中心とする西側でも、ソ連を中心とする東側でもない「第三世界」の立場を示した。その後、1960年の「アフリカの年」をピークとして、植民地からの独立が相次ぐこととなった。

4 × 1989年末にマルタ会談でアメリカのブッシュ（父）大統領とソ連のゴルバチョフ書記長が「冷戦の終結」を宣言し、1990年に東西ドイツが統一され、1991年末にソ連が解体した。

5 × 国際連合の決議に基づく正式な国連軍は、これまで一度も組織されたことがない。また、1990年の湾岸戦争は、「イラン」ではなく「イラク」がクウェートに侵攻したことをきっかけに、「国連軍」ではなく「多国籍軍」が軍事行動を起こした戦争である。

現代文
英文
判断推理
空間把握
数的推理
資料解釈
法律
政治
経済

政治　国際政治

2019年度 ❶ 教養 No.26

民族・地域紛争問題に関する記述として、最も妥当なのはどれか。

1　国連は、オーストラリアの人種隔離政策であるアパルトヘイトの廃絶といった、人権問題の解決に貢献している。

2　民族・地域紛争による難民の保護のため難民条約が制定されたが、難民の受け入れに積極的でない我が国では、同条約を批准していない。

3　アフリカのスーダンでは1970年代以降内戦が続いていたが、2011年の住民投票の結果、南スーダンが独立し国連への加盟も認められた。

4　国連の専門機関である、国連教育科学文化機関（UNESCO）が中心となって国際的な人道援助活動を進めている。

5　第二次世界大戦後、パレスチナの地にアラブ人国家イスラエルが誕生し、ユダヤ人側はこれを認めず、四次に及ぶ中東戦争が発生した。

解説　正解　3

TAC生の正答率 38%

1　×　「オーストラリア」という点が誤り。アパルトヘイトは南アフリカで行われた人種隔離政策である。オーストラリアの人種隔離政策は「白豪主義」である。

2　×　「同条約を批准していない」という点が誤り。難民条約（難民の地位に関する条約）については、日本は1981年に加盟している。これに際し、我が国では出入国管理令（1951）が、出入国管理及び難民認定法に改正され、法的に難民認定手続きが行われている。

3　○　南スーダンの概況についての説明として妥当である。南スーダンは193番目の国連加盟国となった。また、我が国の自衛隊は2011年から2017年まで南スーダンPKOに従事した。

4　×　「国連教育科学文化機関（UNESCO）」という点が誤り。UNESCOは教育、科学、文化の支援が中心であり、難民の援助などの人道支援を中心業務とはしていない。人道援助活動を行っているのは国連難民高等弁務官事務所（UNHCR）など様々にある。

5　×　まず「アラブ人国家イスラエル」という点が誤り。イスラエルはユダヤ人国家である。そして、イスラエルを認めなかったのはユダヤ人側ではなくアラブ人側である。

政治　国際連合

2020年度 ❶
教養 No.26

国際連合に関する記述として、最も妥当なのはどれか。

1　国際連合は、集団安全保障体制に基づく最初の国際平和機構として、アメリカ大統領ウィルソンの提唱により発足した。

2　国連総会における議決は、重要事項については３分の２以上の賛成により行われるが、５大国が拒否権を行使すると案件は否決される。

3　安全保障理事会は、アメリカ・イギリス・フランス・ロシア・中国の5常任理事国と、10か国の非常任理事国によって構成されている。

4　国際司法裁判所が裁判を開始するためには、紛争当時国一方が裁判所に解決を付託すればよい。

5　安全保障理事会は加盟国との間で特別協定を締結して国連軍を創設しているが、これが実際に派遣されたのは、第二次世界大戦の際の一例を数えるのみである。

解説　正解　3

TAC生の正答率　78%

1　×　集団安全保障体制に基づく最初の国際平和機関として、アメリカのウィルソン大統領の提唱で発足したのは国際連盟である。

2　×　国連総会においては、５大国といえども安全保障理事会のように拒否権は行使できない。

3　○　安全保障理事会の構成国として正しい内容である。

4　×　国際司法裁判所での裁判は、原則として紛争当事国全ての同意がなければ開始されない。つまり、訴えた国のみならず、訴えられた国の同意が必要とされる。

5　×　肢にあるような国連憲章上に明記されている正規の国連軍は、これまで実際に設置・派遣されたことがない。そもそも国際連合は、第二次世界大戦後に設立されている。

経済　市場メカニズム

2018年度 ❷
教養 No.27

市場の機能と限界に関する記述として、最も妥当なのはどれか。

1　完全競争市場では、買い手（需要者）と売り手（供給者）が多数存在し、双方が価格支配力をもつ。

2　完全競争市場では、製品の差別化、宣伝・広告、モデルチェンジなどを通じて販売を伸ばそうとする非価格競争がおこなわれる。

3　中古車の取引において、買い手が中古車の品質について十分な情報が得られない場合でも、価格の自動調整により、効率的な価格形成と供給が実現する。

4　公共財は、料金を支払わない人の消費を排除できないという、非競合性の性質を持つ。

5　カルテルや不当廉売（ダンピング）などを禁ずる独占禁止法を運用するために、公正取引委員会が設置されている。

解説　正解　5

1　×　完全競争市場では、買い手（需要者）と売り手（供給者）が多数存在し、双方が価格支配力を持たない、価格受容者（プライステイカー）となっている。

2　×　非価格競争は通常（理論上では）、不完全競争市場（寡占市場）において見られる現象である。

3　×　選択肢の記述にあるような、買い手と売り手の間に取引する財・サービスに関する情報量に差がある状況を「情報の非対称性」という。この「情報の非対称性」が存在する場合、市場メカニズムが十分に発揮されず（価格調整等がおこなわれず）、効率的な資源配分が実現しない。

4　×　（純粋）公共財は、ある個人の消費が他の個人の消費を妨げない、「消費の非競合性」と、対価を支払わない個人の消費を排除することができない「消費の非排除性」を有する財のことをいう。本肢の記述は、「消費の非排除性」に関する説明となっている。

5　○

経済	国民経済計算	2023年度 ❶ 教養 No.31

国民経済全体の活動水準を表す指標に関する記述として、最も妥当なものはどれか。

1 国内総生産（GDP）はフローの指標のひとつであり、国内の各企業の生産総額として計算される。

2 国民総生産（GNP）に海外からの純所得を加えたものが、国内総生産（GDP）である。

3 国民総生産（GNP）から中間生産物の額を差し引いたものが、国民純生産（NNP）である。

4 国民純生産（NNP）から「間接税－補助金」を差し引いた額が、国民所得（NI）である。

5 国民所得（NI）を生産、分配、支出の３つの面からとらえたとき、生産国民所得と支出国民所得の合計は、分配国民所得に等しい。

解説　**正解 4**　TAC生の正答率 34%

1 × 国内総生産（GDP）は、一定期間における量を表すフローの指標であるが、国内の各企業の生産総額として計算されるのではなく、各産業において新たに生産された付加価値の合計である。

2 × 国内総生産（GDP）に海外からの純所得を加えたものが、国民総生産（GNP）である。

3 × 国民総生産（GNP）から固定資本減耗の額を差し引いたものが、国民純生産（NNP）である。

4 ○

5 × 国民所得（NI）を生産、分配、支出の３つの面からとらえたとき、生産国民所得と支出国民所得と分配国民所得は常に等しい（三面等価の原則）。

経済　国民経済計算

我が国の国民経済計算に関する次の記述で、［A］～［D］に当てはまる語句の組合せとして、最も妥当なのはどれか。

一国の経済規模をはかる指標の概念として、ある一時点での蓄積された資産である［A］と、ある一定期間における流れの量を示す［B］がある。［A］の例としては［C］が、［B］の例としては国内総生産（GDP）があり、GDPには国内での外国人による生産分が［D］。

	A	B	C	D
1	フロー	ストック	国富	含まれない
2	フロー	ストック	国民所得	含まれる
3	ストック	フロー	国富	含まれる
4	ストック	フロー	国民所得	含まれる
5	ストック	フロー	国富	含まれない

解説　正解 3

TAC生の正答率 70%

ある時点での経済的な蓄積の水準をストックといい、その代表的な指標が国富である。

一方、ある一定期間における取引の大きさをフローといい、国内総生産（GDP）などの国民所得の諸概念がその例である。国内総生産（GDP）は、国内における経済活動の付加価値の総額をいい、外国人による経済活動による生産分も含まれる。

以上より、A：ストック、B：フロー、C：国富、D：含まれる、であり、正解は**3**となる。

次のア～ウの条件で国民純生産（NNP）を算定したとき、最も妥当なのはどれか。

ア　国内総生産（GDP）＝500兆円
イ　海外からの所得の純受取＝15兆円
ウ　固定資本減耗＝100兆円

1　615兆円

2　585兆円

3　515兆円

4　415兆円

5　385兆円

解説　正解　4

国民純生産（NNP）は、国内総生産（GDP）に海外からの所得の純受取を加え、固定資本減耗を引くことで求められる。

つまり、ア＋イ－ウを計算すればよい。

国内総生産（GDP）500兆円＋海外からの所得の純受取15兆円
＝国民総生産（GNP）515兆円

国民総生産（GNP）515兆円－固定資本減耗100兆円
＝国民純生産（NNP）415兆円

以上より、正解は**4**となる。

経済　戦後経済史　2023年度❷ 教養 No.31

日本経済史に関する記述として、最も妥当なものはどれか。

1　第二次世界大戦によって生産基盤が崩壊したことから、戦後の日本では資材、資金、労働力を幅広い産業分野に投下し、経済の同時かつ全面的復興を目指すこととなった。

2　1955年から第一次石油危機の起こった1973年までの間、日本の実質経済成長率は平均30％超の水準で推移したが、その背景には日本国民の低い貯蓄性向があった。

3　佐藤栄作内閣は10年間で国民所得を２倍にするという国民所得倍増計画を立てたが、その目標は当初の計画よりも早く達成された。

4　1985年のプラザ合意によって円安が急速に進むと、原材料の輸入に依存した日本経済は大きな打撃を受けることとなり、工場を海外に移す企業も多く現れた。

5　バブル崩壊後の沈滞した日本経済を再生しようとしたのが小泉内閣の構造改革であり、郵政三事業の民営化や構造改革特区の設置などが行われた。

解説　正解　5

1　×　戦後の復興期には石炭・鉄鋼・肥料などの基幹産業に資材、資金、労働力を重点的に投じる傾斜生産方式を行った。

2　×　1955年から1973年まで日本経済は実質経済成長率が年平均で10％前後という高度経済成長を遂げた。高度経済成長の要因の一つとして、高い貯蓄率（貯蓄性向）が挙げられる（銀行に集まった資金は企業に供給された）。

3　×　1960年に国民所得倍増計画を決定したのは池田勇人内閣である。

4　×　1985年のプラザ合意はドル高是正を目的としたもので、急激な円高ドル安により、日本は円高不況に陥った。

5　○

経済	金融	2020年度 ❶ 教養 No.27

金融に関する記述として、最も妥当なのはどれか。

1 金融には直接金融と間接金融の２つがあるが、余剰資金の所有者が株式や社債を買うことによって資金を企業に融通することは、直接金融に該当する。

2 中央銀行の発行する銀行券（紙幣）と政府の発行する貨幣（硬貨）の総量をマネーストックという。

3 通貨制度の中心として各国に中央銀行が設けられているが、欧州連合（EU）は国家の連合体であるため、中央銀行は設けられていない。

4 インフレ傾向が進んだとき、中央銀行は市中金融機関から手形や債券を買い入れて、金融市場の資金量を増やそうとする。

5 1996年から進められた日本版「金融ビッグバン」では、外貨取引の制限や金融持株会社の禁止など、市場に秩序をもたらすための改革が断行された。

解説　正解　1　　TAC生の正答率 47%

1 ○ 株式や社債によって資金を調達するのは直接金融に該当する。

2 × マネーストックは市中に流通する通貨の総量であり、銀行券や貨幣といった現金通貨だけではなく銀行の普通預金などの預金通貨も含む。

3 × 欧州連合（EU）には欧州中央銀行（ECB）があり、共通通貨であるユーロを発行している。

4 × インフレが進んだ際に中央銀行が行うのは、市中金融機関に手形や債券を売却する売りオペである。これにより市中の資金量は減少し、インフレが抑制される。

5 × 「金融ビッグバン」で進められたのは金融制度における大幅な規制緩和である。これにより外貨取引の自由化が進められ、金融持株会社はその設立が解禁された。

経済	インフレーション	2019年度 ❶ 教養 No.27

インフレーションに関する次の記述で、A～Cに当てはまる語句の組合せとして、最も妥当なのはどれか。

物価が持続的に上昇することをインフレーションといい、原因別にみると、総需要の増加に総供給が追いつかないために生じるA・インフレーションと、賃金や原材料価格などの上昇や硬直化によって生じるB・インフレーションに分類される。また、不況下で失業率が高いにもかかわらず物価の上昇が進行することをCという。

	A	B	C
1	ディマンド・プル	コスト・プッシュ	デフレ・スパイラル
2	ディマンド・プル	コスト・プッシュ	スタグフレーション
3	コスト・プッシュ	ディマンド・プル	スタグフレーション
4	クリーピング	ハイパー	デフレ・スパイラル
5	ハイパー	クリーピング	スタグフレーション

解説　正解 2

TAC生の正答率 75%

A 「ディマンド・プル」が該当する。総需要の増加を原因として発生するインフレーションをディマンド・プル・インフレーションと称する。

B 「コスト・プッシュ」が該当する。賃金や原材料価格の上昇など、コスト要因によって発生するインフレーションをコスト・プッシュ・インフレーションと称する。

C 「スタグフレーション」が該当する。不況による失業率の上昇と、物価の上昇が同時進行することをスタグフレーションと称する。

上記以外のものについて、クリーピング・インフレーションとは、年に数%程度のゆるやかなインフレーションをいう。ハイパー・インフレーションとは、年に数十%から、それ以上の猛烈な勢いでインフレーションが進むような状況をいう。最後に、デフレ・スパイラルとは、マクロ経済の停滞が物価を下落させ、その物価下落が企業収益の悪化と経済の停滞を招き、再び物価が下落していくような循環的な状況のことである。

以上より、正解は**2**である。

我が国の財政に関する記述として、最も妥当なのはどれか。

1 財政には資源配分の機能があり、累進課税制度によって徴収した税を、社会保障制度を通じて国民に再分配することで、格差の是正を図っている。

2 政府が設ける予算は、収入と支出を総合的に管理する一般行政に関わる予算である特別会計と、特定の事業の実施や特定の資金を運用するための予算である一般会計に大別される。

3 第二次世界大戦前の我が国は、直接税の比重が高かったが、戦後のシャウプ勧告を受けて、間接税中心主義に改められた。

4 租税の形として、公平・中立・簡素の３つの基本原則を満たす税制が望ましいとされ、このうち中立の原則とは、課税が個人や企業の経済活動をできるだけ妨げないという原則である。

5 財政法は、第４条で建設国債の発行を禁じており、政府は発行年度ごとに財政法にもとづかない特例法を制定して建設国債を発行している。

解説　正解　4

TAC生の正答率　18%

1 × 財政の資源配分機能とは、ある財・サービスの取引について、（完全競争市場において）社会的に望ましい取引量を実現することが出来ない場合（＝市場の失敗が生じている場合）に、パレート効率的な資源配分を達成するために政府が市場介入を行うことをいう。選択肢の記述は、財政の所得再分配機能に関するものである。

2 × 一般会計と特別会計の説明が逆である。

3 × シャウプ税制では、直接税中心主義が採られた。

4 ○

5 × 財政法第４条では、建設国債の発行が認められている。

経済	租税	2022年度 ❶ 教養 No.27

日本の租税に関する記述として、最も妥当なのはどれか。

1 課税に関しては、国民を代表する国会のみがその権限を持ち、法律の定めが必要である租税法律主義をとっている。

2 租税は、納税者と税負担者が同一である直接税と、両者が異なる間接税に分類され、所得税や法人税は間接税に分類される。

3 第二次世界大戦前の日本は直接税の比重が高かったが、戦後のシャウプ勧告を受けて税制を改革し、間接税中心主義に改められた。

4 経済成長率が低下し税収が伸び悩むとともに、少子高齢化が進行し始めたために安定的な福祉財源を確保する目的として、2000年代に消費税が導入された。

5 租税の基本原則として、中立であること、公平であること、簡素であることがあげられるが、中立の原則とは、所得が同じであれば租税負担も同じでなければならないということである。

解説　正解 1

TAC生の正答率 40%

1 ○ 新たに租税を課し、又は変更するには法律によることを必要とする。

2 × 所得税や法人税は直接税である。前半部分は正しい。

3 × 戦後のシャウプ勧告を受けて直接税中心主義に改められた。

4 × 消費税は1989年に税率３％で導入された。

5 × 租税三原則（公平・中立・簡素）のうち、中立の原則とは、税制ができるだけ個人や企業の経済活動における選択を歪めることがないようにすることである。本肢の記述は水平的公平の説明になっている。

租税

租税に関する記述で、 A ～ E に当てはまる語句の組合せとして、最も妥当なのはどれか。ただし、同一の記号には、同一の語句が入るものとする。

租税には、租税を負担する担税者と納税者が同一である A 税と、担税者と納税者が異なる B 税がある。

望ましい課税のための原則として、公平・中立・簡素の３つが挙げられるが、このうち租税の公平性については、同じ経済状態にある人に同じ税負担を求める C 公平と、所得水準などの経済状態が異なる人に異なる税負担を求める D 公平がある。消費税は、 C 公平は保たれるが、所得水準の低い人ほど所得に対する税負担の比率が高くなる E が強くなるといわれる。

	A	B	C	D	E
1	直接	間接	水平的	垂直的	累進性
2	直接	間接	水平的	垂直的	逆進性
3	直接	間接	垂直的	水平的	累進性
4	間接	直接	垂直的	水平的	逆進性
5	間接	直接	水平的	垂直的	累進性

解説　正解　2

問題にある記述の空欄に適切な用語を入れると以下のようになる。

租税には、租税を負担する担税者と納税者が同一である（A：直接）税と、担税者と納税者が異なる（B：間接）税がある。

望ましい課税のための原則として、公平・中立・簡素の３つが挙げられるが、このうち租税の公平性については、同じ経済状態にある人に同じ税負担を求める（C：水平的）公平と、所得水準などの経済状態が異なる人に異なる税負担を求める（D：垂直的）公平がある。消費税は（C：水平的）公平は保たれるが、所得水準の低い人ほど所得に対する税負担の比率が高くなる（E：逆進性）が強くなるといわれる。

以上より、**2**が正解となる。直接税と間接税の違い、水平的公平と垂直的公平の考え方の違いなどは頻出のトピックである。

現代文
英文
判断推理
空間把握
数的推理
資料解釈
法律
政治
経済

経済　経済事情　2023年度❷ 教養 No.32

近年の経済関連の問題に関する記述として、最も妥当なものはどれか。

1　日本では経済安全保障推進法が成立し、半導体などの重要物資についてサプライチェーンを強化することや、特許の非公開を原則禁止することなどが定められた。

2　バイデン米大統領が提唱したIPEFとは、アメリカ、日本、オーストラリア、インドの４か国による協力の枠組みのことである。

3　Web3とは、ブロックチェーン技術をベースに構築されるインターネットの新たな形を表す概念である。

4　日本銀行はデジタル円の実証実験に着手し、2030年までにこれを実用化するとしているが、価値の急激な変化を伴う通貨の発行には批判もある。

5　日本を含む136の国と地域が国際課税の新ルールに合意し、法人税の最低税率を世界共通で15%としてきた制限を撤廃することとなった。

解説　正解　3

1　×　経済安全保障推進法により、国家及び国民の安全を損なう事態を生ずるおそれが大きい発明が記載されていた場合、特許を非公開とする制度が導入された。

2　×　インド太平洋経済枠組み（IPEF）には中国などを除くインド太平洋地域の14か国が参加している。選択肢の４か国の枠組みはクアッド（日米豪印クアッド）と呼ばれる。

3　○　Web3（Web3.0）はWeb2.0（SNSによる双方向性の拡大や独占的プラットフォーマーの登場）に続く概念であり、ブロックチェーン技術による分散型のインターネットの新たな形を指している。

4　×　デジタル円などの中央銀行デジタル通貨は実証実験などが行われているものの、主要各国の中央銀行は導入に慎重な姿勢を取っており、日本においても2024年現在発行する計画は存在しない。

5　×　2021年10月の合意により、法人課税の最低税率を15%とすることなどが決定された。この背景には、市場となる国に物理的拠点を必要とせずグローバルに活動できる巨大IT企業の存在がある。

社会　社会保障

2022年度❷
教養 No.27

社会保障に関する記述として、最も妥当なのはどれか。

1　19世紀後半にイギリスで、疾病、労働、災害、老廃などに関する初の社会保険制度である救貧法が制定された。

2　アメリカのルーズベルト大統領は、ニューディール政策の一環として、1935年に社会保障法を制定した。

3　第二次世界大戦後、イギリスにおいて、国家がすべての国民に対して「ゆりかごから墓場まで」一生を通じて生活保障の責任を持つというプレビッシュ報告が提唱された。

4　各国の社会保障制度のうち、ヨーロッパ大陸型は、均一的な給付金が中心で、社会保障の財源の中では租税などによる公費の負担が大きい制度である。

5　各国の社会保障制度のうち、イギリス・北欧型は、所得に比例した年金給付で、雇用主と被用者（従業員）が拠出した保険料を主な財源としている制度である。

解説　正解　2

1　×　疾病、労災、老齢・廃疾などに関する世界で初の社会保険制度が整備された国はイギリスではなくドイツである。当時の宰相ビスマルクはこうした社会保険を充実させた一方で社会主義者を弾圧したため、これらは「アメとムチ」の政策と呼ばれる。

2　○　これによって公的扶助と社会保険が社会保障として初めて体系化された。

3　×　イギリスでは第二次世界大戦中の1942年に出されたベヴァリッジ報告の方針に基づき、戦後の労働党政権が福祉国家化を進めた（「ゆりかごから墓場まで」も同報告で用いられた表現）。なお、プレビッシュ報告は1964年のUNCTADにおける基調報告の通称である。

4　×　ドイツやフランスなどのヨーロッパ大陸型の社会保障制度は所得に比例した給付であり、雇用主と被用者が拠出した保険料が主な財源となっている。この肢４と次の肢５に関しては「○○型」の説明が概ね逆になっていると考えればよい。

5　×　イギリス・北欧型の社会保障制度は元々均一給付が原則となっており、財源としては租税などの公費負担が大きい。ただし、イギリスに関しては1970年代に所得に比例した年金給付へと移行している。

社会

会

世界史

日本史

地理

国語

数学

物理

化学

生物

社会　年金制度　2020年度❷ 教養 No.30

我が国の年金制度に関する記述として、最も妥当なのはどれか。

1　無業者を除く20歳以上の全国民は、国民年金制度への加入を義務づけられており、原則として65歳以上で国民年金（基礎年金）を受給する。

2　サラリーマンは厚生年金制度への加入を義務づけられているが、企業独自の企業年金制度が設けられている場合はその限りではない。

3　公務員は共済年金制度への加入を義務づけられており、収入額が同程度のサラリーマンに比べてより多額の年金を受給する権利が保障されている。

4　公的年金の支給開始年齢は一定の限度内で早めたり、遅らせたりすることができるが、これを遅らせた場合は年金額が減額される。

5　個人型確定拠出年金（iDeCo）は、加入者本人が掛金を拠出し運用方法を選ぶ私的年金制度である。

解説　正解　5

1　×　無業者も国民年金への加入義務がある。また「国民」にも限定されず、外国籍であっても日本に常住する者は加入義務がある。なお、制度開始当初においては任意加入とされていた専業主婦や学生に関しても、1980年代の制度改正によって現在では加入が義務づけられている。

2　×　厚生年金への加入義務は企業年金への加入によってなくなるわけではない。企業年金は、企業が従業員に対して設ける、年金制度のいわゆる「３階」部分である。すなわち、１階（国民年金）・２階（厚生年金）にあたる公的年金に加入するのは当然の義務として、さらなる上乗せ部分として企業年金制度に任意で加入することになる。

3　×　2015年10月より共済年金は厚生年金に統合され、現在は被用者年金制度は一元化されている（したがって、公務員も厚生年金に加入する）。なお、従来の共済年金制度には職域加算と呼ばれる部分があり、厚生年金に加入する同程度の収入のサラリーマンよりも多額の年金を受け取ることが可能であった。

4　×　公的年金の支給開始を遅らせた場合、年金額は増額となる。具体的には、通常の老齢基礎年金の受給開始年齢は65歳だが、66歳以降75歳までの間で遅らせることが可能である（繰下げ受給）。逆に60歳から65歳になるまでの間に支給開始を早めることもできるが、その場合には年金額は減額される（繰上げ受給）。

5　○　個人型確定拠出年金（iDeCo）は、任意加入の私的年金制度の一種である。金融機関を通して加入し、拠出する掛金の決定や運用商品の選択を個人で行う仕組みとなっている。最終的には、掛金と運用益の合計に基づいて年金受給額が決定される。

犯罪・非行関連の法律に関する記述のうち、下線部の正誤の組合せとして、最も妥当なものはどれか。

2022年に刑法が改正され、(a)懲役刑と禁固刑に加えて、新たに拘禁刑が設けられることとなった。拘禁刑では、受刑者の年齢や特性に合わせて、刑務作業と指導を柔軟に組み合わせた処遇を行えるようになる。また、(b)人を侮辱した行為に適用される侮辱罪が新設され、インターネット上での誹謗中傷についても適用されることとなった。2022年には少年法も改正され、(c)18・19歳は特定少年と位置づけて、検察が起訴すれば氏名や顔写真などの報道も解禁されることとなった。また、強盗や放火などの罪に問われた特定少年については、原則として成人と同じく刑事裁判の対象とされることとなった。

	a	b	c
1	正	正	誤
2	正	誤	正
3	正	誤	誤
4	誤	正	正
5	誤	誤	正

解説　**正解　5**　TAC生の正答率 21%

a　×　拘禁刑は現在の懲役刑と禁固刑を統合・一元化した刑であり、これら既存の2つの刑に「加えて、新たに」拘禁刑が設けられるわけではない。

b　×　侮辱罪は従来から存在し「新設」されていない。また、以前よりインターネット上の行為も対象である。2022年の刑法改正では、SNSなどでの誹謗中傷が社会問題となったこともあり、侮辱罪の法定刑が引き上げられ、厳罰化された。

c　○　特定少年の説明として妥当である。17歳以下の少年に比べ、原則逆送対象事件が拡大したほか、起訴された場合には実名や顔写真を用いた報道も可能となった。なお、少年法における「少年」の定義自体は20歳未満であり法改正前と変わっていない。

以上の組み合わせより、**5**が正解となる。

社会　法改正

2022年度 ❶
教養 No.28

2021年に改正された災害対策基本法に関する記述として、最も妥当なのはどれか。

1　逃げ遅れを防ぐため、「避難勧告・指示」が一本化され、従来の「避難指示」の段階から「避難勧告」を行うこととした。

2　警戒レベル２は気象庁が発表する「大雨・洪水・高潮注意報」に該当し、避難に時間のかかる高齢者等の要配慮者は立退き避難しなければならない。

3　警戒レベル１は気象庁が発表する「早期注意情報」であり、居住者は防災気象情報等の最新情報に注意するなどして、災害への心構えを高めなければならない。

4　「緊急安全確保」になっている警戒レベル５の発令と同時に、危険な場所から全員退避しなければならない。

5　警戒レベル３は「災害のおそれあり」という状況で発令され、居住者は自らの避難行動を確認しなければならない。

解説　正解　3

TAC生の正答率　43%

1　×　避難勧告が廃止され、避難指示に一本化されたので誤り。今回の災害対策基本法の改正では、逃げ遅れを防ぐため、従来は勧告と指示が混在していた警戒レベル４を避難指示に統一している。

2　×　高齢者等避難は警戒レベル３に対応した行動であり、誤り。警戒レベル３は災害発生のおそれがある状況とされ、避難に時間を要する高齢者等が避難開始を行う目安となる。なお、大雨・洪水・高潮注意報が警戒レベル２に該当するという記述は正しい。

3　○　警戒レベル１は気象庁の発表する「早期注意情報」に該当し、これは気象状況が「数日後までに悪化するおそれがある」場合に発表されるものである。

4　×　警戒レベル５は避難行動がかえって危険となる状況を指しており、誤り。警戒レベル５「緊急安全確保」は、災害が発生・切迫している際にまだ危険な場所にいる居住者に向けて、避難行動から安全確保へと行動変容を促す目的で発令される情報である。

5　×　自らの避難行動の確認は警戒レベル２に対応した行動であり、誤り。警戒レベル３に対応する行動は肢２の解説の通り、高齢者や障害者など避難に時間を要する住民やその支援者の避難である。

社会	法改正	2018年度 ❶ 教養 No.29

近年の公職選挙法改正に関する次のア～ウの記述のうち、正しいもののみをすべて選んだものとして、最も妥当なのはどれか。

ア　公職選挙法が改正され、2017年の衆議院議員選挙から、衆議院の定数が「０増10減」の465議席となった。

イ　「１票の格差」を解消するため、衆議院の比例代表の定数を削減することが検討されていたが、2017年の衆議院議員選挙において削減は見送られた。

ウ　「１票の格差」をゼロにする「ドント式」が、2020年以降に導入されることが決まった。

1　ア

2　イ

3　ウ

4　ア、イ

5　ア、イ、ウ

解説　**正解　1**　TAC生の正答率　57%

ア　○　衆議院の定数については、2017年の定数是正により、小選挙区で６減、比例代表で４減され、合計で465議席となっている。

イ　×　「削減は見送られた」という点が誤り。2017年の定数是正により、比例代表の定数は４減となっている。具体的には、東北、北関東、近畿、九州の４ブロックで定数が各１減となっている。

ウ　×　「ゼロにする『ドント式』が、2020年以降に導入」という点が誤り。１票の格差是正のために衆議院の定数配分に導入することが予定されているのは「アダムズ方式」である。アダムズ方式は、従来の方式と比較して人口比をより反映させやすい仕組みである。ただし、この方式でも１票の格差は「ゼロ」にはならない。また、2020年の国勢調査の結果を元に「2022年」以降に導入することが予定されている。

以上により、妥当な説明はアのみであり、**1**が正解である。

社会　子ども・子育てに関する制度・事象

2023年度❷ 教養 No.33

日本の子ども・子育てに関する記述として、最も妥当なものはどれか。

1　2022年にこども家庭庁設置法が成立し、こども家庭庁が厚生労働省の外局として設けられるとともに、同庁が幼稚園と保育所を一元的に管轄することになった。

2　2021年に生まれた日本人の子ども（出生数）は約115万人で、データがある1899年以降で最少となった。

3　ヤングケアラーとは重度の障害児や長期入院している病児など、なんらかの手厚いケアを必要としている子どものことであり、近年ではその増加が問題となっている。

4　子育てに必要な最低限度の収入をベーシックインカムと言うが、全世帯員の総所得がこれに満たない子育て世帯に対しては、国が児童手当を支給している。

5　全国の児童相談所が2021年度に児童虐待として対応した件数（速報値）は約20万件に達しており、1990年度の統計開始以来、31年連続で最多を更新した。

解説　正解　5

1　×　こども家庭庁は内閣府の外局である。また、同庁設置後も幼稚園の所管省庁は従来通り文部科学省であり、いわゆる幼保一元化は実現していない。

2　×　2021年の出生数は約81万人と100万人を大きく下回る水準で過去最少となった。

3　×　ヤングケアラーは「家族の介護その他の日常生活上の世話を過度に行っていると認められる子ども・若者」などと定義される、家族のケアが大きな負担となってしまっている子どもや若者を指す用語である。

4　×　ベーシックインカムは最低限の所得保障を就労の有無などに関わらず無条件で行う制度であり、「子育てに必要な最低限度の収入」を指すわけではない。また、この制度はそもそも実現しておらず、後半の児童手当に関する記述も誤りである。

5　○　2021年度の児童相談所への相談件数は過去最多の20万7,660件となった。児童虐待の類型で最も多いのは、子どもの目の前で家族に暴力が振るわれるなどの「心理的虐待」で全体の６割程度を占める。相談の経路としては半数が警察などによるものである。

国勢調査

2023年度❶
教養 No.32

令和２年国勢調査の結果に関する記述として、最も妥当なものはどれか。

1　都道府県別の人口増加率が最も高いのは東京都で、最も低いのは沖縄県であった。

2　総人口に占める65歳以上人口の割合は28.6％で、世界で最も高い水準にある。

3　日本人人口が調査開始以来初めて１億人を下回る一方、外国人人口は増加を続けている。

4　女性の労働力率がすべての年齢階級で上昇し、M字型曲線の谷間が消失した。

5　産業別就業者割合をみると、医療・福祉に従事する者の割合が減少を続けている。

解説　正解　2

TAC生の正答率　59%

1　×　沖縄県は人口増加率が最も高かった東京都の次に高い。同県は合計特殊出生率が高いことで知られる。なお、最も人口増加率が低かった県は鳥取県であった。

2　○　この人口全体に占める65歳以上人口（＝老年人口）の割合は高齢化率と呼ばれる。日本は世界で最も高齢化率が高い国となっている。

3　×　日本の総人口は減少しているものの、１億2,614万６千人と１億人を下回ってはいない。なお、外国人人口が増加を続けているという記述は正しい。

4　×　女性の労働力率は全ての年齢階級で上昇が見られたが、30歳代からの低下と40歳代での再上昇が依然として存在することから、「M字型曲線の谷間」の「消失」には至っていない。

5　×　医療・福祉に従事する者の割合は前回調査に比べ増加しており、産業別に見た時には最も上昇している分野である。

2020年国勢調査に関する次の記述で、[A]～[D]に当てはまる語句の組合せとして、最も妥当なのはどれか。

総務省が発表した2020年国勢調査の速報値によると、日本の総人口は前回調査と比べて約86万８千人減少した。これは、調査開始以来[A]の減少となる。都道府県別では９都府県で人口が増加し、なかでも[B]の増加数が最多となった。

一方、市町村では全体の82.4％にあたる1,416市町村で人口が減少した。人口が５％以上減少した市町村は、全体の半数を[C]。

世帯数は全国で約5,572万世帯と、前回調査に比べ約227万世帯[D]した。

	A	B	C	D
1	初	大阪府	超えた	減少
2	初	東京都	超えなかった	減少
3	２回目	大阪府	超えなかった	増加
4	初	東京都	超えた	減少
5	２回目	東京都	超えた	増加

解説　正解　5

A 「２回目」が該当する。国勢調査として2015年に続き２回連続で総人口は減少した。

B 「東京都」が該当する。全体の約３割を占める東京圏（東京、神奈川、埼玉、千葉）への人口集中が見られる。なお、速報では「９都府県」の人口が増加とされていたが、その後の確報では大阪府の人口がわずかに減少しており、「８都県」へと修正された。

C 「超えた」が該当する。５％以上の人口減少が市町村の半数を超えたのは初である。

D 「増加」が該当する。単身世帯の増加等により、人口減少下でも世帯数の増加は続いており、１世帯あたり人員は少なくなっている。

以上の組み合わせより、**5**が正解となる。

社会	国勢調査	2021年度 教養 No.29

2020年に行われた我が国の国勢調査に関する記述として、最も妥当なのはどれか。

1　国勢調査は、５年に１度行われる調査で、2020年に行われた調査は実施100年の節目を迎えた。

2　国勢調査は、日本に住む人や世帯が対象となるが、外国人は含まれない。

3　2020年に行われた国勢調査は、インターネットのみで回答を受け付けた。

4　国勢調査は、プライバシー保護の観点から回答する義務までは発生しない。

5　国勢調査の結果は、将来の人口推計にのみ活用され、地方交付税の算定などに活用されることはない。

解説　**正解　1**　TAC生の正答率　**26%**

1　○　国勢調査の第一回調査は1920（大正９）年に開始され、10年ごとに大調査、その間の５年目に簡易調査が実施されている（つまり５年に一度実施される）。1945年の調査は第二次世界大戦直後だったこともあり中止されたが、1947年に臨時調査が実施された。

2　×　外国人も含む。国勢調査の調査対象は、調査年の10月１日午前０時現在に日本国内に常住する者すべてである。外国籍の者や住所不定の者も含むが、国外に出ている者は含まない。

3　×　2020年の国勢調査では、インターネットのみならず、郵送、調査員等への提出の３つの方法で回答を受け付けた。

4　×　義務もある。統計法第13条により、調査の対象となる世帯の世帯主または世帯員には、調査票に掲げる事項について報告することが義務付けられている。

5　×　国勢調査の結果は、地方交付税の算定や衆議院の小選挙区の改定など、多方面で基礎資料として活用されている。

社会　統計　2019年度❷ 教養 No.30

我が国の近年の統計に関する次のア～ウの記述で、正しいもののみをすべて選んだ組合せとして、最も妥当なのはどれか。

ア　2015年の人口は約1億2,709万人であったが、65歳以上の高齢者が人口に占める割合を示す高齢化率は40%を超えており、超高齢社会に突入している。

イ　2017年度の食料自給率はカロリーベースでみると38%であり、政府は食料の安定確保のために、2025年度にカロリーベースで食料自給率45%を目標に掲げている。

ウ　2012年12月に始まった景気拡大は少なくとも2017年9月まで続き、これまで戦後最長とされてきた1980年代後半のバブル景気を抜いて、戦後最長となった。

1　ア

2　イ

3　ウ

4　ア、イ

5　ア、ウ

解説　正解　2

ア　×　2015年の高齢化率は26.6%である。また、国立社会保障・人口問題研究所「日本の将来推計人口（平成29年4月推計）」によれば、2065年でも高齢化率38.4%と推計しており、40%を超えない。

イ　○　我が国のカロリー（供給熱量）ベースの食料自給率は、1996年以降はおおむね40%前後で推移しているが、政府は2025年度に45%まで引き上げることを目標としている。

ウ　×　戦後最長の景気拡大は、「バブル景気」ではなく、2002年2月から2008年2月まで73か月続いた「いざなみ景気」である。なお、本試験が実施された段階では政府の見解は確定していなかったが、2012年12月から始まった景気拡大は2018年10月の71か月で終了し、最長記録には届かなかった。

以上の組合せにより、**2**が正解となる。

社会	国政選挙	2023年度 ❶ 教養 No.33

2022年７月10日に実施された第26回参議院議員通常選挙に関する記述として、最も妥当なものはどれか。

1　自由民主党は単独で改選定数の過半数を確保した。

2　立憲民主党は議席を増やし、野党第一党の地位を守った。

3　新たに議席を獲得する政党は現れなかった。

4　女性候補者が35人当選したが、過去最多を更新することはできなかった。

5　投票率（選挙区選）は前回よりも低下し、史上初めて50％を下回った。

解説　**正解　1**　TAC生の正答率　50%

1　○　自由民主党は63議席を獲得し、改選定数124議席の過半数を単独で確保した。

2　×　立憲民主党は野党第一党の地位は守ったものの、今回の選挙で選挙前よりも議席を６減らす結果となった。

3　×　新規政党として参政党が比例代表で１議席を獲得した。

4　×　女性候補者の当選数35は2016年、2019年の28人を上回り過去最多となった。女性議員に関しては全当選者に占める割合（28％）や非改選議席も合わせた割合（25.8％）などにおいても過去最多を更新している。

5　×　投票率は前回よりも3.25ポイント上昇し52.05％となり、50％を上回っている。

社会　首相の連続在職日数　2021年度 教養 No.28

2020年８月、安倍晋三元首相が連続在職日数の最長記録を更新したが、それまで最長記録を保持していた首相の名前として、最も妥当なのはどれか。

1　伊藤博文

2　桂太郎

3　小泉純一郎

4　佐藤栄作

5　吉田茂

解説　正解　4　TAC生の正答率 46%

1　×　伊藤博文は、幕末～明治時代の代表的な藩閥政治家の一人である。初代内閣総理大臣に就任したのをはじめとして、計四度の組閣を行った。このうち最も連続在任期間が長かったのは第二次内閣（1892～1896）で、在職日数は1485日であった。

2　×　桂太郎は、明治～大正時代の藩閥政治家である。20世紀初頭に西園寺公望と交互に政権を担当した時期は桂園時代と呼ばれる。三度にわたって組閣しているが、第一次内閣（1901～1906）が最長で、連続在任期間は1681日となった。なお、「通算」在任期間では、2021年現在で安倍晋三に次ぐ第２位の2886日である。

3　×　小泉純一郎は、2001年から2006年まで首相を務めた平成時代の政治家である。連続在任期間は1980日で、2021年現在で第４位となっている。「構造改革」を掲げ、郵政民営化や三位一体の改革などの政策の実施で注目を浴びた。

4　○　佐藤栄作は、1964年から1972年まで首相を務めた昭和時代の政治家である。連続在任期間は2798日であり、2021年現在で第２位、安倍晋三以前は最長記録保持者であった。沖縄返還時の首相であることやノーベル平和賞の受賞でも知られる。

5　×　吉田茂は、終戦後1940年代～1950年代に首相を務めた政治家である。1946年に首相に初就任するが、連続在任期間としては1948年から1954年まで務めた第二次内閣の方が長く、2021年現在で歴代第３位の2248日である。在任中の主な出来事としては、日本国憲法の公布やサンフランシスコ平和条約および日米安全保障条約の締結などがある。

地球温暖化

2020年度❷ 教養 No.28

地球温暖化問題に関する記述として、最も妥当なのはどれか。

1 二酸化炭素（CO_2）などの温室効果ガスは、地球温暖化をもたらすとともに、酸性雨などを降らせることで、生態系に深刻なダメージを与えている。

2 1992年の国連環境開発会議（地球サミット）では、議長を務めたレイチェル＝カーソンの尽力もあって、気候変動枠組条約（地球温暖化防止条約）が採択された。

3 1997年の気候変動枠組条約・第３回締約国会議（京都会議）では、京都議定書が採択され、途上国を含むすべての国に温室効果ガスの削減義務が課せられた。

4 2015年に採択されたパリ協定は、産業革命前からの平均気温の上昇を２℃より十分に下方に保持することなどを目的としている。

5 2019年11月には、アメリカがパリ協定からの離脱を正式に国連に通告をしたが、同協定からの離脱通告は中国に次いでこれが２例目である。

解説　正解　4

1 × 二酸化炭素などの「温室効果ガス」が酸性雨の原因となるわけではない。酸性雨は、降水に溶け込み硫酸や硝酸となる二酸化硫黄や窒素酸化物がその原因とされている。また、通常の雨よりも酸性が強いことから、生態系への悪影響が生じるとともに建造物や文化財への被害ももたらされる。

2 × レイチェル＝カーソン（1907〜64）は、国連環境開発会議（地球サミット）の議長ではない。彼女は『沈黙の春』などの著作で知られるアメリカの生物学者であり、1960年代に殺虫剤などの化学物質の使用が環境に与える影響に注目し警鐘を鳴らした。国連環境開発会議が開かれた1992年には既に故人である。

3 × 京都議定書で削減義務が課されたのは先進国のみである。そのため、たとえば温室効果ガス排出量が世界有数の中国やインドは、人口が多く国民一人当たりのGDPは低いことから途上国と見なされて削減義務がなく、当時最大の排出国であったアメリカも不参加に終わるなど課題が残る形となった。

4 ○ パリ協定は、2015年の気候変動枠組条約締結国会議（COP21）で採択された。京都議定書とは異なり、途上国も含めすべての国に温室効果ガスの目標提出と削減の義務が課される枠組みである。工業化以前に比べて気温上昇を２度未満とする目標を掲げるとともに、1.5度未満に抑える努力が求められている。

5 × 中国はパリ協定を一度も離脱していない。なお、アメリカは地球温暖化に懐疑的なトランプ政権の方針に基づき、宣言の通り2020年11月に正式に離脱したが、その後成立したバイデン政権によって2021年２月に協定に復帰している。

社会　環境問題　2022年度 ❷ 教養 No.28

日本のプラスチックごみ問題とその対策に関する次のア～ウの記述のうち、正しいもののみをすべて選んだものとして、最も妥当なのはどれか。

ア　2021年の参議院決算委員会において、小泉環境大臣（当時）は、2020年7月のレジ袋有料化以降、コンビニエンスストアでレジ袋の受け取りを辞退する人の割合が約75％に増加したことを明らかにした。

イ　2021年6月に成立したプラスチック資源循環促進法により、プラスチックごみを削減するため、小売店などで無料提供される使い捨てスプーンやストローなど12種類が削減の対象となったが、ホテルが提供するヘアブラシや歯ブラシは対象外となった。

ウ　2021年6月に成立したプラスチック資源循環促進法により、プラスチック製品の使用量が年間5トン以上の事業者については、対策を義務化するが、命令に違反しても罰金などが科されることはない。

1　ア

2　イ

3　ウ

4　ア、イ

5　イ、ウ

解説　正解　1

ア　○　環境省の業界団体へのヒアリングによれば、コンビニではレジ袋有料化前と比べ辞退率が23％から75％に上がったとされている。

イ　×　プラスチック資源循環促進法の「特定プラスチック使用製品」には、ホテルが提供するヘアブラシや歯ブラシなどのアメニティも削減の対象とされている。

ウ　×　年間5トン以上の「特定プラスチック製品多量提供事業者」の取組が著しく不十分とされた場合には勧告・公表・命令等が行われることがあり、更に命令に違反した場合は50万円以下の罰金が科される。

以上より、アのみが正しい記述となり、**1**が正解となる。

社会	環境問題	2020年度 ❶ 教養 No.28

近年の海洋プラスチックごみ問題に関する記述として、最も妥当なのはどれか。

1　海洋プラスチックごみが、波や紫外線等の影響で５mm以下の小さな粒子となったものを、マイクロプラスチックという。

2　マイクロプラスチックは、世界中で観測されているが、まだ日本周辺の海では観測されていない。

3　陸上から流出した海洋プラスチックごみの発生量ランキング（2010年推計）で、上位１位～４位はヨーロッパの国々が占めていた。

4　世界経済フォーラム報告書（2016年）によると、「すでに海洋プラスチックごみの量が海にいる魚の量を上回っている」とされている。

5　放出された海洋プラスチックごみは、自然界の中で時間とともに分解されるとされている。

解説　正解　1　　TAC生の正答率　60%

1　○　マイクロプラスチックとは、微細なプラスチックごみ（５mm以下）のことであり、含有／吸着する化学物質が食物連鎖に取り込まれて、生態系に及ぼす影響が懸念されている。

2　×　環境省「平成30年度海洋ごみ調査」では、本州・四国・九州周辺の沖合海域及び南方海域において、合計109地点でマイクロプラスチックを採集しており、特に北陸から東北沖の日本海北部に多く、山陰西部沖、九州・四国の太平洋岸、津軽海峡から三陸沖にも高濃度の海域が見られた。

3　×　陸上から流出した海洋プラスチックごみの発生量ランキング（2010年推計）は、中国が最も多く、次いでインドネシア、フィリピン、ベトナムとなっており、１～４位は東・東南アジアの国々が占めていた。

4　×　世界経済フォーラム報告書（2016）では、2050年までに海洋中に存在するプラスチックの量が魚の量を超過すると予測されている（重量ベース）。

5　×　通常のプラスチックは自然界ではほとんど分解しないため、適正な処理が行われなければ環境中に残ってしまうとされている。そのため、微生物の働きで水と二酸化炭素に分解する特性がある生分解性プラスチックの研究・開発が進められている。

社会　生命に関する制度・事象　2023年度❷ 教養 No.34

生命に関する記述として、最も妥当なものはどれか。

1　2022年６月、アメリカの連邦最高裁判所は人工妊娠中絶を憲法上の権利として認める初めての判決を下し、その後の中間選挙でも争点の一つとなった。

2　日本は死刑廃止条約を批准しているが、国内の法改正が進んでおらず、経済協力開発機構（OECD）加盟国の中で唯一、現在も死刑制度を維持している。

3　人工授精や体外受精・顕微授精は疾病の治療には該当しないため、日本では医療保険の適用対象外とされている。

4　iPS細胞とは受精卵を壊して作成する万能細胞のことであり、2023年中には初の臨床実験の実施が計画されている。

5　はやぶさ２が小惑星リュウグウから持ち帰った試料の解析が進み、生命に欠かせない物質である水とアミノ酸が発見された。

解説　正解　5

1　×　2022年６月、アメリカ連邦最高裁判所は「憲法は中絶する権利を与えていない」として、判例となっていた中絶の権利を認める49年前の判断を覆した。

2　×　いわゆる死刑廃止条約は1989年に国連で採択されているが、日本はこれに参加していないことから、批准もしていない。また、OECD諸国では日本以外にアメリカも死刑制度を維持している。

3　×　人工授精等の「一般不妊治療」と体外受精・顕微授精等の「生殖補助医療」について、2022年４月から医療保険の適用対象となっている。

4　×　iPS細胞は子になる可能性を持った受精卵を壊す必要があるES細胞とは異なり、皮膚や血液といった体細胞から作ることが可能であり、倫理的な問題を回避できる点に特徴がある。

5　○　はやぶさ２は2019年に小惑星リュウグウからサンプルを採取し、その後地球に向けて分離したサンプルの入ったカプセルからは水やアミノ酸の存在が確認された。

社会　動物保護　2020年度❷ 教養 No.29

我が国の動物保護の動きに関する記述として、最も妥当なのはどれか。

1 鯨類の保護を図るため、我が国は商業捕鯨を10年間にわたって凍結している。

2 外来生物の駆除などを目的に、一部の都市公園では「かいぼり」を行っている。

3 太平洋クロマグロは親魚の資源量が回復したため、漁獲規制が撤廃されている。

4 カルタヘナ議定書は、絶滅の恐れのある野生動植物の種の国際取引を禁止している。

5 ペットの犬や猫へのマイクロチップ装着の義務づけが、改正動物愛護法で廃止された。

解説　正解 2

1 × 日本は、2019年の国際捕鯨委員会（IWC）脱退とともに商業捕鯨を再開している。また、それ以前はIWCの方針に従い1980年代より30年以上の期間、商業捕鯨は行われておらず、この間は調査捕鯨という形で捕鯨を行っていた。

2 ○「かいぼり」とは、元々は農作業の終わる冬の時期にため池から水を抜き清掃や点検を行うことを指し、近年は水質改善や外来種駆除の目的で公園の池でも行われる。たとえば東京都では、都立公園の池の水質改善や生態系の回復を目指して「かいぼり」が実施されている。

3 × 漁獲規制は撤廃されていない。2020年10月に行われた、国際的な漁業管理の枠組みである「中西部太平洋まぐろ類委員会」の下部委員会において、日本は親魚の資源量が回復傾向にあることを理由として太平洋クロマグロの漁獲枠の拡大を主張したが、見送られている。

4 × 絶滅の恐れのある野生動植物の種の国際取引を禁止しているのは、「ワシントン条約」である。カルタヘナ議定書は2000年に生物多様性条約の特別締約国会議再開会合で採択されたもので、遺伝子組み換え生物等の国際的な移動に関する具体的なルールを定めている。

5 ×「廃止」ではなく、義務づけられた。2019年に成立した改正動物愛護法では、ペット販売業者などに対して、扱っている犬や猫へのマイクロチップの装着が義務とされた。また、当該ペットの所有者である飼い主にも、飼っている犬や猫に装着する努力義務が生じる。

社会　特定外来生物

2018年度 ❷
教養 No.28

ヒアリに関する記述として、最も妥当なのはどれか。

1　国内で初めて確認されたヒアリは、インドネシアから出発した飛行機の内部で発見された。

2　ヒアリは、中国原産で体長2.5～6ミリ程度、体色は黒色の有毒のアリである。

3　平成29年に、環境省はヒアリがすでに日本に定着していると発表した。

4　ヒアリに刺されたとしてもアルカロイド系の毒ではないため、痛みやかゆみ、激しい動悸などの症状が引き起こされることはない。

5　ヒアリに刺された場合、アレルギー性のショックで昏睡状態に陥ることもあり、死に至るケースもあり得る。

解説　正解　5

1　×　国内で初めて確認されたヒアリは、中国・広東省広州市の南沙港から出航した貨物船内のコンテナの内部で発見された。

2　×　ヒアリは、南米原産で、体色は主に赤茶色のアリである。

3　×　環境省は2019年２月に発表した資料の中で「これまでのところ、コンテナヤードにおいてのみ、地中に集団で生息しているものが見つかっていますが、定着（継続的に生存可能な子孫をつくることに成功する過程のこと）は報告されておらず、海外の定着地域に見られるようなアリ塚は確認されていません。ヒアリへの対応は、日本に定着させないよう、早期に発見し根絶することが重要です。」としている。

4　×　ヒアリに刺されると、アルカロイド系の毒によって非常に激しい痛みを覚え、水疱状に腫れる。

5　○　ヒアリに刺されると、毒に対するアレルギー反応（アナフィラキシーショック）を引き起こす場合がある。

2021年に開催された東京オリンピック・パラリンピックに関する次の記述で、［A］～［D］に当てはまる語句の組合せとして、最も妥当なのはどれか。

東京オリンピックの日本選手団は、金メダル27個を含む計58個のメダルを獲得した。金メダル数・メダル総数ともに、過去［A］多い数となった。国別の金メダル獲得数では［B］が最多となり、日本は３番目の獲得数であった。

国際パラリンピック委員会によると、今回の東京パラリンピックに参加した選手の人数は、過去［C］多い4,403人であった。次回の夏季オリンピック・パラリンピックは［D］で開催される。

	A	B	C	D
1	最も	アメリカ合衆国	最も	パリ
2	２番目に	中国	最も	ロサンゼルス
3	２番目に	アメリカ合衆国	２番目に	ロサンゼルス
4	最も	中国	２番目に	パリ
5	２番目に	アメリカ合衆国	最も	パリ

解説　正解　1

A 「最も」が該当する。なお、夏季大会での金メダル数は2004年のアテネを、メダル総数は2016年のリオデジャネイロを上回り、最も多い数となった。

B 「アメリカ合衆国」が該当する。金メダル獲得数はアメリカが38個で１位、中国が37個で２位となり、日本が27個と続いた。

C 「最も」が該当する。前回2016年のリオデジャネイロ大会を上回り過去最多の参加人数となった。

D 「パリ」が該当する。パリでの夏季大会は1924年以来で100年振り２度目の開催となる。なお、ロサンゼルスは次々回（2028年）大会の開催地である。

以上の組み合わせより、**1**が正解となる。

社会　世界史　日本史　地理　国語　数学　物理　化学　生物

社会　アジア情勢　2021年度 教養 No.30

近年のアジア情勢に関する次のA～Cの記述のうち、正しいもののみをすべて選んだ組合せとして、最も妥当なのはどれか。

A　2019年８月、韓国は日本と締結していた軍事情報包括保護協定（GSOMIA）の破棄を決定し、同年11月に予定通り破棄された。
B　2020年１月、台湾で総統選挙が実施され、民進党現職の蔡英文氏が国民党の韓国瑜氏らを破り、再選を果たした。
C　2020年６月、中国で香港国家安全維持法が成立し、香港の治安維持を中国政府が直接行うことが可能となった。

	A	B	C
1	正	正	誤
2	正	誤	誤
3	誤	正	誤
4	誤	正	正
5	誤	誤	正

解説　正解　4　TAC生の正答率 56%

A　**×**　確かに韓国は2019年８月に軍事情報包括保護協定（GSOMIA）を延長せず破棄する旨を日本に通告しているが、その後は実際に破棄されるまでには至っていない。

B　**○**　台湾の現職の総統である民進党の蔡英文が勝利し再任されている。台湾総統は、1996年以降は直接選挙で選ばれ、任期は４年・連続２期までと定められている。

C　**○**　香港は19世紀半ば以降イギリスの植民地となっていたが、1997年に中国に返還された。こうした経緯から、中国本土とは諸制度が異なっており、返還時に中国は外交や国防分野を除く大幅な自治権を香港に認め、2047年までの50年間は資本主義制度や生活様式を変えない事を約束している。しかし、返還後の香港に対する中国本土からの締め付けは強く、香港市民の大規模な反発も生じている。

以上の組合せにより、**4**が正解となる。

社会　G7サミット

2022年度 ❶
教養 No.29

主要7か国首脳会議（G7サミット）に関する次の記述で、[A]～[D]に当てはまる語句の組合せとして、最も妥当なのはどれか。

2021年、新型コロナウイルス感染症の世界的拡大以後、初めて対面で主要7か国首脳会議（G7サミット）がイギリスの[A]で開催された。同国[B]首相を議長とし、新型コロナウイルス感染症対策、気候変動・自然、開かれた社会などについて議論が行われた。一部には、オーストラリア、南アフリカ共和国、[C]が招待国として対面で参加した。また、首脳宣言の中で「[D]」を初めて明記し、中国の覇権主義的な行動をけん制した。

	A	B	C	D
1	コーンウォール	ジョンソン	韓国	台湾
2	ビアリッツ	ジョンソン	インド	香港
3	ビアリッツ	メルケル	韓国	香港
4	コーンウォール	ジョンソン	インド	台湾
5	ビアリッツ	メルケル	インド	香港

解説　正解　1

TAC生の正答率　36%

A 「コーンウォール」が該当する。コーンウォール州はイギリスの南西端に位置する。なお、ビアリッツは2019年にG7サミットが開催されたフランスの地名である。

B 「ジョンソン」が該当する。ボリス・ジョンソン首相は2019年より英国首相を務めている。なお、アンゲラ・メルケル氏はG7サミットに出席した（当時の）ドイツの首相である。

C 「韓国」が該当する。なお、インドも今回のG7サミットの招待国であったが、同国の代表団に新型コロナウイルスの陽性者が出たことからオンライン参加となった。したがって、対面での参加国としては当てはまらない。

D 「台湾」が該当する。首脳宣言では「我々は、台湾海峡の平和及び安定の重要性を強調し、両岸問題の平和的な解決を促す」としている。

以上の組合せにより、**1**が正解となる。

社会　国際社会事情

2022年度 ❶
教養 No.30

2021年に発生した政変に関する記述と国名の組合せとして、最も妥当なのはどれか。

A　2021年２月に軍事クーデターが発生し、政権を率いていたアウン・サン・スー・チー国家顧問兼外務大臣などが拘束された。

B　2021年７月、首都ポルトープランスでジョブネル・モイーズ大統領が暗殺されると、国全土に戒厳令が発令された。

C　2021年８月、駐留していた米軍が撤収を進める中でイスラム原理主義勢力タリバンが支配を拡大し、首都カブールを制圧した。

	A	B	C
1	ミャンマー	キューバ	アフガニスタン
2	タイ	キューバ	パキスタン
3	ミャンマー	ハイチ	アフガニスタン
4	ミャンマー	キューバ	パキスタン
5	タイ	ハイチ	アフガニスタン

解説　正解　3

TAC生の正答率 48%

A 「ミャンマー」が該当する。アウン・サン・スー・チー氏は同国の民主化運動の指導者として知られ、1980年代より軍事政権下で何度も自宅軟禁されてきた人物である。

B 「ハイチ」が該当する。カリブ海の島国であるハイチでは、2021年７月に外国人傭兵団により大統領が暗殺された後、翌８月には大規模な地震が発生し、混乱が続いた。

C 「アフガニスタン」が該当する。タリバンは2001年９月のアメリカ同時多発テロ事件を機に米軍主導の連合軍の侵攻を受け政権を失ったが、その後も活動を続けており、今回20年ぶりに政権を奪還する形となった。

以上の組合せにより、**3**が正解となる。

世界史　百年戦争

2021年度
教養 No.31

百年戦争に関する記述として、最も妥当なのはどれか。

1　イギリスは毛織物生産の中心地であるフランドルを支配下におこうとしたが、この地に羊毛を輸出して利益をあげていたフランスは、イギリスが勢力を伸ばすのを阻止しようとした。

2　フランスでヴァロワ朝の直系が絶えると、イギリス国王エドワード３世は母がヴァロワ家出身であることからフランスの王位継承権を主張し、これをきっかけに百年戦争が始まった。

3　百年戦争の結果、フランス国内の領土を失ったイギリスでは王位継承をめぐってランカスター家とヨーク家の間でバラ戦争とよばれる内乱が起こり、有力な諸侯が次々と没落した。

4　フランス国内は黒死病の流行やジャックリーの乱などで荒廃し、フィリップ４世が即位したときに勢力が急速に衰えた。

5　国を救えとの神託を受けたという国王の娘ジャンヌ＝ダルクは、フランス軍をひきいてオルレアンの囲みを破りイギリス軍を大敗させた。

解説　正解　3

TAC生の正答率　36%

1　×　フランスが羊毛をフランドルに輸出していたわけではない。羊毛産業中心地であったフランドル地方を英仏で争奪していたことが両者の対立を激化させた。

2　×　ヴァロワ朝は百年戦争の時代（1339～1453）から1589年まで続いた。エドワード３世の母は、カペー朝のフランス国王フィリップ４世の娘である。つまり、カペー朝が滅んでヴァロア朝が生まれたのである。エドワード３世は母の出自を理由にフランスの王位継承を主張し、フランスに侵入し、百年戦争が勃発したのである。

3　○

4　×　フランス国内でジャックリーの乱が起き、黒死病が蔓延したことは正しいが、フィリップ４世は1314年に亡くなっている。百年戦争ではフランスは敗戦を強いられていたが、ジャンヌ＝ダルクの活躍でオルレアンが解放され、シャルル７世が即位した。

5　×　ジャンヌ＝ダルクは国王の娘ではなく、農民の娘である。神のお告げを受け、シャルル７世の軍に入り、自ら先陣に立ち、オルレアンのイギリス軍を撃退した。

世界史　ジャンヌ＝ダルク

2020年度 ❷
教養 No.31

ジャンヌ・ダルクに関する次の記述で、［A］～［D］に当てはまる語句の組合せとして、最も妥当なのはどれか。

ジャンヌ・ダルクは、［A］と［B］の間で起きた［C］において、［D］により［B］軍の指揮官に任命され、兵士を率いてオルレアンを包囲していた［A］軍を撃破することに成功した。

	A	B	C	D
1	イギリス	フランス	百年戦争	シャルル７世
2	イギリス	フランス	七年戦争	マリア・テレジア
3	イギリス	イタリア	七年戦争	マリア・テレジア
4	フランス	イギリス	百年戦争	シャルル７世
5	フランス	イタリア	七年戦争	マリア・テレジア

解説　正解　1

ジャンヌ・ダルクは、フランスの貧しい農家の娘である。百年戦争が起きると、イギリスは破竹の勢いでフランス国土を蹂躙し、オルレアンの町も包囲された。ジャンヌは信仰心厚く、神のお告げとしてシャルル７世の軍に入り、兵士を率いてイギリス軍を撃退した。

よって、Aにはイギリスが入り、Bにはフランスが入る。イタリアは百年戦争には参戦していないので関係ない。Cには百年戦争が入る。七年戦争は、18世紀に起きたプロイセンとオーストリアの戦争である。Dにはシャルル７世が入る。マリア・テレジアは18世紀のオーストリア大公で、啓蒙専制君主として権威を振るった。

以上のことから正解は**1**となる。

フランス革命に関する事項として、妥当でないものはどれか。

1 旧制度（アンシャン＝レジーム）の廃棄

2 権利の請願

3 国民公会

4 メートル法の採用

5 テルミドール９日のクーデタ

解説 **正解 2**

1 ○ フランス革命前の封建社会は旧制度（アンシャン＝レジーム）と呼ばれ、その不平等な構造がフランス革命の勃発につながる。

2 × 「権利の請願」は、1628年、イギリス議会が国王チャールズ１世に対して、議会の同意なき不当な課税、不当な逮捕や投獄などの禁止を要求した文書である。これに対して、チャールズ１世は議会を解散し、その後11年間議会を開くことなく専制政治を続けた。このことが、国王と議会の対立を深め、のちのピューリタン革命（1642年）勃発につながっていく。

3 ○ 国民公会は1791年、フランス史上初の男性普通選挙に基づき設置された議会である。

4 ○ メートル法は国民公会で制定された。

5 ○ 独裁政治を行っていたジャコバン派ロベスピエールが、国民公会内で倒されたクーデタである。

世界史　西洋近代史

2018年度 ❶
教養 No.31

17～18世紀の近代ヨーロッパ世界の出来事に関する記述のうち、最も妥当なのはどれか。

1　17世紀のイギリスでは、国王の専制政治を批判した議会派と王党派のあいだで内戦が勃発した。議会派を勝利に導いたピューリタンのクロムウェルは、1649年に国王ヘンリ８世を処刑して共和政をうちたてた。

2　強大な権力をふるったフランスのルイ14世は、スペイン継承戦争で結ばれたユトレヒト条約によって、ブルボン家のスペイン王位継承を認めさせた。国内ではヴェルサイユ宮殿を建設し、国王の権威を高めた。

3　西欧諸国を視察したエカチェリーナ２世は、軍備の拡大をもってロシアの改革をすすめた。北方戦争ではポーランド・デンマークと連合してスウェーデンを破り、東欧における大国としての地位を固めた。

4　ルネサンス期に登場した合理的な知の尊重と社会の偏見を批判する立場は、17世紀の科学革命を経て、啓蒙思想となりヨーロッパを席巻した。アダム＝スミスの「百科全書」が発表されたフランスでは、とくにその影響が強かった。

5　ポーランドはスペイン継承戦争後に王国に昇格し、フリードリヒ＝ヴィルヘルム１世の時代に軍備増強と財政・行政を整備することで絶対王政の基礎を築いた。他の西欧諸国と異なり、市民層でなく国王主導の改革をもってヨーロッパの強国の地位についた。これを啓蒙専制主義という。

解説　正解　2

TAC生の正答率　48%

1　×　ピューリタン革命の際にクロムウェルにより処刑されたのは、ヘンリ８世ではなく、チャールズ１世である。

2　○　ルイ14世は重商主義政策をとり王権を強化した。また、自然国境説を唱え対外拡張策をとったが、治世後半には財政状況を悪化させた。

3　×　北方戦争でスウェーデンを破り、東欧における大国としての地位を固めたのは、ピョートル１世である。エカチェリーナ２世は、そのピョートルの事業を受け継ぎ、クリミア半島をオスマン帝国から奪うなど、さらに覇権を拡大させた。

4　×　フランス啓蒙思想家たちの思想を集大成した『百科全書』は、ディドロとダランベールによって編集された。アダム＝スミスは、自由主義的な古典派経済学を確立した人物で、『諸国民の富』（『国富論』）を著した。

5　×　スペイン継承戦争後に王国に昇格し、フリードリヒ＝ヴィルヘルム１世の時代に絶対王政の基礎を築いたのは、ポーランドではなくプロイセンである。プロイセンでは市民層の成長が十分ではなかったため、君主主導で改革を進める上からの近代化がとられた。これを啓蒙専制主義という。

世界史 19世紀ヨーロッパ

2022年度 ❷ 教養 No.31

19世紀のヨーロッパに関する記述として、最も妥当なのはどれか。

1 イギリスでは、1832年の第1回選挙法改正で選挙権を得られなかった労働者たちが、男性普通選挙などの6か条からなる人民憲章を掲げてチャーティスト運動を展開した。

2 フランスでは、1830年7月にパリで民衆が蜂起して七月革命がおこると、国王ルイ=フィリップは亡命し、自由主義者であるシャルル10世が王に迎えられ、七月王政が成立した。

3 1814年に行われたウィーン会議により、フランス革命以降、ヨーロッパ各地に広まった正統主義とナショナリズムは抑えられ、政治的現状維持を目指す保守主義が優位になった。

4 パクス=ロマーナとは、圧倒的な経済力と軍事力を背景に、イギリスが19世紀の世界で強大な影響力を持ち、そのもとで比較的平和が保たれた時代のことである。

5 1821年、ギリシアがロシアから独立するために戦争をおこすと、イギリス・フランス・オスマン帝国はギリシアを支援し、1830年には国際的にギリシアの独立が承認された。

解説　正解 1

1 ○

2 × 「国王ルイ=フィリップ」と「自由主義者であるシャルル10世」の記述が逆である。フランス革命（1789～99）の理念を否定した保守反動体制（ウィーン体制）に対してフランス七月革命（1830）が起こると、オルレアン家のルイ=フィリップが国王に即位（位1830～48）し、シャルル10世（位1824～30）はイギリスに亡命した。

3 × 「ウィーン会議により、…ナショナリズムは抑えられ」が誤りとなる。ウィーン会議（1814～15）では、フランス革命の理念である自由・平等・博愛を否定し、正統主義と勢力均衡原則に基づいて国際秩序が構築された。

4 × 「パクス=ロマーナとは」が誤りとなる。文中の時代を表した言葉は「パクス=ブリタニカ」（「イギリスの平和」の意）という。なお、パクス=ロマーナとは紀元前1世紀のアウグストゥスから五賢帝時代（96～180）までの約200年におよぶローマ帝国（紀元前27～395）最盛期をいう。

5 × 「ギリシアがロシアから独立するために…」が誤りとなる。1821年から始まるギリシア独立戦争（1821～29）は、ロシアではなくオスマン帝国（1299～1922）から独立を果たした国際紛争である。地中海への進出を伺うロシア、地中海への影響力拡大を目論むイギリス・フランスがギリシア側に立って参戦した。そのため、「イギリス・フランス・オスマン帝国はギリシアを支援」という箇所も誤りとなる。

社会
世界史
日本史
地理
国語
数学
物理
化学
生物

世界史　帝国主義

2018年度❷
教養 No.31

ヨーロッパの帝国主義に関する記述として、最も妥当なのはどれか。

1　19世紀末、欧米先進国はアジアやアフリカに進出し、武力を用いて屈服させ、その地を植民地とする帝国主義政策をとった。

2　圧倒的な経済力・海軍力を有したドイツは、1870年代にスエズ運河の支配権を確保すると、セシル＝ローズの指導をもとに南アフリカ連邦を建設し、アフリカの植民地勢力圏を拡大した。

3　銀行の資本力により帝国主義政策を進めたフランスは、アジア・バルカン半島方面に植民地を拡げたが、国内では植民地差別やユダヤ人排斥のドレフュス事件などの問題が生じていた。

4　保護関税政策による重工業化に成功したイタリアでは、ヴィルヘルム２世による海軍の拡張から帝国主義政策を行った。パン＝ゲルマン主義という愛国主義の運動が、国家統一を促した。

5　バグダード鉄道建設を推進して中東にも勢力を拡げたイギリスは、3B政策を実行してフランスやドイツといった列強に対抗した。

解説　正解　1

1　○　帝国主義とは、1870～80年代以降、列強がアジア・アフリカを中心に、植民地や勢力圏を拡大した動きである。

2　×　問題文は、ドイツではなく、イギリスについての記述である。イギリスでは、保守党のディズレーリ首相がスエズ運河の株を買収して運河の経営権を握り、さらにジョセフ＝チェンバレンが、セシル＝ローズを支援して南アフリカ戦争を起こした。

3　×　フランスが支配したのは、インドシナやアフリカである。アジア・バルカン半島方面に植民地を拡げたのはロシアである。フランスが、銀行の資本力を背景に帝国主義政策を進めたこと、ドレフュス事件などの国内問題を抱えていた点は正しい。

4　×　問題文は、イタリアではなく、ドイツについての記述である。イタリアは、工業化が遅れていたため、帝国主義政策ではイギリス・フランス・ドイツなどの列強に後れを取った。

5　×　3B政策は、バグダード鉄道建設を推進し、ベルリン・ビザンティウム（イスタンブル）・バグダードを結ぼうとしたもので、イギリスではなく、ドイツの政策である。イギリスがとったのは3C政策であり、これは、ケープタウン・カイロ・カルカッタを結びつける政策である。

世界恐慌

2019年度 ❶
教養 No.31

20世紀前半に起こった世界恐慌に関する記述として、最も妥当なのはどれか。

1　1941年のニューヨーク株式市場における株価の暴落を原因にして、アメリカで恐慌がはじまった。その影響がヨーロッパ諸国に波及して、世界恐慌となった。

2　アメリカ合衆国大統領のフランクリン＝ローズヴェルトは、恐慌の対策として農業調整法や全国産業復興法に代表される経済復興政策となるスターリング＝ブロックを結成した。

3　アメリカに次いで恐慌の影響を受けたドイツでは、経済が破滅的状況となった。社会不安の広がりの中で、大衆宣伝を用いた社会民主党が勢力をのばしていった。

4　資本主義国家のソ連では、社会主義国家よりも世界恐慌の影響は少なかった。五ヵ年計画と呼ばれる計画経済政策は、社会主義国家から注目されるものとなった。

5　恐慌の影響で財政の悪化と失業者が激増したイギリスは、挙国一致内閣を組織し、財政削減・金本位制の停止を実施した。

解説　正解　5

TAC生の正答率　19%

1　×　世界恐慌が始まったのは1929年である。第二次世界大戦が1939年に勃発しているので、1941年は第二次世界大戦中となる。正確に年号を暗記していなくても、世界恐慌が第二次世界大戦よりも前の出来事であることがわかっていれば、誤りであることには気づける。

2　×　問題文中で説明されているフランクリン＝ローズヴェルトによる政策は、ニューディール政策である。スターリング＝ブロックは、保護関税によりイギリス連邦を自衛するブロック経済政策のことである。

3　×　恐慌の影響を受けたドイツでは、1932年にヒトラー率いるナチスが社会民主党を抜き、第一党となった。

4　×　ソ連は社会主義国家である。問題文は、資本主義国家と社会主義国家が逆になっている。

5　○　イギリスでは、マクドナルドが挙国一致内閣を組織し、**2**にあるブロック経済政策を推進した。

世界史 中国史

2023年度 ❶ 教養 No.35

中国の元朝に関するア～オの記述のうち、正しいもののみを選んだ組合せとして、最も妥当なものはどれか。

ア　モンゴル帝国第５代皇帝のフビライ（クビライ）が、都をカラコルムから大都（現在の北京）に移し、国号を元と定めた。南宋を滅ぼして中国全土を支配し、高麗・日本・東南アジアにも遠征軍を派遣した。

イ　元は懐柔策と威圧策とを併用して漢人支配を行った。官吏登用のための科挙を実施し儒教を尊重する姿勢をとる一方、漢人に辮髪を強制し、また、文字の獄で思想を弾圧した。

ウ　チンギス＝ハンが導入したジャムチ（駅伝制）をさらに整備し、また、大運河・海上交通路の整備を行った。これら陸上・海上のネットワークを生かしてウイグル商人とムスリム商人が遠距離商業に活躍し、交鈔とよばれる紙幣も発行され広く流通した。

エ　東西交通路の整備により人や文化の交流が活発化した。ヴェネツィアの商人マゼランは13世紀後半に元を訪れフビライ（クビライ）に仕えた。帰国後獄中で口述した『世界の記述（東方見聞録)』は西洋人の東洋への関心を誘い、大航海時代到来の要因の一つとなった。

オ　14世紀半ばに起こった安史の乱以降、節度使が各地で独立化して割拠し、さらに塩の密売商人の挙兵から始まった黄巣の乱がおきると元の勢力は急速に衰え、モンゴル高原に後退した。

1　ア、ウ

2　ア、エ

3　イ、ウ

4　イ、オ

5　エ、オ

解説　正解　1　　TAC生の正答率 27%

ア　○

イ　×　説明に該当するのは清王朝（1616～1912）である。元王朝（1271～1368）では、中央政府や地方機関の要職はモンゴル人が多くを占め、多数派の漢民族（漢人・南人）が官僚として採用されていた官吏登用試験である科挙を一時停止（1313年に復活）した。

ウ　○

エ　×　説明に該当するのは「ヴェネツィア商人のマゼラン」ではなくマルコ=ポーロである。それ以外の記述は正しい。

オ　×　安史の乱、黄巣の乱は唐王朝で起きた出来事である。モンゴル人がモンゴル高原に後退したのは紅巾の乱後である。

以上よりア・ウが正しい組合せとなるので**1**が最も妥当である。

世界史 ロシア史

2019年度 ❷ 教養 No.31

ロシア帝国（ロマノフ朝）に関する記述として、最も妥当なのはどれか。

1 イヴァン4世時代の領土拡大を経て、17世紀にカール12世を祖にロマノフ朝が独立した。専制支配と農奴制の強化により、西欧とは異なる世界をロシアは形成した。

2 徹底的な西欧化政策を進めたピョートル大帝のもとで、ロシアは軍備拡大を行った。また、清朝ともネルチンスク条約を結び、通商を開いた。

3 近世以降に農民の地位の悪化が問題となって、ナロードニキ運動が起こった。しかし、エカチェリーナ2世は、その後に貴族を優遇し、さらに農奴制を強化した。

4 専制政治と農奴制を維持してきたロシアであるが、北方戦争に敗北すると改革を余儀なくされた。その一端として、アレクサンドル2世は農奴解放令を出した。

5 19世紀末の工業発展に対して、工場労働者のストライキといった政治・社会改革を求める動きが活発化し、パン＝ゲルマン主義運動が全国的に広がった。

解説　正解 2

1 × カール12世はスウェーデンの国王である。ロマノフ朝は、ミハエル＝ロマノフによって開かれた。

2 ○ ピョートル大帝（1世）は、ロシアの啓蒙専制君主で税制改革や軍備の強化を行い、清朝とはネルチンスク条約を結んで国境を定めた。

3 × ナロードニキ運動は、農村共同体をロシア再生の出発点として考えた思想家たちの活動である。1870年代に農村で活動したが、官憲によって厳しく弾圧された。エカチェリーナ2世は、18世紀の啓蒙専制君主として改革を進めたものの、フランス革命などの影響を受け、農奴制を強化した。

4 × 北方戦争はロシアとスウェーデンの戦争で、ロシアが勝利した。アレクサンドル2世が農奴解放令を発布したのは北方戦争ではなく、19世紀のクリミア戦争に敗れたためである。

5 × パン＝ゲルマン主義運動は、労働運動や社会運動ではなく、ドイツ系諸民族の統一を目指そうとするナショナリズム運動である。ロシアでは、スラブ系諸民族の統一を目指すパン＝スラブ主義運動を支持し、バルカン半島内のスラブ系諸民族の台頭を支援した。

日本史	中世史	2020年度 ❶ 教養 No.32

鎌倉時代及び室町時代に関する記述として、最も妥当なのはどれか。

1 源頼朝のあとを継いだ長子の源義経には、御家人を統率する力がなかったため、北条政子の父親の北条泰時は、義経の専制を抑える目的で、有力御家人による合議制にした。

2 13世紀、元のフビライ＝ハンは高麗を通じて日本にも服属を求め、1268（文永５）年に最初の使節が来日した。

3 1333（元弘３）年、鎌倉幕府が滅びると、後鳥羽上皇は吉野に帰り、天皇親政の方針に基づき建武の新政（建武の中興）と呼ばれる政治を始めた。

4 足利尊氏は持明院統の鳥羽天皇を立て、後白河天皇を幽閉したが、後白河天皇は吉野に逃れ、南北朝の対立が続いた。

5 室町時代の文化は、足利義政時代の北山文化、足利義満時代の南山文化が有名である。

解説　**正解　2**　TAC生の正答率　23%

1　×　源頼朝と義経は親子でなく、兄弟である。北条政子の父親は北条時政である。北条時政が初代の執権として手腕を振るった。北条泰時は３代執権で、泰時の時代には義経はすでに他界している。有力御家人による合議制（十三人の合議制）を始めたのは北条時政である。

2　○　高麗は元の属国となっていた。日本に服属を求めるため、使者を何度も送ったが、時の執権北条時宗はこれを拒否したため、以降、二度に渡り元軍は日本に遠征した。しかし、二度とも日本が撃退した。

3　×　後鳥羽上皇ではなく、後醍醐天皇が京都で建武の新政を行った。しかし、武士の不満が高まり、短期間で崩壊した。

4　×　鳥羽天皇ではなく、光明天皇を擁立し、北朝を立てた。後白河天皇は平安時代の人物で関係ない。足利尊氏が対立したのは、後醍醐天皇である。湊川の合戦で天皇軍が敗北すると、後醍醐天皇は吉野に逃れ、南朝を立てた。こうして約60年にわたる南北朝時代が始まったのである。

5　×　３代将軍足利義満の時代が北山文化、８代将軍足利義政の時代が東山文化である。

日本史　江戸時代

2020年度 ❷ 教養 No.32

江戸時代に関する記述として、最も妥当なのはどれか。

1　大老となった井伊直弼は、アメリカの代表ハリス総領事とのあいだで日米和親条約を結んだ。

2　江戸幕府は、オランダ・清・イギリス・フランスと条約を結んだ。これを安政の四カ国条約という。

3　15代将軍となった徳川吉宗は、土佐藩の進言を受け入れて朝廷に政権の返上を申し出た。これを大政奉還という。

4　東海・畿内一帯の民衆のあいだでは、熱狂的な「ええじゃないか」の集団乱舞が発生し、世直しを期待した民衆運動は江戸時代の支配秩序を一時混乱におとしいれた。

5　桜田門外の変ののち、幕政の中心となった老中井伊直弼は、朝廷と幕府の融和をはかる公武合体の政策をとった。

解説　正解　4

1　×　日米和親条約ではなく、日米修好通商条約を締結した。

2　×　清ではなく、ロシアである。幕府は、アメリカに続き、オランダ・ロシア・イギリス・フランスとそれぞれ不平等な通商条約を締結した。アメリカを含め、これを安政の五か国条約という。安政の四カ国条約とはいわない。

3　×　徳川吉宗ではなく、徳川慶喜である。徳川吉宗は、８代将軍である。

4　○　幕末の世情不安、物価の高騰など、庶民の社会に対する不満から世直しを期待した「ええじゃないか」という集団乱舞が1867年の秋から冬にかけて起こった。これが討幕運動を加速させたともいわれる。

5　×　井伊直弼は桜田門外の変で暗殺されている。桜田門外の変後、老中になった安藤信正が公武合体政策を推進したが、尊王攘夷派に襲撃された坂下門外の変によって失脚した。

日本史　江戸時代の改革

2022年度❷ 教養 No.32

享保の改革に関する記述として、最も妥当なのはどれか。

1　８代将軍徳川家斉は、徳川綱吉の代から続く側用人政治をやめ、幕府本来の政治である老中政治に戻すなど、諸政策を行って幕政の改革に取り組んだ。

2　公事方御定書を制定して民意を反映させるとともに、目安箱を設けて裁判や刑罰の基準を定めることで、判例にもとづく合理的な司法判断を行えるようにした。

3　訴訟事務を軽減させるため、1719年に定免法を出し、金銀貸借についての訴訟となる金公事を幕府に訴えさせずに当事者同士で解決させた。

4　幕府は、収入増加のため米の増産を奨励し、飯沼新田・紫雲寺潟新田・武蔵野新田・見沼代用水新田などの新田開発を推進した。

5　町奉行に任命された新井白石は、広小路・火除地などの防火施設を設けたほか、町方独自の町火消を組織して防火・消火制度の改善をはかった。

解説　正解　4

1　×　「８代将軍徳川家斉」が誤り。江戸幕府（1603～1868）８代将軍は徳川吉宗（任1716～45）であり、徳川家斉（任1787～1837）は11代将軍である。なお、それ以外の記述は正しい。

2　×　公事方御定書と目安箱の説明が逆となっているので誤りとなる。

3　×　「1719年に定免法」の制定年とその説明内容が誤りとなる。定免法（1721）とは年貢高の基準を定めたものであり、文中の説明は相対済し令（1719）である。

4　○

5　×　新井白石は６代将軍徳川家宣（任1709～12）・７代将軍家継（任1713～16）に侍講として仕えた人物である。町火消は町奉行大岡忠相が作った組織である。

日本史　明治時代の政治史

2023年度 ❶
教養 No.36

明治時代の出来事について、A～Eが起きた順に並べ替えたものとして、最も妥当なものはどれか。

A　明治十四年の政変
B　民撰議院設立建白書の提出
C　神風連の乱
D　大日本帝国憲法の発布
E　加波山事件

1　A→B→C→E→D

2　B→C→A→E→D

3　B→C→D→A→E

4　E→A→B→C→D

5　E→C→B→D→A

解説　正解　2

TAC生の正答率　33%

以下出来事の年代を記載すると以下のようになる。

A　明治十四年の政変（1881）
B　民撰議院設立の建白書の提出（1874）
C　神風連（敬神党）の乱（1876）
D　大日本帝国憲法の発布（1889）
E　加波山事件（1884）

以上より出来事が起きた順に並べるとB→C→A→E→Dとなり**2**が最も妥当となる。本問のC及びEは過去に出題がほとんどない出来事であるが、反対にA・B・Dは頻出事項である。そのため、B→A→Dの順さえわかれば正解を導くことが可能である。

日本史　明治期の社会運動

2019年度 ❶
教養 No.32

明治時代の社会運動に関する記述として、最も妥当なのはどれか。

1　労働運動の展開の中で社会主義者の活動が高まった。軍備拡大や普通選挙実施などを求めて友愛会が結成されるが、すぐに解散が命じられた。

2　日露戦争後の産業革命期には、アメリカの労働運動の影響を受けた高野房太郎・片山潜たちが労働組合期成会を結成して、労働運動の指導に乗り出した。

3　栃木県の足尾銅山の鉱毒が原因となって、付近の農漁業に深刻な被害を与えた鉱毒事件が発生した。それを受けて衆議院議員田中正造は、議会で銅山の操業停止をせまった。

4　政府は治安維持法を制定して、労働者の団結権・ストライキ権を制限し、労働運動を取り締まった。

5　身分的な差別と貧困に苦しむ被差別部落の人びとの団結が高まり、新婦人協会の結成と併せて、差別からの解放をめざす部落解放運動が全国的に展開された。

解説　正解　3

TAC生の正答率　53%

1　×　労働組合である友愛会が結成されたのは大正時代である。友愛会は改称を重ね、8時間労働制や幼年労働の禁止、普通選挙の実施などを訴え、さらに、階級闘争主義へ移行したが、軍備の拡大を求めたりはしていない。

2　×　高野房太郎や片山潜らが労働組合期成会を結成するなど、労働運動が高揚したのは、日露戦争ではなく日清戦争の後である。

3　○　足尾銅山は江戸時代には幕府が経営していたが、明治になって民間に払い下げられた。

4　×　問題文中で説明されているのは、第二次山県有朋内閣によって制定された治安警察法である。治安維持法は、大正時代の末に加藤高明内閣によって制定されたもので、社会主義運動・無政府主義運動を取り締まるものである。

5　×　部落解放運動の中心となったのは全国水平社であり、結成されたのも明治時代ではなく大正時代に入ってからである。

日本史　二・二六事件

2019年度❷
教養 No.32

二・二六事件に関する記述として、最も妥当なのはどれか。

1　田中義一内閣時代に、思想・言論・政治活動の取り締まりが徹底された。その中で、共産党員の一斉検挙を行った。

2　政党政治の姿勢に不満を抱く動きが一部の軍部の中で活発となり、クーデターが頻発した。1932年には、海軍青年将校の一団が犬養毅首相を射殺した。

3　国内政治は政党に取って代わって、海軍を中心とする軍部の勢力が政治的発言力を高めた。しかし、海軍の内部では皇道派と統制派の対立があった。

4　皇道派の一部青年将校たちが、首相官邸・警視庁などを襲い、国会を含む国政の心臓部を4日間にわたって占拠した。

5　事件後に皇道派が統制派を排除し、国内政治における軍部の政治的発言力はいっそう強まった。

解説　正解　4

1　×　二・二六事件の時の内閣は岡田啓介内閣である。田中義一内閣の時には張作霖爆殺事件などが起きている。思想や言論の取締りが徹底されたのは、大正時代の加藤高明内閣の時に制定された治安維持法が施行されてからである。

2　×　二・二六事件は、1936年に陸軍の青年将校を中心に行われた。1932年に犬養首相が殺されたのは五・一五事件である。

3　×　二・二六事件の背景は、陸軍内部の皇道派と統制派の対立である。二・二六事件は皇道派の青年将校が起こした。

4　○　皇道派の青年将校たちは兵士1,400名を率いて、高橋是清や斎藤実などの政府首脳を暗殺し、永田町一帯を占拠した。昭和天皇の強い意向もあり、彼らは投降した。

5　×　事件後は統制派が陸軍を牛耳った。岡田内閣の次の広田弘毅内閣では、軍部大臣現役武官制が復活するなど、軍部の政治介入が強化されるようになった。

GHQ（連合国軍最高司令官総司令部）占領管理下の日本に関するア～ウの記述の正誤の組合せとして、最も妥当なものはどれか。

ア　経済の民主化政策の一つとして農地改革が行われ、不在地主の農地所有は不可とされた。しかし在村地主がもつ小作地の制限は緩かったため、国が地主から買収する土地は少なく、自作農となった小作人は少数だった。在村地主たちは従来の経済力と権威を保ったままで寄生地主制はそのまま残され、その後の経済発展の足かせとなった。

イ　GHQに憲法改正を指示された幣原内閣は、憲法問題調査委員会を設けて憲法改正要綱をGHQに提出した。しかし、GHQは旧憲法の部分的修正に過ぎなかった改正要綱を拒否し、GHQ草案を示した。GHQ草案をもとに改めて作成した憲法改正草案は、帝国議会の審議を経て、1946年11月3日に日本国憲法として公布された。

ウ　冷戦の進展によりアメリカは対日占領政策を転換し、日本に経済的自立を求めるようになった。来日したGHQの経済顧問ドッジは、超均衡予算、1ドル＝360円の単一為替レートの設定など、ドッジ＝ラインといわれる施策を行い、その結果、インフレは収束し、経済再建の土台ができたが、一方で倒産企業や失業者の増加もみられた。

	ア	イ	ウ
1	正	誤	正
2	正	誤	誤
3	誤	正	正
4	誤	正	誤
5	誤	誤	正

解説　　正解　3

ア　×　第2文、第3文が誤り。第二次農地改革（1946年10月～1950年7月）では、不在地主の全貸付地、ならびに都府県平均1町歩・北海道4町歩を超える在村地主の貸付地を国が買収し、小作人に売り渡された。また、各市町村の農地委員会における小作農の構成員の増強も行われた。この結果、それまでの小作地の80％が解放され、地主制は解体され、地主の社会的地位は低下していくこととなった。

イ　○　ちなみに、1946年、日本国憲法として公布されたのは吉田内閣時である。

ウ　○　ちなみに、ドッジ・ラインによる物価安定政策を進めるために、シャウプが来日し、税制改革も行われた。

以上の組合せにより**3**が正解となる。

日本史 戦後史

2022年度 ❶
教養 No.32

太平洋戦争後の日本に関する記述として、最も妥当なのはどれか。

1 1945年12月、労働者の団結権・団体交渉権・争議権を保障する労働基準法が制定され、翌年には、労働委員会による調停などを定めた労働関係調整法が制定された。

2 敗戦後の日本の統治は、トルーマンを最高司令官とする連合国軍最高司令官総司令部が、日本政府に指令・勧告する間接統治の方法がとられた。

3 GHQは、軍国主義の経済的基盤となった三井・三菱・住友・安田などの財閥の解体を命じ、1947年に独占禁止法や過度経済力集中排除法を制定した。

4 朝鮮戦争の勃発により、在日アメリカ軍が国連軍の主力として朝鮮に出動した。在日アメリカ軍が朝鮮へ出動すると、治安維持のために自衛隊が創設された。

5 1946年４月に戦後初の総選挙が行われ、日本自由党が第一党となったが、吉田茂が公職追放で組閣できず、かわりに同党の鳩山一郎が５月に第１次鳩山内閣を組閣した。

解説　正解　3

TAC生の正答率　68%

1 × 労働者の団結権・団体交渉権・争議権を保証するのは、労働基準法ではなく、労働組合法である。

2 × 連合国最高司令官総司令部の最高司令官は、トルーマンではなく、マッカーサーである。

3 ○ GHQによる財閥解体の説明として正しい。

4 × 朝鮮戦争の勃発を受けて創設されたのは、自衛隊ではなく、警察予備隊（1950）である。それが後に保安隊（1952）、自衛隊（1954）へと改組されていった。

5 × 鳩山一郎と吉田茂が逆。鳩山一郎が公職追放で組閣できず、かわりに吉田茂が第１次内閣を組閣した。

地理	気候	2019年度 ❶ 教養 No.33

ケッペンの気候区分に関する記述として、最も妥当なのはどれか。

1　乾燥帯のサバナ気候区は雨季と乾季がはっきりしており、乾季の乾燥を利用した作物の栽培も見られる。

2　砂漠気候区は気温の日較差が大きく、年降水量が250mm未満であることから、まれに大雨が降った際のワジを除き、河川は見られない。

3　西岸海洋性気候は、同じ緯度帯の大陸東岸に比較すると夏は冷涼で冬は温暖であるが、南半球では分布が見られない。

4　冷帯湿潤気候は一年を通して降水または降雪があり、カナダやアラスカとユーラシア大陸北部などおもに北緯40度以北の広い地域に分布する。

5　寒帯のツンドラ気候は最暖月の平均気温が０℃未満であり、積雪でおおわれているために植生は見られない。

解説　**正解　4**　TAC生の正答率　25%

1　×　サバナ気候区は、乾燥帯ではなく熱帯である。

2　×　砂漠気候区でも、降水量が多い地帯から流れてくる外来河川が貫流している場合もあるため、河川が見られないわけではない。

3　×　ニュージーランドやオーストラリア南東部の一部などは西岸海洋性気候であり、南半球でも分布がみられる。

4　○　北海道も冷帯湿潤気候に含まれる。

5　×　問題文中で説明されている気候は、氷雪気候である。ツンドラ気候は短い夏に平均気温が０℃を上回り、苔類などの植生も見られる。

社会　世界史　日本史　地理　国語　数学　物理　化学　生物

地理　地形　2023年度 ❶ 教養 No.37

変動帯の地形と日本列島に関する記述について、最も妥当なものはどれか。

1　地球の表層はプレートと呼ばれる十数枚の硬い層に分かれ、それぞれのプレートは長い時間をかけて水平方向に動いている。プレートの境界にあたる地域は変動帯と呼ばれ、つねに不安定で、地震や火山が多い。

2　変動帯の地形は、各プレートの動く向きによって、浮き上がる境界、沈み込む境界、ずれる境界の三つに分けられる。

3　日本列島は、プレート運動によって南北方向からの圧縮力を受けているため、隆起地域が広く、国土の約３割が山地である。

4　日本付近は、北アメリカプレートとユーラシアプレートがぶつかり合う衝突帯となっており、地震や火山が多い。日本列島は二つのプレートの衝突により、地層が徐々に押し曲げられて形成された弧状列島である。

5　日本列島はフォッサマグナと呼ばれる大断層帯によって東北日本と西南日本に分けられる。さらに、西南日本は中央構造線（メディアンライン）と呼ばれる大断層によって、太平洋側のなだらかな山地が広がる内帯と、日本海側の険しい山地が連なる外帯に分けられる。

解説　正解　1　TAC生の正答率 28%

1　○

2　×　「浮き上がる境界」ではなく「広がる境界」である。ちなみに、広がる境界はマグマが上昇してプレートが生成される場所であり、海嶺や地溝が見られる。

3　×　わが国の国土地形区分別構成は「約３割が山地」ではなく、山地61.0％・丘陵地11.8％・台地11.0％・低地13.8％・その他2.4％となっている（総務省統計局『日本統計年鑑』参照）。

4　×　「日本列島は二つのプレートの衝突」ではなく、ユーラシアプレート・北米プレート（以上大陸プレート）、フィリピン海プレート・太平洋プレート（以上海洋プレート）の４枚のプレートの地殻運動によって生じた弧状列島である。

5　×　「西南日本は…外帯に分けられる」が誤りとなる。中央構造線（メディアンライン）を境に日本海側が内帯、太平洋側が外帯なのでこの部分で誤りとなる。また、太平洋側の方が日本海側に比べて標高が高く険しい山地が広がり、反対に日本海側はなだらかな山地や台地が広がっているので、この説明の部分でも誤りとなる。

地形

日本の地形に関する次のア～ウの記述のうち、正しいもののみを選んだものとして、最も妥当なのはどれか。

ア　河川が山地から平野・盆地に移るところに、土砂などが扇子状に堆積した地形を扇状地という。
イ　山や谷に水が流れ込んで形成された、複雑な海岸線をもつ海岸をカルデラといい山地と海岸が一体となっており、山からの栄養分が流れ込んでいる。
ウ　火山の噴火によって、山頂が無くなってできた平らな窪地を干潟といい、高度が高く年中冷涼のため牧畜に利用される。

1　ア

2　イ

3　ウ

4　ア、イ

5　ア、ウ

解説　正解　1

ア　○

イ　×　複雑な海岸地形はカルデラではなく、リアス海岸である。のこぎり状の海岸で漁港に向いている。カルデラは、火山地形の一つで、爆発により火口よりも大きくなった窪地である。阿蘇山のカルデラが有名である。

ウ　×　干潟とは海岸地形で、干潮時に現れる遠浅の海岸のことである。記述はカルデラの説明であり、阿蘇山のカルデラ内では集落や農耕地も見られる。

以上により正解は**1**となる。

地理　宗教

2023年度 ❷
教養 No.37

イスラーム教に関するア～オの記述のうち、正しいもののみをすべて選んだ組合せとして、最も妥当なものはどれか。

ア　イスラーム教は、預言者ムハンマド（マホメット）によってアラビア半島において成立した、世界の三大宗教の中ではもっとも新しい宗教である。アッラーを唯一神とし、聖地はメッカなどである。
イ　ムスリム（イスラーム教徒）は、唯一神アッラーを信じ、信仰告白・礼拝・断食・喜捨・巡礼の五行とよばれる義務を守ることが求められる。聖典のコーラン（クルアーン）は、人々の日常生活と社会全般の規範となっている。
ウ　バラモン・クシャトリア・ヴァイシャ・シュードラの４つの身分階層を基本とするカースト制度はイスラーム教の教えに基づくもので、ムスリム（イスラーム教徒）の生活全体を規定している。
エ　イスラーム教では動物、山、川、太陽など自然界のさまざまなものが崇拝の対象となる。たとえば、インドでは牛は神の化身であり、特別の存在である。
オ　イスラーム教は西アジア、中央アジア、東南アジア、北アフリカなどに広がり、サウジアラビア、イラク、イラン、イスラエル、インド、フィリピンなどはムスリム（イスラーム教徒）の人口に占める割合が９割を超える国々である。

1　ア、イ

2　ア、ウ、エ

3　イ、オ

4　ウ、エ、オ

5　オ

解説　正解　1

ア　○　預言者ムハンマドが誕生したメッカがイスラーム教最大の聖地となっている。

イ　○　ムスリムが信仰すべき対象は六信（アッラー・天使・啓示（コーラン）・預言者・来世・宿命）と呼ばれる。

ウ　×　「イスラーム教の教えに」が誤り。カースト制度は宗教的にはヒンドゥー教と結びついたものである。ちなみに、ムスリムの生活を規定しているのは、シャーリアと呼ばれるイスラーム法である。

エ　×　イスラーム教では唯一神のアッラーのみを信仰の対象とするため、まず、第1文が誤り。また、牛を神の化身とするのはヒンドゥー教であるため第2文も誤り。

オ　×　イスラエル、インド、フィリピンが誤り。イスラエルは約7割がユダヤ教徒、インドは約8割がヒンドゥー教徒、フィリピンは約9割がキリスト教徒である。

以上の組合せにより**1**が正解となる。

地理　民族問題

2022年度 ❶ 教養 No.33

世界の民族問題に関する記述として、最も妥当なのはどれか。

1　カナダのケベック州では、イタリア語を話す住民が多数を占め、分離独立を求める運動が起きた。

2　イギリスの北アイルランドでは、カトリック系住民とプロテスタント系住民の対立が起きた。

3　コソボでは、セルビア人とクロアチア人、ムスリム人の三者間の対立から内戦がおこり、数多くの犠牲者を出した。

4　ロシア連邦のカレリア共和国では、イスラーム教徒による独立運動が起き、政府軍との間に激しい抗争が起きた。

5　スペインのクルド地方は、民族や言語の相違などからスペイン政府との対立が起きた。

解説　正解　2

TAC生の正答率　40%

1　×　カナダのケベック州で多数を占めるのは、イタリア語ではなく、フランス語を話す住民である。

2　○　イギリスの北アイルランドの説明として正しい。

3　×　コソボで対立しているのは、セルビア人・クロアチア人・ムスリム人の三者ではなく、セルビア人とアルバニア人の二者である。

4　×　イスラーム教徒により独立運動が起き、ロシア政府軍との間に激しい抗争が起きたのは、カレリア共和国ではなく、チェチェン共和国である。

5　×　民族や言語の対立などからスペイン政府との対立が起きたのは、クルド地方ではなく、バスク地方である。

次の記述は、東南アジアのある国についての記述であるが、「この国」を指すものとして、最も妥当なのはどれか。

「この国」は、かつて、植民地支配を受けていたが、第２次世界大戦後に独立を果たした。2016年時点での人口を比較すると、我が国より少ない。首都はハノイで通貨はドンである。近年は、世界有数のコーヒー豆の生産国であり、2016年のコーヒー豆（生豆）の生産量は、ブラジルに次いで世界第２位であった。この国の公用語で「刷新」を意味する経済政策が有名である。

1 インドネシア

2 タイ

3 フィリピン

4 ベトナム

5 マレーシア

解説　正解 4

1 × インドネシアは、人口が２億７千万以上であり、我が国より多い。首都はジャカルタで、通貨はルピアである。

2 × タイは植民地になったことはなく、独立を維持している。人口は７千万弱で我が国より少ないが、首都はバンコクで、通貨はバーツである。

3 × フィリピンの人口は約１億１千万弱で我が国より少ないが、首都はマニラで、通貨はペソである。

4 ○ ベトナムの人口は約9,700万で我が国より少ない。コーヒーの生産量・輸出量は世界２位を誇っている。「刷新」とは「ドイモイ」政策のことで、1980年代半ば、改革開放で経済成長している中国を見習い、市場経済を導入し、大きな成果を上げた。

5 × マレーシアの人口は約3,200万で我が国より少ないが、首都はクアラルンプールで、通貨はリンギットである。

地理 地誌

2018年度 ❶
教養 No.33

ラテンアメリカに関する記述として、最も妥当なのはどれか。

1 ラテンアメリカは、メキシコ、中央アメリカ、西インド諸島、南アメリカから構成され、赤道をまたいで南北に広がる広大な地域である。そのほとんどの地域がイギリスやフランスの植民地となった歴史があり、言語や宗教などの文化を現在も共有している。

2 アマゾン川流域を中心に熱帯が分布し、セルバとよばれる熱帯雨林が広がっている。

3 1908年に日本からラテンアメリカへの移民が開始され、ブラジルには現在100万人を超える日系移民が生活している。一方、かつての移民の子孫である日系ブラジル人が1990年の出入国管理法の改正により、日本への出稼ぎができなくなった。

4 15世紀末にコロンブスが西インド諸島に到達する以前から、南北アメリカ大陸には先住民が生活していた。現在では、インディオ（インディヘナ）とよばれる南米の先住民とヨーロッパ系白人移住者の混血が多くみられるが、彼らのことをムラートという。

5 グローバル化におけるアメリカ合衆国主導の経済自由化への警戒感から、1995年に南米南部共同市場（MERCOSUR）が、ラテンアメリカ全体の経済統合と自由貿易市場の確立を目的にして発足した。そこで重要な役割と地位を占めているのはメキシコである。

解説　正解 2

TAC生の正答率 37%

1 × ブラジルはポルトガル、ハイチはフランスなどの例外を除き、ラテンアメリカの多くはかつてスペインの植民地であり、「ほとんどの地域がイギリスやフランスの植民地となった歴史があり」という記述が妥当でない。

2 ○ セルバはアマゾン盆地に広く分布する常緑の熱帯雨林であり、ポルトガル語で「森林」を意味する言葉に由来している。

3 × 1908年以降日本からラテンアメリカへの移民が開始されたという前半の記述は正しい。一方、1990年の出入国管理法の改正により、移民の子孫およびその家族に対して3年間滞在可能（延長可能）な労働者としての制限のない活動が認められたので、「日本への出稼ぎができなくなった」という部分が誤り。

4 × インディオとヨーロッパ系白人移住者との混血はメスチソという。ムラートはヨーロッパ系白人移住者とアフリカ系移民との混血を指す。

5 × 南米南部共同市場は、EU（ヨーロッパ連合）のような自由貿易市場の南米での創設を目的として、1991年にアルゼンチン、ウルグアイ、パラグアイ、ブラジルの4か国が調印し発足した地域経済統合である。メキシコはオブザーバーではあるが加盟国ではなく、「重要な役割と地位を占めている」という部分が誤り。メキシコが加盟している自由貿易市場の形成を目的とした協定はNAFTA（北米自由貿易協定）である。

地理	世界の住居	2018年度 ❷ 教養 No.33

世界の住居に関する記述として、最も妥当なのはどれか。

1 西アジアの農村では、高温湿潤な気候環境に適応するため、通気性の良い高床式住居が一般的である。

2 寒暖差がなく温暖湿潤な北アフリカの地域では、日射や外気を遮断するために、壁面を石やれんがで囲み、窓を小さくするくふうがなされている。

3 極北で生活するイヌイットは、雪や氷を材料にしたパオと呼ばれるドーム型の住居を建築してきた。現在でも狩猟や交易などの移動の際につくられることがある。

4 歴史的に石材を建築材料にしてきた北ヨーロッパに対して、南ヨーロッパは森林地帯であるため、モミやトウヒなどの木材で住居がつくられる傾向がある。

5 モンゴル平原の遊牧民は、ゲルと呼ばれるテントで生活している。ゲルは羊毛を圧縮したフェルトでつくられ、分解・組み立て式である。

解説　正解 5

1 × 高床式住居は、高温多湿な気候環境に適応するため、熱帯地域などで見られる。西アジアは大半が乾燥気候であるため、該当しない。

2 × 壁面を石やれんがで囲み、窓を小さくするのは、保温・防砂のためであり、このような住居が見られるのは、寒暖差がなく温暖湿潤な地域ではなく、気温の日較差が大きい乾燥地域である。

3 × イヌイットが居住する、雪や氷を材料にしたドーム型の冬季の伝統的住居はイグルーという。パオとは、中央アジアや北アジアの遊牧民が利用する移動式の住居（テント）であり、モンゴルではゲルという。

4 × ヨーロッパでは主に北部に針葉樹林が広がっており、北ヨーロッパと南ヨーロッパの特徴が逆になっている。

5 ○ **3**の解説参照のこと。

地理	地図の図法	2021年度 教養 No.33

地図の図法に関する次の記述で、［A］～［D］に当てはまる語句の組合せとして、最も妥当なのはどれか。

メルカトル図法による世界地図は、経線と緯線が直交しているため、経線と任意の直線がつくる角度が正確に表されることから、［A］に利用されるが、［B］になるほど距離や面積が拡大する。

また、正距方位図法は、［C］の距離と方位を正しく読み取ることができるため、［D］に利用される。

	A	B	C	D
1	航海図	低緯度	図中の任意の２地点	航空図
2	航空図	低緯度	図の中心点と任意の地点	航海図
3	航海図	高緯度	図中の任意の２地点	航空図
4	航海図	高緯度	図の中心点と任意の地点	航空図
5	航空図	高緯度	図の中心点と任意の地点	航海図

解説　正解　4　TAC生の正答率 50%

地図は３次元の世界を２次元で表現するため、完璧に表現することはできない。ゆえにその特性を生かし、用途によって使い分ける。メルカトル図法は経線と緯線が直交し、図上のどの地点でも経線は正確に南北を示すため、等角航路が直線で示される航海図に利用されるが、北極と南極が赤道と同じ長さになるなど、高緯度ほどひずみが出てくる。また正距方位図法は、図の中心から任意の点までの方位と距離が正しい地図で、航空図に利用される。

よって、正解は**4**となる。

四字熟語の漢字とその読みの組合せとして、最も妥当なものはどれか。

1 荒唐無敬（こうとうむけい）

2 信賞必罰（しんしょうひつばつ）

3 明境止水（めいきょうしすい）

4 有職故実（ゆうしょくこじつ）

5 棒若無人（ぼうじゃくぶじん）

解説　正解　2

1 × 読みは正しいが、漢字が誤り。正しくは「荒唐無稽」である。

2 ○ どちらも正しい。

3 × 読みは正しいが、漢字が誤り。正しくは「明鏡止水」である。

4 × 漢字は正しいが、読みが誤り。正しくは「ゆうそくこじつ」である。

5 × 読みは正しいが、漢字が誤り。正しくは「傍若無人」である。

国語　四字熟語

2023年度 ❶ 教養 No.38

四字熟語の読みとその意味の組合せとして、最も妥当なものはどれか。

1　画竜点睛（がりゅうてんせい）　―　不必要な付け足しを行うこと

2　臥薪嘗胆（がしんしょうたん）　―　何事も控えめにして出しゃばらないこと

3　傍若無人（ぼうじゃくむじん）　―　人前を憚らず勝手気ままにふるまうこと

4　乾坤一擲（かんこんいってき）　―　運命を賭け天下を取るか失うかの大勝負をすること

5　天衣無縫（てんいむほう）　―　人柄などが無邪気で素直なさま

解説　正解　5

TAC生の正答率 22%

1　×　意味が誤り。正しい意味は、物事の最後の大事な仕上げである。読みは「がりゅうてんせい」も誤りではないが、「がりょうてんせい」と読むのが一般的である。

2　×　意味が誤り。正しい意味は、復讐や目的を達成するために苦労に耐えることである。

3　×　読みが誤り。正しい読みは「ぼうじゃくぶじん」である。

4　×　読みが誤り。正しい読みは「けんこんいってき」である。

5　○　どちらも正しい。

国語	四字熟語	2021年度 教養 No.34

次の四字熟語とその意味の組合せとして、最も妥当なのはどれか。

1 主客転倒 — 仲間と思っていた人間に裏切られること。

2 深謀遠慮 — 考えすぎてしまって失敗してしまうこと。

3 当意即妙 — 思ったことを口にしてしまうこと。

4 粉骨砕身 — 力の限り努力をすること。

5 無味乾燥 — 何を食べても味を感じないほどに疲れていること。

解説　**正解　4**　TAC生の正答率 73%

1 × 「主客転倒（しゅかくてんとう）」とは、物事の順序や立場が逆転することを表す。

2 × 「深謀遠慮（しんぼうえんりょ）」とは、深く考えをめぐらし、のちのちの遠い先のことまで見通した綿密な計画を立てることを表す。

3 × 「当意即妙（とういそくみょう）」とは、すばやくその場に適応して機転をきかせることを表す。

4 ○ 「粉骨砕身（ふんこつさいしん）」の意味として正しい。

5 × 「無味乾燥（むみかんそう）」とは、何の面白みも味わいもないことを表す。

国語	四字熟語	2021年度 教養 No.35

四字熟語の漢字がすべて正しいのはどれか。

1　意気洋々（いきようよう）

2　一網打刃（いちもうだじん）

3　意味伸長（いみしんちょう）

4　傍目八目（おかめはちもく）

5　気色満面（きしょくまんめん）

解説　　**正解　4**　　TAC生の正答率 63%

1　×　正しい漢字は「意気揚々」である。得意げで威勢のよいさまや、誇らしげに振舞うさまを表す。

2　×　正しい漢字は「一網打尽」である。犯人などを一度にまとめて捕まえることを表す。

3　×　正しい漢字は「意味深長」である。人の言動や詩文などの表現に深い趣や含蓄のあるさまや、表現の表面に現れた意味のほかに別の意味が含まれているさまを表す。

4　○「傍目八目」とは、第三者の方が物事の是非得失を当事者以上に判断できることを表す。

5　×　正しい漢字は「喜色満面」である。喜びが顔いっぱいにあふれているさまを表す。

四字熟語の漢字がすべて正しいのはどれか。

1 群雄割居

2 当意即妙

3 朝礼暮改

4 一網打仁

5 胞腹絶倒

解説　正解 2

1 × 正しくは「群雄割拠」と書く。同じような実力の者たちが争っていること。

2 ○ 「当意即妙」とは、すばやく場に適した機転を利かせること。

3 × 正しくは「朝令暮改」と書く。方針や指示がころころと変わってしまうこと。

4 × 正しくは「一網打尽」と書く。獲物や犯人を一気に捕まえること。

5 × 正しくは「抱腹絶倒」と書く。腹を抱えて大笑いすること。

国語　四字熟語

2020年度 ❶ 教養 No.34

四字熟語の漢字がすべて正しいのはどれか。

1　軽兆浮薄

2　前代未問

3　優柔不段

4　正真正銘

5　克苦勉励

解説　正解　4

TAC生の正答率　50%

1　×　正しくは「軽佻浮薄（けいちょうふはく）」であり、言動が軽はずみで浮ついていること。

2　×　正しくは「前代未聞（ぜんだいみもん）」であり、今までに聞いたことがないこと。

3　×　正しくは「優柔不断（ゆうじゅうふだん）」であり、物事をすぐに決められないこと。

4　○　「正真正銘（しょうしんしょうめい）」の意味は、偽りのない、本物であること。

5　×　正しくは「刻苦勉励（こっくべんれい）」であり、苦労して仕事や勉強に励むこと。

国語　四字熟語

2019年度 ❷ 教養 No.34

「一つのことに心を集中し成し遂げようとすること」という意味を表す四字熟語として、最も妥当なのはどれか。

1　正々堂々

2　不惜身命

3　一意専心

4　勇往邁進

5　不撓不屈

解説　正解 3

1　×　「正々堂々（せいせいどうどう）」の意味は「正しく整っていて勢いの盛んなさま」である。

2　×　「不惜身命（ふしゃくしんみょう）」の意味は「身や命をささげて惜しまないこと」である。

3　○　「一意専心（いちいせんしん）」が該当する四字熟語として妥当である。

4　×　「勇往邁進（ゆうおうまいしん）」の意味は「恐れることなく進む」である。

5　×　「不撓不屈（ふとうふくつ）」の意味は「強い意志をもって、どんな苦労や困難にもくじけない」である。

国語　四字熟語

2019年度 ❶ 教養 No.34

「ものを恐れない、度胸があること」という意味を表す四字熟語として、最も妥当なのはどれか。

1　獅子奮迅

2　花鳥風月

3　表裏一体

4　大胆不敵

5　古今東西

解説　正解　4

TAC生の正答率　87%

1　×　「獅子奮迅（ししふんじん）」は、獅子が荒れ狂ったように、すばらしい勢いで奮闘する様子を表す。

2　×　「花鳥風月（かちょうふうげつ）」は、自然界の美しい景物を表す。

3　×　「表裏一体（ひょうりいったい）」は、二つのものの関係が、表と裏のように密接で切り離せないことを表す。

4　○　「大胆不敵（だいたんふてき）」が該当する四字熟語として妥当である。

5　×　「古今東西（ここんとうざい）」は、「いつでもどこでも」という意味である。

国語	四字熟語	2018年度 ❶ 教養 No.34

「大切に所蔵して、めったに外に持ち出さないこと」という意味を表す四字熟語として、最も妥当なのはどれか。

1　大言壮語

2　手練手管

3　不撓不屈

4　門外不出

5　悠々自適

解説　**正解　4**　TAC生の正答率　84%

1　×　「大言壮語（たいげんそうご）」とは、実力以上に大きなことを言うことや、その言葉を指す。

2　×　「手練手管（てれんてくだ）」とは、思うままに人を操り騙す方法や技術のことを表す。

3　×　「不撓不屈（ふとうふくつ）」とは、強い意志をもって、苦労や困難にくじけないさまを表す。

4　○　「門外不出（もんがいふしゅつ）」が該当する四字熟語として妥当である。

5　×　「悠々自適（ゆうゆうじてき）」とは、のんびりと心静かに、思うままに過ごすことを表す。

国語 | 故事成語

2022年度 ❶
教養 No.35

「人の実力や権威を疑って軽視すること」の意味を表す故事成語として、最も妥当なのはどれか。

1 中原に鹿を逐う

2 杯中の蛇影

3 愚公山を移す

4 李下に冠を正さず

5 鼎の軽重を問う

解説　正解　5

TAC生の正答率 35%

1 × 「中原に鹿を逐う」とは、ある地位・権力を手に入れようとして互いに争うことのたとえである。

2 × 「杯中の蛇影」とは、疑い惑う心が生じれば、つまらないことで神経を悩まし苦しむことのたとえである。

3 × 「愚公山を移す」とは、どれほど困難なことでも、辛抱強く努力を続ければ必ず成し遂げることができるというたとえである。

4 × 「李下に冠を正さず」とは、疑いを招くような言動はしない方がよいという戒めの言葉である。「瓜田に履を納れず」も同様の意味である。

5 ○ 「鼎の軽重を問う」と読む。

「他人がした失敗と同じ失敗をしてしまうこと」という意味を表す慣用句として、最も妥当なのはどれか。

1 二の足を踏む

2 二の舞を演じる

3 二足の草鞋を履く

4 二兎を追う者は一兎をも得ず

5 二の句が継げない

解説　正解 2

1 × 尻込みしてしまい決断できないこと。

2 ○

3 × 異なった仕事や役職を掛け持ちすること。

4 × 同時に二つのことをしようとすると、どちらも失敗に終わるということ。

5 × 呆れたり驚いたりして、ことばを失うこと。

国語　慣用句

2018年度 ❷ 教養 No.34

「もとの木阿弥(もくあみ)」の意味として、最も妥当なのはどれか。

1 いったんよくなった事が再びもとの状態に戻ってしまうこと。

2 災難や不運が重なること。

3 失敗したことが偶然よい結果を生むこと。

4 肉体的また精神的苦痛などをこらえること。

5 物事に極端に熱中して、手のつけられない状態にあること。

解説　正解 1

1 ○

2 × 「泣き面(つら)に蜂」についての説明である。

3 × 「怪我の功名(こうみょう)」についての説明である。

4 × 「歯を食いしばる」についての説明である。

5 × 「病膏肓(やまいこうこう)に入(い)る」についての説明である。

「止めるに止められない、猛烈な勢い」の意味で用いられることわざとして、最も妥当なものはどれか。

1 立て板に水

2 行雲流水

3 火蓋を切る

4 破竹の勢い

5 抜き差しならない

解説 **正解 4**

1 × 「立て板に水」とは、弁舌が流暢で、よどみなく話すという意味である。

2 × 「行雲流水（こううんりゅうすい）」とは、深く物事に執着しないで自然の成り行きに任せて行動するという意味である。

3 × 「火蓋を切る」とは、物事に着手する、行動を開始するという意味である。ちなみに「火蓋を切って落とす」という表現は誤りである。

4 ○

5 × 「抜き差しならない」とは、動きがとれない、どうしようもないという意味である。

国語 ことわざ

2020年度 ❶ 教養 No.35

「紺屋の白袴」の意味に近いことわざとして、最も妥当なのはどれか。

1 暖簾に腕押し

2 得手に帆

3 医者の不養生

4 豚に真珠

5 二階から目薬

解説 正解 3

TAC生の正答率 50%

「紺屋（こうや）の白袴（しろばかま）」とは、染物屋である紺屋が、自分の袴は染めないでいつも白袴をはいていること。他人のことに忙しくて自分自身のことには手が回らないことのたとえとして使われる。

1 × 「暖簾（のれん）に腕押し」とは、暖簾を腕で押しても手応えがないこと。手応えや張り合いがないことのたとえとして使われる。

2 × 「得手（えて）に帆（ほ）」とは、好機に船の帆を揚げること。得意なことを発揮するチャンスが訪れて張り切ることのたとえとして使われる。

3 ○ 「医者の不養生（ふようじょう）」とは、患者に養生するよう促す医者が、自分の健康には注意しないこと。自分のことには手が回らないことのたとえ。由来も意味も「紺屋の白袴」と類似する。こちらは「正しいとわかっていても自分では実行できない」という意味でも使われる。

4 × 「豚に真珠」とは、豚に真珠をあげても、その価値がわからないこと。貴重なものでも、価値を知らない者にとっては無意味であることのたとえとして使われる。

5 × 「二階から目薬」とは、地上にいる人に、２階から目薬を差そうとしてもなかなか眼に入らないこと。もどかしいことや、回りくどいことのたとえとして使われる。

ことわざ・慣用句の□に入る漢字のうち4つは同じ漢字を入れることができる。このとき違う漢字が入るものとして、最も妥当なものはどれか。

1 □がすわる

2 □が低い

3 □が太い

4 □を冷やす

5 □に銘じる

解説 正解 2

1 × 「肝」が入る。「肝がすわる」とは、度胸があり、並大抵のことでは驚いたり、動揺したりしないことをいう。

2 ○ 「腰」が入る。「腰が低い」とは、他人に対して謙虚で愛想が良いことをいう。

3 × 「肝」が入る。「肝が太い」とは、何事にも動じず、大胆であることをいう。

4 × 「肝」が入る。「肝を冷やす」とは、非常に驚いてぞっとする、身の危険を感じてひやりとすることをいう。

5 × 「肝」が入る。「肝に銘じる」とは、忘れないようにしっかり心に刻みつけてしておくことをいう。

国語　ことわざ・慣用句

2022年度 ❷
教養 No.34

次のことわざ・慣用句とその意味の組合せとして、最も妥当なのはどれか。

1　論語読みの論語知らず　—　言って聞かせても聞き入れず、効果がないこと

2　頭角をあらわす　—　優れていたり出しゃばりすぎたりすると人から憎まれること

3　月夜に釜を抜かれる　—　不必要なことのたとえ

4　虻蜂取らず　—　二つのものを得ようとしてどちらも取れないこと

5　枯れ木も山のにぎわい　—　大勢の人がいて身動きできないこと

解説　正解　4

1　×　「論語読みの論語知らず」とは、書物を読んではいても、その内容を十分理解できず、実生活に生かせないということのたとえである。

2　×　「頭角をあらわす」とは、才能・技量などが、周囲の人よりも一段とすぐれるという意味である。

3　×　「月夜に釜を抜かれる」とは、明るい月夜に釜を盗まれるという意味であり、ひどく油断することのたとえである。

4　○　読みは「あぶはちとらず」である。類似することわざに「二兎を追う者は一兎をも得ず」や「花も折らず実も取らず」がある。

5　×　「枯れ木も山のにぎわい」とは、つまらないものでも、ないよりはましであることのたとえである。

ことわざ・慣用句とその意味の組合せとして、最も妥当なのはどれか。

1 青菜に塩 — 元気がなく、しおれること

2 雨後の筍(たけのこ) — タイミングを逃し、損をすること

3 紺屋(こうや)の白袴(しろばかま) — 物事はそれぞれに専門家がいるということ

4 月夜に提灯(ちょうちん) — 用心を念入りにすること

5 暖簾(のれん)に腕押し — 力があり余っているさま

解説　正解 1

TAC生の正答率 43%

1 ○ 「青菜に塩」とは、葉っぱに塩をかけるとしおれてしまうことから、人が元気なくしおれている様子を表す。

2 × 「雨後の筍」とは、雨が降ったあと、筍が次々に出てくるところから、物事が相次いで起こることのたとえとして使われる。

3 × 「紺屋の白袴」とは、染物屋である紺屋が、自分の袴は染めないでいつも白袴をはいていることから、他人のことに忙しくて自分自身のことには手が回らないことのたとえとして使われる。

4 × 「月夜に提灯」とは、必要のないもの、役に立たないもののたとえとして使われる。

5 × 「暖簾に腕押し」とは、暖簾を腕で押したときのように、力を入れても手応えのないさま、張り合いのない様子を表す。

国語　対義語　2023年度 ❶ 教養 No.40

対義語の組合せとして、最も妥当なものはどれか。

1　秩序　—　興奮

2　失点　—　加点

3　特殊　—　凡庸

4　実践　—　理論

5　真実　—　空虚

解説　**正解　4**　TAC生の正答率　26%

1　×　「秩序」の対義語は「混沌（渾沌）」などである。「興奮」の対義語は「冷静」、「鎮静」などである。

2　×　「失点」の対義語は「得点」である。「加点」の対義語は「減点」である。

3　×　「特殊」の対義語は「一般」、「普遍」などである。「凡庸」の対義語は「非凡」、「偉大」などである。

4　○

5　×　「真実」の対義語は「虚偽」などである。「空虚」の対義語は「充実」などである。

国語	漢字	2023年度 ❶ 教養 No.39

下線部の漢字の使い方がすべて正しいものとして、最も妥当なものはどれか。

1 成功の秘決は忍耐力だ。

2 万難を廃して、成功に導く。

3 準備万端整えて、面接に望む。

4 柔軟な発想が肝要だ。

5 大病を煩ったが全怪した。

解説　**正解 4**　TAC生の正答率 33%

1 × 「秘訣」が正しい。

2 × 「排して」が正しい。

3 × 「臨む」が正しい。

4 ○ どちらも正しい。

5 × 「患った」、「全快」が正しい。

国語　熟語

2022年度 ❷ 教養 No.35

熟語の読み仮名とその意味の組合せとして、最も妥当なのはどれか。

1 昵懇（じっこん）— 親しい間柄

2 反駁（はんばく）— 激しくののしること

3 普請（ふしん）— 盛んに言いふらすこと

4 暗澹（あんのん）— 絶望的であるさま

5 揺籃（けんらん）— ゆりかご

解説　正解 1

1 ○

2 × 意味が誤り。正しくは、他人の主張や批判に対して反論することである。

3 × 意味が誤り。正しくは、家を建築したり修理したりすることである。

4 × 読みが誤り。正しくは「あんたん」である。

5 × 読みが誤り。正しくは「ようらん」である。

次の三字熟語とその意味の組合せとして、最も妥当なのはどれか。

1 一隻眼 — 偽りのないありのままの状態

2 不如意 — 思い通りにならないこと

3 射幸心 — 物事の本当のおもしろさ

4 下馬評 — 本格的な活動の前にする手始めの行動

5 半可通 — 物事の筋道を通さないこと

解説 **正解 2** TAC生の正答率 57%

1 × 読みは「いっせきがん」である。一つの目、物事を見抜く特別な眼識のこと。

2 ○ 読みは「ふにょい」である。

3 × 読みは「しゃこうしん」である。偶然の利益を労せずに得ようとする欲心、まぐれ当たりによる利益を願う気持ちのこと。

4 × 読みは「げばひょう」である。第三者が興味本位にするうわさや批評のこと。

5 × 読みは「はんかつう」である。いい加減な知識しかないのに通人ぶること。

下線部の漢字の使い方が正しいものとして、最も妥当なのはどれか。

1 完壁な調査

2 恩師の最終講義

3 方針が撤底する

4 実力を発輝する

5 幣害を生む

解説　正解　2

1 × 「壁」ではなく「璧」が正しい。

2 ○

3 × 「撤」ではなく「徹」が正しい。

4 × 「輝」ではなく「揮」が正しい。

5 × 「幣」ではなく「弊」が正しい。

国語	熟語	2018年度❷ 教養 No.35

熟語の読み仮名とその意味の組合せとして、最も妥当なのはどれか。

		読み仮名		意味
1	工面 —	こうめん	：	はかりごと
2	知音 —	しおん	：	たしなむこと
3	斟酌 —	しんしゃく	：	事情をくむこと
4	相克 —	そうかつ	：	帳消しにすること
5	陽炎 —	ようえん	：	夕暮れ

解説　正解 3

1 ×「工面（くめん）」は、いろいろ手段や方法を考えて手はずを整える意味である。

2 ×「知音（ちいん）」は、互いによく心を知り合った友の意味である。

3 ○

4 ×「相克（そうこく）」は、対立する二つのものが互いに相手に勝とうと争うことの意味である。

5 ×「陽炎」は「かげろう」または「ようえん」と読み、春の天気のよい穏やかな日に、地面から炎のような揺らめきが立ちのぼる現象の意味である。

国語　熟語

2018年度 ❶
教養 No.35

次の三字熟語とその意味の組合せとして、最も妥当なのはどれか。

1　居丈高　―　すぐれた男。

2　間一髪　―　ここぞという大事な場面・局面。

3　審美眼　―　遠い所のできごとや人の心の奥を見抜く力。

4　登竜門　―　あるものの価値などを試験する物事。

5　破天荒　―　今まで誰もしなかったようなことをすること。

解説　正解　5

TAC生の正答率　56%

1　×「居丈高」とは、人を威圧するような態度のこと、または、座った時の背が高いことを指す。

2　×「間一髪」とは、事態が極めて差し迫っていることを表す。

3　×「審美眼」とは、美を的確に見極める能力のことを表す。

4　×「登竜門」とは、立身出世のための関門や、人生の岐路となるような大事な試験のことを指す。

5　○「破天荒」の意味として正しい。「豪快で大胆な様子」を表すという意味で誤用する人が多いので気をつけたい語句である。

数学　式の展開

2020年度 ❷
教養 No.39

$(x+2y-1)(x-3y+1)$ を展開したものとして、最も妥当なのはどれか。

1 $x^2-xy-y-6y^2-1$

2 $x^2-5xy+y-5y^2-1$

3 $x^2-xy-5y-6y^2-1$

4 $x^2-5xy+5y-6y^2-1$

5 $x^2-xy+5y-6y^2-1$

解説　正解　5

$$(x+2y-1)(x-3y+1)=x^2-3xy+x+2xy-6y^2+2y-x+3y-1$$
$$=x^2-xy+5y-6y^2-1$$

となるので、正解は**5**である。

社会
世界史
日本史
地理
国語
数学
物理
化学
生物

数学	式の値	2023年度 ❶ 教養 No.41

$a=\dfrac{\sqrt{5}+\sqrt{2}}{\sqrt{5}-\sqrt{2}}$、$b=\dfrac{\sqrt{5}-\sqrt{2}}{\sqrt{5}+\sqrt{2}}$のとき、$\dfrac{1}{a}+\dfrac{1}{b}$の値として、最も妥当なものはどれか。

1 $\dfrac{11}{3}$

2 4

3 $\dfrac{13}{3}$

4 $\dfrac{14}{3}$

5 5

解説　**正解 4**　TAC生の正答率 **61%**

$$\frac{1}{a}+\frac{1}{b}=\frac{\sqrt{5}-\sqrt{2}}{\sqrt{5}+\sqrt{2}}+\frac{\sqrt{5}+\sqrt{2}}{\sqrt{5}-\sqrt{2}}=\frac{(\sqrt{5}-\sqrt{2})^2+(\sqrt{5}+\sqrt{2})^2}{(\sqrt{5}+\sqrt{2})(\sqrt{5}-\sqrt{2})}=\frac{5-2\sqrt{10}+2+5+2\sqrt{10}+2}{5-2}=$$

$\dfrac{14}{3}$となり、正解は**4**である。

4で割ったときの余りが1、7で割ったときの余りが3であるような3桁の自然数の個数として、最も妥当なものはどれか。

1 32個

2 33個

3 34個

4 35個

5 36個

解説 正解 2

題意を満たす自然数をnとおく（$100 \leqq n \leqq 999$）。4で割ったときの商をa、7で割ったときの商をbとおくと、$n=4a+1$、$n=7b+3$と表すことができる。それぞれの式の両辺に11を足すと、$n+11=4a+12=$（4の倍数）、$n+11=7b+14=$（7の倍数）となるので、$n+11=$（28の倍数）$=28c$（cは整数）とおけ、$n=28c-11$を得る。よって、

$$100 \leqq 28c-11 \leqq 999 \iff 111 \leqq 28c \leqq 1010 \iff \frac{111}{28} \leqq c \leqq \frac{1010}{28} \iff 3\frac{27}{28} \leqq c \leqq 36\frac{2}{28}$$

となるので、cは4から36までの33個の自然数をとる。

よって、求めるnの個数も33個となるので、正解は**2**である。

数学　指数・対数　2023年度 ❷ 教養 No.42

p、qは、$10^p=2$、$10^q=3$の式を満たしている実数とする。このとき、$5^x=12$を満たす実数xをp、qの式で表したものとして、最も妥当なものはどれか。

1 $\dfrac{2p+q}{1+p}$

2 $\dfrac{p-2q}{1+p}$

3 $\dfrac{p-2q}{1-p}$

4 $\dfrac{2p+q}{1-p}$

5 $\dfrac{2p-q}{1-p}$

解説　正解　4

$5^x=12$の左辺と右辺を分けて考える。

(右辺)$=2^2\times3=10^{2p}\times10^q=10^{2p+q}$となり、(左辺)$=\dfrac{10^x}{2^x}=\dfrac{10^x}{10^{xp}}=10^{(1-p)x}$となる。

よって、$10^{(1-p)x}=10^{2p+q}$となり、$(1-p)x=2p+q \iff x=\dfrac{2p+q}{1-p}$となる。

したがって、正解は**4**である。

5進法で表された数423を10進法で表したときの数として、最も妥当なのはどれか。

1 111

2 112

3 113

4 114

5 115

解説　**正解　3**

5進法で表された数423を10進法に直すと、

$$4\times5^2+2\times5^1+3\times5^0=100+10+3=113$$

より、正解は**3**である。

数学	２次関数	2023年度 ❶ 教養 No.42

関数$y=-2x^2+3x+4$（$-1\leqq x\leqq 1$）の最大値をM、最小値をmとするとき、M－mの値として、最も妥当なものはどれか。

1 $\frac{49}{8}$

2 6

3 $\frac{47}{8}$

4 $\frac{23}{4}$

5 $\frac{45}{8}$

解説　**正解　1**　TAC生の正答率 38%

$y=-2x^2+3x+4$を平方完成すると、$y=-2\left(x-\frac{3}{4}\right)^2+\frac{41}{8}$となる。定義域が$-1\leqq x\leqq 1$であるから、$x=\frac{3}{4}$のとき、最大値$\frac{41}{8}$となり、$x=-1$のとき、最小値$-2\times(-1)^2+3\times(-1)+4=-1$となる。

よって、$\frac{41}{8}-(-1)=\frac{49}{8}$となるので、正解は**1**である。

放物線 $y=ax^2+bx+c(a\neq0)$ の頂点のy座標として、最も妥当なのはどれか。

1 $\dfrac{b^2-4ac}{a}$

2 $\dfrac{b^2+4ac}{2a}$

3 $\dfrac{b^2-4ac}{4a}$

4 $-\dfrac{b^2+4ac}{2a}$

5 $-\dfrac{b^2-4ac}{4a}$

解説　正解　5

TAC生の正答率 31%

$y=ax^2+bx+c$を平方完成することによって、頂点を求める。

$y=ax^2+bx+c=a\left(x^2+\dfrac{b}{a}x\right)+c=a\left(x+\dfrac{b}{2a}\right)^2+c-\dfrac{b^2}{4a}=a\left(x+\dfrac{b}{2a}\right)^2-\dfrac{b^2-4ac}{4a}$となり、頂点の$y$座標は、$-\dfrac{b^2-4ac}{4a}$となる。

よって、正解は**5**である。

数学　1次不等式

2022年度 ❷
教養 No.36

次の不等式の解として、最も妥当なのはどれか。

$|2x-3| \geqq 5$

1　$x \leqq -4$、$2 \leqq x$

2　$x \leqq -1$、$4 \leqq x$

3　$x \leqq -1$、$2 \leqq x$

4　$x \leqq 2$、$4 \leqq x$

5　$x \leqq 1$、$2 \leqq x$

解説　正解　2

絶対値の中身$2x-3$が正か負かで場合分けをする。

(i)　$2x-3 \geqq 0$のとき、つまり、$x \geqq \dfrac{3}{2}$のとき

$2x-3 \geqq 5$より、$x \geqq 4$となり、$x \geqq \dfrac{3}{2}$と合わせて、$x \geqq 4$となる。

(ii)　$2x-3 < 0$のとき、つまり、$x < \dfrac{3}{2}$のとき

$-2x-3 \geqq 5$より、$x \leqq -1$となり、$x < \dfrac{3}{2}$と合わせて、$x \leqq -1$となる。

(i)、(ii)より、$x \leqq -1$または$x \geqq 4$となるので、正解は**2**である。

数学	2次不等式	2020年度 ❶ 教養 No.37

すべてのxに対して、$x^2-2ax-(a-6)>0$が成り立つとき、aのとり得る値の範囲として、最も妥当なのはどれか。

1　$a>3,\ a<-2$

2　$a>2,\ a<-3$

3　$-2<a<3$

4　$-3<a<2$

5　$0<a<2$

解説　正解　4

TAC生の正答率　28%

すべてのxについて、与式が正になるということは、x軸と交点を持たないということなので、$D<0$である。よって、

$$D=(-2a)^2-4\times1\times\{-(a-6)\}$$
$$=4a^2+4a-24<0$$

よって、$a^2+a-6<0 \Leftrightarrow (a-2)(a+3)<0$より、$-3<a<2$となり、正解は**4**である。

数学　集合

2022年度 ❶ 教養 No.39

対象の100人に、２つの提案ａ、ｂへの賛否を調べたところ、ａに賛成の人は61人、ｂに賛成の人は54人、ａにもｂにも賛成の人は49人いた。ａにもｂにも賛成でない人の数として、最も妥当なのはどれか。

1　30人

2　32人

3　34人

4　36人

5　38人

解説　正解　3

TAC生の正答率 80%

条件をベン図で表すと以下のようになる。ａにもｂにも賛成でない人の数をx[人]とおく。

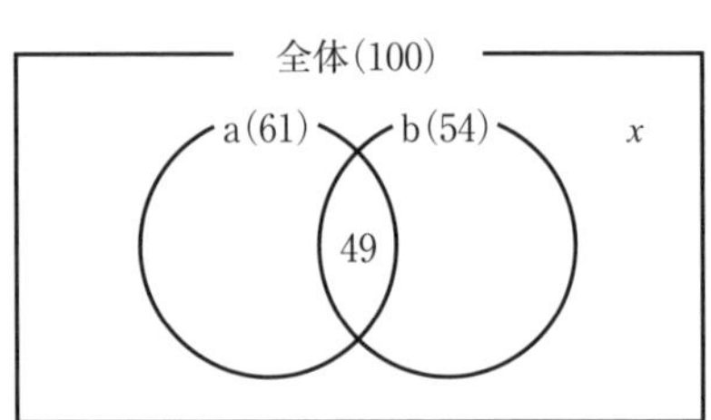

ベン図より、$a \cup b = 61 + 54 - 49 = 66$[人]となるので、$x = 100 - 66 = 34$[人]となる。
よって、正解は**3**である。

数学　場合の数　2021年度 教養 No.39

１から４までの整数が書かれた４枚のカードのそれぞれにA、B、C、Dのスタンプのうちいずれか１つを押すことにする。使わないスタンプが１つのみになる押し方の総数として、最も妥当なのはどれか。

1　121通り

2　144通り

3　169通り

4　196通り

5　225通り

解説　正解　2　TAC生の正答率 44%

使わないスタンプが１つということは、３つのスタンプで４枚のカードに押すので、３つのうち１つは２回押すことになる。例えば、Dのスタンプを使わないとして、(A, A, B, C) のように押す。よって、使わない１つのスタンプの選び方が４通り、３つのうち２回押すスタンプの選び方が３通り、１から４までのカードにどのスタンプを押すか、つまり (A, A, B, C) の並び方が$\frac{4!}{2!}=12$[通り]ある。

したがって、$4\times3\times12=144$[通り]となり、正解は**2**である。

数学　確率

2022年度 ❷ 教養 No.39

Aの袋には赤玉４個と白玉２個、Bの袋には赤玉１個と白玉４個が入っている。A、Bの袋から１個ずつ玉を取り出すとき、異なる色の玉を取り出す確率として、最も妥当なのはどれか。

1 $\frac{2}{5}$

2 $\frac{7}{15}$

3 $\frac{8}{15}$

4 $\frac{3}{5}$

5 $\frac{2}{3}$

解説　正解 4

異なるの色の玉を取り出す場合は、(Aの袋, Bの袋) = (赤, 白)、(白, 赤) の２通りである。

(Aの袋, Bの袋) = (赤, 白) の場合、Aの袋から赤玉を取り出す確率が$\frac{4}{6}$、Bの袋から白玉を取り出す確率が$\frac{4}{5}$であるので、$\frac{4}{6}\times\frac{4}{5}=\frac{16}{30}$となる。(Aの袋, Bの袋) = (白, 赤) の場合、Aの袋から白玉を取り出す確率が$\frac{2}{6}$、Bの袋から赤玉を取り出す確率が$\frac{1}{5}$であるので、$\frac{2}{6}\times\frac{1}{5}=\frac{2}{30}$となる。

よって、求める確率は$\frac{16}{30}+\frac{2}{30}=\frac{18}{30}=\frac{3}{5}$となるので、正解は**4**である。

下の図の△ABCにおいて、AE：EB＝4：1、BD：DC＝2：3のとき、△PDCの△ABCに対する面積比として、最も妥当なのはどれか。

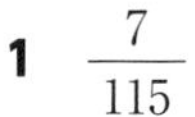

1 $\frac{7}{115}$

2 $\frac{9}{115}$

3 $\frac{11}{115}$

4 $\frac{13}{115}$

5 $\frac{3}{23}$

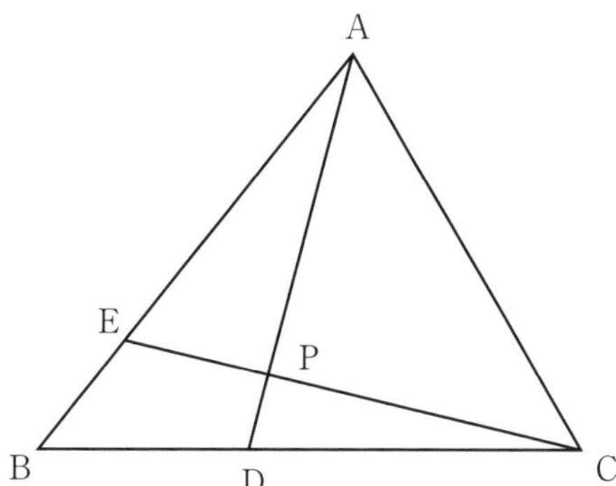

解説　正解　2

TAC生の正答率　41％

△ABDと直線CEにおいて、メネラウスの定理より、

$$\frac{4}{1}\times\frac{5}{3}\times\frac{DP}{PA}=1$$

が成り立ち、DP：PA＝3：20となる。△PDCと△PACは高さが等しいので、底辺の比が面積比となり、

△PDC：△PAC＝3：20

となる。同様に、△ABDと△ACDは高さが等しいので、底辺の比が面積比となり、

△ABD：△ACD＝2：3

となる。よって、

$$\triangle PDC=\triangle ABC\times\frac{3}{5}\times\frac{3}{23}$$

$$=\triangle ABC\times\frac{9}{115}$$

となり、正解は**2**である。

数学　三角比

2022年度 ❶ 教養 No.38

$0° \leqq \theta \leqq 180°$とする。$\cos\theta = -\dfrac{1}{3}$のとき、$\sin\theta$、$\tan\theta$の値として、最も妥当なのはどれか。

1　$\sin\theta = -\dfrac{2}{3}$、$\tan\theta = -2$

2　$\sin\theta = -\dfrac{2\sqrt{2}}{3}$、$\tan\theta = -2\sqrt{2}$

3　$\sin\theta = \dfrac{2}{3}$、$\tan\theta = 2\sqrt{2}$

4　$\sin\theta = \dfrac{2\sqrt{2}}{3}$、$\tan\theta = -2\sqrt{2}$

5　$\sin\theta = \dfrac{2\sqrt{6}}{3}$、$\theta = 2\sqrt{6}$

解説　正解　4

TAC生の正答率　68%

$0° \leqq \theta \leqq 180°$で$\cos\theta < 0$であることより、$\theta$の範囲は$90° < \theta \leqq 180°$（第２象限）となる。よって、$\sin\theta > 0$、$\tan\theta < 0$となり、この時点で正解は**4**である。

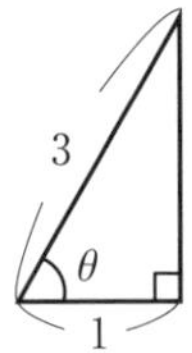

なお、$\cos\theta = (-)\dfrac{1}{3}$で、上記のような直角三角形を考えることにより、残りの辺は$2\sqrt{2}$となるので、$\sin\theta = \dfrac{2\sqrt{2}}{3}$、$\tan\theta = -2\sqrt{2}$となる。

物理　水平投射

次の記述で、［A］と［B］に当てはまる語句の組合せとして、最も妥当なのはどれか。

下の図のように、小球が高さL[m]の台上の点Aから水平方向に初速度v_0[m/s]で飛び出し、水平面上の点Bに落下した。このとき、点Aと点Bの間の水平距離はL[m]であった。このとき、小球が点Aを飛び出してから点Bに落下するまでの時間t[s]は［A］[s]で表され、初速度v_0[m/s]は［B］[m/s]で表される。ただし、重力加速度はg[m/s^2]とし、［A］・［B］の式は、(g、L) を用いて表すものとする。

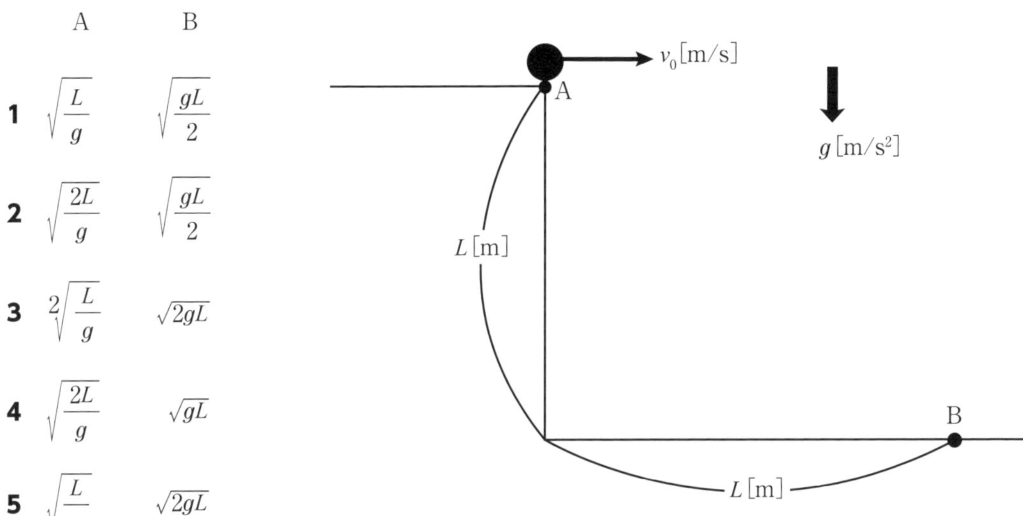

	A	B
1	$\sqrt{\dfrac{L}{g}}$	$\sqrt{\dfrac{gL}{2}}$
2	$\sqrt{\dfrac{2L}{g}}$	$\sqrt{\dfrac{gL}{2}}$
3	$2\sqrt{\dfrac{L}{g}}$	$\sqrt{2gL}$
4	$\sqrt{\dfrac{2L}{g}}$	$\sqrt{gL}$
5	$\sqrt{\dfrac{L}{g}}$	$\sqrt{2gL}$

解説　正解　2

TAC生の正答率　35%

水平投射において、鉛直方向は自由落下、水平方向は等速度運動となるので、垂直方向の距離Lは$x=v_0+\dfrac{1}{2}gt^2$より、$L=\dfrac{1}{2}gt^2$となり、tについて整理すると、

$$t=\sqrt{\frac{2L}{g}}$$

となる（Aの答え）。

水平方向は、この時間でL進むことになるので、$L=v_0t$といえる。よって、$L=v_0\sqrt{\dfrac{2L}{g}}$となり、これを$v_0$について整理すると、

$$v_0=L\times\sqrt{\frac{g}{2L}}=\sqrt{L^2\times\frac{g}{2L}}=\sqrt{\frac{gL}{2}}$$

となる（Bの答え）。よって正解は**2**である。

物理　物体の運動

2023年度 ❶
教養 No.43

下の図のように、一様な棒をなめらかな壁（接点A）と水平なあらい床（接点B）に対して立てかけたところ、棒は床と角度θをなして静止した。このとき、棒が床に対してすべらないための静止摩擦係数の最小値として、最も妥当なものはどれか。

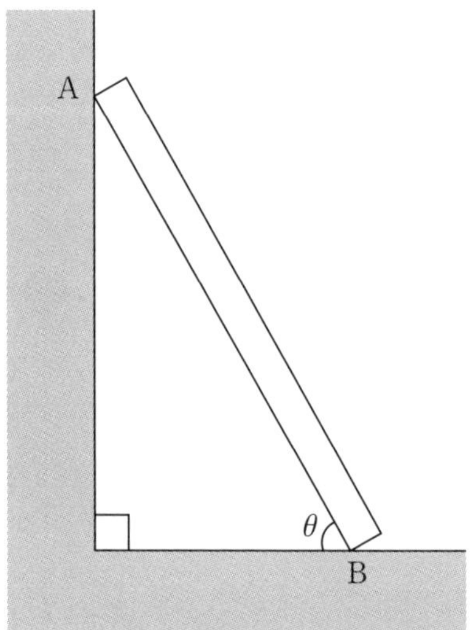

1　 $2\tan\theta$

2　$\dfrac{1}{2\tan\theta}$

3　$\dfrac{2}{\tan\theta}$

4　$\tan\theta$

5　$\dfrac{1}{\tan\theta}$

解説　正解　2　　TAC生の正答率 28%

図1のように、棒が床から受ける垂直抗力をN、棒が壁から受ける垂直抗力をN'、棒の質量をm、重力加速度をg、静止摩擦係数をμ、AC＝a、BC＝bとおく。

力のつり合いより、$N=mg$　…①、$N'=\mu N$　…②が成り立ち、図2のように作図すると、点Bまわりの力のモーメントのつり合いより、$a\times N'=\dfrac{b}{2}\times mg$　…③が成り立つ。

図1

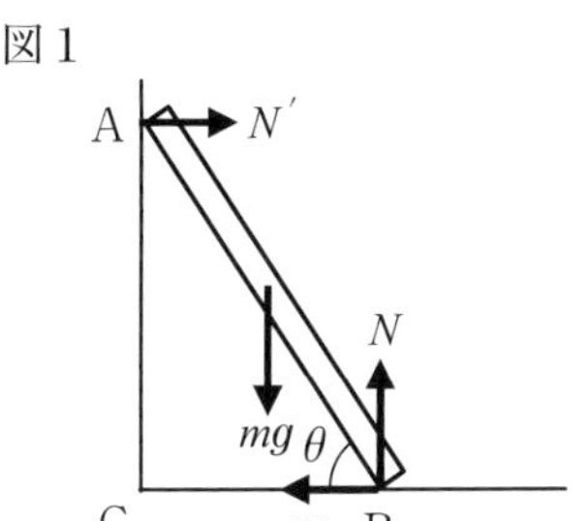

図2

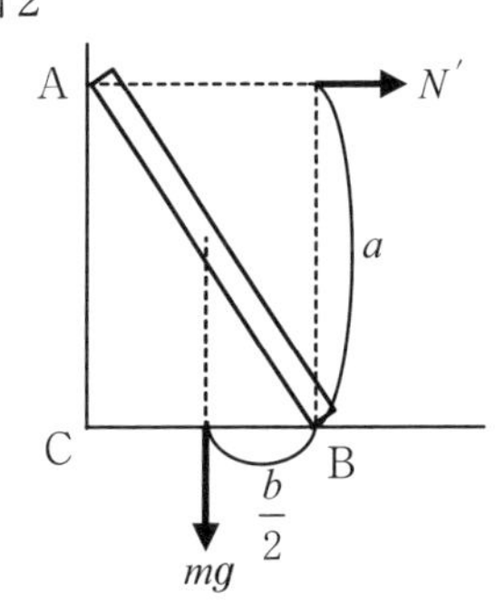

③に①、②を代入すると、$a\times\mu N=\dfrac{b}{2}\times N$となり、$\mu=\dfrac{1}{2}\times\dfrac{b}{a}$となる。また、$\tan\theta=\dfrac{a}{b}$であるから、$\mu=\dfrac{1}{2}\times\dfrac{1}{\tan\theta}$となる。

よって、正解は**2**である。

物理　力積

2022年度 ❶
教養 No.40

滑らかな平面上を東向きに速さ5［m/s］で進む質量6［kg］の物体がある。この物体に西向きに力を加えたところ、物体の運動は西向きに速さ7［m/s］進む運動になった。加えた力積の大きさとして、最も妥当なのはどれか。

1　64[N･s]

2　68[N･s]

3　72[N･s]

4　76[N･s]

5　80[N･s]

解説　正解　3

TAC生の正答率　63%

加えた力積をI[N･s]とおく。運動量と力積はともにベクトル量であることに注意して、東向きを正として座標軸をとる。変化前の運動量をmv、変化後の運動量をmv'、力積を$F\varDelta t$とすると、

$mv+F\varDelta t=mv'$、つまり力を加える前の運動量＋加えた力積＝力を加えた後の運動量より、力積の向きは逆なので、$6\times5-I=-6\times7$となり、$I=72$[N･s]となる。

よって、正解は**3**である。

物理 熱力学

2020年度 ❷
教養 No.40

熱に関する記述として、最も妥当なのはどれか。

1 熱の伝わり方のひとつに、物体と物体の空間を隔てて、赤外線などの放射によって熱を伝える、対流がある。

2 高温の物体と低温の物体を接触させると、接触面の原子・分子の衝突を通して熱エネルギーが伝わり、やがて熱平衡に達する。

3 固体内部の原子・分子は熱運動せず、停止している。

4 物質の状態変化に伴って出入りするエネルギーを比熱という。

5 水はすべて、100℃であれば水蒸気として存在する。

解説　正解　2

1 × 物体と物体の空間を隔てて熱が伝わるのは放射である。なお対流は、流体の移動により熱が伝わる現象である。

2 ○

3 × 絶対零度以外の温度を持つ物質は、すべて熱運動をしている。

4 × 状態変化に伴う熱の出入りを潜熱という。なお比熱は1[g]の物質を1[K](1[℃]) 上昇させるのに必要なエネルギー[J]のことである。

5 × 沸点は外圧に依存する。例えば、圧力を上げると沸点が上昇するので、100℃でも液体のままがありえる。

下の図のように長さ50cmの2枚のガラス板の一端に紙をはさみ、波長6.0×10^{-7}[m]の光を垂直に入射させると、干渉縞の暗帯の間隔が1.0mmとなった。紙の厚みD[m]として、最も妥当なものはどれか。

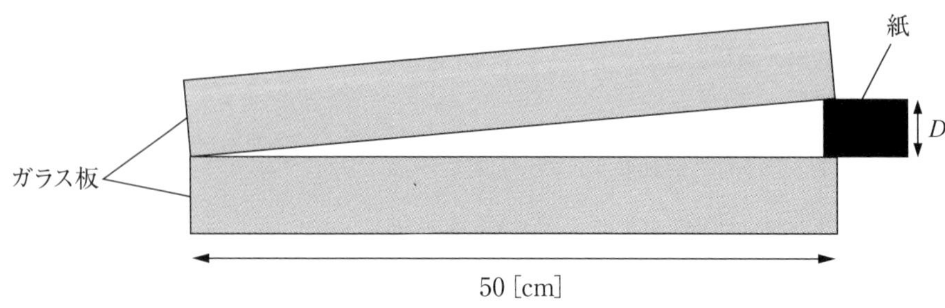

1 3.0×10^{-5}[m]

2 6.0×10^{-5}[m]

3 9.0×10^{-5}[m]

4 1.5×10^{-4}[m]

5 4.5×10^{-4}[m]

解説　正解　4

下左図のように経路差を作図する。光はAB間を往復していることに注意すると、経路差は$2d$となる。また、Aでの反射は自由端反射（位相のずれなし）、Bでの反射は固定端反射（位相がπずれる）となる。よって、暗線が生じる条件は、$2d=m\lambda(m=0,\ 1,\ 2,\ \cdots)$となる。

下右図のようにm番目と$m+1$番目のAB間の差（d_2-d_1）を考えると、$2d_2=(m+1)\lambda$、$2d_1=m\lambda$より、$d_2-d_1=\dfrac{\lambda}{2}$となる。三角形の相似より、$x:d_2-d_1=L:D$が成り立ち、$D=\dfrac{\lambda L}{2x}$となる。

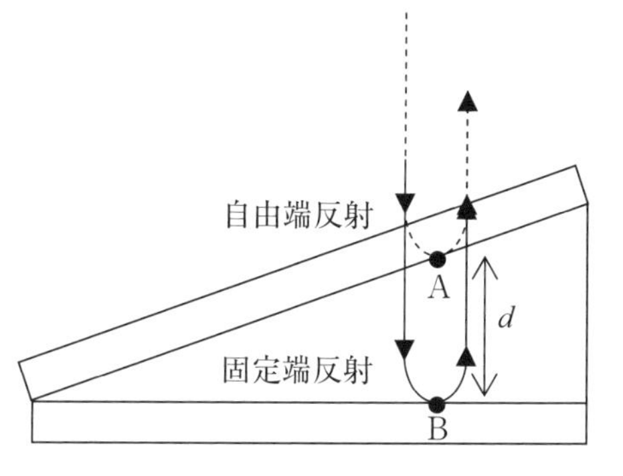

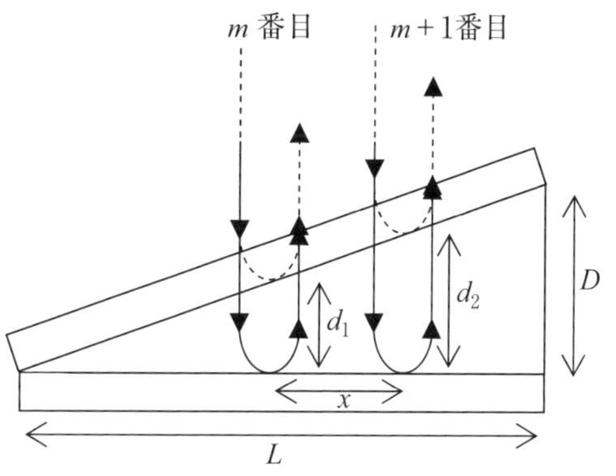

以上より、$\lambda=6.0\times10^{-7}$[m]、$L=50$[cm]$=0.50$[m]、$x=1.0$[mm]$=1.0\times10^{-3}$[m]より、

$$D=\frac{6\times10^{-7}\times0.5}{2\times10^{-3}}=1.5\times10^{-4}[\mathrm{m}]$$

となるので、正解は**4**である。

屈折率1.3の物質中にある物体を上方の空気中から見ると、実際の深さのx倍のところにあるように見える。xの値として、最も妥当なのはどれか。ただし、非常に小さい角度θに対しては、$\tan\theta \approx \sin\theta$の近似が使えるものとする。

1 0.44

2 0.55

3 0.66

4 0.77

5 0.88

解説　正解　4

図１のように、空気中から空気より屈折率の大きい物質中の物体Ｐを見ると、境界面での光の屈折により、物体Ｐは実際よりも浅い位置にあるように見える。物体Ｐと境界面までの距離をd、物体Ｐの虚像P'と境界面までの距離をd'とする。また、Ｐから出た光の入射角、反射角をそれぞれα、βとする（α、βは非常に小さい角度）。

屈折の法則の式より、$1.3\sin\alpha = 1\sin\beta$…①が成り立つ。また、平行線の錯角は等しいので、$\angle \mathrm{APO} = \alpha$となり、平行線の同位角は等しいので、$\angle \mathrm{AP'O} = \beta$となる（図２）。

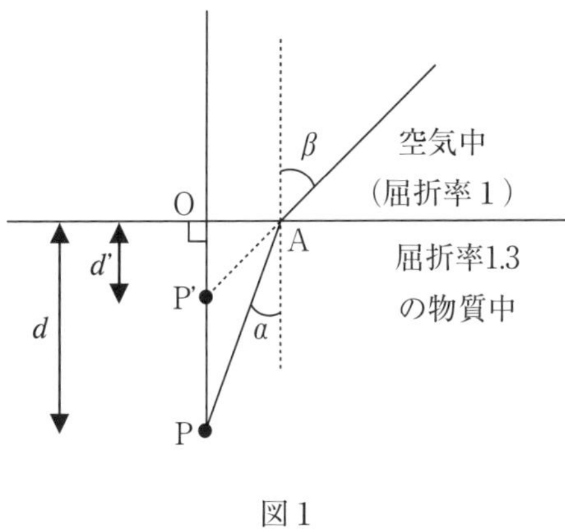

図１

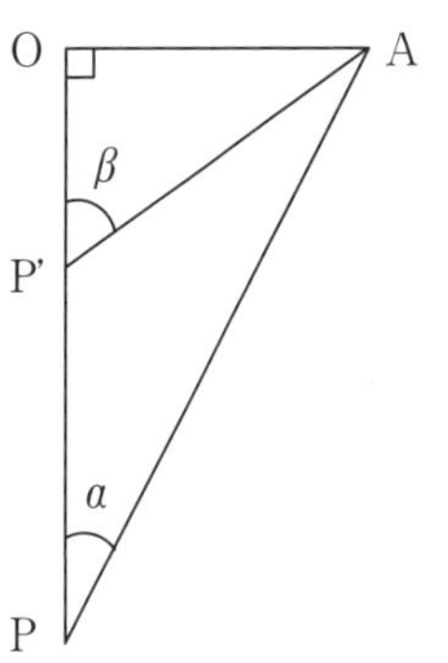

図２

図２より、$\tan\alpha = \frac{\mathrm{OA}}{\mathrm{OP}} = \frac{\mathrm{OA}}{d}$となるので、$\mathrm{OA} = d\tan\alpha$…②となり、$\tan\beta = \frac{\mathrm{OA}}{\mathrm{OP'}} = \frac{\mathrm{OA}}{d'}$となるので、$\mathrm{OA} = d'\tan\beta$…③となる。②、③より、$d\tan\alpha = d'\tan\beta$が成り立ち、求める値$x$は$\frac{d'}{d}$であるから、$\frac{d'}{d} = \frac{\tan\alpha}{\tan\beta}$となる。問題文より、$\theta$が非常に小さいとき、$\tan\theta \fallingdotseq \sin\theta$が成り立つので、$\frac{d'}{d} = \frac{\tan\alpha}{\tan\beta} \fallingdotseq \frac{\sin\alpha}{\sin\beta}$となる。①より、$\frac{\sin\alpha}{\sin\beta} = \frac{1}{1.3}$となるので、$x = \frac{d'}{d} = \frac{1}{1.3} \fallingdotseq 0.77$となる。

よって、正解は**4**である。

物理　クーロンの法則

2022年度 ❶ 教養 No.41

下の図のように、xy平面上の２点O、Aにそれぞれ$+5.0\times10^{-9}$[C]、-5.0×10^{-9}[C]の電荷を置いた。OA間の距離は0.60[m]である。図の点Bにおける電場の強さとして、最も妥当なのはどれか。ただし、クーロンの法則の比例定数kを9.0×10^{9}[N･m^2/C^2]、$\sqrt{2}=1.41$とする。

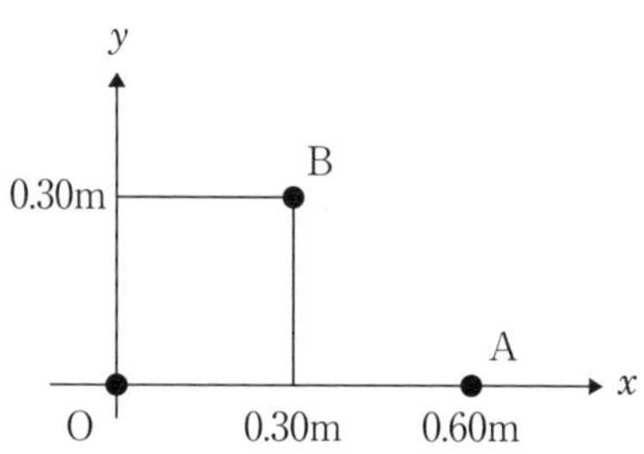

1　3.2×10^{2}[N/C]

2　3.5×10^{2}[N/C]

3　3.8×10^{2}[N/C]

4　4.1×10^{2}[N/C]

5　4.4×10^{2}[N/C]

解説　正解　2

TAC生の正答率　27%

電界（電場）の定義より、図のように点Bに＋1Cを置いたときに、点Oと点Aの両方の点電荷から受ける力の合力（合成電界）の大きさが、点Bにおける電界（電場）の強さである。なお点Bでは、点Oと同符号であることから反発力（斥力）を、点Aとは異符号であることから引力を受ける。

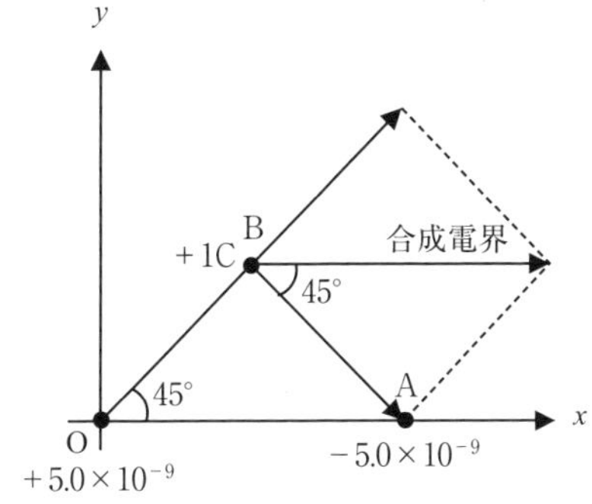

AB間の距離は$0.30\times\sqrt{2}$[m]であるから、点Aから受ける電気力の大きさは、クーロンの法則より、$9.0\times10^9\times\dfrac{5.0\times10^{-9}}{(0.3\times\sqrt{2})^2}$となる。求める合成電界の大きさは直角二等辺三角形に注意して、$9.0\times10^9\times\dfrac{5.0\times10^{-9}}{(0.3\times\sqrt{2})^2}\times\sqrt{2}=352.5\fallingdotseq3.5\times10^2$[N/C]となる。

よって、正解は**2**である。

化学　物質の構成　2022年度 ❶ 教養 No.43

アルミニウムの単体は面心立方格子（単位格子の頂点と各面に１つずつ原子が存在する）の結晶構造をとる。アルミニウムの結晶の密度として、最も妥当なのはどれか。ただし、単位格子の１辺の長さは4.06×10^{-8}[cm]、アルミニウムの原子量は27、アボガドロ定数は6.0×10^{23}/mol、$4.06^3=66.8$とする。

1　2.3[g/cm^3]

2　2.5[g/cm^3]

3　2.7[g/cm^3]

4　2.9[g/cm^3]

5　3.1[g/cm^3]

解説　正解　3　TAC生の正答率 34%

面心立方格子は単位格子内に原子が４個入っているので、それを考慮する。単位格子の体積は、$(4.06\times10^{-8})^3=66.8\times10^{-24}$[$cm^3$]、アルミニウムの原子量が27であるので、モル質量は27[g/mol]、アボガドロ数が6.0×10^{23}[/mol]であるので、１個あたり$\frac{27}{6.0\times10^{23}}$[g]である。４個であることを踏まえると、密度は$\frac{27}{6.0\times10^{23}}\times4$[g]$\div66.8\times10^{-24}$[$cm^3$]であるので、これを計算すると2.69…≒2.7[g/cm^3]となり、正解は**3**となる。

20[℃]で、1.0×10^5[Pa]の窒素は水1.0[L]に6.8×10^{-4}[mol]溶ける。今、20[℃]、4.0×10^5[Pa]の窒素が水3.0[L]に接している。この水に溶けている窒素の質量として、最も妥当なのはどれか。ただし、窒素の分子量は28とする。

1　0.19[g]

2　0.23[g]

3　0.27[g]

4　0.31[g]

5　0.34[g]

解説　正解　2

ヘンリーの法則より、温度が一定ならば気体の溶解度は圧力に比例する。また、気体の溶解量は溶媒の体積にも比例する。よって、溶けている窒素の物質量は、圧力4倍、体積3倍であるので、$6.8\times10^{-4}\times4\times3$[mol]となる。また、窒素の分子量が28であるので、モル質量は28g/molとなり、溶けている窒素の質量は、$6.8\times10^{-4}\times4\times3[\text{mol}]\times28[\text{g/mol}]=0.22848[\text{g}]\fallingdotseq0.23[\text{g}]$である。よって正解は**2**となる。

白金電極を用いて、硫酸銅(Ⅱ)水溶液を5.0[A]の電流で32分10秒間電気分解した。陰極または陽極で起こる現象として、最も妥当なのはどれか。ただし、酸素の分子量は32、銅の原子量は64、ファラデー定数は9.65×10^4[C/mol]とする。

1　陰極で酸素が0.8[g]発生する。

2　陰極で銅が3.2[g]析出する。

3　陽極で酸素が0.4[g]発生する。

4　陽極で銅が1.6[g]析出する。

5　流れた電子の物質量は0.20[mol]である。

解説　正解　2

電気量[C]は電流[A]×時間[s]であるので、流れた電気量は、

$$5.0[\mathrm{A}]\times(32\times60+10)[\mathrm{s}]=9650[\mathrm{C}]$$

となる。ファラデー定数が9.65×10^4[C/mol]であるので、流れた電気の物質量は$\dfrac{9650[\mathrm{C}]}{9.65\times10^4[\mathrm{C/mol}]}$=0.1[mol]となる。

陰極では、$Cu^{2+}+2e^- \rightarrow Cu$の反応が起こり銅が析出するので、電子2molが流れると銅は1mol析出する。銅の原子量が64であるから、銅のモル質量は64 g/molとなる。よって、析出する銅の質量は、

$$0.1[\mathrm{mol}]\times\frac{1}{2}\times64[\mathrm{g/mol}]=3.2[\mathrm{g}]$$

である。

陽極では、$2H_2O \rightarrow O_2+4H^++4e^-$の反応が起こり酸素が発生するので、電子4 molが流れると酸素1 molが発生する。酸素の分子量が32であるから、酸素のモル質量は32 g/molとなる。よって、発生する酸素の質量は、

$$0.1[\mathrm{mol}]\times\frac{1}{4}\times32[\mathrm{g/mol}]=0.8[\mathrm{g}]$$

である。

以上より、正解は**2**となる。

化学　溶液の性質

2023年度 ❶
教養 No.44

コロイドに関する記述として、最も妥当なものはどれか。

1　川の濁水には、粘土などのコロイドが存在している。濁水の濁りを凝析により除去するには、同じ物質量であれば、ミョウバンより塩化ナトリウムの方が効果的である。

2　電気泳動によって電源のプラス(＋)極につながった電極に引き寄せられるコロイドを正コロイドといい、水酸化鉄(Ⅲ)コロイドが代表的である。

3　コロイドを透析によって精製するには、ポリエチレンの袋にコロイド溶液を入れて流水に浸す方法がとられ、血液の人工透析も原理的には似通ったものである。

4　チンダル現象は光の吸収によって引き起こされ、それを限外顕微鏡で観察すると熱運動している分子が直接観察される。

5　親水コロイドに多量の食塩水を加えると塩析が起こるのは、親水コロイドに水和している水分子が奪われることが主な理由である。

解説　正解　5

TAC生の正答率　33%

1　×　コロイド粒子に対して、反対符号の電荷を持った価数の大きいイオンほど、疎水コロイドを凝析させやすい。塩化ナトリウムはNa^{+}とCl^{-}に電離し、ミョウバンはAl^{3+}とK^{+}とSO_4^{2-}に電離するので、塩化ナトリウムよりも価数の大きいイオンをもつミョウバンの方が効果的である。

2　×　電源のプラス極につながった電極に引き寄せられるのは、負の電荷を帯びた負コロイドである。

3　×　透析にはセロハンなどの半透膜が用いられる。

4　×　チンダル現象は、光の散乱によって起こる現象である。また、後半はブラウン運動に関する記述である。

5　○

化学　気体の性質

2022年度 ❶ 教養 No.42

27[℃]で容積5.0[L]の容器に窒素N_2 0.30[mol]と酸素O_2 0.10[mol]を入れた。混合気体中の窒素の分圧P_{N_2}と酸素の分圧P_{O_2}として、最も妥当なのはどれか。ただし、気体定数を$R=8.3\times10^3$[Pa・L/(K・mol)]とする。

1 $P_{N_2}=3.0\times10^4$[Pa]、$P_{O_2}=1.0\times10^4$[Pa]

2 $P_{N_2}=6.0\times10^4$[Pa]、$P_{O_2}=2.0\times10^4$[Pa]

3 $P_{N_2}=9.0\times10^4$[Pa]、$P_{O_2}=3.0\times10^4$[Pa]

4 $P_{N_2}=1.2\times10^5$[Pa]、$P_{O_2}=4.0\times10^4$[Pa]

5 $P_{N_2}=1.5\times10^5$[Pa]、$P_{O_2}=5.0\times10^4$[Pa]

解説　正解　5

TAC生の正答率　25%

分圧の法則より、全圧をPとすると、$P=P_{N_2}+P_{O_2}$となる。よって、分圧比は0.30：0.10＝3：1である。また、気体の状態方程式より、$PV=nRT$であるので、$P\times5.0=(0.3+0.1)\times8.3\times10^3\times(27+273)$より、$P=1.99\times10^5\fallingdotseq2.0\times10^5$となる。これが窒素と酸素で3：1となるので、

$P_{N_2}=2.0\times10^5\times\dfrac{3}{4}=1.5\times10^5$[Pa]、$P_{O_2}=2.0\times10^5\times\dfrac{1}{4}=5.0\times10^4$[Pa]となり、正解は**5**となる。

化学　無機物質　2021年度 教養 No.42

非金属元素の単体と化合物に関する記述として、最も妥当なのはどれか。

1　アルゴンは空気の約１％の体積を占め、電球の封入ガスに利用される希（貴）ガスである。

2　ヨウ素は黒紫色の固体であり、ハロゲンの中で最も酸化力が強い。

3　オゾンは酸素と同様に無色無臭で、酸素に強い紫外線を当てると生じる。

4　塩化アンモニウムと水酸化カルシウムを加熱してアンモニアを得る製法では、乾燥剤として塩化カルシウムを用いる。

5　二酸化炭素はギ酸を濃硫酸とともに加熱し、脱水すると得られる。

解説　正解　1　TAC生の正答率 37%

1　○

2　×　ヨウ素はハロゲンの中で最も酸化力が弱い。

3　×　オゾンは特異臭かつ淡青色の気体である。

4　×　塩化アンモニウムと水酸化カルシウムの加熱でアンモニアを得る製法では、乾燥剤としてソーダ石灰（酸化カルシウムと水酸化ナトリウムの混合物）を用いる。

5　×　選択肢の記述は一酸化炭素の生成法に関する説明である。

化学　有機化合物

2023年度 ❷ 教養 No.44

高分子化合物に関する次の記述のうち、最も妥当なものはどれか。

1　ビニロンを得るには、まずアセチレンに水銀触媒のもとで酢酸を付加させて酢酸ビニルを得る。次に、酢酸ビニルを付加重合させてポリ酢酸ビニルをつくる。このポリ酢酸ビニルを加水分解するとビニロンが得られる。

2　縮合重合は、単量体どうしの間から水などの簡単な分子が取れる反応が次々に起こり、高分子化合物となる。縮合重合によって合成される高分子化合物は、鎖状構造や立体網目状構造をもつ。前者は熱可塑性、後者は熱硬化性である。

3　ヘキサメチレンジアミンとアジピン酸を付加重合させると、歴史上初めて得られた合成繊維であるナイロン66(6,6－ナイロン)が得られる。ナイロン66は靴下やロープのような繊維ばかりでなく、合成樹脂としても広く使われている。

4　陰イオン交換樹脂は、スチレンとp－ジビニルベンゼンを共重合させた合成樹脂の表面に塩基性の基をもたせたもので、ガラス管に詰めて電解質水溶液を上から流すと、陰イオンを吸着し、イオンを全く含まない水が得られる。

5　フェノール樹脂・尿素樹脂・メラミン樹脂は、フェノール、尿素、メラミンのそれぞれにホルムアルデヒドを加えて重合させたもので、いずれも熱可塑性の合成樹脂である。フェノール樹脂は最初に得られた合成樹脂として有名である。

解説　正解　2

1　×　ポリ酢酸ビニルを加水分解した段階ではまだビニロンは得られず、ポリビニルアルコール(PVA)を得る。これをホルムアルデヒドと反応させると、ヒドロキシ基が水分子として分離（アセタール化）し、ビニロンが得られる。

2　○

3　×　ナイロン66は、ヘキサメチレンジアミンとアジピン酸の縮合重合である。

4　×　イオン交換樹脂は、上から入れた溶液に含まれるイオンを交換するので、陰イオン交換樹脂であれば、溶液に含まれる陰イオンと、樹脂に含まれる水酸化物イオンOH^-が交換されるので、純水が得られるわけではない。

5　×　フェノール樹脂、尿素樹脂、メラニン樹脂は、いずれも熱硬化性樹脂である。

生物　細胞

2022年度 ❶ 教養 No.44

生体膜と物質の出入りに関する記述として、最も妥当なのはどれか。

1 細胞膜はリン脂質の二重層からなり、リン脂質分子は親水性部分を層の内側に、疎水性部分を層の外側に向けるようにして並んでいる。

2 細胞膜にモザイク状に存在する膜タンパク質は、その位置を予め固定されているため、膜上を自由に動くことはできない。

3 隣接した細胞間には、中空の膜貫通タンパク質によって密着結合が形成され、この孔を通って低分子の物質や無機イオンが直接移動できる。

4 アクアポリンは、腎臓の集合管上皮などの細胞の細胞膜に存在する、水分子を通すチャネルである。

5 動物の細胞内は、Na^+濃度が高く、K^+濃度が低く維持されているが、このイオン濃度の調整を担っているのはナトリウム-カリウムATPアーゼである。

解説　正解 4

TAC生の正答率 43%

1 × リン脂質分子は、親水性部分を外側に、疎水性部分を内側に向けるように並んでいる。

2 × 生体膜を構成するリン脂質やタンパク質は、膜の中を水平に移動したり回転したりできる。

3 × ギャップ結合に関する記述である。密着結合とは、中空ではない膜貫通タンパク質によって細胞間をすきまなく密着し、外液が細胞間を通らないようにする結合である。

4 ○

5 × 動物の細胞内は、Na^+濃度は低く、K^+濃度が高く維持されている。担っている酵素は妥当な記述である。

生物　遺伝

2023年度 ❷ 教養 No.45

遺伝に関する記述として、最も妥当なものはどれか。

1　対立遺伝子をもつ純系を交配して得られるF_1に、片方の形質のみ現れる場合、現れた形質を優性形質、現れない形質を劣性形質という。また、対立形質をもつ両親から生じるF_1に優性形質だけが現れることを、優性の法則という。

2　２組の対立形質が相互に影響し合うことなく無関係に遺伝することを独立の法則という。ただし、この法則が成立するのは、２組の対立遺伝子が同じ染色体にある場合のみである。

3　１組の相同染色体で２か所で乗換えが起こることを二重乗換えという。着目する２つの遺伝子の間で二重乗換えが起こる場合は、着目する遺伝子間での組換えが確実に生じる。

4　ヒトの伴性遺伝の例として、色の見え方が一般とは異なる形質が知られているが、この原因となる遺伝子はＹ染色体上にある劣性遺伝子である。この形質をもつヒトは男性より女性に多い。

5　遺伝子型を推定するための優性ホモ接合体との交配を検定交雑という。検定交雑では、遺伝子型を調べたい個体がつくる配偶子の種類や割合が、子の表現型に現れる。

解説　正解　1

1　○

2　×　独立の法則が成立するのは、２組の対立遺伝子が別の染色体上にある場合である。

3　×　着目する２つの遺伝子の間で二重乗換えが起こる場合、着目する遺伝子の組合せは変わらない。

4　×　ヒトにおいて、色の見え方が異なる遺伝子はＸ染色体上にあり、女性より男性に多い。

5　×　検定交雑は、劣性ホモ接合体を用いて交配する。

生物　恒常性　2023年度❶ 教養 No.45

適応免疫に関する記述として、最も妥当なものはどれか。

1　適応免疫では、B細胞とT細胞という２種類のリンパ球が重要なはたらきをしている。これらのリンパ球は、リンパ球１個につき多数の異物を非自己として認識することができる。

2　体内にウイルスなどの病原体が侵入すると、白血球の一種である樹状細胞が食作用によってこれを取り込み、分解する。この際、樹状細胞は、取り込んだ異物を断片化し、その一部を細胞表面に提示するが、これを抗原提示という。

3　キラーT細胞は、増殖すると病原体に感染した感染細胞を攻撃して、感染細胞ごと病原体を排除する。自身の成分と反応するキラーT細胞や抗体が原因となる疾患を、後天性免疫不全症候群という。

4　B細胞は、異物を取り込み、ヘルパーT細胞に対して抗原提示を行う。B細胞から抗原提示を受けたヘルパーT細胞は増殖し、やがてその多くはNK細胞となる。

5　マクロファージや好中球の一部は記憶細胞として残り、再び同じ抗原が侵入した場合、すばやく活性化してはたらくことができる。この現象を免疫記憶という。

解説　正解　2

TAC生の正答率　28%

1　×　個々のT細胞やB細胞は、特定の異物を１種類しか認識できない。

2　○

3　×　自己免疫疾患に関する記述である。後天性免疫不全症候群は、ヒト免疫不全ウイルス（HIV）による疾患で、通称AIDS（エイズ）である。

4　×　B細胞は食作用を行わない。また、NK細胞は自然免疫である。

5　×　記憶細胞として残る免疫記憶は、T細胞やB細胞である。

生物　免疫

2019年度 ❷
教養 No.44

ヒトの免疫に関する記述で、［A］～［D］に当てはまる語句の組合せとして、最も妥当なのはどれか。ただし、同一の記号には同一の語句が入るものとする。

初めての抗原が体内に侵入した場合には、適応免疫の作用がはたらきだすのに［A］は必要である。このときの免疫反応を一次応答という。一次応答で活性化して増殖したB細胞やT細胞では、必ず一部のものが［B］として体内に残っている。同じ抗原が再び体内に侵入した場合には、マクロファージの抗原提示などによって［B］がすぐに活性化して増殖し、細胞性免疫や体液性免疫などの適応免疫がすばやくはたらくことができる。このようなしくみを［C］という。また、抗体を分泌する量が多く、一次応答より［D］免疫反応となる。この２回目以降の免疫反応を二次応答という。

	A	B	C	D
1	１週間以上	形質細胞	抗原抗体反応	強い
2	２、３日	記憶細胞	免疫記憶	強い
3	１週間以上	記憶細胞	免疫記憶	強い
4	１週間以上	記憶細胞	抗原抗体反応	弱い
5	２、３日	形質細胞	抗原抗体反応	弱い

解説　正解　3

一次応答では、抗体をつくるのにおおむね１～２週間（Aの答え）ほどかかる。このとき活性化したB細胞やT細胞はその後、記憶細胞（Bの答え）として体内に残る。これらは、同じ抗原が再び体内に侵入したときにすばやく反応する免疫記憶（Cの答え）としてはたらく。また、二次応答は一次応答よりも強い（Dの答え）免疫反応となる。

植物の葉の気孔に関する次の記述で、 A ～ C に当てはまる語句の組合せとして、最も妥当なのはどれか。

葉に光が当たると、その情報が青色光受容体である A によって感知され、気孔が開き、光合成に必要な B が取り込まれる。一方、乾燥状態になると、根や葉の細胞でアブシシン酸が C されて、これにより気孔が閉じ、蒸散が抑えられる。

	A	B	C
1	フォトトロピン	二酸化炭素	合成
2	フォトトロピン	二酸化炭素	分解
3	フォトトロピン	酸素	分解
4	フィトクロム	二酸化炭素	合成
5	フィトクロム	酸素	分解

解説　正解 1

葉に光が当たると、その情報を青色光受容体であるフォトトロピン（Aの答え）によって感知され、気孔が開き、光合成に必要な二酸化炭素（Bの答え）が取り込まれる。一方、乾燥状態になると、根や葉の細胞でアブシシン酸が合成（Cの答え）されて、これにより気孔が閉じ、蒸散が抑えられる。

よって正解は**1**となる。

生物　神経細胞

刺激を受けていないニューロンの部位（静止部位）で膜の内外に生じる電位差を静止電位という。膜外を基準（0[mV]）とするとき、静止電位の値として、最も妥当なのはどれか。

1　－500～－900[mV]

2　－50～－90[mV]

3　0[mV]

4　50～90[mV]

5　500～900[mV]

解説　正解　2

TAC生の正答率 33%

静止電位は、－50～－90[mV]ほどであるので、正解は**2**である。静止電位が負の値であるのは、ナトリウムポンプがATPのエネルギーを使ってNa^+を細胞内から細胞外へと運んでいるからである。

生態系に関する記述として、最も妥当なのはどれか。

1 樹木が行う光合成は光や温度の影響を受けるが、このような影響を環境形成作用という。

2 一次消費者とは植物食性動物のことを、二次消費者とは動物食性動物のことを指す。

3 栄養段階が上位の生物ほど、一定面積内に存在するその生物体の総量が多い。

4 植物が硝酸イオンやアンモニウムイオンをもとに有機窒素化合物を合成する働きを窒素固定という。

5 ある海域で、ラッコの急激な減少によって、ラッコに捕食されていたウニが爆発的に増え、ジャイアントケルプが食べ尽くされて生態系のバランスが崩れたとき、この海域においてウニはキーストーン種であると言える。

解説　正解　2　TAC生の正答率 29%

1 × 光や温度などの非生物的環境が、生物に影響を及ぼすことを作用という。

2 ○

3 × 一般に、栄養段階が上位の生物ほど、一定面積内に存在する生物体の総量は少ない。

4 × 窒素同化に関する記述である。

5 × この場合のキーストーン種はラッコである。なおキーストーン種は、生態系の中では栄養段階の上位にいる捕食者である。

東京消防庁（消防官Ⅰ類）問題文の出典について

本書掲載の現代文・英文の問題文は、以下の著作物からの一部抜粋です。

p. 2　エリック・R・カンデル/高橋 洋訳『なぜ脳はアートがわかるのか 現代美術史から学ぶ脳科学入門』1) 青土社
p. 4　丸山 伸彦『江戸モードの誕生 文様の流行とスター絵師』角川選書
p. 6　中村 桃子『新敬語「マジヤバイっす」 社会言語学の視点から』白澤社
p. 8　小川 仁志『世界のエリートが学んでいる教養としての哲学』PHP研究所
p. 10　速水 敏彦『他人を見下す若者たち』講談社現代新書
p. 12　石田 英敬『現代思想の教科書 世界を考える知の地平15章』ちくま学芸文庫
p. 14　出口 汪『論理思考力をきたえる「読む技術」』日経BPマーケティング
p. 16　渡辺 弥生『感情の正体 発達心理学で気持ちをマネジメントする』ちくま新書
p. 18　枝廣 淳子『好循環のまちづくり！』岩波新書
p. 20　橋爪 大三郎『正しい本の読み方』講談社現代新書
p. 22　上田 紀行『生きる意味』岩波新書
p. 24　岡田 英弘『歴史とはなにか』文春新書
p. 26　久松 達央『キレイゴトぬきの農業論』新潮新書
p. 28　吉岡 友治『だまされない〈議論力〉』講談社現代新書
p. 30　原 研哉『デザインのめざめ』河出文庫
p. 32　池田 清彦『やぶにらみ科学論』ちくま新書
p. 34　高城 幸司『やってはいけない！ 職場の作法：コミュニケーション・マナーから考える』ちくま新書
p. 36　橋本 努『学問の技法』ちくま新書
p. 38　伊藤 恭彦『さもしい人間 正義をさがす哲学』新潮新書
p. 40　加藤 重広『言語学講義』ちくま新書
p. 42　白波瀬 佐和子『生き方の不平等 お互いさまの社会に向けて』岩波新書
p. 44　岩本 裕『世論調査とは何だろうか』岩波新書
p. 46　苫野 一徳『愛』講談社現代新書
p. 48　苅谷 剛彦「隠れたカリキュラム」『高校生のための現代思想ベーシック ちくま評論入門 改訂版』筑摩書房
p. 50　鷲田 清一『哲学の使い方』岩波新書
p. 52　中道 正之『サルの子育て ヒトの子育て』角川新書
p. 54　金田一 秀穂『ことばのことばっかし 「先生」と「教師」はどう違うのか？』マガジンハウス
p. 56　道垣内 弘人『リーガルベイシス民法入門』日本経済新聞出版
p. 58　平木 典子『アサーション入門 自分も相手も大切にする自己表現法』講談社現代新書
p. 60　原 研哉『日本のデザイン 美意識がつくる未来』岩波新書

p. 62　　釈 徹宗『宗教は人を救えるのか』角川SSC新書

p. 64　　中島 克治『20歳からの〈現代文〉入門』生活人新書

p. 66　　酒井 崇男『「タレント」の時代 世界で勝ち続ける企業の人材戦略論』講談社現代新書

p. 68　　山本 博文『歴史をつかむ技法』新潮新書

p. 70　　加谷 珪一『新富裕層の研究 日本経済を変える新たな仕組み』祥伝社新書

p. 72　　佐藤 友亮『身体知性 医師が見つけた身体と感情の深いつながり』朝日選書

p. 74　　吉澤 弥生『芸術は社会を変えるか？ 文化生産の社会学からの接近』青弓社

p. 76　　山本 一成『人工知能はどのようにして「名人」を超えたのか？ 最強の将棋AIポナンザの開発者が教える機械学習・深層学習・強化学習の本質』ダイヤモンド社

p. 78　　齋藤 孝『すぐれたリーダーに学ぶ言葉の力』日経ビジネス人文庫

p. 80　　Claudia Hildner, Genuinely German, *Mainichi Weekly*, 2015. 6. 20（原文）
TAC公務員講座（訳文）

p. 86　　Collin Joyce, *"Secrets" of England*, NHK出版（原文）
TAC公務員講座（訳文）

Credit Line

著作権者の方へ

本書に掲載している現代文・英文の問題文について、弊社で調査した結果、著作権者が特定できないなどの理由により、承諾の可否を確認できていない問題があります。お手数をお掛けいたしますが、弊社出版部宛てにご連絡いただけると幸いです。

読者特典 模範答案ダウンロードサービスのご案内

本書には択一試験の問題・解答解説を収めていますが、読者特典として2018～2023年の論文試験の問題と模範答案をダウンロードするサービスをご利用いただけます。

TAC出版書籍販売サイト「CYBER BOOK STORE」からダウンロードできますので、ぜひご利用ください（配信期限：2025年９月末日）。

ご利用の手順

① CYBER BOOK STORE（https://bookstore.tac-school.co.jp/）にアクセス

こちらのQRコードからアクセスできます

② 「書籍連動ダウンロードサービス」の「公務員」から、該当ページをご利用ください

⇒ この際、次のパスワードをご入力ください

202611431

公務員試験
2026年度版
東京消防庁 科目別・テーマ別過去問題集（消防官Ⅰ類）
（2014年度版 2013年4月1日 初版 第1刷発行）
2024年10月20日 初 版 第1刷発行

編 著 者 ＴＡＣ出版編集部
発 行 者 多 田 敏 男
発 行 所 ＴＡＣ株式会社 出版事業部
（ＴＡＣ出版）
〒101-8383
東京都千代田区神田三崎町3-2-18
電話 03（5276）9492（営業）
FAX 03（5276）9674
https://shuppan.tac-school.co.jp
印 刷 株式会社 ワ コ ー
製 本 東京美術紙工協業組合

ISBN 978-4-300-11431-5
N.D.C. 317

公務員講座のご案内

大卒レベルの公務員試験に強い！

2023年度 公務員試験

公務員講座生[※1]
最終合格者延べ人数[※2]

5,857名

国家公務員（大卒程度）	計2,897名
地方公務員（大卒程度）	計2,849名
国立大学法人等 大卒レベル試験	69名
独立行政法人 大卒レベル試験	15名
その他公務員	27名

※1 公務員講座生とは公務員試験対策講座において、目標年度に合格するために必要と考えられる、講義、演習、論文対策、面接対策等をパッケージ化したカリキュラムの受講生です。単科講座や公開模試のみの受講生は含まれておりません。
※2 同一の方が複数の試験種に合格している場合は、それぞれの試験種に最終合格者としてカウントしています。（実合格者数は3,093名です。）
＊2024年1月31日時点で、調査にご協力いただいた方の人数です。

TACの2023年度 合格実績 合格の声 詳しくは➡

2023年度 国家総合職試験

公務員講座生[※1]
最終合格者数 233名

法律区分	42名	経済区分	24名
政治・国際区分	71名	教養区分[※2]	54名
院卒/行政区分	19名	その他区分	23名

※1 公務員講座生とは公務員試験対策講座において、目標年度に合格するために必要と考えられる、講義、演習、論文対策、面接対策等をパッケージ化したカリキュラムの受講生です。単科講座や公開模試のみの受講生は含まれておりません。
※2 上記は2023年度目標の公務員講座最終合格者のほか、2024・2025年度目標公務員講座生の最終合格者54名が含まれています。
＊ 上記は2024年1月31日時点で調査にご協力いただいた方の人数です。

2023年度 外務省専門職試験

最終合格者総数60名のうち
50名がWセミナー講座生[※1]です。

合格者占有率[※2] 83.3%

外交官を目指すなら、実績のWセミナー

※1 Wセミナー講座生とは、公務員試験対策講座において、目標年度に合格するために必要と考えられる、講義、演習、論文対策、面接対策等をパッケージ化したカリキュラムの受講生です。各種オプション講座や公開模試など、単科講座のみの受講生は含まれておりません。また、Wセミナー講座生はそのボリュームから他校の講座生と掛け持ちすることは困難です。
※2 合格者占有率は「Wセミナー講座生（※1）最終合格者数」を、「外務省専門職員採用試験の最終合格者総数」で除して算出しています。
＊ 上記は2023年10月9日時点で調査にご協力いただいた方の人数です。

WセミナーはTACのブランドです

公務員講座のご案内

無料体験入学のご案内

3つの方法でTACの講義が体験できる!

教室で体験　迫力の生講義に出席

予約不要!　最大3回連続出席OK!

1. 校舎と日時を決めて、当日TACの校舎へ

TACでは各校舎で毎月体験入学の日程を設けています。

2. オリエンテーションに参加(体験入学1回目)

初回講義「オリエンテーション」にご参加ください。体験入学ご参加の際に個別にご相談をお受けいたします。

3. 講義に出席(体験入学2・3回目)

引き続き、各科目の講義をご受講いただけます。参加者には体験用テキストをプレゼントいたします。

- 最大3回連続無料体験講義の日程はTACホームページと公務員講座パンフレットでご覧いただけます。
- 体験入学はお申込み予定の校舎に限らず、お好きな校舎でご利用いただけます。
- 4回目の講義前までにご入会手続きをしていただければ、カリキュラム通りに受講することができます。

※地方上級・国家一般職以外の講座では、最大2回連続体験入学を実施しています。また、心理職・福祉職はTAC動画チャンネルで体験講義を配信しています。
※体験入学1回目や2回目の後でもご入会手続きは可能です。「TACで受講しよう!」と思われたお好きなタイミングで、ご入会いただけます。

ビデオで体験　校舎のビデオブースで体験視聴

全国のTAC校舎のビデオブースで、講義を無料でご視聴いただけます。(要予約)

TAC各校のビデオブースでお好きな講義を体験視聴できます。視聴前日までに視聴する校舎受付までお電話にてご予約をお願い致します。

ビデオブース利用時間 ※日曜日は④の時間帯はありません。

① 9:30 ～ 12:30　② 12:30 ～ 15:30
③ 15:30 ～ 18:30　④ 18:30 ～ 21:30

※受講可能な曜日・時間帯は一部校舎により異なります。
※年末年始・夏期休業・その他特別な休業以外は、通常平日・土日祝祭日にご覧いただけます。
※予約時にご希望日とご希望時間帯を合わせてお申込みください。
※基本講義の中からお好きな科目をご視聴いただけます。(視聴できる科目は時期により異なります)
※TAC提携校での体験視聴につきましては、提携校各校へお問合せください。

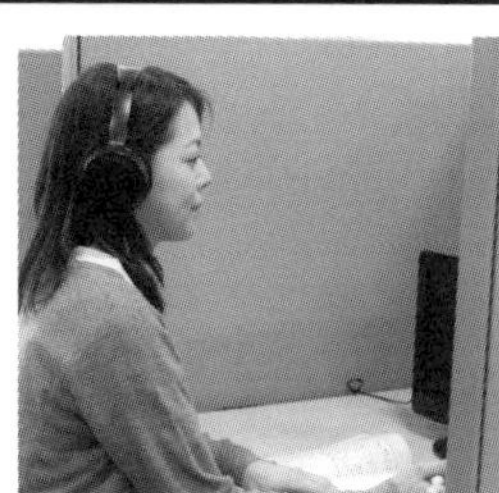

Webで体験　スマートフォン・パソコンで講義を体験視聴

TACホームページの「TAC動画チャンネル」で無料体験講義を配信しています。時期に応じて多彩な講義がご覧いただけます。

TACホームページ　https://www.tac-school.co.jp/

※体験講義は教室講義の一部を抜粋したものになります。

TAC出版 書籍のご案内

TAC出版では、資格の学校TAC各講座の定評ある執筆陣による資格試験の参考書をはじめ、資格取得者の開業法や仕事術、実務書、ビジネス書、一般書などを発行しています！

TAC出版の書籍

＊一部書籍は、早稲田経営出版のブランドにて刊行しております。

資格・検定試験の受験対策書籍

- 日商簿記検定
- 建設業経理士
- 全経簿記上級
- 税　理　士
- 公認会計士
- 社会保険労務士
- 中小企業診断士
- 証券アナリスト
- ファイナンシャルプランナー(FP)
- 証券外務員
- 貸金業務取扱主任者
- 不動産鑑定士
- 宅地建物取引士
- 賃貸不動産経営管理士
- マンション管理士
- 管理業務主任者
- 司法書士
- 行政書士
- 司法試験
- 弁理士
- 公務員試験(大卒程度・高卒者)
- 情報処理試験
- 介護福祉士
- ケアマネジャー
- 電験三種　ほか

実務書・ビジネス書

- 会計実務、税法、税務、経理
- 総務、労務、人事
- ビジネススキル、マナー、就職、自己啓発
- 資格取得者の開業法、仕事術、営業術

一般書・エンタメ書

- ファッション
- エッセイ、レシピ
- スポーツ
- 旅行ガイド（おとな旅プレミアム/旅コン）

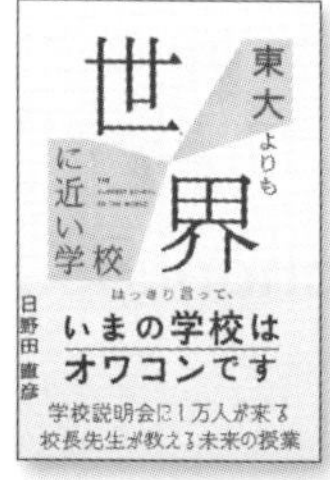

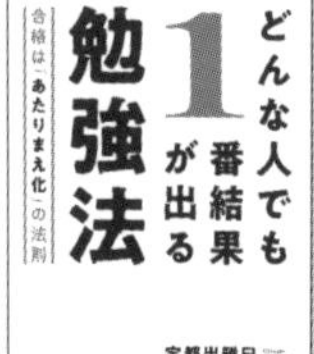

(2024年2月現在)

書籍のご購入は

1 全国の書店、大学生協、ネット書店で

2 TAC各校の書籍コーナーで

資格の学校TACの校舎は全国に展開!
校舎のご確認はホームページにて

資格の学校TAC ホームページ
https://www.tac-school.co.jp

3 TAC出版書籍販売サイトで

24時間
ご注文
受付中

https://bookstore.tac-school.co.jp/

新刊情報を
いち早くチェック!

たっぷり読める
立ち読み機能

学習お役立ちの
特設ページも充実!

TAC出版書籍販売サイト「サイバーブックストア」では、TAC出版および早稲田経営出版から刊行されている、すべての最新書籍をお取り扱いしています。
また、会員登録(無料)をしていただくことで、会員様限定キャンペーンのほか、送料無料サービス、メールマガジン配信サービス、マイページのご利用など、うれしい特典がたくさん受けられます。

サイバーブックストア会員は、特典がいっぱい!(一部抜粋)

通常、1万円(税込)未満のご注文につきましては、送料・手数料として500円(全国一律・税込)頂戴しておりますが、1冊から無料となります。

専用の「マイページ」は、「購入履歴・配送状況の確認」のほか、「ほしいものリスト」や「マイフォルダ」など、便利な機能が満載です。

メールマガジンでは、キャンペーンやおすすめ書籍、新刊情報のほか、「電子ブック版TACNEWS(ダイジェスト版)」をお届けします。

書籍の発売を、販売開始当日にメールにてお知らせします。これなら買い忘れの心配もありません。

公務員試験対策書籍のご案内

TAC出版の公務員試験対策書籍は、独学用、およびスクール学習の副教材として、各商品を取り揃えています。学習の各段階に対応していますので、あなたのステップに応じて、合格に向けてご活用ください!

INPUT

『みんなが欲しかった!
公務員 合格への
はじめの一歩』

A5判フルカラー

- ●本気でやさしい入門書
- ●公務員の"実際"をわかりやすく紹介したオリエンテーション
- ●学習内容がざっくりわかる入門講義

- ・数的処理（数的推理・判断推理・空間把握・資料解釈）
- ・法律科目（憲法・民法・行政法）
- ・経済科目（ミクロ経済学・マクロ経済学）

『みんなが欲しかった!
公務員 教科書&問題集』

A5判

- ●教科書と問題集が合体！でもセパレートできて学習に便利！
- ●「教科書」部分はフルカラー！見やすく、わかりやすく、楽しく学習！

- ・判断推理
- ・数的推理
- ・憲法
- ・民法
- ・行政法

『新・まるごと講義生中継』

A5判
TAC公務員講座講師
郷原 豊茂 ほか

- ●TACのわかりやすい生講義を誌上で!
- ●初学者の科目導入に最適!
- ●豊富な図表で、理解度アップ!

- ・郷原豊茂の憲法
- ・郷原豊茂の民法Ⅰ
- ・郷原豊茂の民法Ⅱ
- ・新谷一郎の行政法

『まるごと講義生中継』

A5判
TAC公務員講座講師
渕元 哲 ほか

- ●TACのわかりやすい生講義を誌上で!
- ●初学者の科目導入に最適!

- ・郷原豊茂の刑法
- ・渕元哲の政治学
- ・渕元哲の行政学
- ・ミクロ経済学
- ・マクロ経済学
- ・関野喬のパターンでわかる数的推理
- ・関野喬のパターンでわかる判断整理
- ・関野喬のパターンでわかる空間把握・資料解釈

要点まとめ

『一般知識
出るとこチェック』

四六判

- ●知識のチェックや直前期の暗記に最適!
- ●豊富な図表とチェックテストでスピード学習!

- ・政治・経済
- ・思想・文学・芸術
- ・日本史・世界史
- ・地理
- ・数学・物理・化学
- ・生物・地学

記述式対策

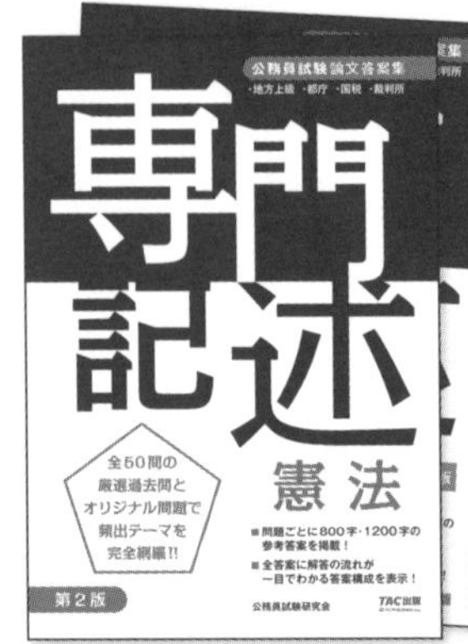

『公務員試験論文答案集
専門記述』

A5判
公務員試験研究会

- ●公務員試験（地方上級ほか）の専門記述を攻略するための問題集
- ●過去問と新作問題で出題が予想されるテーマを完全網羅!

- ・憲法〈第2版〉
- ・行政法

書籍の正誤に関するご確認とお問合せについて

書籍の記載内容に誤りではないかと思われる箇所がございましたら、以下の手順にてご確認とお問合せをしてくださいますよう、お願い申し上げます。

なお、正誤のお問合せ以外の**書籍内容に関する解説および受験指導などは、一切行っておりません。**

そのようなお問合せにつきましては、お答えいたしかねますので、あらかじめご了承ください。

1 「Cyber Book Store」にて正誤表を確認する

TAC出版書籍販売サイト「Cyber Book Store」の
トップページ内「正誤表」コーナーにて、正誤表をご確認ください。

CYBER BOOK STORE TAC出版書籍販売サイト

URL:https://bookstore.tac-school.co.jp/

2 1の正誤表がない、あるいは正誤表に該当箇所の記載がない ⇒ 下記①、②のどちらかの方法で文書にて問合せをする

★ご注意ください★

お電話でのお問合せは、お受けいたしません。

①、②のどちらの方法でも、お問合せの際には、「お名前」とともに、
「対象の書籍名(○級・第○回対策も含む)およびその版数(第○版・○○年度版など)」
「お問合せ該当箇所の頁数と行数」
「誤りと思われる記載」
「正しいとお考えになる記載とその根拠」
を明記してください。
なお、回答までに1週間前後を要する場合もございます。あらかじめご了承ください。

① ウェブページ「Cyber Book Store」内の「お問合せフォーム」より問合せをする

【お問合せフォームアドレス】

https://bookstore.tac-school.co.jp/inquiry/

② メールにより問合せをする

【メール宛先 TAC出版】

syuppan-h@tac-school.co.jp

※土日祝日はお問合せ対応をおこなっておりません。
※正誤のお問合せ対応は、該当書籍の改訂版刊行月末日までといたします。

乱丁・落丁による交換は、該当書籍の改訂版刊行月末日までといたします。なお、書籍の在庫状況等により、お受けできない場合もございます。
また、各種本試験の実施の延期、中止を理由とした本書の返品はお受けいたしません。返金もいたしかねますので、あらかじめご了承くださいますようお願い申し上げます。

(2022年7月現在)